MAN ISBN

LA CIENCIA EN LA ARGENTINA ENTRE SIGLOS

MARCELO MONTSERRAT
(compilador)

Jens Andermann
Miguel de Asúa
Dora Barrancos
Ariel Barrios Medina
Alfonso Buch
Analía E. Busala
Álvaro Fernández Bravo
Silvina Gvirtz
Diego Hurtado de Mendoza
Pablo Kreimer
Maria Margaret Lopes
Cristina Mantegari
Alberto F. Onna
María Laura Piva
Irina Podgorny
Lewis Pyenson
Sandra Sauro
Luis Tognetti
Patricia Vallejos de Llobet

LA CIENCIA EN LA ARGENTINA ENTRE SIGLOS

TEXTOS, CONTEXTOS E INSTITUCIONES

MANANTIAL
Buenos Aires

La publicación de este texto
ha sido posible gracias al apoyo de la
Agencia Nacional de Promoción Científica y Tecnológica

Diseño de tapa: Estudio R

Hecho el depósito que marca la ley 11.723
Impreso en la Argentina

Avda. de Mayo 1365, 6º piso,
(1085) Buenos Aires, Argentina
Tel: 4383-7350 / 4383-6059
info@eManantial.com.ar
www.eManantial.com.ar

ISBN: 987-500-051-5

ÍNDICE

Prefacio 9
Currículos 11

LA CIENCIA EN SUS TEMAS

El papel de los fisiólogos extranjeros en la Argentina de principios de siglo o acerca de la "nacionalidad" del mate amargo. *Alfonso Buch* 19

Las teorías de la relatividad y la filosofía en la Argentina (1915-1925). *Diego Hurtado de Mendoza* 35

Estrategias de visualización y legitimación de los primeros paleontólogos en el Río de la Plata durante la primera mitad del siglo XIX: Francisco Javier Muñiz y Teodoro Miguel Vilardebó. *Alberto F. Onna* 53

El "pinel argentino": Domingo Cabred y la psiquiatría de fines del siglo XIX. *María Laura Piva* 71

La historia natural del conocimiento natural: utilidades de la comparación. *Lewis Pyenson* 87

LA CIENCIA EN SUS DISCURSOS

Entre la topografía y la iconografía: mapas y nación, 1880. *Jens Andermann* 101

Itinerarios científicos femeninos a principios del siglo XX: solas, pero no resignadas. *Dora Barrancos* 127

"Somos misioneros entre gentiles" Una perspectiva misionológica de la ciencia. *Ariel Barrios Medina* 145

Los usos políticos de las ciencias naturales en la escuela: Argentina, 1870-1950. *Silvina Gvirtz* 157

Latinoamericanismo y representación: iconografías de la nacionalidad en las exposiciones universales (París, 1889 y 1900). *Álvaro Fernández Bravo* 171

Ciencia y periferia: una lectura sociológica. *Pablo Kreimer* 187

La sensibilidad evolucionista en la Argentina decimonónica. *Marcelo Montserrat* 203

Texto y contexto en el discurso de las ciencias fácticas de principios de siglo en la Argentina. *Patricia Vallejos de Llobet* 223

LA CIENCIA EN SU DIFUSIÓN

Isis y la historia de la ciencia en la Argentina. *Miguel de Asúa* 241

La revista *Minerva* (1944-1945) La guerra olvidada. *Analía Busala - Diego H. de Mendoza* 259

LA CIENCIA EN SUS INSTITUCIONES

Nobles rivales: estudios comparados entre el Museo Nacional de Río de Janeiro y el Museo Público de Buenos Aires. *Maria Margaret Lopes* 277

Museos y ciencias: algunas cuestiones historiográficas. *Cristina Mantegari* 297

Los gliptodontes en París: las colecciones de mamíferos fósiles pampeanos en los museos europeos del siglo XIX. *Irina Podgorny* 309

El Museo Bernardino Rivadavia, institución fundante de las ciencias naturales en la Argentina del siglo XIX. *Sandra Sauro* 329

La introducción de la investigación científica en Córdoba a fines del siglo XIX: la Academia Nacional de Ciencias y la Facultad de Ciencias Físico-Matemáticas (1868-1878). *Luis Tognetti* 345

PREFACIO

A Mirtha,
esposa y sobreviviente

Este libro es el producto genuino de las Jornadas Internacionales acerca de "La historia de la ciencia en la Argentina entre los siglos XIX y XX", realizadas en el seno del Departamento de Humanidades de la Universidad de San Andrés, durante los días 19, 20 y 21 de mayo de 1999, con el generoso apoyo de la Agencia Nacional de Promoción Científica y Tecnológica, que comprende la edición del volumen y la investigación original del que surgió.

Este breve prefacio no alcanza a revelar la intensidad del trabajo de preparación y el clima de alegría intelectual que presidió el debate de las ideas entre las barrancas variopintas y el río de la corriente zaina.

Deseo manifestar mi sincero agradecimiento –como coordinador académico– al Rector de la Universidad de San Andrés, ingeniero Francisco F. von Wuthenau, quien apoyó decididamente el encuentro, al profesor Eduardo Zimmermann, director del Departamento de Humanidades, al profesor Roberto Cortés Conde y a la profesora Paula Alonso, que acogieron las Jornadas dentro del Programa de Posgrado en Historia. La licenciada Silvia Bosch se esforzó desde el Departamento de Alumnos para asegurar el mejor espacio físico para la reunión.

Una mención especial merecen las profesoras Cristina Mantegari y Sandra Sauro, investigadoras del proyecto y coordinadoras adjuntas del simposio, quienes discutieron el esquema original y aportaron su dedicación y su inteligencia. Como de costumbre, Patricia S. Tubby, coordinadora ejecutiva, hizo de la organización una muestra de refinamiento y soportó estoicamente mis obsesiones.

Conviene decir algunas palabras sobre la razón de ser de estas jornadas. La práctica de la historia de la ciencia en la Argentina pasó por muchas décadas de letargo y falta de comunicación eficaz entre sus cultores. La aparición del Grupo Redes de la Universidad Nacional de Quilmes y de su posterior institucionalización como maestría, y la creación de *Saber y Tiempo*, la revista dirigida por Nicolás Babini, fueron dos señales positivas en la última década.

Mi intención fue doble: apuntar a los especialistas más jóvenes y prometedores, algunos de ellos vinculados a mí a través de la dirección de sus tesis e investigaciones, y, por otra parte, afirmar una neta propuesta multidisciplinaria, en este campo demasiado estragado por la crónica. Es por ello que hay aquí desde historiadores de la ciencia preocupados por los discursos y las instituciones hasta lingüistas, sociólogos y antropólogos, al asedio de otras vertientes de esa actividad múltiple que es la ciencia. Se trata, quizá, de una amable y eterna lid entre Clío y Urania.

No fue fácil armar el tablero, y parece haberse escuchado algún chirrido. En este punto, prefiero seguir a Borges: "El coraje es lo mejor, la esperanza nunca es vana".

En fin, basta decir que el propósito central de estas Jornadas –y de este libro– fue el de reunir un conjunto de propuestas polémicas y sugestivas, y generar un diálogo exento de malos humores y actitudes discriminadoras, hecho infrecuente –por desgracia– en nuestro medio académico. A ello contribuyeron la presencia de Nicolás Babini, Roberto Ferrari y Alberto P. Maiztegui.

El lector juzgará si ese objetivo nodal se ha logrado, a través de las páginas de este volumen publicado gracias a la pericia de mi amigo Martín de Santos. En todo caso, para concluir con Max Weber, creo que "nada tiene valor para el hombre en cuanto hombre si no puede hacerlo con pasión", y eso, por lo menos, se ha intentado.

MARCELO MONTSERRAT
Profesor plenario fundador
Universidad de San Andrés
Victoria, 15 de Febrero de 2000

CURRÍCULOS

JENS ANDERMANN nació en Saarbrücken, Alemania. Realizó estudios de maestría y doctorado en la Universidad Libre de Berlín, donde su tesis "Letras confines: perspectivas para una arqueología literaria del espacio argentino" recibió la calificación *summa cum laude*. Actualmente es catedrático adjunto de la Universidad de Bielefeld, Alemania y coordinador de investigación del proyecto "Relics and selves" en el Centre for Latin American Cultural Studies, King's College, Londres. Su libro *Mapas de poder* ha sido publicado recientemente por la editorial Beatriz Viterbo, de Rosario, Argentina.

MIGUEL DE ASÚA es doctor en medicina de la Universidad de Buenos Aires, licenciado en teología de la Universidad Católica Argentina y M.A. en historia y filosofía de la ciencia y Ph.D. en historia de la ciencia de la Universidad de Notre Dame, en los Estados Unidos. Es miembro de la carrera de investigador del Conicet, profesor titular de historia de la ciencia y de la medicina en la Universidad Nacional de General San Martín, donde dirige el doctorado en historia y fundamentos de la ciencia. Es autor de los libros *El árbol de la ciencia (Una historia del pensamiento científico)*, Buenos Aires, Fondo de Cultura Económica, 1996, y compilador de *La ciencia en la Argentina. Perspectivas históricas*, Buenos Aires, CEAL, 1993.

DORA BARRANCOS es socióloga por la Universidad de Buenos Aires y doctora en ciencias humanas, en el área de historia, por el Instituto de Filosofía y Ciencias Humanas de UNICAMP, Brasil. Es profesora titular de historia social latinoamericana en la Facultad de Ciencias Sociales de la UBA y coordinadora de la maestría sobre estudios sociales y culturales de la Universidad Nacional de La Pampa. Entre sus publicaciones pueden citarse los libros *La escena iluminada. Ciencia para trabajadores (1890-1930)*, Buenos Aires, Plus Ultra, 1996 y *Cultura, educación y trabajadores (1890-1930)*, 1992.

ARIEL BARRIOS MEDINA es profesor de filosofía egresado de la Facultad de Humanidades de la Universidad Nacional de La Plata y doctor de la Universidad de Buenos Aires, en la especialidad de historia de la filosofía. Integra el Centro de Divulgación Científica en la Facultad de Farmacia y Bioquímica de la UBA. Ha publicado *Bernardo Alberto Houssay. Primer Premio Nobel Científico Argentino*, CD-ROM Hipermedial, Buenos Aires, 1997, y colabora en la *Nueva Historia de la Nación Argentina*, patrocinada por la Academia Nacional de la Historia.

ALFONSO BUCH es licenciado en sociología por la Universidad de Buenos Aires y candidato a doctor en la Universidad Autónoma de Madrid. Actualmente se desempeña como docente e investigador con dedicación exclusiva en la Universidad Nacional de Quilmes y como secretario editorial de la revista *Redes*. Estudia la historia de la fisiología experimental argentina y ha publicado numerosos artículos entre los cuales se cuentan "Institución y ruptura: la elección de Bernardo Houssay en la cátedra de Fisiología de la Universidad de Buenos Aires" y "La invención de Soler", ambos en *Redes*, 1994 y 1995, respectivamente.

ANALÍA E. BUSALA es profesora de historia egresada de la Escuela Universitaria del Profesorado de la Universidad Nacional del Litoral. Actualmente es jefa de trabajos prácticos en la carrera docente del Departamento de Humanidades Médicas –Instituto y Cátedra de Historia de la Medicina– de la Facultad de Medicina de la Universidad de Buenos Aires. Ha sido becaria del Conicet.

ALVARO FERNÁNDEZ BRAVO es graduado en letras por la Universidad de Buenos Aires y realizó su doctorado en la Universidad de Princeton. Se especializa en literatura latinoamericana del siglo XIX y trabaja actualmente en un proyecto de investigación posdoctoral sobre la formación de patrimonios culturales en América latina, que abarca antologías, museos y exposiciones. Es profesor del Departamento de Humanidades de la Universidad de San Andrés y ha publicado recientemente el volumen *Literatura y frontera: procesos de territorialización en las culturas argentina y chilena del siglo XIX*, Buenos Aires, Ed. Sudamericana/Universidad de San Andrés, 1999.

SILVINA GVIRTZ es doctora en Educación por la Universidad de Buenos Aires. Actualmente es directora de la Escuela de Educación de la Universidad de San Andrés y coordinadora general de la revista *Propuesta Educativa* de la Facultad Latinoamericana de Ciencias Sociales. Tiene numerosos artículos publicados en revistas especializadas y cinco libros; el más reciente es: *El discurso escolar a través de los cuadernos de clase: Argentina 1930-1970*, Buenos Aires, Eudeba, 1999.

DIEGO HURTADO DE MENDOZA es doctor en física egresado de la Facultad de Ciencias Exactas y Naturales de la Universidad de Buenos Aires. Actualmente se desempeña como profesor adjunto en la licenciatura en enseñanza de las ciencias en la Universidad Nacional de General San Martín. Entre sus publicaciones se cuentan "Teorías del calor entre 1750 y 1820", aparecido en *Educación en Ciencias*, 1999, y "Einstein y la *Revista de Filosofía (1923-1928)*", en *Saber y Tiempo*, 1999. En el ámbito del periodismo científico ha publicado notas en *Ciencia hoy*, *La Nación* y *Science*.

PABLO KREIMER es doctor en Science, Technologie et Societé del Centre Science, Technologie et Societé del Conservatoire Nacional de Arts et Métiers, en París. Actualmente es director de la maestría en Ciencia, Tecnología y Sociedad de la Universidad Nacional de Quilmes y profesor e investigador de esta misma institución y del Conicet. Es miembro del comité editorial de la revista *Redes*. Sus últimos libros son: *De probetas, computadoras y ratones: la construcción de una mirada sociológica sobre la ciencia*, Quilmes, Universidad Nacional de Quilmes, 1999, y *L'universel et le contexte dans la recherche scientifique*, Lille, Presses Universitaires de Septentrion, 1999.

MARIA MARGARET LOPES es doctora en historia por la Universidad de San Pablo, Brasil. Realizó estudios posdoctorales en la Universidad de Luisiana-Lafayette, en los Estados Unidos y fue becaria de la Fundación Rockefeller y del Museo Etnográfico de Buenos Aires. Es profesora del Instituto de Geociencias de la Universidad Estadual de Campinas, Brasil, y autora de numerosos artículos sobre historia de la ciencia, de la paleontología y de los museos en Brasil y América latina. Se destaca su libro *O Brasil descobre a pesquisa científica: os museos e as ciencias naturais no século XIX*, San Pablo, HUCITEC, 1997.

CRISTINA MANTEGARI es licenciada en historia por la Universidad Nacional de Luján. Actualmente es profesora de la asignatura historia social de la ciencia y la tecnología, en la maestría en Ciencia, Tecnología y Sociedad de la Universidad Nacional de Quilmes. Entre sus publicaciones pueden citarse

"Oscar Varsavsky y su marco histórico" en el libro de M. Albornoz, P. Kreimer y E. Glavich (comps.), *Ciencia y sociedad en América latina*, Quilmes, Universidad Nacional de Quilmes, 1996, y "El discurso sobre las ciencia y las artes, y el lugar de las ciencias en el pensamiento de J. J. Rousseau", en la revista *Saber y Tiempo*, 1996.

MARCELO MONTSERRAT egresó de la Facultad de Derecho y Ciencias Sociales de la UBA con diploma de honor, para dedicarse a los estudios de temas de historia contemporánea y de historia social de la ciencia en la Argentina. Actualmente es profesor plenario fundador de la Universidad de San Andrés, en su doctorado en historia y en su licenciatura en ciencia política, y miembro del Consejo Superior; es profesor de la Universidad Nacional de Quilmes, en la cátedra de historia social de la ciencia y miembro de su Consejo Directivo. Entre sus libros, pueden mencionarse *La experiencia conservadora*, Buenos Aires, Sudamericana, 1992; *Ciencia, historia y sociedad en la Argentina del siglo XIX*, Buenos Aires, CEAL, 1993, y *Usos de la memoria (Razón, ideología e imaginación histórica)*, Buenos Aires, Sudamericana/Universidad de San Andrés, 1996.

ALBERTO F. ONNA es licenciado en ciencias biológicas de la Facultad de Ciencias Exactas y Naturales de la Universidad de Buenos Aires. En la actualidad, es profesor regular adjunto de historia social de la ciencia y de la técnica en el Departamento de Historia de la Facultad de Filosofía y Letras de la UBA. Entre sus publicaciones, pueden contarse "Generación de la vida" y "El origen de las especies" en E. H. Flichman y otros (comps.), *Las raíces y los frutos*, Buenos Aires, Eudeba, 1998, y en colaboración, *Biotecnología*, Buenos Aires, Prociencia-Conicet, 1997.

MARÍA LAURA PIVA es licenciada en historia por la Universidad Nacional de Luján, con una tesis sobre la modernización académica en la Facultad de Ciencias Exactas de la UBA (1958-1966), en la que analizó el debate acerca de la articulación entre docencia e investigación. Actualmente estudia las ideas psiquiátricas en el siglo XIX, como se advierte en sus trabajos "El asilo rural como utopía terapéutica", *Saber y Tiempo*, 1996, y "El trabajo de los alienados en la fundación del Open Door argentina: las ideas terapéuticas de Domingo Cabred", FEPAI, 1998.

IRINA PODGORNY es doctora en ciencias naturales de la Universidad Nacional de La Plata (1994) e investigadora del Conicet en el Departamento de Arqueología del Museo de La Plata. Entre sus publicaciones se cuentan *El argentino despertar de las faunas y de las gentes prehistóricas* (Buenos Aires,

Eudeba, 1999), *Arqueología de la educación. Textos, indicios, monumentos* (Buenos Aires, Sociedad Argentina de Antropología, 1999) y "De la santidad laica del científico: Florentino Ameghino y el espectáculo de la ciencia en la Argentina moderna" (*Entrepasados, Revista de Historia*, 13, 1997).

LEWIS PYENSON recibió su Ph.D. en la Universidad Johns Hopkins y fue profesor titular en la Universidad de Montreal, entre 1973 y 1995. Actualmente es profesor titular de historia y decano de la Escuela de Graduados de la Universidad de Luisiana, en Lafayette, la llamada *Université des Acadiens*. Es autor de una trilogía acerca de la ciencia y el imperialismo: *Civilizing Mission: Exact Sciences and French Overseas Expansion (1830-1940)*; *Empire of Reason: Exact Sciences in Indonesia (1840-1940)*, y *Cultural Imperialism and Exact Siences: German Expansion Overseas (1900-1930)*. Ha escrito también *The young Einstein: the advent of relativity*, traducido al español, y junto con Susan Sheets-Pyenson, *Servants of Nature (A history of scientific institutions, enterprises and sensibilities)*, editado en 1999. Lewis Pyenson es miembro de la Royal Society of Canada.

SANDRA SAURO es profesora de historia egresada de la Facultad de Filosofía y Letras de la UBA, y candidata al doctorado en esa institución. Es miembro del Instituto de Investigaciones Históricas Dr. Emilio Ravignani, docente de la Escuela de Capacitación de la Ciudad de Buenos Aires y profesora en la cátedra de historia social de la ciencia y de la técnica de la Facultad de Filosofía y Letras de la UBA. Sus publicaciones abordan temas de historia de la ciencia en la Argentina, y de la enseñanza de la historia en el nivel primario y secundario.

LUIS TOGNETTI es licenciado en historia egresado de la Facultad de Filosofía y Humanidades de la Universidad Nacional de Córdoba. Es profesor adjunto de historia contemporánea en la Escuela de Historia de la misma casa y becario de la Academia Nacional de Ciencias en Córdoba, donde investiga en el área del origen del desarrollo científico en ese ámbito.

PATRICIA VALLEJOS DE LLOBET es doctora en letras egresada de la Universidad Nacional del Sur e investigadora del Conicet. Entre sus numerosas publicaciones en el área de la lingüística histórica, se cuentan *El léxico intelectual en el español bonaerense de principios de siglo XIX*, Bahía Blanca, Universidad Nacional del Sur, 1980, "El vocabulario científico en la prensa iluminista porteña (1800-1825), en *Cuadernos Americanos*, UNAM, 1993, y "Transferencia conceptual y discurso científico. Un caso en las ciencias sociales de principios de siglo", en *Saber y Tiempo*, 1998.

LA CIENCIA EN SUS TEMAS

Alfonso Buch
Diego Hurtado de Mendoza
Alberto F. Onna
María Laura Piva
Lewis Pyenson

EL PAPEL DE LOS FISIÓLOGOS EXTRANJEROS EN LA ARGENTINA DE PRINCIPIOS DE SIGLO O ACERCA DE LA "NACIONALIDAD" DEL MATE AMARGO*

ALFONSO BUCH

I. INTRODUCCIÓN

En 1908 el profesor de fisiología contratado por la Facultad de Agronomía y Veterinaria de la Universidad de Buenos Aires, el francés Jules Lesage, dictó una conferencia pública sobre los efectos del mate en los organismos:

> Mis primeras palabras serán para agradecer al Centro de Estudiantes de Agronomía y Veterinaria la agradable tarea que me ha impuesto al pedirme hiciera una conferencia sobre un tema que fuera de mi agrado. He elegido "el mate" y es su accion fisiológica sobre el organismo que tendré el honor de entreteneros hoy. No pertenece por cierto á un extranjero deciros qué es el mate. Se puede ser "criollo" como el "mate amargo" pero no se es "criollo" por el hecho de haber tomado "mate amargo". Conoceis todos mejor que yo, el mate, su preparación y la manera como se toma [...]. La cuestión es nueva. Existen numerosos trabajos de química sobre la Yerba Mate [...]. La literatura fisiológica y médicas es, al contrario, extremadamente pobre [sic].[1]

La introducción de Lesage no constituía sólo una expresión de ingenio. Era un esfuerzo por ganarse la simpatía del público, a través de un sutil

* Este trabajo constituye un fragmento de la Tesis de Doctorado "La construcción de una posición científica: la fisiología argentina 1900-1943", que será defendida en la Universidad Autónoma de Madrid.

equilibrio en los poderes simbólicos. La proverbial hospitalidad del gaucho pampeano se expresaba en el gesto abierto del mate ofrecido al extranjero (él mismo). A su vez el extraño, el extranjero, podía tomar ese mate amargo sin saber cómo prepararlo ni convertirse por eso en un criollo. Pero a cambio, como visitante (y ya no como rival), podía enseñar algo nuevo que vinculaba a su público con la discursividad universal de la ciencia. De tal modo, el carácter situado de esta particular costumbre argentina, entraba en relación con el carácter ubicuo de la discursividad científica que lo constituía como objeto.

Podría tomarse esta conferencia como una suerte de utopía sobre la transmisión internacional de la ciencia. El sabio arribaba a un país sin tradición científica reconocida y enseñaba su saber ocupándose de asuntos de indudable interés para su nuevo público. No podía ser sospechado de interés político alguno ni de expansión indebida de una cultura extraña. El discurso expresaría, de tal modo, el grado cero de la política.

Sin embargo, la triple aclaración de su carácter de extranjero no autorizado para hablar de los aspectos prácticos del asunto, el establecimiento de tres jurisdicciones diferenciadas (el mate como costumbre criolla, como objeto de los químicos y como objeto de los fisiólogos), señalaba con insistencia el esfuerzo por evitar la aparición de un eventual conflicto. Y el esfuerzo por evitarlo indicaba, por ello mismo, su existencia latente y la posibilidad de que fuera actualizado por alguno de los miembros del auditorio.[2] Al identificar de manera reiterada el "mate amargo" con lo criollo, al insistir en la autoridad de su público, utilizaba el juego de palabras para reafirmar su propia autoridad y prerrogativa en lo concerniente a los efectos fisiológicos de la yerba mate. Indicaba con ello la preexistencia de una tensión política entre las particularidades nacionales, así como las esperanzas positivistas cifradas en la capacidad de la ciencia para resolverlas. Es que en verdad el lugar sobre el cual estaba apoyado expresaba la existencia de un conflicto muy real que la historia de la fisiología argentina no dejaría de expresar.

Jules Lesage fue uno de los seis fisiólogos extranjeros que fueron contratados en la Argentina en el primer tercio de siglo. Realizaremos en este trabajo una evaluación preliminar de la herencia de algunos de estos investigadores en el proceso de institucionalización de la fisiología experimental en la Argentina. Dicha evaluación posee cierto interés para el estudio de los mecanismos o "vectores" de difusión de la ciencia en el siglo XX en América latina: fue precisamente en este país y en esta disciplina que se produjo uno de los más notables casos de "éxito científico" en toda la región dentro de este período.[3] Su culminación consagrada fue el otorgamiento del Premio Nobel de Fisiología a Bernardo Houssay en 1947. En términos más generales, se trató de la conformación de una posición de extraordinaria magnitud y relevancia dentro del panorama de la ciencia mundial.[4]

En este trabajo analizaremos exclusivamente a cuatro investigadores extranjeros que dirigieron laboratorios en las primeras dos décadas del siglo. Ello se debe a que éstos fueron los únicos que estuvieron en condiciones materiales de sentar las bases de ese proceso: hacia 1920 ya estaba definido en sus aspectos esenciales.[5]

II. FACULTADES DE MEDICINA

Valentín de Grandis fue el primer fisiólogo extranjero contratado por una universidad argentina. Nacido en 1862, la formación de de Grandis había sido inmejorable: luego de ser asistente en Turín de Angelo Mosso, una de las grandes figuras de la fisiología italiana, había trabajado entre 1890 y 1892 junto con Ludwig en Leipzig, para encontrar luego un lugar de trabajo en Roma junto a Luigi Luciani, la otra gran figura de la fisiología de comienzos de siglo en ese país. Fue contratado en 1899 por la Facultad de Medicina de la Universidad de Buenos Aires gracias a la recomendación de Luciani y por las gestiones del Ministro Plenipotenciario de la Argentina en Roma.[6]

En Buenos Aires, de Grandis condujo el establecimiento efectivo de la enseñanza práctica de la fisiología iniciada de manera "insegura" tres años antes por argentinos y realizó diversas investigaciones solo o con algunos escasos colaboradores.[7] En 1903 fue exonerado por la Facultad con argumentos de carácter presupuestario, si bien todo indica que ello fue una excusa. Al parecer el motivo real radicó en que Horacio Piñero, "consejero áulico de todos los decanos" y titular de la cátedra de fisiología entre 1904 y 1919, no deseaba contar en el Laboratorio con alguien que poseía una indiscutible autoridad científica superior a la suya y con quien había sido, en cierto modo, su maestro.[8] Piñero fomentaría a lo largo de esos años, en el Laboratorio de Fisiología de la Facultad de Medicina de la Universidad de Buenos Aires, un programa de reproducción experimental sistemático en torno a lo que puede ser denominado una "metafísica" de las secreciones. Este programa tendría enormes consecuencias posteriores.[9]

Valentin de Grandis, por su parte, no regresó a Italia de inmediato. Fue contratado por la Universidad Nacional de Córdoba y permaneció allí por dos años, donde dirigió el establecimiento del Laboratorio de Fisiología en esa Universidad.[10] Un concurso por la cátedra de fisiología de la Universidad de Padua hizo que dejara el país en 1906, para no volver. Llegó a ser Director del Instituto de Fisiología de Génova, donde murió en 1929.[11] En su reemplazo, a partir de 1907, fue contratado en Córdoba otro italiano que permaneció en la Argentina por más de una década: Virgilio Ducceschi.[12]

Nacido en un pueblo del Piamonte en 1871, luego de estudiar medicina en Florencia, trabajó entre 1895 y 1900 junto con G. Fano, uno de los discípulos italianos de Ludwig. Entre 1895 y 1900 estudió un conjunto de fenómenos relacionados con el funcionamiento de los nervios y se interesó por cuestiones vinculadas a la química fisiológica. Por entonces realizó diversas estancias en la Universidad alemana de Strasburgo, en el Instituto de Bioquímica y bajo la dirección de F. Hofmeister, el sucesor de Hoppe-Seyler.[13]

Ducceschi se estableció a partir de 1900 en el Instituto de Fisiología de Roma dirigido por Luciani y siguió trabajando sobre diversos temas, algunos de ellos vinculados estrechamente a la bioquímica. Nombrado titular de fisiología en Palermo en 1905, dos años después aceptó la invitación del Ministro Plenipotenciario de la Argentina en Italia para ocupar la cátedra de la Universidad Nacional de Córdoba. Las poco homogéneas condiciones de los laboratorios italianos debieron probablemente facilitar la decisión de una persona recomendada por Luciani y que poseía una de las mejores formaciones que podía entonces ofrecer el contexto europeo.[14]

Ducceschi, al igual que Piñero y muchos fisiólogos de la época, poseía intereses activos en la psicología y dictó también en Córdoba, al menos por un tiempo, una cátedra de psicología experimental.[15] Su presencia fue muy apreciada en la Universidad y se le renovó el contrato en varias oportunidades, hasta completar un ciclo de doce años desde su arribo hasta su regreso a Italia a finales de 1918.[16]

A lo largo de su estancia en la Argentina los vínculos de Ducceschi con la península itálica no se interrumpieron. El modo en que esas relaciones se mantuvieron (con una estrategia que fue la misma que la desarrollada por de Grandis), fueron los frecuentes viajes así como la realización de investigaciones que publicaba tanto en la Argentina como en revistas italianas de fisiología. De hecho las investigaciones realizadas por Ducceschi fueron numerosas, constituyendo elementos decisivos para que los doce años transcurridos en la Argentina no derivaran en un aislamiento y en una pérdida de competencia frente a sus pares italianos. En ese lapso publicó tres tomos de trabajos en castellano con catorce artículos firmados por él en 1908, 1910 y 1915. La mayor parte de esos trabajos, fueron publicados también en revistas italianas.[17] No muchos cordobeses se interesaron por aprender fisiología experimental junto a él. Ducceschi contó sólo con dos colaboradores de cierta importancia. Uno sólo de todos ellos, David Barilari, manifestó un interés más permanente por la fisiología.[18]

Los temas que investigó Ducceschi a lo largo de su estancia, tratados en artículos muy densos, abarcaron cuestiones que iban desde la diabetes y la sangre hasta asuntos referidos a la fisiología de los sentidos, en un marsupial propio de la pampa, la comadreja. Igualmente realizó un extenso trabajo sobre la fisiología de los mamíferos situados a grandes alturas.[19]

La motivación de Ducceschi para tratar este último tema son claras. La fisiología de altura ganó importancia desde las últimas décadas del siglo XIX en Europa a partir de los trabajos iniciales de Paul Bert.[20] Italia fue uno de los países en los cuales el tema adquirió mayor relevancia. A finales de siglo Angelo Mosso había hecho construir dos laboratorios en las alturas del Monte Rosa en los Alpes donde se realizaron a lo largo de esos años buena parte de las investigaciones experimentales sobre el tema en Europa.[21]

Ducceschi realizó un periplo científico y vacacional por las regiones noroccidentales de la Argentina alrededor de 1909. El trabajo intentó establecer (y descartó), entre otras cosas, si la ausencia de relación directa entre el fenómeno del apunamiento y la altura se debía a las variaciones en la carga eléctrica del ambiente. También describió la "puna de bajada", producida por un descenso rápido desde las alturas, al parecer por primera vez en el contexto de la discursividad científica.[22]

El italiano expresó también en la extensa monografía sus intereses antropológicos y naturalistas. Resulta interesante comprobar que la bibliografía incluía desde trabajos estríctamente disciplinarios hasta relatos de viajeros como los incluidos en la *Historia de San Martín* del ex presidente de la República Bartolomé Mitre. Ducceschi destacaba así que

> los Andes fueron, hasta los últimos cuarenta años la principal escuela para los estudiosos del mal de montaña; aquí alcanzó el hombre las mayores alturas hasta hace pocos años y de aquí salieron las primeras descripciones emocionantes de los intensos sufrimientos á los cuales está sujeto el hombre que quiere conquistar las altas cumbres de la tierra.[23]

Es que incluso sugería,

> otros capítulos se podrían añadir [sobre el mal de montaña], y no menos interesantes, si se continuaran en las cumbres de los Andes los estudios tan interesantes, y ya adelantados en Europa, sobre las profundas modificaciones que el clima de la montaña determina en el organismo humano; los Andes tienen grandes ventajas en esto sobre los Alpes, permitiendo al hombre de subir muy arriba sin agotarse con las fatigas de la ascensión á pié, ofreciendo á igualdad de altitud una temperatura mucho más benigna y poseyendo centros numerosos de población a grandes alturas.[24]

Ducceschi no se interesó sin embargo por la gente que habitualmente vivía en estas "alturas". En lo que pareciera ser una alegoría a las "montañas" del saber, el italiano terminaba el trabajo sosteniendo que

> no sabemos todavía con seguridad porque mecanismo una frecuente necesidad y una de las mayores satisfacciones del hombre, la de alcanzar las grandes cumbres, se acompaña de sufrimientos tan grande, no debemos por esto ser escépticos respecto al valor de nuestras investigaciones. Lo que tiene valor es el aumento del patrimonio de los hechos, la conquista de verdades tangibles; en lo que se refiere á las teorías no podemos más que repetir las palabras de Duclaux, de un significado tan profundo: "La science s'avance parce qu'elle n'est sûre de rien".[25]

III. FACULTADES DE AGRONOMÍA Y VETERINARIA

Hemos mencionado ya al único fisiólogo francés que dictó cátedra en la Argentina. Formado en la célebre Escuela Veterinaria de Alfort, estableció y dirigió por dos años el Laboratorio de Fisiología de la Facultad de Agronomía y Veterinaria de la Universidad de Buenos Aires. Realizó un par de investigaciones, entre las cuales se encuentra la referida a los efectos fisiológicos de la yerba mate y contó como ayudante a Leopoldo Giusti.[26] En 1910, de manera imprevista, renunció a la cátedra y fue reemplazado por un joven estudiante de medicina que había estudiado fisiología con Horacio Piñero: Bernardo Houssay.[27]

Sabemos pocas cosas acerca de Mario Camis, además de su nacionalidad italiana. Algunos indicios sugieren que su formación inicial fue en Italia y que luego realizó estudios en Oxford junto a Barcroft.[28] Sabemos también que, en 1910, se presentó al concurso internacional abierto por la cáteda de Agronomía y Veterinaria de la Universidad de Buenos Aires y que en 1912 las autoridades decidieron privilegiar, contra cualquier criterio basado en antecedentes, al joven estudiante de medicina que dictaba la cátedra desde 1910 y que por entonces ya se había graduado.[29]

En 1915 Camis se encontraba dictando clases en la Facultad de Agronomía y Veterinaria de la Universidad Nacional de La Plata. Ese año publicó en Italia y en la Argentina un largo informe en el que señalaba la imposibilidad de "curarizar" la "rana argentina", el *Leptodactyllus Ocellatus*. Es decir, la imposibilidad de lograr que, inyectando este veneno utilizado por los indios del Amazonas y extensamente estudiado por los fisiólogos desde Claude Bernard en adelante, se paralizaran los músculos pero se conservara al mismo tiempo la excitabilidad independiente de los músculos y los nervios.[30]

Por otra parte Camis indicaba su imposibilidad de hallar una llamada sustancia ß en el "complejo neuromuscular" de esta rana. De ello sacaba una conclusión teórica importante: una elegante confirmación de una teoría sobre la acción del curare del fisiólogo inglés Keith Lucas. Éste sostenía que el lugar de acción paralizante del curare en la unión neuromuscular, en donde se unían el músculo y el nervio, era esa llamada sustancia ß. De tal modo, al no lograr curarizar ni hallar dicha sustancia en la "rana argentina", Camis podía explicar la imposibilidad de curarizar este animal precisamente por la ausencia de dicha sustancia en esta especie.

Houssay y uno de sus discípulos transformaron sin embargo esas conclusiones en nada al afirmar que la rana "argentina" se curarizaba, sólo que para ello se requerían dosis de curare más altas y más puras que las habituales. Al mismo tiempo la investigación les permitió cuestionar una reciente tesis del reputado fisiólogo francés Louis Lapicque, quien sostenía que existía una relación entre las dosis del veneno necesarias para curarizar un animal y un fenómeno denominado *cronaxia*.[31] Dado que la relación entre la dosis necesaria para curarizar este tipo de ranas y su cronaxia constituían una excepción a esta regla, la tesis de Lapicque debía ser rechazada.[32] Tiempo después demostraron la presencia de la sustancia en estas ranas.

El debate sobre el curare fue extenso debido a los diversos aspectos que tuvo. Se desarrolló en las páginas de los prestigiosos *Comptes Rendus de la Société de Biologie de París*,[33] en los *Treballs de la Societat Catalana de Biologia*,[34] en el *Journal de Phisiologie et Pathologie Generale*[35] y en la *Semana Médica Argentina*.[36] Un importante número de investigadores se vio implicado en la polémica, produciendo llamativas y significativas distribuciones y alianzas nacionales e internacionales.[37]

En uno de los artículos de la polémica, Houssay señaló con ironía punzante,

> Hace ya algunos lustros que se curarizan ranas en el país por fisiólogos argentinos y extranjeros. Cuando era estudiante aprendí á hacerlo con los profesores Piñero y Señorans [...], y cuando fui profesor lo enseñé con éxito como experimento primero y elemental de Fisiología.

La curarización de la rana argentina, sostenía Houssay, era un hecho "notorio" que

> juzgaríamos innecesario discutirlo si no fuera que mi distinguido colega, Dr. Mario Camis, es un fisiólogo reputado y es el titular de Fisiología de la Facultad de Veterinaria de La Plata. Su indiscutible autoridad hubiera influido en propagar el error en el país y en el extranjero. Deseo sincerar un estigma de inexactitud que hubieran merecido, á ser cierto lo que afirma el profesor Camis, á todos

los trabajos argentinos y los programas y demostraciones prácticas en que consta que se efectuó la curarización de *L. ocellatus*.[38]

La crítica en realidad no estaba dirigida exclusivamente a Camis. Su error, según Houssay, era comprensible dada la dificultad en curarizar la, según él mal llamada, "rana argentina", y la coincidencia de que el italiano hubiera utilizado malos curares. Pero le reprochaba que si bien comprendía que él se hubiese equivocado, le señalaba que ello "no le hubiese sucedido si hubiese consultado previamente á cualquier profesor argentino, cosa que debió hacer, á mi juicio, en homenaje á que todos afirmaban que la curarización es posible".[39] La interpretación y reconstrucción técnica de los motivos que habían llevado a Camis a equivocarse diminuía en alguna medida su error. Pero al mismo tiempo lo desplazaba.

Mario Camis había consultado a un profesor de fisiología argentino y Houssay lo sabía. Ese profesor había sido Frank L. Soler, discípulo de Horacio Piñero y jefe de trabajos prácticos del Laboratorio de Fisiología de la Facultad de Medicina de la Universidad de Buenos Aires. En abril de 1915 le había enviado una carta a Camis en la que le informaba:

> Tengo alguna experiencia en el manejo de curare que he usado con singular éxito en perros y con ninguno en las ranas durante años enteros. Siempre atribuí el fracaso a[l] mal producto y a [la] pasmosa lentitud de absorción del saco dorsal [...].[40]

La carta había sido obtenida por el ayudante de Mario Camis en La Plata, el argentino Guido Paccella, y fue publicada algunos años más tarde.

Si bien sabemos muy poco de la trayectoria de Camis en la Argentina, a comienzos de la década del 20 había dejado de ser profesor en La Plata y estaba de nuevo en Italia. Es poco probable que ello se debiera a la polémica de manera directa. Pero algunas de las palabras cruzadas en la discusión pudieron contribuir a que los fisiólogos extranjeros, en algunos ambientes, comenzaran a ser mirados con menos respeto: Camis no fue reemplazado por otro extranjero sino por un argentino, Guido Pacella.[41]

IV. ELEMENTOS PARA UN ANÁLISIS

Lewis Pyenson ha estudiado el modo en que las ciencias exactas en la Argentina se constituyeron a principios de siglo en un terreno caracterizado por una serie de rivalidades interimperiales entre Alemania y Estados Unidos.[42] Esta lógica, sin embargo, parece haber tenido poco que ver con lo que ocurrió en la fisiología. Resulta sorprendente por ejemplo que, a pesar de la importante presencia alemana en el universo científico argentino, a pesar de la incontrastable reputación germana en la fisiología mundial, y a pesar de la probable disponibilidad de jóvenes fisiólogos alemanes dispuestos a trabajar en la Argentina bajo condiciones que no podían por entonces obtener en su país, no se contrató prácticamente a ningún fisiólogo de esta nacionalidad.[43] De los seis fisiólogos contratados en el primer tercio de siglo por las universidades para dirigir laboratorios de fisiología, cuatro fueron italianos. Hemos mencionado a tres de ellos.

Aparentemente Italia no era a principios de siglo un centro de actividad disciplinaria que tuviera una fama comparable a los países septentrionales como Francia, Alemania o por entonces, crecientemente, Gran Bretaña.[44] La contratación de fisiólogos italianos en la Argentina pareciera haber obedecido, de tal modo, al tipo de vínculos que se habían creado con el país de origen de la principal corriente inmigratoria. De hecho, en este período, un considerable número de médicos y graduados en facultades de ciencia italianos arribaron a las costas argentinas. Muchos de ellos ocuparon cargos en instituciones educativas y sanitarias.[45] La Argentina era América, un destino buscado también por sectores sociales con formación universitaria.[46] La península itálica se constituyó de tal modo en un lugar de reclutamiento natural cuando se buscaban profesionales formados en la medicina de laboratorio. Es posible que en ello desempeñara un papel las políticas de expansión cultural italianas del período; sin embargo no conocemos ninguna evidencia acerca de ello.

Es posible reconocer, por otra parte, un cierto patrón repetido entre estos fisiólogos. Todos ellos poseían antecedentes incuestionables, fueron los primeros que realizaron con cierta sistematicidad actividades de investigación sobre temas de fisiología experimental en la Argentina. Para ello contaron con arreglos institucionales que les ofrecían, y probablemente les exigían, dedicación plena a la docencia. Es difícil creer en cambio que sus actividades de investigación fueran resultado de una exigencia propiamente institucional. La existencia de material y tiempo, haría de estos investigadores (así como de sus colegas alemanes y norteamericanos en el terreno de las ciencias exactas), científicos "in partibus infidelium".[47]

Su actividad, tomada en conjunto, especialmente interesada por el estudio de las particularidades locales, no fue poca. Sin embargo los efectos de su presencia en lo que hace a la institucionalización de prácticas de investigación en la Argentina no pareciera haber estado en relación con ella. El tipo de intervención que tuvieron puede ser comprendida por quien fue peor tratado, el menos interesado en cuestiones propias de la Argentina, y quien tal vez mayor importancia tuvo: Valentín de Grandis. La precaria formación que pudiera tener Horacio Piñero fue un resultado, en buena medida, de la presencia del italiano en la Facultad de Medicina de la UBA entre 1899 y 1903. Lo mismo ocurrió con Lesage, Mario Camis y Ducceschi: sólo podían dar los rudimentos de una enseñanza que se expresaron respectivamente en los nombres de Leopoldo Giusti, Guido Paccella y David Barilari. Los dos primeros continuarían su formación y trayectoria asociados de manera directa o indirecta con Bernardo Houssay. El último sería borrado de la historia de la fisiología en la década del 30 por el viento del progreso.

En términos generales poco provendría de estos fisiólogos de manera directa y lo más importante sería borrado, olvidado, desplazado por la construcción disciplinaria posterior. Ello se debió en parte a la "historiografía nacionalista" de la ciencia en América latina que negó a los extranjeros carta de existencia.[48] Sin embargo pareciera ser cierta también, en alguna medida, una afirmación habitual de uno de los mayores enemigos que tuvo la contratación de fisiólogos extranjeros en la Argentina. El estudiante de medicina que reemplazó en 1910 en la facultad de Agronomía y Veterinaria a Jules Lesage, Bernardo Houssay, afirmó años después, que las contrataciones

> debe[n] reservarse a casos de excepción o bien estudiados o a los de necesidad urgente [...]. Es difícil que [los investigadores contratados] comprendan el ambiente, nuestra historia, el espíritu de los jóvenes, que sepan estimularlos sin desmayar por las dificultades, que tengan fe y perseverancia patriótica. Muchos aprecian poco al país y los hay que lo desprecian. A pesar del respeto excesivo inicial, al poco tiempo suele tratárseles mal y se les exigen resultados inmediatos.[49]

Algo de esto puede verse en el desarrollo paralelo que tuvieron los emprendimientos de Piñero y Ducceschi, que abarcaron aproximadamente el mismo período y trabajaron bajo circunstancias más o menos similares. El escepticismo y la prudencia expresados por Ducceschi, su mesura intelectual y personal, se contraponía de manera notable con la personalidad de Piñero.[50] Con formaciones radicalmente distintas, la profesionalidad del científico cauto y dedicado a su disciplina contrastó en sus escasos resultados sociales con el entusiasmo desbordante del fisiólogo y psicólogo amateur. Lo único que diferenciaba de manera significativa sus contextos era la distancia cultural existente por entonces entre la cosmopolita y agitada vida de la ciudad de Buenos Aires frente a la dormida y clerical ciudad de Córdoba.[51]

De tal modo, a lo largo de más de una década en las Facultades de Medicina de Córdoba y de Buenos Aires se desarrollaron dos programas de actividad distintos. En Córdoba se realizaron numerosas investigaciones originales de incuestionable calidad, vinculando a Ducceschi a las redes disciplinarias de la fisiología italiana. Se trató en cierto modo de un "enclave" de la fisiología italiana en la Argentina. En Buenos Aires se estableció, por el contrario, un programa de reproducción experimental dirigido por un médico y fisiólogo ocupado en múltiples tareas. La historia de los vencedores, el relato del éxito, pasa por Buenos Aires. El edificio no se construyó al modo de las utopías de Lesage, a partir de un diálogo en el que el sabio extranjero enseñaba a los nativos un nuevo lenguaje universal posible de ser aplicado a sus particularidades locales. Se construyó, por el contrario, en buena medida en contra de estos fisiólogos extranjeros y a partir del esfuerzo por reproducir las experiencias originarias que fundamentaban ese "nuevo" lenguaje.[52] Se construyó a partir del elemento esencial que las teorías difusionistas no pueden comprender sin subvertir sus cuadros esenciales: a partir de una imaginación que era, en cierto modo, desbocada.

NOTAS

1. J. Lesage, "Efectos fisiológicos del mate. Conferencia leída en el Centro de Estudiantes de Agronomía y Veterinaria el 9 de septiembre de 1908. *Revista del Centro de Estudiantes de Agronomía y Veterinaria*, 1908-1909 (1), nº 1, pág. 6-15.

2. Actualización posible bajo la forma de una pregunta por la autoridad del emisor del discurso con una pregunta sencilla y radical: "¿Quién es, quién se cree este extranjero como para hablar del mate?".

3. Otros estudios sobre el tema incluyen a Nancy Stepan, *Beginnigs of Brazilian Science: Oswaldo Cruz, Medical Research and Policy, 1900-1920*; New York, 1981, Science History Publications, Marcos Cueto, *Ciencia de excelencia en la periferia*, Lima, 1989, Grade-Cocytec; Marcos Cueto, *Missionaries of Science*, Blomington, Indiana Press, 1994. Thomas Glick, "Establishing Scientific Disciplines in Latin America: Genetics in Brasil, 1943-1960", en Antonio Lafuente, Alberto Elena y Ortega *Mundialización de la ciencia y cultura nacional*, Madrid, 1993, UAM-Doce Calles. Un análisis desde otra perspectiva, pero relacionada con esta literatura, es Jaime L. Benchimol, Luis A. Teixeira; *Cobras, lagartos & outros bichos. Uma história comparada dos institutos Oswaldo Cruz e Butantan,* Río de Janeiro, Editora UFRJ, 1993.

4. Sobre la historia de la fisiología en la Argentina ver entre otros, Barrios Medina, "Bernardo A. Houssay: Misionero entre gentiles", *Interciencia*, 1987, vol. 12, págs. 290-292, Marcos Cueto, "Laboratory styles in Argentinean physiology", *Isis*, 1994, 85, págs. 228-246.

5. Sobre las transformaciones de la fisiología a principios de la década del 20 ver Alfonso Buch, "Institución y Ruptura: La elección de Bernardo Houssay en la Cátedra de Fisiología de la Universidad de Buenos Aires", *Redes*, vol. 1, nº 2. Alfonso Buch; "La invención de Soler. La cuestión de la creación original en los inicios de la

fisiología argentina"; *Redes*, vol. 2, nº 5; Alfonso Buch, "El debate sobre la originalidad en fisiología (1920)", *Saber y Tiempo*, vol. 2, nº 7, págs. 93-111.

6. Datos biográficos, Semana Médica, t. 10, 1903, pág. 1149. Sobre la fisiología europea en este período, ver entre otros, Karl Rothschuh; *History of Physiology*, New York, Robert Krieger Publishing Company, 1873; Gerald Geison, *Michael Foster and the Cambridge School of Physiology*, Princeton, Princeton University Press, 1978; J. Lesch; *Science and Medecin in France: the emergence of Experimental Physiology, 1790-1855.* Cambridge, Londres, Harvard University Press, 1984. Coleman y Holmes (comp.); *The investigative enterprise: Experimental Physiology in nineteenth century medicine,* Berkeley, University of California Press, 1988.

7. Sobre este período temprano de la fisiología en la Argentina, ver C. Prego, "Los laboratorios experimentales en la génesis de una cultura científica", *Redes,* 1998, vol. 5, nº 11, págs. 185-205. Entre otros: de Grandis y Mainini; "Estudio sobre los fenómenos químicos producidos en el cartílago epifisiario"; *Revista Sociedad Médica Argentina,* t. 8, 1900, pág. 5; de Grandis; "Proceso de osificación normal y su aplicación a la patogenia del raquitismo", *Revista Sociedad Médica Argentina,* t. 8, 1901, pág. 298. Estas investigaciones fueron también publicadas en los *Archives Italiennes de Biologia.* Muy importante fue el trabajo hecho junto con S. Dessy, "Acción de la adrenalina sobre la acción del músculo", *Revista Sudamericana de Ciencias Médicas,* 1903, nº 2. También Viale y Dessy; "Contribution a l'etude de la fatigue. Action de l'adrenaline sur la fonction du muscle", *Arcives Italiennes de Biologie,* tomo XLI, 1904, pág. 225.

8. *Semana Médica,* 1903, año X, nº 47, pág. 1149. Exposición de cargos contra la Academia de la Facultad de Ciencias Médicas, Buenos Aires, F. Mena, 1906 (folleto) *Apuntes del Curso de Fisiología de los Doctores Horacio Piñero, Prof sustituto de Fisiologial* [sic] *y Valentín Grandis, JTP. Reunido é ilustrado con dibujos y trazados por Carlos Mainini, Buenos Aires,* Editor Arsenio Buffarini, 1902.

9. Horacio Piñero, *Trabajos de Laboratorio publicados y reunidos con motivo del Congreso médico del centenario 1907-1910,* Buenos Aires, Etchepareborda, 1910. Horacio Piñero, *Trabajos de Laboratorio realizados por personal y alumnos* 1911-1914, Buenos Aires, 1914, Guidi Buffarini; Horacio Piñero, *Trabajos de Fisiología Experimental y Clínica,* vol. tercero (1914-1916), Buenos Aires, Compañía Sudamericana de Billetes de Banco, 1918.

10. Félix Garzón Maceda, *Historia de la Facultad de Ciencias Médicas de la Universidad Nacional de Córdoba,* Córdoba, Imprenta de la Universidad, 1928, III tomo, págs. 230-331. La Semana Médica, 1903, año X, nº 50, pág. 1224.

11. O. Orías; *Revista Universidad Nacional de Córdoba,* 1935, t. 22 (1) págs. 83-161.

12. F. Garzón Maceda, citado, t. III, págs. 330-331.

13. Dizionario Biografico Degli Italiani. Roma: Istituto della Enciclopedia Italiana; 1992, t. 41, págs. 730-734. Sobre G. Fano véase Rotschuh, *citado,* pág. 210. Sobre la bioquímica en Estrasburgo, R. Kolher; *From Medical Chemestry to Biochemestry. The making of a biomedical discipline,* Cambridge, Cambridge University Press, 1982, págs. 23-24.

14. Dizionario, *citado.* Garzón Maceda, *citado,* págs. 330-331. Hacia principios

de siglo los grandes centros de formación como Leipzig o Cambridge habían perdido su principal atractivo.

15. Una cátedra o un curso, no está especificado. Una fuente de la época se refiere a él como "profesor de psicología". Fue creador también de un aparato para registrar el tiempo de operaciones mentales sencillas. Lo más notable es el nombre que le puso: V. Ducceschi, "Un registrador mental", *Rev. Psiquiatría, Criminología Ciencias Afines*, año IX, 1910, págs. 81-91. "Un registrateur mental", Comunicación al Congreso Internacional de Psicología en Génova, *Comptes Rendus*, 1909, pág. 641.

16. Revista de la Universidad de Córdoba, 1914, agosto-octubre, año 1, pág. 487.

17. *Trabajos del Laboratorio de Fisiología*, dirigido por Virgilio Ducceschi, serie 1ª (1907-1908); Córdoba, Talleres "La Italia" de A. Biffgnand, 1908; *Trabajos del Laboratorio de Fisiología*, dirigido por Virgilio Ducceschi, serie 2ª (1909-1910); Córdoba, Talleres "La Italia" de A. Biffgnand, 1910; *Trabajos del Laboratorio de Fisiología*, dirigido por Virgilio Ducceschi, serie 3ª (1911-1914); Córdoba, Tipografía Cubas, 1915. Un listado incompleto de su bibliografía puede hallarse en el Dizionario Biografico, citado.

18. G. Maceda, citado, t. III, págs. 12-14 y 41-42.

19. V. Ducceschi, "El mal de montaña ó 'Puna' en Sud-América. Estudio fisiológico", en *Trabajos del Laboratorio de Fisiología*, serie 2ª (1909-1910), citado, págs 9-89; V. Ducceschi, "Il mal di montagna o 'puna' nel Sud America". *Arch. di fisiol.*; 1912, 10, págs. 77-113.

20. Sobre los inicios de la fisiología de altura: Gerard Rudolph, "L'initiateur Paul Bert (1833-1886) et la physiologie de haute altitude", en *Les scientifique et la montagne*, París, Editions du CTHS, 1993, págs. 95-118.

21. Rothschuh, citado, págs. 257-8.

22. Dizionario Biografico, citado, pág. 733.

23. *Idem*, pág. 14.

24. *Idem*, pág. 80.

25. *Idem*, pág. 86. En francés en el original. La importancia de esta investigación está en directa relación con la historia de la fisiología latinoamericana en general y la fisiología peruana en particular; Cueto, Marcos, *Ciencia de excelencia en la periferia*; Lima, Grade-Cocytec, 1989; Cueto, Marcos, *Missionaries of Science*. Blomington, Indiana Press, 1994.

26. Lesage, citado. Lesage y Solanet, "Sobre un parásito de la sangre del Leptodactylus ocellatus", *Revista del Centro de Estudiantes de Agronomía y Veterinaria*, año 1, nº 8, 1909, publicado nota anterior "Sur une Hémogrégarine de Leptodactyluus ocellatus", en *Comptes Rendues de la Société de Biologie*, t. LXIV y Lesage y Solanet, "Sur les caractères et la fréquence de Hoemogregarina Leptodactyli", *Comptes Rendues de la Société de Biologie*, t. LXV, Lesage, "El caballo Percherón", conferencia leída en el Anfiteatro de Bacterología de la Facultad de Medicina el día 24 de julio de 1909, *Revista del Centro de Estudiantes de Agronomía y Veterinaria*, año II, nº 10 y 11, págs. 5-16, Giusti; "Experimento sobre la acción galactógena del Tasi", *Revista del Centro de Estudiantes de Agronomía y Veterinaria* Año 1, nº 9, pág. 18.

27. *Revista del Centro de Estudiantes de Agronomía y Veterinaria*, año III, nº

21-23, pág. 202; B. Houssay; "Recuerdos de un profesor y consideraciones sobre la investigación", en Barrios Medina y Paladini; *Escritos y Discursos del Dr. Bernardo Houssay*, Buenos Aires, Eudeba, 1989, págs. 559-568.

28. J. Barcroft y Mario Camis, "The Dissociation Curve of Haemoglobin", *Journal of Physiology,* 39 (1909), págs. 118-142, citado en Frederic L. Holmes, "Barcroft and the Fixity of Internal Environment", *Journal of the History of Biology,* 1969, 2, págs. 89-122.

29. B. Houssay, citado.

30. M. Camis; "Sobre la resistencia del *leptodactylus ocellatus* (rana argentina) hacia el curare y sobre otros puntos de la Fisiología general de los músculos", *Revista de la Facultad de Agronomia y Veterinaria (La Plata)*, 1915, t. XI, nº 2, versión en italiano en *Archivio di Farmacologia Sperimentale e Scieze affine*, 1916, t. XXL.

31. Se trata de una relación que vincula el tiempo y la excitabilidad muscular. Su especificación no es aquí relevante.

32. B. Houssay y E. Hug, "La toxicidad del curare para la rana y sapo comunes del país y para el cobayo" *Semana Médica*, 1916, XXIII, nº 37, págs. 259-261. B. Houssay y E. Hug "La curarización del Leptodactylus ocellatus (L) Gir" *Semana Médica*, 1916, t. XXIII, nº 37, págs. 261-265.

33. B. Houssay y E. Hug, "La curarisation du Leptodactylus ocellatus (L)" *Comp. Rend. Soc. Biol*, 1916, t. LXXIX, nº 18, pág. 977. L. Lapicque, "Observation sur la note de MMBA Houssay et Hug relative à la curarisation de deux batraciens d'Amerique", *Comp. Rend. Soc. Biol*, 1916, t. LXXIX, pág. 1017.

34. J. Guglielmetti., J. Cervera, *Treballs de la Societát de Biologia,* 1920-1921, t. VIII, pág. 40.

35. M. Camis; "Sobre la curarización del Leptodactylus Ocellatus" *Semana Médica,* 1917, págs. 239-241. B. Houssay, "Réplica á los comentarios hechos al trabajo de Houssay y Hug, "La curarización del Leptodactylus ocellatus (l) Gir", *Semana Médica*, 1917, págs. 285-290.

36. M. Camis; "Sobre la curarización del Leptodactylus Ocellatus", *Semana Médica,* 1917, págs. 239-241.

37. L. Cervera, "Détermination de la dose minima curarisante des curares brésiliens pour la Grenouille européens", *Compt. Rend. Soc. Biol,* t. 83, 1920, pág. 1290.

38. B. Houssay; "Réplica á los comentarios hechos al trabajo de Houssay y Hug 'La curarización del Leptodactylus ocellatus (l) Gir", *Semana Médica*, 1917, pág. 287.

39. B. Houssay; citado, pág. 289.

40. La cita está tomada de J. Guglielmetti, "La originalidad en fisiología", *Semana Médica*, año XXVII, nº 21, pág. 9 (folleto).

41. *Revista de la Facultad de Agronomía y Veterinaria,* Universidad Nacional de La Plata, tomo I, nº 3, julio de 1923. Ver listado de profesores.

42. Lewis Pyenson, *Cultural Imperialism and exact science: German Expansion Overseas 1900-1930*, Nueva York, 1985, Peter Lang.

43. Las grandes restricciones de puestos en este período en Alemania son los factores que explicarían el descenso de productividad de la fisiología alemana a principios de siglo. A. Zloczower; *Career Oportunities and the Growth of Scientific Dis-*

covery in Nineteenth-Century Germany, with Special Reference to Physiology, Nueva York, 1981, Arno Press. El único fisiólogo alemán que dictó cátedra en la Argentina hacia 1922, George Nicolai, no tenía vínculos con las políticas del Estado alemán. Por el contrario, en ese entonces estaba escapando de él.

44. Es plausible que ese prestigio fuera más significativo de lo que permite inducir la bibliografía sobre la historia de la fisiologia existente, especialmente en la Argentina.

45. M. Montserrat; "La influencia italiana en la actividad científica argentina del siglo XIX", en M. Montserrat, *Ciencia, historia y sociedad en la Argentina del siglo XIX,* Buenos Aires, 1993, CEAL, págs. 83-120.

46. Silvio Dessy, *Mi vida americana*. Buenos Aires, Vergara Editor, 1944.

47. Lewis Pyenson, "*In partibus infidelium*, Imperialist Rivalries and exact Sciences in Early Twentieth-Century Argentina" *Quipu*, 1984, págs. 253-303.

48. Lewis Pyenson, "Macondo científico: Instituciones científicas en América Latina a principios del siglo XX" en Sánchez Ron (coord) *La Junta de Ampliación de Estudios e Investigaciones Científicas ochenta años después*, Madrid, CSIC, 1988, t. II, págs. 240-245.

49. Houssay (1929), "El porvenir de las ciencias en la Argentina", en Barrios Medina y Paladini, citado, pág. 282.

50. La personalidad poco expansiva de Ducceschi es descripta en el Dizionario Biografico, citado. Sobre H. Piñero ver, N. Etchepareborda, "El Dr. Horacio Piñero", Buenos Aires, Coni, 1920 (folleto).

51. Las disposiciones del Laboratorio de Fisiología de Córdoba fueron al parecer elogiadas por Ducceschi luego de su partida, de modo que nada indica que las condiciones materiales constituyeran limitaciones fundamentales para su trabajo. Comunicación personal de Alfredo Kohn Loncarica.

52. Sobre una evaluación positiva del nacionalismo en la ciencia ver Antonio Lafuente; "Conflicto de lealtades: los científicos entre la nación y la república de las letras", *Revista de Occidente,* nº 161, octubre de 1994, págs. 97-122.

LAS TEORÍAS DE LA RELATIVIDAD Y LA FILOSOFÍA EN LA ARGENTINA (1915-1925)

Diego Hurtado de Mendoza

El convencionalismo de Poincaré, el intuicionismo de Bergson, el pragmatismo de James concuerdan en que la realidad no es alcanzada por la razón. A comienzos de la primera década del siglo XX, a la luz de estas filosofías de lo inmediato, son criticados y reformulados los objetivos generales y el alcance del conocimiento científico.

A este panorama los físicos añaden los propios planteos y perplejidades de su disciplina: la naturaleza real o meramente hipotética del éter, las alteraciones inéditas que suscitan la teoría especial de la relatividad y la naciente teoría cuántica sobre nociones báscias como simultaneidad, causalidad o continuidad, la interpretación del espacio-tiempo de Hermann Minkowski en términos de geometrías pseudoeuclídeas.[1] Desde la filosofía se asume el impacto de estas cuestiones y se comienzan a explorar sus repercusiones sobre el conocimiento.

Cuando a comienzos de la década de 1920 la teoría general de la relatividad ya tuvo su corroboración astronómica y se erige en conocimiento revolucionario "oficial", los propios escritos de Einstein, libros como *Space, Time and Gravitation* del físico inglés sir Arthur Eddington[2] o las discusiones precursoras acerca de la naturaleza de las geometrías no-euclídeas del matemático francés Henri Poincaré[3] aparecen como lectura obligada para quien se interesa en la filosofía de la física y, en general, en teoría del conocimiento.[4]

En lo que se refiere a la Argentina, la presencia de físicos alemanes en el país, entre ellos Jakob Johann Laub, el primer colaborador científico de

Einstein, junto con la repercusión de la citada corroboración astronómica de 1919, registrada por los periódicos locales,[5] dieron cierto impulso a la discusión de la relatividad en el terreno de la cultura, sobre todo en la filosofía, que en aquellos años asiste al proceso de profesionalización[6] y, como correlato, al ocaso del positivismo y la introducción de filosofías como las de Bergson, Boutroux, Renouvier, Croce, Gentile y, en segunda línea y con autoridad creciente, el criticismo kantiano.[7]

Si bien en el plano retórico el positivismo hace visible su preocupación por la ciencia, en los hechos presenta un marcado sesgo hacia los enfoques evolucionistas, con tópicos recurrentes, como los intentos de interpretación biologicista de la psicología, la moral, la estética, el derecho y la sociología.[8] En lo que se refiere al interés por la relatividad y, en general, por problemas vinculados a la filosofía de la física, de la lógica y de las matemáticas, se verá que éste surge, o bien de cuestiones intrínsecas del kantismo –en conexión con las nociones de número, espacio y tiempo–, o bien del ámbito más bien heterogéneo de lo que se suele calificar como "reacción antipositivista".

Por último, la visita al país, entre julio y octubre de 1920, del físico experimental español Blas Cabrera, quien habló de relatividad en la Sociedad Científica Argentina y en la Universidad de Córdoba;[9] las complicadas negociaciones que derivaron en la visita de Einstein a fines de marzo de 1925 –que tuvo como uno de los principales promotores al filósofo Coriolano Alberini–[10] y, finalmente, la visita del físico francés Paul Langevin a Buenos Aires en 1927,[11] son un indicio del interés suscitado por las ideas de Einstein en el ámbito de la cultura a lo largo de la década de 1920.

1. ALGUNOS ANTECEDENTES

En lo que respecta a las publicaciones sobre las teorías de la relatividad aparecidas en el país, ya en 1909 se publica en la *Revista Politécnica*[12] un artículo titulado "Sobre el principio electrodinámico de relatividad y sobre la idea de tiempo", por Ugo Broggi.[13] El objetivo que declara el artículo, a través de un enfoque básicamente matemático, es el de exponer las ideas de Minkowsky, que acababan de ser publicadas en febrero del mismo año.[14] Minkowsky, afirma Broggi, "construye una mecánica fundada sobre las ideas de la teoría electrodinámica de Lorentz y la muestra exenta de contradicción". En todo el artículo no se menciona el nombre de Einstein.

El primer contacto profesional de la física argentina con los trabajos de Einstein tuvo lugar a través del ya mencionado físico alemán Laub, quien comenzaría a enseñar en el Instituto Nacional del Profesorado Secundario (INPS)[15] en 1912. En 1911, Laub dictó en La Plata un curso en el que se tocaba, entre otros temas, el de las interpretaciones de la teoría especial de la relatividad y la geometría de Minkowsky. Este pudo haber sido, tal vez, el primer curso universitario regular dictado en América que se ocupó de la teoría especial de la relatividad.[16]

En 1915, Laub publica, como número inicial de una serie de comunicaciones del Departamento de Física del INPS, un trabajo titulado "Propagación de la luz en los cuerpos en movimiento".[17] En este folleto de veinte páginas, Laub se propone deducir "la teoría de la dispersión y absorción de la luz en los cuerpos móviles, partiendo del *principio de relatividad*".

Laub también incursiona en cuestiones relacionadas con la historia y la filosófía de la física en dos artículos aparecidos en la *Revista de Filosofía*, dirigida en aquellos años por José Ingenieros. El primero de estos artículos apareció en 1916 con el título de "Los teoremas energéticos y los límites de su validez".[18] Si bien Laub menciona la teoría de la relatividad, su interés se centra en la noción de energía y en los principios de la termodinámica. Incluso, sobre el final, se dedica a evaluar "las actuales teorías energéticas de los fenómenos *psíquicos*" y la posibilidad de su reducción a procesos puramente energéticos.

El segundo artículo, "¿Qué son espacio y tiempo?",[19] es de 1919. En este trabajo Laub desarrolla las concepciones de tiempo y espacio en la ciencia griega y romana. Einstein aparece mencionado brevemente como caso ilustrativo, para destacar que su teoría "se funda en el experimento". Sobre el final se anuncia que se tratará el concepto de simultaneidad en la teoría de la relatividad, aunque la prometida continuación no apareció. Estos artículos de Laub en la *Revista de Filosofía* difícilmente permiten suponer que representan algún tipo de aporte a la difusión de la relatividad.

Desde el punto de vista de la producción de físicos e ingenieros locales, la trilogía de artículos de Collo,[20] Isnardi[21] y Aguilar,[22] publicada entre 1923 y 1924 en el *Boletín del Centro Naval*, puede tomarse, formalmente, como el momento en el cual la relatividad se incorpora, en la Argentina, como materia de estudio e investigación.[23] Es llamativo que estos artículos, que no ahorran tecnicismos, hayan sido presentados por los autores como una obra de divulgación.[24]

Por último, Loedel Palumbo, físico uruguayo que finalizó su doctorado en La Plata, publicó en 1926 en esta ciudad un trabajo[25] cuyo origen se sitúa en la pregunta que él mismo le hiciera a Einstein durante su visita al país acerca de la solución del sistema de ecuaciones diferenciales de una fuente puntual de campo gravitatorio. Ese mismo año el trabajo de Palumbo sería aceptado en la revista alemana *Physikalische Zeitschrift*.

2. ENRIQUE BUTTY Y LA FILOSOFÍA DE LOS INGENIEROS

En el ámbito de la carrera de ingeniería de la UBA, además de los trabajos que buscan dar enfoques didácticos para difundir las teorías de la relatividad,[26] es evidente el interés por los aspectos filosóficos que plantearon las nuevas teorías de Einstein, aunque restringido a cuestiones cercanas a la física.

En agosto de 1920, Leopoldo Lugones, poeta, ensayista y escritor de ficción, por invitación del Centro de Estudiantes de Ingeniería, habló sobre algunas de las consecuencias de la teoría de la relatividad.

En septiembre del mismo año, Jorge Duclout, ingeniero francés graduado en el Politécnico de Zurich, traído al país por el matemático Valentín Balbín, publicó en la *Revista del Centro de Estudiantes de Ingeniería* un extenso artículo sobre el desarrollo histórico de la física, titulado "Materia, energía y relatividad".[27] Sobre el final, al discutir algunos puntos relacionados con las ideas de Einstein, Duclout sostiene que "si las tres dimensiones conocidas geométricas definen el espacio exterior, el tiempo, según la justísima definición de Kant, define la sucesión de los fenómenos internos, los de nuestra conciencia, exterior ella al espacio geométrico".[28] Un poco antes, Duclout también había criticado al energetismo desde el punto de vista de las antinomias kantianas.[29]

Cinco años atrás, en 1915, al igual que Laub, Duclout también había escrito en la *Revista de Filosofía* de José Ingenieros. En un artículo titulado "La tendencia económica y axiomática en las ciencias exactas",[30] Duclout, discutiendo acerca de la posibilidad de un "*experimentum crucis*" que permita decidir con qué geometría debe quedarse la física, afirma que "nos decidimos, en general (3), a favor de la vieja geometría de Euclides, por la misma razón de siempre, la *de comodidad*, por ser más sencilla en su formulismo y en sus cálculos". Pero en la llamada (3), el autor aclara: "Digo en general, pues hay casos en matemáticas y en física (teoría moderna de la relatividad y electromagnetismo) en que la geometría de Gauss parece mucho más aproximada a la representación de los fenómenos".[31]

Volviendo a la *Revista del Centro de Estudiantes de Ingeniería*, en octubre de 1921, se reproduce en sus páginas el Prólogo del libro *Space, Time and Gravitation* de Eddington, que consiste en un diálogo, al estilo galileano, entre un físico, un matemático y un "relativista" acerca de la naturaleza de la geometría.[32]

Al año siguiente, Enrique Butty, ingeniero especializado en teoría de elasticidad y en cálculo tensorial, alumno de Duclout, inició en la misma revista una colección de artículos donde se trata extensamente la repercusión de la relatividad en cuestiones como teoría de la medición y teoría del conocimiento. Este trabajo se publicó (en general, en números no consecutivos), como dos series de artículos. La primera serie, producto de la transcripción de un ciclo de conferencias sobre la relatividad, apareció con el título de "Bosquejo de teoría del conocimiento científico bajo el punto de vista de los principios de la relatividad"[33] y la segunda serie con el título de "Introducción matemática a las teorías de la relatividad".[34] En 1924, el contenido de estos artículos formará parte del libro *Introducción filosófica a las teorías de la relatividad.*[35] Acompañando los artículos de Butty, se publicaron versiones en castellano del artículo de Einstein de 1905 y de una conferencia de Hermann Minkowski de 1908.

La primera serie de artículos de Butty es un arduo intento de dar sustento filosófico a la teoría de la relatividad. Partiendo de la noción de conciencia, el objetivo de Butty es alcanzar algún principio cognitivo general del cual la teoría de la relatividad se derive como un caso particular de su aplicación a la física. Seleccionamos algunos extractos para dar una idea de sus propósitos.

Dice Butty:

> No es posible hablar en absoluto de la realidad objetiva de un hecho o de una cosa de nuestro mundo exterior, sino simplemente de una realidad relativa del mismo, tomadas con respecto a determinado número de conciencias reales y ficticias, y con respecto a dadas y precisas circunstancias.[36]

Es interesante la referencia a "*conciencias ficticias*", con las cuales Butty prepara el terreno a la posibilidad de los experimentos pensados, herramienta heurística constitutiva de los fundamentos de la relatividad. Más adelante intentará mostrar que la noción de verdad está relacionada con la noción de invariancia[37] y definirá sistemas de conciencias como grupos de transformaciones. Finalmente, enuncia lo que llama "principio amplio de relatividad":

> Las leyes naturales correspondientes a un sistema cualquiera de conciencias, son propiedades que permanecen invariantes en el grupo de transformaciones que lo constituye, de tal manera que, determinada por una cualquiera de las conciencias, deben ser aplicables a todas las restantes.[38]

Este principio impone la restricción –explica Butty– de ser aplicable únicamente a leyes expresadas en términos de números enteros o relaciones entre los mismos, dado que es el único tipo de leyes de carácter "cuasi absoluto". Aludiendo a la "teoría de los 'quanta'", dice Butty: "La intuición de continuidad con que establece [la física] sus mediciones de espacio tiempo [...] se encuentra en camino de ser reemplazada por la de una absoluta discontinuidad".[39]

Respecto del problema de la continuidad, puede recordarse que el filósofo francés Arthur Hannequin, por la década de 1890, afirmaba que la mecánica tenía serias falencias y, por lo tanto, cierto contenido ininteligible por involucrar la noción de continuo en la de movimiento (continuidad doble del espacio y del tiempo) y que la cantidad discreta es el único conocimiento accesible al entendimiento. Butty parece hacer eco de esta postura al sostener que una restricción que domina la física "es la que nace de la intuición de la continuidad. Esta intuición tiene su origen en la imperfección de nuestros sentidos [...]".[40]

Así, el "*principio general de la relatividad*" de Einstein presenta todavía una limitación, "la que exige que las medidas físicas se agrupen en una multiplicidad continua [...]". Cuando este obstáculo fuera superado, "la física abandonaría el dominio de la geometría, para entrar en el de la aritmética [...]". Y finaliza: "Ya hemos dicho que los últimos progresos en el estudio de la materia parecen indicar que se va pisando esta posición".[41]

En conjunto, esta primera parte del trabajo de Butty, con algunas zonas oscuras, es de especial interés por los numerosos tópicos en que incursiona el autor: el carácter de la verdad científica, el método científico, teoría de la medición, la naturaleza de la lógica, la relación entre geometría y teoría física.

La segunda serie de artículos es una exposición de las teorías de la relatividad, que incluye una reseña histórica de las geometrías no euclídeas.

Butty continuó trabajando en los aspectos filosóficos de la relatividad y varios años más tarde, entre fines de 1936 y comienzos de 1937, publicó una serie de artículos en *Cursos y Conferencias*, con el título "La duración de Bergson y el tiempo en Einstein".[42]

3. GUÍA PARA FILÓSOFOS, SEGÚN ALFREDO FRANCESCHI

Rodolfo Rivarola inicia desde la Facultad de Filosofía y Letras de la UBA la difusión del kantismo. La aparición de Spencer y Kant en sus clases "es emblemático del entrecruzamiento ideológico imperante".[43] Rivarola y su kantismo expresan un giro de la filosofía hacia el terreno de los problemas gnoseológicos con marcada influencia de Poincaré, quien edificó su filosofía a partir de la historia de la física y de las matemáticas.

Desde el kantismo, las ideas de Einstein fueron asimiladas a la discusión acerca del status de las geometrías no euclídeas y del carácter a priori que Kant le atribuye a la geometría clásica. Como ejemplos representativos de esta línea de trabajos, pueden citarse dos artículos aparecidos en la *Revista de Filosofía* en 1924: "Las matemáticas y la lógica", de Carlos Dieulefait[44] y "Los juicios matemáticos de Kant", de Alfredo Franceschi.[45]

Respecto del artículo de Dieulefait, si bien en él se revisan los fundamentos de las matemáticas y de la lógica con perspectiva histórica, el autor comenta la repercusión de los trabajos de Lobatschewsky, Bolyai y Riemann sobre la concepción kantiana de geometría y afirma que "el espacio en el cual imaginamos existir los entes" no puede ser dado más que por la experiencia. Y conlcuye que "los estudios que acababan de enriquecer el campo de la geometría, habían asestado un golpe definitivo al valor de los juicios a priori".

Por su parte, el artículo de Franceschi discute el papel de la intuición en geometría y afirma que "recién cuando esos moldes vacíos fueran colmados con alguna intuición especial, recién entonces Kant habría dicho: esto es geometría, lo otro es falsa sutileza lógica". Y agrega más adelante, como corroboración de su argumento: "¿Por qué Einstein se afana, torturando su ingenio, en proporcionar a los profanos algunas vislumbres intuitivas de su famosa teoría?".

Alfredo Franceschi, como filósofo informado sobre cuestiones científicas,[46] ya desde algunos años antes de este artículo se había interesado por la teoría de la relatividad. En 1921 asume implícitamente el papel de "divulgador" de las teorías de la relatividad entre los filósofos con la publicación en la revista *Humanidades* de la Universidad de La Plata de un artículo titulado "Guía para el estudio de la teoría de la relatividad".[47] En este trabajo Franceschi intenta enseñar al lector no científico la forma más conveniente de abordar la relatividad, "doctrina particularmente reacia a toda explicación sumaria".[48] Sus notas bibliográficas pueden proporcionar un buen indicio de las obras que circulaban en el país en aquel momento en relación con el tema. En lo que respecta a autores locales, además del artículo de Duclout y el folleto de Laub, ambos ya mencionados, se cita el libro de José Ubach, *La teoría de la relatividad en la física moderna: Lorentz, Minkowski, Einstein*, calificado como "obra útil por su claridad y preocupación crítica".[49] Del trabajo de Laub comenta Franceschi que contiene "indicaciones valiosas sobre el cálculo vectorial".[50]

Además de dedicar buena parte del artículo a esbozar lo que entiende por teoría científica, Franceschi también discute las nociones de acción a distancia con velocidad finita y la noción de medio elástico o éter. Al respecto, afirma: "El éter no existe para Einstein, es decir, el éter dotado de propiedades mecánicas tal como lo concibieron Fresnel, Maxwell o Claussius. De modo que en sus teorías hay una especie de retorno a la hipótesis emisiva". Esto último en referencia "a la hipótesis de los quanta, tan concordante con la doctrina de la relatividad".[51]

Pregunta y responde el autor: "¿Puede prescindir, el filósofo, de estudiar una teoría de tanto alcance como lo es la de la relatividad? Sin duda alguna, no". Esto explica que Franceschi se preocupe por construir esta detallada guía donde se intenta delinear un camino posible para comprender esta teoría y algunas cuestiones conexas.

Por último, Franceschi publica, en 1925, el libro *Ensayo sobre la teoría del conocimiento*.[52] En este trabajo, las ideas de Einstein se discuten con el propósito final explícito de integrarlas en una concepción realista del conocimiento. Tomando como eje las nociones de causa y movimiento, si bien el objetivo del libro es mostrar "que una concepción realista puede ser corroborada mediante el examen de los distintos aspectos del pensamiento",[53] las ideas de Einstein no sólo reaparecen a lo largo de toda la obra como fuente de discusión y de ejemplos, sino que, incluso, el capítulo final del libro, con el título de "Algunas reflexiones sobre la teoría de la relatividad", se dedica a ellas.

Algunas de las discusiones en las que intervienen las ideas de Einstein a lo largo del libro de Franceschi son:

1. En conexión con el carácter hipotético de la noción de éter de Einstein, se estudia su compatibilidad con el postulado de su realidad y con la cuestión de si extensión y movimiento son conceptos independientes.[54]
2. Como crítica al sentido común y con el objeto de sondear el carácter de la relación entre lo verdadero y aquello que es posible intuir e imaginar, Franceschi apela a la noción de espacio-tiempo como algo lejano a la intuición.[55]
3. En cuanto a qué cosa es una teoría científica, y luego de mostrar que incluso a Duhem le cuesta sustraerse del ontologismo de una teoría física, Franceschi pregunta si "¿existe algún parentezco entre la relatividad, teoría científica, y tal o cual doctrina metafísica?". El autor sostiene que tanto el relativismo filosófico como el de la teoría de Einstein están emparentados por el lugar central que ambas formulaciones asignan al concepto de relación.[56]
4. En cuanto a "qué conjunto de ideas llamamos teoría de la relatividad", Franceschi se pregunta si comienza con Lorentz o mucho antes, con Galileo y Descartes, y si llega hasta Eddington y Weyl.[57] Más adelante, en el parágrafo titulado "La genealogía de la relatividad", habla de la necesidad de "mostrar las fuerzas o corrientes filosóficas que en una forma u otra son su antecedente necesario".[58]

Estas son algunas de las cuestiones planteadas. Por último, respecto del objetivo general del capítulo dedicado a la relatividad, en las "conclusiones" del libro, su autor sostiene: "Declaramos, además, nuestra opinión de que la posición ontológica de Einstein es el realismo, y de que su método se ajusta en lo esencial al racionalismo".[59]

4. LA RELATIVIDAD Y LA *REVISTA DE FILOSOFÍA*

Contemporánea del surgimiento de la nueva física, la ofensiva antipositivista aludida más arriba fue acompañada por la aparición de nuevas revistas[60] y de la visita de figuras como José Ortega y Gasset o Eugenio d'Ors.[61] En parte para responder a esta ofensiva, José Ingenieros funda en el año 1915 la *Revista de Filosofía, Cultura, Ciencia y Educación*, publicación bimestral que el propio Ingenieros dirigió hasta 1922 y codirigió con Aníbal Ponce hasta su muerte en 1925.[62]

Dos tendencias notorias de esta publicación fueron el carácter no profesional de gran parte de sus autores[63] y la orientación biologicista[64] que, aunque heterogénea y cargada de matices, en una primera aproximación puede calificarse como evolucionista y antimecanicista.[65] Ambas características definen la particular manera en que las ideas de Einstein fueron asimiladas a través de diversos artículos de esta publicación.

Desde 1920, en la revista de Ingenieros se publicaron numerosos trabajos relacionados con la teoría de la relatividad. Incluso, esta revista publicaría una versión de las conferencias que Einstein dio en su visita a la Argentina en 1925. Sin embargo, en general, fueron escasos los artículos que la tuvieron como objeto específico de discusión.

Con excepción de una exhaustiva nota sobre la sesión que celebraran en conjunto la *Royal Society* y la *Royal Astronomical Society*, el 6 de noviembre de 1919, para exponer los resultados de las expediciones a Sobral, Brasil y a Isla del Príncipe, África Occidental,[66] el primer artículo dedicado explícitamente al tema, titulado "La teoría de la relatividad", por Lydon Bolton, aparece en 1921. Se trata de una traducción que en el número de febrero de ese año había publicado la revista *Scientific American* y que había ganado un concurso que consistía, como se explica en una nota inicial, en "vulgarizar en menos de 3.000 palabras y sin el auxilio del lenguaje matemático los fundamentos de la teoría de la relatividad". Resulta interesante ver que, mientras que el redactor de la nota aparecida en la *Revista de Filosofía* califica el artículo de "verdadera obra maestra de vulgarización", Franceschi, en su "Guía", sostiene que "no nos parece útil, pues está hecho con excesivo esquematismo".

También en 1921 aparece en la revista de José Ingenieros un artículo de Julio Lederer, "Sobre las teorías de Einstein".[67] Lederer, luego de sostener que con la relatividad el espacio absoluto de Newton, "amorfo e infinito, se esfuma y con él se desvanecen las antinomias de Kant",[68] concluye que: "No se puede hacer más filosofía sin matemáticas y física teórica [...] porque sin estos auxiliares la filosofía seguirá siendo como una medicina sin anatomía y fisiología, un simple curanderismo".[69]

Ahora bien, a partir de 1923 se produce un incremento de artículos que mencionan, tanto en los títulos como en sus textos, a Einstein o sus teorías. Sin embargo, con excepción del artículo de Julio Rey Pastor, "Ciencia abstracta y filosofía natural",[70] y de las traducciones sobre el tema,[71] el resto de los numerosos artículos publicados en la *Revista de Filosofía* (más de veinte) no se dedica a la divulgación de la teoría de la relatividad o a la discusión de sus consecuencias físicas o filosóficas. Por el contrario, el interés dominante apunta a descubrir las consecuencias de diversas extensiones de las nuevas ideas físicas a la ética, o bien a mostrar cómo la física relativista es "generalizable" desde un punto de vista biológico.[72]

Puede tomarse como ejemplo el artículo de Jorge Nicolai, "Sentido filosófico de la teoría de la relatividad",[73] publicado en la *Revista de Filosofía* luego de la visita de Einstein a la Argentina. En este trabajo, Nicolai, profesor de fisiología en la Universidad de Córdoba y amigo personal de Einstein, luego de anunciar la reforma de la filosofía que implica la relatividad, afirma que "ahora los métodos científicos han definitivamente superado los filosóficos". Unas líneas más abajo sostiene, refiriéndose a la filosofía, que "la teoría de la relatividad acaba definitivamente con ella".[74] En lo que sigue, se dedicará a mostrar la invalidez del "perspectivismo" de Ortega y Gasset y del relativismo filosófico. "Existe el peligro de una excesiva generalización de la teoría de la relatividad a cuestiones ajenas", afirma Nicolai.[75] Partidario del reduccionismo a las leyes de la física,[76] y dado que éstas muestran la existencia de verdades absolutas,[77] "sólo resta preguntarse si para la moral no es posible hallar una ley suprema, semejante a la que existe en la física [...]".[78] Con un fondo de argumentación biológica –evolucionismo e ideas acerca del desarrollo de la masa encefálica del hombre–, el artículo de Nicolai finaliza sosteniendo: "El fin verdadero de la humanidad está en la física absoluta y en la moral absoluta".[79]

Por la misma época y desde otro lugar de la filosofía, con motivo de la conferencia pronunciada por Einstein el 4 de abril de 1925 en la Facultad de Filosofía y Letras de la UBA, Coriolano Alberini,[80] su decano, pronunció un discurso (luego publicado como artículo) en ocasión de la inauguración de los cursos de su facultad, el 6 de abril de 1925.[81]

Duro crítico del positivismo y defensor de la actividad filosófica como disciplina técnica, Alberini afirma que "la doctrina de Einstein es el fruto supremo del gran fermento epistemológico de los últimos treinta años", y agrega, unas líneas más adelante, que "la reacción epistemológica refleja la crisis de los axiomas del mecanicismo clásico, directa o indirectamente prohijados por la ortodoxia positivista".[82] Habla también de la nueva métrica, de la subordinación de la geometría a la realidad, de cálculo infinitesimal, cita a Langevin, Poincaré y Duhem, entre otros, y concluye, en contraposición a Nicolai: "Como se ve, la doctrina de la relatividad no anonada los derechos de la filosofía ni libra al hombre de la preocupación metafísica".[83]

Desde las antípodas, Nicolai, como dijimos, amigo de Einstein, y Alberini, que publicaría, en 1930, *Die deutsche Philosophie in Argentinien*, con un prólogo del físico alemán,[84] muestran que, por el año 1925, asimilar la relatividad es requisito necesario de cualquier intento de hacer filosofía.

5. CONCLUSIONES

En cuanto al caudal de escritos, tal vez pueda afirmarse que, por lo menos tempranamente, el interés acerca de las teorías de la relatividad aparece como mucho más definido y activo desde la filosofía que desde la propia física.

Incluso puede apreciarse que el carácter de las discusiones de índole filosófica que involucran las teorías de Einstein se extienden sobre una amplia gama de temas. En lo que se refiere a teoría del conocimiento, para Franceschi la relatividad no sólo es un fuerte argumento a favor del realismo ontológico sino que también es fuente de novedad en cuanto al carácter del conocimiento. La teoría de la relatividad, sostiene Franceschi, "es la última etapa de un movimiento escéptico contra lo absoluto y lo trascendente".[85]

Desde el terreno científico, Butty, profesor de físico-matemática, como Franceschi, aunque desde otra pespectiva y, tal vez, con otros intereses, piensa que es necesaria una revisión de la noción general de conocimiento a la luz de las teorías de Einstein. Desde una postura un tanto ecléctica que va desde su reiterada declaración de negarse a tratar cualquier aspecto metafísico,[86] hasta, según su propio testimonio,[87] el bergsonismo, Butty encuentra que la relatividad señala el camino hacia un "principio amplio de relatividad" que trascendería el ámbito estrictamente científico.

En cuanto al positivismo local, si bien sus intereses parecen girar en torno a cuestiones alejadas de los problemas que plantea la física, las numerosas alusiones a Einstein desde una perspectiva biológica evidencian el reconocimiento de la importancia de asimilar de alguna forma sus aportes. En este sentido, el artículo de Nicolai muestra cómo, desde un enfoque biologicista, la relatividad es empleada para dar sustento a cuestiones provenientes del ámbito de la ética.

Por último, para Alberini, además de representar la coronación de la epistemología de las últimas décadas, "descendiente heterodoxa del criticismo kantiano",[88] las teorías de la relatividad son, incluso, una herramienta crítica contra el positivismo.

En alguna medida, puede decirse que el choque positivismo-antipositivismo incidió sobre la elección de la disciplina científica que se consideraría adecuada para fundar parte de las reflexiones y conclusiones, ya sea como fuente de problemas, ejemplos, metáforas o analogías. Así, en la disputa filosófica que dominó la década de 1920, el impacto y el reconocimiento de que fueron objeto las teorías de la relatividad sirvieron de punto de apoyo, a través de la oposición biología-física, no tanto para decidir victorias o fracasos filosóficos sino, más bien, para renovar los interrogantes que se considerarían relevantes para el conocimiento.

NOTAS

1. En lo que se refiere a los problemas que rodean el nacimiento de las teorías de la relatividad, pueden verse K. Schaffner, "The Lorentz Electron Theory of Relativity", *American Journal of Physics, 37*, 1969, págs. 498-513; S. Chandrasekhar, "Einstein and General Relativity: Historical perspectives", *American Journal of Physics, 47*, 1979, págs. 212-7; S. Goldberg, "The Lorentz Theory of Electrons and Einstein's Theory of Relativity, *American Journal of Physics, 37*, 1969, págs. 982-94. En cuanto a los problemas que estas teorías suscitan en la filosofía de la ciencia, puede verse D. Oldroyd, *The Arch of Knowledge*, Australia, New South Wales University Press, 1989, cap. 7.

2. Ya desde 1922 hay traducción al castellano de esta obra: A. Eddington, *Espacio, tiempo y gravitación*, Madrid, Calpe, 1922, traducido por José María Plans y Freire. También, por el mismo traductor, E. Freundlich, *Los fundamentos de la teoría de la gravitación de Einstein*, Madrid, Calpe, 1922. Esta última traducción incluye un prólogo de Einstein.

3. H. Poincaré, *La Valeur de la Science*, París, Flammarion, 1904; *La Science et l'Hypothèse*, París, Flammarion, 1906; *Science et Méthode*, París, Flammarion, 1908. Una discusión sobre el problema de la geometría, puede verse en *La Science et l'Hypothèse*, págs. 49-109. En edición castellana, *La ciencia y la hipótesis*, Buenos Aires, Espasa-Calpe, 1945, págs. 49-93.

4. Ver, por ejemplo, E. Bréhier, *Historia de la Filosofía*, II, Buenos Aires, Sudamericana, 1948, págs. 885-94.

5. *La Nación*, 9 de noviembre de 1919, pág. 1; *La Prensa*, 9 de noviembre de 1919, pág. 9. En *La Prensa*, 14 de noviembre de 1919, pág. 8, se publica un extenso artículo titulado "¿Conocemos el plano del universo?", donde se discute la imagen del universo a comienzos del siglo XX y en el cual se alude a la teoría de la relatividad.

6. J. Dotti, Jorge, *La letra gótica. Recepción de Kant desde el Romanticismo hasta 1930*, Buenos Aires, Facultad de Filosofía y Letras, 1992, págs. 150-1.

7. F. Romero, *Sobre la filosofía en América*, Buenos Aires, 1952, págs. 15-6 y págs. 19-59. Sobre kantismo en Argentina, J. Dotti, Jorge, *op. cit.*

8. R. Soler, *El positivismo argentino*, Buenos Aires, Paidós, 1968, pág. 85; F. Romero, *op. cit.*, pág. 21 y pág. 37.

9. B. Cabrera, "Las fronteras del conocimiento en la filosofía natural", *Verbum, XIV*, 55, 1920, págs. 264-77. Este artículo reproduce una conferencia leída en la Facultad de Filosofía y Letras de la UBA. En él se presentan la teoría de la relatividad y la de los "quanta" como ejemplos de la necesidad de reiniciar el diálogo entre ciencia y filosofía.

10. Sobre la visita de Einstein a la Argentina, puede verse: E. Ortiz, "A Convergence of interest: Einstein's visit to Argentina in 1925", *Ibero-Amerikanisches, 21*, 1-2, 1995, págs. 67-126; E. Galloni, "A visita de Einstein à Argentina", en *Einstein e o Brasil*, Ildeu de Castro Moreira y Antonio Augusto Passos Videira Organizadores, Río de Janeiro, Universidade Federal do Rio de Janeiro (UFRJ), 1995, págs. 221-30; H. Lovisolo, "Einstein: uma viajem, duas visitas", en *Einstein e o Brasil*, Ildeu de Castro Moreira y Antonio Augusto Passos Videira Organizadores, Río de Janeiro, UFRJ, 1995, págs. 231-250 y M. Mariscotti, "La visita de Einstein a la Argentina", *Revista de enseñanza de la física, IX*, 1 , 1996, págs. 57-66.

11. Sobre la visita de Langevin pueden verse: J. Westerkamp, *Evolución de las ciencias en la República Argentina, 1923-1972*, II, Buenos Aires, Sociedad Científica Argentina, 1975, pág. 180; "Recepción pública de los doctores Pablo Langevin y Federico Enriques el 25 de agosto de 1928", *Anales de la Sociedad Científica Argentina, CXI*, primer semestre de 1931, págs. 329-52 y págs. 387-422. En el marco más general de la presencia de la ciencia francesa en la Argentina, H. Pelosi, "Las ciencias en el Instituto de la Universidad de París en Buenos Aires", *Saber y Tiempo, 2*, 6, 1998, págs. 65-86.

12. La *Revista Politécnica* fue una publicación mensual del Centro de Estudiantes de Ingeniería dirigida por el ingeniero Justo Pascali y que contó a Enrique Butty entre sus redactores.

13. U. Broggi, "Sobre el principio electrodinámico de relatividad y sobre la idea de tiempo", *Revista Politécnica, X*, 86, 1909, págs. 41-4.

14. H. Minkowsky, "Die Grundgleichungen für die elektromagnetischen Vorgänge in bewegten Körpern", Nachrichten der R. Sesellesschaft des Wissenschaften zu Götingen, 1908; *Raum und Zeit* in Fabreslericht der Deutschen Mathematikur, Vereinifung, 28 de febrero de 1909.

15. Para los inicios de la física en la Argentina y el papel que desempeñaron el Instituto de Física de La Plata y el INPS puede verse: M. de Asúa, "La visita de Einstein y la física en la Argentina hacia 1925", *Ciencia Hoy, 7*, 41, 1997, págs. 48-50; J. Babini, *La evolución del pensamiento científico en la Argentina*, Buenos Aires, La fragua, 1954, págs. 195-204 y L. Pyenson, "Physics, physical chemistry and astronomy in Argentina", en *Cultural Imperialism and Exact Science*, Nueva York, Berna, Frankfurt, Peter Lang, 1985, cap. 3. Sobre Laub: R. Ferrari, "Un caso de difusión en nuestra ciencia", *Saber y Tiempo, 4*, 1, 1997, págs. 427-9; E. Ortiz, *op. cit.*, pág. 86 y págs. 90-1.

16. L. Pyenson, *op. cit.*, pág. 170.

17. J. Laub, "Propagación de la luz en los cuerpos en movimiento", Buenos Aires, INPS, 1915, Comunicaciones del Departamento de Física, N° 1. En relación con este trabajo: J. Laub, "Note on Optical Effects in Moving Media", *Physical Review, XXXIV*, 4, 1912, págs. 268-74.

18. J. Laub, "Los teoremas energéticos y los límites de su validez", *Revista de Filosofía, IV*, segundo semestre de 1916, págs. 59-73.

19. J. Laub, "¿Qué son espacio y tiempo?", *Revista de Filosofía, IX*, primer semestre de 1919, págs. 386-405. Contiene parte de las conferencias dadas por Laub en la Facultad de Filosofía y Letras de la UBA.

20. J. Collo, "Teoría de la relatividad", *Boletín del Centro Naval, XLI*, 442, 1923, págs. 264-84.

21. T. Isnardi, "Teoría de la relatividad", *Boletín del Centro Naval, XLI*, 443, 1923, págs. 413-49.

22. F. Aguilar, "Teoría de la relatividad", *Boletín del Centro Naval, XLI*, 445, 1924, págs. 747-62.

23. L. Pyenson, *op. cit.*, pág. 230, si bien señala algunos errores de cálculo tensorial en el artículo de Isnardi, considera que esta trilogía está por encima de lo que se publica sobre el tema en *journals* españoles, italianos y norteamericanos.

24. J. Collo, T. Isnardi y F. Aguilar, *Boletín del Centro Naval, XLI*, 442, 1923, pág. 263.

25. *Contribución al estudio de las ciencias físicas y matemáticas*, La Plata, *IV*, 1, 1926, págs. 80-7.

26. Por ejemplo, además del ya citado artículo de U. Broggi, en la serie de artículos de José Medina, publicados en la *Revista del Centro de Estudiantes de Ingeniería* con el título de "Manual de mecánica", los aparecidos entre noviembre de 1921 y marzo de 1922, se dedican a la teoría especial de la relatividad. Sobre José Medina, ver F. Westerkamp, *op. cit.*, pág. 9.

27. J. Duclout, "Materia, energía y relatividad", *Revista del Centro de Estudiantes de Ingeniería, XXI*, 219, 1920, págs. 628-43.

28. *Ibid.*, pág. 643.

29. *Ibid.*, pág. 633.

30. J. Duclout, "La tendencia económica y axiomática en las ciencias exactas", *Revista de Filosofía, I*, primer semestre de 1915, págs. 200-25. Ya en 1914 Duclout había escrito sobre el concepto de materia en Lorentz, Minkowski y Einstein en "Novedades científicas", Universidad de Tucumán, 1914.

31. J. Duclout, *op. cit.*, pág. 223.

32. A. S. Eddington, "¿Qué es la geometría?", *Revista del Centro de Estudiantes de Ingeniería, XXII*, 233, 1921, págs. 214-24.

33. E. Butty, "Bosquejo de teoría del conocimiento científico bajo el punto de vista de los principios de la relatividad", *Revista del Centro de Estudiantes de Ingeniería, XXII*, 237, 1922, págs. 148-54; *ibid., XXII*, 238, 1922, págs. 324-47; *ibid., XXII*, 239, 1922, págs. 517-33; *ibid., XXIII*, 240, 1922, págs. 24-44.

34. E. Butty, "Introducción matemática a las teorías de la relatividad", *Revista del Centro de Estudiantes de Ingeniería, XXIV*, 256, 1923, págs. 3-14; *ibid., XXIV*, 258, 1923, págs. 117-26; *ibid., XXIV*, 259, 1924, págs. 187-204; *ibid., XXV*, 260, 1924, págs. 45-71; *ibid., XXV*, 262, 1924, págs. 327-335.

35. E. Butty, *Introducción filosófica a las teorías de la relatividad*, Buenos Aires, 1924.

36. E. Butty, "Bosquejo de teoría del conocimiento científico bajo el punto de

vista de los principios de la relatividad", *Revista del Centro de Estudiantes de Ingeniería, XXII*, 238, 1922, pág. 332.

37. *Ibid.*, pág. 335.

38. *Ibid.*, *XXII*, 239, 1922, pág. 529.

39. *Ibid.*, *XXIII*, 240, 1922, pág. 28.

40. *Ibid.*, pág. 32.

41. *Ibid.*, págs. 36-44. Butty también tiene en cuenta la geometría propuesta por Weyl como caso más general que la geometría de Riemann. La conclusión que citamos tiene en cuenta este caso.

42. E. Butty, "La duración de Bergson y el tiempo en Einstein", *Cursos y Conferencias*, *IX*, 1936, págs. 451-89; *ibid.*, *X*, 1936, págs. 681-706; *ibid.*, págs. 825-45; *ibid.*, *X*, 1937, págs. 1021-52; *ibid.*, págs. 1203-28; *ibid.*, págs. 1327-62. Al comienzo de este trabajo, dice Butty: "Mi deseo de realizar un estudio en que se pusieran frente a frente la duración de Bergson y el tiempo de Einstein, data del año 1922 [...]".

43. J. Dotti, *op. cit.*, pág. 155.

44. Dieulefait, Carlos, "Las matemáticas y la lógica", *Revista de Filosofía*, *X*, segundo semestre de 1924, págs. 92-106.

45. A. Franceschi, "Los juicios matemáticos de Kant, *Revista de Filosofía*, *X*, segundo semestre de 1924, págs. 113-126. En su relación con Kant y las matemáticas, puede verse J. Dotti, *op. cit.*, pág. 193.

46. L. Farré, *Cincuenta años de filosofía en Argentina*, Buenos Aires, Peuser, 1958, pág. 154.

47. A. Franceschi, "Guía para el estudio de la teoría de la relatividad", *Humanidades*, *III*, 1921, págs. 59-72.

48. *Ibid.*, pág. 60.

49. J. Ubach, *La teoría de la relatividad en la física moderna: Lorentz, Minkowski, Einstein*, Buenos Aires, 1920. Algo escéptico, el libro de Ubach sostiene que la corroboración astronómica de la teoría general de la relatividad de 1919 no debe tomarse como definitiva.

50. *Ibid.*, pág. 62, nota 1.

51. *Ibid.*, pág. 68.

52. A. Franceschi, *Ensayo sobre la teoría del conocimiento*, La Plata, Facultad de Humanidades y Ciencias de la Educación de la Universidad de La Plata, 1925.

53. A. Franceschi, *op. cit.*, pág. 11.

54. *Ibid.*, págs. 106-8.

55. *Ibid.*, págs. 127-9.

56. *Ibid.*, págs. 155-7.

57. *Ibid.*, pág. 160.

58. *Ibid.*, pág. 184.

59. *Ibid.*, pág. 184.

60. En cuanto al período que nos interesa, en H. Biagini, *Filosofía americana e identidad. El conflictivo caso argentino*, Buenos Aires, Eudeba, 1989, págs. 152-3, se menciona la revista *Cuadernos* (1917-1919), a cargo del llamado Colegio Novecentista, desde cuyas páginas se criticó con dureza la *Revista de Filosofía* y en la que

Coriolano Alberini figura entre quienes intervinieron más activamente. También menciona las revistas *Inicial* (1923), *Atenea* (1918-1919) y *Valoraciones* (1923), esta última liderada por Alejandro Korn.

61. Una lista de los intelectuales que visitaron la Argentina puede verse en H. Biagini, *Panorama filosófico argentino*, Buenos Aires, Eudeba, 1985, págs. 102-3. En lo que respecta a los científicos que visitaron el país a partir de 1925, puede verse J. Westerkamp, *op. cit.*, págs. 180-9.

62. A partir de entonces, Ponce se hizo cargo de esta publicación hasta el segundo semestre de 1929, cuando apareció el último número. Un estudio de los primeros años de esta revista puede encontrarse en L. Rossi, "Los primeros años de la *Revista de Filosofía, Cultura, Ciencias y Educación*: la crisis del positivismo y la filosofía en la Argentina", *Entrepasados, VI*, 12, 1997, págs. 63-80.

63. L. Rossi, *op. cit.*, pág. 71.

64. En el trabajo de P. Vallejos Llobet, "Transferencia conceptual y discurso científico: un caso en las ciencias sociales del principios de siglo", *Saber y Tiempo, 2*, 5, 1998, págs. 69-79, se estudia "la transferencia conceptual realizada en la etapa positivista de principios de siglo desde las ciencias naturales –particularmente la biología– a las ciencias sociales". La autora identifica distintas modalidades de esta transferencia (del discurso acerca de fenómenos sociales al discurso acerca de fenómenos biológicos) que van desde una franca estrategia reduccionista hasta formas más débiles como la metáfora, la analogía y la digresión. Una discusión sobre las tensiones en la relación entre ciencia y ética en el positivismo del centenario, puede verse en J. Dotti, *Las vetas del texto*, Buenos Aires, 1990, págs. 57-87.

65. R. Soler, *op. cit.*, pág. 85.

66. Eddington y Cromelin, "Comprobaciones de la teoría de Einstein", *Revista de Filosofía, XII*, segundo semestre de 1920, págs. 146-9.

67. J. Lederer, "Sobre las teorías de Einstein", *Revista de Filosofía, VII*, segundo semestre de 1921, págs. 321-7.

68. *Ibid.*, pág. 325.

69. *Ibid.*, pág. 326.

70. En el artículo de J. Rey Pastor, "Ciencia abstracta y filosofía natural", *Revista de Filosofía, XXII*, segundo semestre de 1925, págs. 349-64, en págs. 360-1 se hace una breve referencia a las geometrías no euclídeas en relación con la relatividad.

71. Nos referimos a la ya citada traducción de Bolton y a la de J. Zhitlovsky, "La teoría de la relatividad de Einstein", *Revista de Filosofía, XIX*, primer semestre de 1924, págs. 415-56. Originalmente publicado en la revista *Die Zukunft* de Nueva York en los años 1921 y 1922, la misma traducción aparecida en la *Revista de Filosofía* sería publicada en Buenos Aires, en 1929, como libro por la Sociedad Hebraica Argentina.

72. La presencia de Einstein en la *Revista de Filosofía* se discute con algún detalle en D. Hurtado de Mendoza, "Einstein y la filosofía en la Argentina (1923-1928)", *Saber y Tiempo, 2*, 7, 1999, págs. 113-25.

73. J. Nicolai, "Sentido filosófico de la teoría de la relatividad", *Revista de Filosofía, XXII*, segundo semestre de 1925, págs. 1-26.

74. *Ibid.*, pág. 3.

75. *Ibid.*, pág. 16.

76. Mientras la existencia de algo supranatural no sea comprobada, sostiene Nicolai, "debemos forzosamente contentarnos con reducirlo todo a las leyes de la física". *Ibid.*, pág. 11.

77. "La verdad aboluta que existe, reside únicamente en las leyes de la física, esto es, en las relaciones de los fenómenos", J. Nicolai, *op. cit.*, pág. 14.

78. *Ibid.*, pág. 20.

79. *Ibid.*, pág. 26.

80. Sobre Alberini puede verse L. Farré, *op. cit.*, págs. 125-149 y M. Suárez, "Coriolano Alberini y la historia de la filosofía en la Argentina", *Todo es Historia*, Nº 173, 1981, págs. 46-52.

81. Este discurso fue publicado con el título "La reforma epistemológica de Einstein" en la *Revista de la UBA*, marzo-mayo de 1925, págs. 7-16. Con respecto a este trabajo, Francisco Romero escribió unos meses después en la revista *Sagitario* que el discurso de Alberini "es todo lo contrario de las disertaciones frondosas y escasas de pulpa, a que nos tiene acostumbrados nuestro diletantismo de la cátedra y de la tribuna" (F. Romero, "*La reforma epistemológica de Einstein* de Coriolano Alberini", *Sagitario*, *I*, 4, 1925, págs. 79-80). Con relación al discurso y a la conferencia de Einstein en la Facultad de Filosofía y Letras, pueden verse también *La Nación*, el 5 de abril de 1925, pág. 4 y *La Nación*, el 12 de abril de 1925, pág. 6 del "Suplemento de literatura".

82. C. Alberini, *op. cit.*, pág. 9.

83. *Ibid.*, pág. 13.

84. C. Alberini, *Die deutsche Philosophie in Argentinien*, Berlin, 1930, Heinrich Wilhelm Hendriock Verlag, pág. 5. Digamos, de paso, que en C. Alberini, *Epistolario*, Mendoza, 1980, Universidad Nacional de Cuyo, Instituto de Filosofía, págs. 83-5, se encuentran dos breves cartas de Einstein dirigidas a Alberini.

85. A. Franceschi, *op. cit.*, 1925, pág. 184.

86. El título original que Butty había pensado para el ciclo de conferencias tratado más arriba era: "La Relatividad. Bosquejo de teoría del conocimiento, sin metafísica" (E. Butty, *op. cit.*, *XXII*, 237 , 1922, pág. 151).

87. Ver nota 42.

88. C. Alberini, 1925, *op. cit.*, pág. 15.

ESTRATEGIAS DE VISUALIZACIÓN Y LEGITIMACIÓN DE LOS PRIMEROS PALEONTÓLOGOS EN EL RÍO DE LA PLATA DURANTE LA PRIMERA MITAD DEL SIGLO XIX: FRANCISCO JAVIER MUÑIZ Y TEODORO MIGUEL VILARDEBÓ

ALBERTO F. ONNA

INTRODUCCIÓN

La Sociedad Paleontológica de Buenos Aires fundada en 1866 bien podría constituirse como el hito del comienzo institucional de la actividad paleontológica en el Río de la Plata en sus dos bandas; sin embargo, los comienzos de estas investigaciones deben rastrearse en la primera mitad del siglo XIX cuando aún sus cultores carecían de grados académicos y de educación superior formal que acreditaran su "experticia" en esa disciplina. Frente al "nicho vacante" de paleontólogo algunos personajes con fuerte vocación de naturalistas y una gran dosis de voluntarismo comenzaron a sentar las bases para que medio siglo después figuras como Florentino Ameghino recibieran reconocimiento académico en foros internacionales; tal es el caso de los médicos Francisco Javier Muñiz (1795-1871) y Teodoro Miguel Vilardebó (1803-1857), argentino el primero y uruguayo el segundo, aunque ambos nacidos en el todavía Virreinato del Río de la Plata.

En ambas orillas, y posiblemente sin conocerse personalmente e incluso ignorando sus respectivos trabajos, adoptaron ciertas estrategias de visualización y legitimación que guardan alguna similitud en los objetivos, aunque difieren (lógicamente) en lo anecdótico. Esto hace sospechar que sus comportamientos fueron fuertemente condicionados por una matriz sociocultural en la que se desenvolvía la ciencia colonial en el Río de la Plata, y que la búsqueda del reconocimiento social por sus aportes científicos revelaba la debilidad de la ciencia como institución por estas latitudes, más allá de cierto discurso "iluminista" que circulaba en los ambientes culturales de ambas ciudades capitales respecto del valor del conocimiento científico.

I. LA DISCUSIÓN DEL PAPEL DE LA CIENCIA PERIFÉRICA EN EL PROCESO DE MUNDIALIZACIÓN DE LA CIENCIA

Emilio Quevedo V. (1993) plantea que los fenómenos de la difusión de la ciencia moderna europea y del nacimiento de una ciencia nacional en las distintas regiones del Nuevo Mundo han estado en el centro de un buen número de los estudios sobre la ciencia y la tecnología elaborados en Latinoamérica, América del norte y Europa en las últimas décadas. Como resultado, han surgido diversos modelos interpretativos de tales fenómenos.

A partir del modelo propuesto por George Basalla en 1967, que lo describe como un proceso de difusión en tres etapas secuenciales: una primera etapa, caracterizada por las visitas de los científicos europeos a las nuevas tierras, llevando consigo, a su regreso a Europa, los resultados de sus investigaciones, los cuales sólo podrían ser completamente apreciados, evaluados y utilizados por las naciones que para ese momento ya han desarrollado una cultura científica moderna; una segunda etapa, llamada por Basalla de ciencia colonial, en la cual existe ya un desarrollo científico local, pero siempre dependiente de las instituciones y tradiciones de las naciones que presentan una cultura científica establecida, y, finalmente, una tercera etapa, de ciencia independiente o nacional, en la cual se desarrolla un proceso de "lucha para establecer una tradición científica independiente".[1]

Diversos autores señalaron la heterogeneidad de situaciones particulares en los países iberoamericanos y criticaron las pretensiones de aplicabilidad universal del modelo de Basalla por el carácter esquemático de sus explicaciones lineales, secuenciales y difusionistas unilaterales.

Durante las dos últimas décadas han aparecido otras perspectivas que pretendieron alcanzar una caracterización global de la problemática establecida, así se propusieron perspectivas geopolíticas, socioeconómicas, socioprofesionales.

Otros estudios explican las diferentes especificidades en el desarrollo científico en la periferia a partir de los proyectos basados en los intereses expansionistas de los estados imperialistas europeos, en los cuales la difusión de la ciencia es articulada para servir como una herramienta útil para apoyar tales políticas.

Aunque todas estas propuestas mencionadas aportan dimensiones complementarias del análisis, persiste la crítica de estar basadas en una misma visión eurocentrista y difusionista, que no alcanza para explicar satisfactoriamente el proceso de desarrollo científico en los contextos periféricos (Quevedo, 1993).

En los trabajos de historia de la ciencia latinoamericanos de los últimos años, ha surgido la necesidad de estudiar las actividades científicas, teniendo en cuenta que éstas se ubican en una realidad concreta, con procesos de comunicación y de organización institucional específicos, y elaborando representaciones de los propios actores y de la realidad que los rodea, que están permanentemente reconfigurándose y redefiniéndose a partir de la actividad de esos individuos inmersos en un contexto histórico-social y cultural determinado y articulados a él.

Por otra parte, la ciencia latinoamericana debería ser estudiada como una forma de producción cultural por derecho propio, con el fin de superar la propuesta difusionista cuyo punto de interés se encamina más a comprender este proceso como imitación y como intento de reproducir una actividad europea en un medio ambiente extraño o no científico.

Analizado de este modo el problema parece que el proceso de aparición de la ciencia moderna en Latinoamérica no puede ser mirado desde la perspectiva difusionista. Hay que entenderlo como un proceso conflictivo del cual surge un resultado nuevo: la ciencia latinoamericana o ciencia criolla.

Según Quevedo (1993), aceptar esta tesis latinoamericanista no implica necesariamente negar el proceso de mundialización de la cultura occidental, sino entenderlo dentro del devenir histórico como una realidad compleja compuesta no sólo por dimensiones científicas sino también por el conjunto de todas las actividades, científicas o no, que se desarrollan en una sociedad, incluso las previas a la llegada de la ciencia europea. Es decir, la inserción de las actividades científicas en el propio seno de la sociedad. Esto quiere decir que, en cada coyuntura, para cada región y para cada período histórico, habrá necesidad de evaluar "el grado de inserción" de las actividades científicas, tanto en los procesos locales como en los mundiales.

Para comprender la dinámica de las actividades científicas latinoamericanas hay que estudiarlas como realidades autónomas, pero sin perder de vista las estructuras socioeconómicas, políticas y culturales de larga duración en las cuales se articulan. Pero, hay que ver siempre ese marco general desde el interior de la autonomía de los procesos locales. El estudio de las actividades científicas latinoamericanas deberá, entonces, ir más allá del análisis de las formas de constitución de la lógica interna de los procesos cognitivos europeos y de su difusión pasiva al Nuevo Mundo (Quevedo, 1993).

Para algunos autores, la creación de grupos disciplinarios (sobre todo si no existían antes), es señal inequívoca del éxito del trasplante, independientemente de la filiación institucional de los extranjeros. Lértora Mendoza (1986) admite que esta creación es una señal, pero no la considera suficiente para acreditar una auténtica apropiación periférica de la ciencia exógena. Dice que no basta la creación de tales centros, sino que se requiere tener en cuenta sobre todo la continuidad y la producción de resultados

La difusión de la ciencia metropolitana no fue unidireccional ni hacia una "tabula rasa", sino que fue el entretejido resultante de las interacciones entre las necesidades y los intereses de carácter local con las orientaciones e intereses de la metrópoli colonial, lo que hace posible o no el desarrollo de cierto tipo de instituciones científicas en una nación particular.

II. EL CONTEXTO SOCIAL RIOPLATENSE EN EL SIGLO XIX

> Cuando se conozca plenamente (la historia de la ciencia latinoamericana) debería alterar la visión del mundo acerca de los desarrollos científicos en la América española y portuguesa.
>
> HANKE, L. (1967)

> Para refutar la acusación de que la ciencia latinoamericana tiene poca importancia histórica, algunos historiadores desentierran figuras menores cuyos nombres son conocidos sólo por Dios y por los historiadores locales.
>
> HILTON, R. (1970)

Entre las dos posiciones extremas sostenidas en las anteriores citas, posiblemente, se encuentra el justo "medio dorado" en el que se "dé al César lo que es del César". El debate acerca del valor de la ciencia periférica en el contexto de la mundialización de la ciencia occidental, lejos de haber finalizado, apenas ha comenzado.

Como ya mencionamos, algunas hipótesis sostenidas por autores iberoamericanos plantean nuevos enfoques y puntos de partida que, superando historiografías meramente internalistas, colocan a los actores históricos en su contexto cultural, en tanto síntesis de diversos parámetros (sociales, históricos, económicos, tecnológicos, científicos, etc.).

Dice Jaime Vilchis (1993) que "si sólo se tiene en cuenta al momento de la caracterización del papel desempeñado por la ciencia colonial hispana una perspectiva tradicional de la racionalidad científica que la tradición mertoniana sigue tomando como impronta universal para localizar científicos, se corre el riesgo de que se considere a la mayor parte de nuestra historia científica inexistente o sólo epigonal e imitativa de la ciencia central".

Durante el siglo XIX (y tal vez buena parte de éste) persistió un proceso de invisibilidad de los hombres de ciencia latinoamericanos. "Raramente los no europeos entraron en la consideración de la historia de la ciencia en los puestos coloniales o las nuevas naciones independientes del siglo XIX" (Vessuri, en prensa). No ser considerados no significa que no existieron: el proceso hegemónico de exportación del modelo capitalista a todas las regiones del mundo llevó a los países de la periferia a adoptar también los modelos de la ciencia central, aunque adaptados a cada situación particular. Así las nuevas repúblicas iberoamericanas se consideraban herederas legítimas de la Europa conquistadora y civilizadora, y se percibían como muy distintas de las naciones periféricas del Asia y del África.

La ciencia latinoamericana decimonónica fue una ciencia del trasplante y la adaptación de las teorías y prácticas europeas, porque fue la actitud de dependencia (en lo económico, en primera instancia y en lo cultural, como resultado de lo primero) lo que predominó entre los cultores vernáculos de la ciencia. Esto condujo a los científicos latinoamericanos, al decir de Hebe Vessuri (en prensa) a una triple condición de periféricos: por su condición marginal dentro de la cultura "universal" europea; por su compromiso parcial con la actividad científica (principalmente motivada por la escasez de recursos económicos y la debilidad institucional de la ciencia, muy expuestas a los avatares políticos (como, por ejemplo, el cese de aportes financieros a la Universidad de Buenos Aires en 1838, lo que motivó el éxodo de docentes y estudiantes durante el período rosista), y por sus roles como agentes en la explotación de los recursos naturales de importancia económica para los centros de poder europeos.

John H. Elliott (1972) propone dos formas de acceso al problema del impacto del descubrimiento del Nuevo Mundo: en una se repara en el modo como el Viejo Mundo proyectó sus propios valores en América y en las consecuencias de tal proceso de aculturación; en la otra se centraría en la irrupción del Nuevo Mundo en la sociedad europea y en qué contribuyó a modelar y transformar ésta.

En el sentido de la segunda vía mencionada se puede interpretar que en las colonias iberoamericanas hacer ciencia significó buscar su ubicación en el mundo, pero también consistió en contarle el mundo a otras gentes desde la óptica de estas latitudes. En esto consiste su debilidad, pero también su fortaleza y especificidad en la compleja participación en la mundialización de la ciencia (Elena, 1993).

Por esto, el proyecto de realizar una historia de la ciencia y de la tecnología en América latina no puede ni debe limitarse a considerar sólo las elites criollas sino que debe contemplar la síntesis ocurrida entre la creatividad de los científicos latinoamericanos, la estructura de la ciencia europea y las formas que revistieron los procesos de asimilación e integración locales dentro del contexto socioeconómico y político imperante (Vessuri, en prensa).

El papel de la ciencia y de los científicos en el proceso de construcción de los nuevos estados fue muy variado, aunque en general la mayoría de los países latinoamericanos mostraron serias dificultades en generar un grado de institucionalización consolidado. Las causas fueron en primer lugar la directa participación de los hombres de ciencia en las luchas independentistas y posteriormente, en las luchas intestinas en los períodos de organización nacional; ambos procesos cobraron muchas vidas y apartaron de la actividad científica directa a valiosos hombres que debieron dedicarse a las armas o a la política, postergando sus inclinaciones a la ciencia.

A partir de la conquista y colonización españolas de nuestras tierras comienza el asombro europeo por una multitud de especies de animales y plantas desconocidas que despiertan su curiosidad. Los naturalistas europeos recogen ejemplares y los comparan con los del Viejo Mundo. El interés por las producciones naturales, y particularmente, por lo viviente compite con las ambiciones por el poder o la riqueza. Los jesuitas durante sus periplos misioneros por la región, u hombres como el naturalista y geógrafo aragonés Félix de Azara (de quien fuera ayudante Artigas) fueron quienes realizaron las primeras descripciones referentes a nuestra fauna y flora.

El interés por la naturaleza y sus fenómenos, transcurre a lo largo de la historia de ambas orillas del Plata y se expresa inicialmente a través de José Manuel Pérez Castellano, Dámaso Antonio Larrañaga y Teodoro Miguel Vilardebó en el Uruguay, y del padre Manuel Torres y Francisco J. Muñiz en la Argentina, entre otros.

Los viajeros como Alcides d'Orbigny, Charles Darwin y otros naturalistas visitaron estas tierras, coleccionando y enviando a los museos de Europa numerosos especímenes autóctonos, que luego eran conocidos en estas latitudes a través de la lectura de las publicaciones europeas.

El nacimiento y la consolidación de los países de la región como naciones independientes, coincide con el aprecio de la ciencia experimental en el ámbito cultural de la época (imbuido de la "filosofía experimental" de Francis Bacon y posteriormente del "positivismo" de Auguste Comte). Surgen en esa atmósfera intelectual los naturalistas criollos, que a modo de actividad colateral en sus vidas, coleccionan especies de animales y plantas, recogen restos fósiles y muestras de minerales.

La incipiente vida universitaria muestra en los países rioplatenses un decidido sesgo humanístico, tal cual acontece en toda Hispanoamérica.[2] La vida política atrae más que la vida académica, y para el ejercicio de esa actividad son las letras y el derecho mejores instrumentos que la ciencia y sus técnicas.

Jorge Myers (1992) asegura que "si la investigación científica no surgió en el medio local hasta fines del siglo XIX, por el contrario, el marco institucional dentro del cual hubo de practicarse había tenido su primera organización estable desde el derrocamiento de Rosas, en 1852. El eje de esta primera institucionalización estuvo situado en la Universidad y principalmente en la Universidad de Buenos Aires [...]".

El período que analizaremos va de 1820 a 1850, lapso en el que evidentemente las instituciones científicas presentaron una marcada debilidad en el mejor de los casos y una inexistencia, en el peor; la misma Universidad de Buenos Aires, fundada en 1821, sufrió desde su inicio y durante el período rosista fuertes restricciones presupuestarias y estrecheces tanto en recursos materiales como humanos.

III. LOS MÉDICOS EN EL RÍO DE LA PLATA

La elite ilustrada de la que surgieron los grupos que lideraron los movimientos independentistas fue numéricamente minúscula respecto a la población total. Los médicos, provenientes de esa elite, desempeñaron un papel importante a pesar de su exigua cantidad.

Este antecedente, en la práctica, no facilitó demasiado la legitimación y la visualización de su actividad profesional en la sociedad de las nuevas naciones.

Refiriéndose a la situación social de la profesión médica en la segunda mitad del siglo XIX (y aplicable también, con más razón, a la primera mitad del siglo) dice Ricardo González Leandri (1998):

> Los médicos diplomados establecidos en Buenos Aires en el siglo XIX no pudieron constituirse a pesar de sus esfuerzos y de los éxitos parciales en una *consulting profession*.[3] Tanto el escaso desarrollo técnico de la medicina como la inexistencia de un mercado unificado para los cuidados de la salud les impidieron gozar de la confianza de un público masivo.

Estos médicos, que constituían una reducida pero influyente elite, conformaron, según González Leandri, una *learned profession*, es decir, una profesión que dependió fundamentalmente de su legitimación estatal.

El apoyo estatal es un elemento imprescindible para definir la trayectoria de una profesión. Ese apoyo se concreta legitimando, apoyando, imponiendo, excluyendo las actividades profesionales por parte del Estado. Tales acciones se hallan no sólo en el origen mismo de determinadas profesiones sino también en su trayectoria y organización. En el caso de las *learned professions* la ligazón es aún mayor, dado que sus actividades son fundamentalmente requeridas por el Estado.

En todo proceso de profesionalización se establece una lucha por el ejercicio monopólico de una actividad profesional. Los médicos diplomados, en el período considerado, estuvieron muy lejos de obtener el monopolio de la actividad, a pesar del impulso recibido desde la esfera estatal en gestación. Debieron compartir el ejercicio de la medicina con los curanderos y curanderas fuertemente imbricados en la cultura popular.

A partir del desarrollo de aquellos conflictos, los médicos diplomados comienzan a actuar como conjunto corporativo que intenta mantener un delicado equilibrio entre las instituciones gubernamentales y la sociedad. Pretendieron avanzar todo lo posible con ellas y convertirse en muchos casos en sus voceros, solicitar la intervención estatal frente a sus competidores, al mismo tiempo que intentaban preservar ciertas distancias en aquellos casos en los que veían peligrar su identidad.

Para obtener éxito en su proyecto institucionalizador, los médicos diplomados debieron contar con suficiente fuerza e influencia. Para ello era necesario en primer lugar ofrecer una imagen de homogeneidad que se intentó propulsar mediante el asociacionismo y los llamados a la solidaridad. En segundo término debían mostrar solidez y respetabilidad, para lo cual era imprescindible transformar los estatutos, planes de estudio y reglamentos de sus dependencias institucionales, venciendo todo tipo de oposiciones (González Leandri, 1998).

Muchos de estos intentos de institucionalización (visualización y legitimación social) fueron sin duda incipientes e incompletos, dado el débil desarrollo corporativo que no permitió a los médicos diplomados sobrepasar determinados límites durante la primera mitad del siglo XIX, Ya en la segunda mitad, la profesión médica sentó en este período (1852-1870) las bases sobre las que se apoyaron estrategias posteriores de mayor envergadura.

IV. LOS "MÉDICOS-PALEONTÓLOGOS"

El estudio de la historia natural (y en ella incluimos la paleontología) fue percibida por los científicos latinoamericanos como un elemento muy importante en la búsqueda de la identidad nacional y en la diferenciación cultural para completar la independencia de la metrópoli.

Sin embargo, la profesión de "naturalista" carecía casi por completo de inserción y reconocimiento social; por ello, tanto Muñiz como Vilardebó (ambos médicos muy reconocidos y activos ciudadanos) cultivaron sus estudios paleontológicos como actividades marginales y bajo la protección de la legitimidad dada por el prestigio de la profesión médica.

Ambos personajes dieron a conocer localmente sus hallazgos y estudios en los únicos foros existentes, aunque inapropiados para una difusión "universal": los periódicos rioplatenses. Simultáneamente, conscientes del escaso poder de transmisión de esos foros, intentaron estrechar vínculos con los científicos europeos, poseedores de canales institucionales organizados para la legitimación y valoración de los productos de las investigaciones científicas; bajo este aspecto los paleontólogos rioplatenses funcionaron como agentes periféricos de la paleontología central, sometidos en gran medida a la influencia intelectual respecto de los marcos teóricos y las técnicas específicas. Sin embargo la calidad de sus hallazgos y la interpretación correcta de estos evidencia cierta autonomía intelectual que trasciende el mero rol de científico colonial.

Francisco Javier Thomás de la Concepción Muñiz (1795-1871)

Raúl F. Vaccarezza (1980) nos recuerda la inscripción en una placa recordatoria del monumento erigido a la memoria de Muñiz en el cementerio del Norte (Recoleta): *"Derramó sobre esta tierra su sangre y su saber"*. La frase constituye un sentido y sintético homenaje a ese notable y polifacético médico argentino.

En su aseveración la inscripción plantea el sacrificio físico que los biógrafos de Muñiz siempre han señalado (Sarmiento, 1886; Palcos, 1943; etc.): en 1807, contando con sólo once años, se alista como cadete en el Regimiento de los Andaluces para intervenir en la defensa de Buenos Aires frente a las invasiones inglesas y es herido de bala en una pierna durante un enfrentamiento con patrullas inglesas. Ya en 1859, con sesenta y tres años, es nuevamente herido en batalla, en Cepeda, esta vez por un lanzazo en el tórax con herida de pulmón. Finalmente, cuando estaba ya retirado, veraneando en una quinta en Morón, sobreviene una epidemia de fiebre amarilla en Buenos Aires, y Muñiz aloja en su casa y presta atención médica a un joven enfermo, hijo de una familia amiga; Muñiz contrae la enfermedad y fallece el 8 de abril de 1871. Sus restos son enterrados en el flamante Cementerio del Sur y posteriormente fueron trasladados a la Recoleta.

Acerca de su "saber derramado en estas tierras", sólo nos ocuparemos de sus aportes a la paleontología rioplatense, dejando de lado otras áreas de las ciencias naturales, la medicina y la etnografía.

Muñiz se graduó como médico en 1822 en el recién creado Departamento de Medicina de la Universidad de Buenos Aires, aunque ya había casi completado sus estudios en el Instituto Médico Militar, sucesor de la Escuela de Medicina fundada en 1813; las necesidades impuestas por las guerras de la Independencia motivaron la transformación.

Aunque de profesión médico militar, Muñiz se interesó tempranamente por las investigaciones paleontológicas; ya en 1925, cuando es destinado al Cantón de la Guardia de Coraceros de Chascomús como médico cirujano, descubre en los terrenos cercanos a la laguna de Chascomús restos fosilizados de un gliptodonte y también del *Dasypus giganteus*, un tatú fósil. Sin embargo, el aislamiento geográfico (y cultural) en que vive le impide comunicar tales hallazgos. Pierde así la prioridad frente a Alcides d'Orbigny (1802-1857), quien años después (1838) lo da a conocer bajo el nombre actual a partir de un ejemplar colectado en Uruguay.[4]

La intención de Muñiz fue permanecer en Chascomús para continuar sus estudios sobre fósiles, por lo que se ofrece como médico de policía, y para difundir la vacuna antivariólica. Sin embargo, su pedido no fue aceptado por el gobernador Las Heras y en 1826 regresa a Buenos Aires.

Desde 1828 hasta 1848, Muñiz se instala en la Villa de Luján como médico de policía y encargado de la administración de vacunas. Un lugar que para la paleontología argentina tiene un gran valor histórico ya que allí fue descubierto por el padre Manuel Torres en 1787 el primer esqueleto completo de un megaterio, que fue trasladado a Madrid y estudiado por George Cuvier.

En Luján transcurre un período muy productivo en la vida de Muñiz, ya que puede desarrollar sus estudios científicos (geológicos, botánicos, zoológicos y, por supuesto, paleontológicos), como también su práctica médica, e incluso, veterinaria, ya que entraba en el campo de sus obligaciones como médico de la policía. Todas estas actividades fueron desarrolladas en un marco de relativa pobreza material y total pobreza cultural, sin referentes con quienes compartir sus hallazgos y sus dudas y con escasa información bibliográfica especializada (sólo algunas obras de Cuvier, Lamarck y Linnè). Las razones de su "ostracismo" voluntario lujanense seguramente fueron múltiples: 1) una situación política complicada en Buenos Aires durante el período rosista, que provocó la emigración masiva de unitarios, principalmente a Montevideo;[5] 2) una opción laboral como médico en la campaña con un cargo en la función pública, cuando el ejercicio de la profesión médica en forma liberal estaba muy condicionada por la debilidad corporativa que presentaba en esa época, según lo advierte González Leandri (1998);[6] 3) el deseo de proseguir sus estudios paleontológicos en un sitio donde la presencia de importantes fósiles ya estaba probada. Casi medio siglo más tarde Florentino Ameghino recorrió los mismos terrenos y, también, con excelentes resultados. Incluso Luján fue visitado por Charles Darwin en 1833, aunque no llegaron a conocerse en esa oportunidad; recién años más tarde Muñiz y Darwin traban intercambios epistolares cuando, por intermedio del inglés Enrique Lumb, Darwin le pide información acerca de la "vaca ñata". Sorprende que en un sitio tan escasamente poblado como era la Villa de Luján en esa época, no tuvieran un contacto directo. Tal vez una posible explicación de esa situación tenga que ver con que el joven veinteañero Darwin era un "señorito inglés", más preocupado por reunirse con los estancieros ingleses que con naturalistas vernáculos. Similar explicación es planteada por Mañé Garzón (1989) para una situación parecida: el "desencuentro" entre Darwin y Dámaso Larrañaga en el Uruguay.

Durante los primeros diez años de su estadía en Luján, Muñiz fue formando una colección de fósiles bastante importante, que había estudiado y clasificado con relativa pericia. Según Palcos, su único auxilio bibliográfico para la tarea de clasificación fueron las *Investigaciones sobre las osamentas fósiles* de George Cuvier.

El 29 de junio de 1841, Muñiz envía once cajones repletos de fósiles clasificados al gobernador Rosas, al parecer obligado por cierta presión oficial y con la esperanza de que el material fuera destinado al Museo de Buenos Aires. Sin embargo, el destino de esas colecciones fue el Museo de París y el de Londres, ya que Rosas regaló parte de los fósiles al almirante francés Dupotet, y otros al cónsul inglés Woodbine Parish. Así que esos fósiles terminaron siendo estudiados por paleontólogos europeos (Paul Gervais en París y Richard Owen en Londres). Los cajones contenían restos de mastodontes, toxodontes, gliptodontes, también menciona restos fósiles de lo que Muñiz interpretó como de orangután y que posteriormente se los reconoció como pertenecientes a humanos.

La lista de material enviado en los once cajones fue publicada meses después en *La Gaceta Mercantil*, en agosto de 1841, agregando el 10 de setiembre una autorrectificación acerca de la afirmación de una supuesta presencia de cuernos en el cráneo de *Megalonix,* una de las piezas de la colección "donada" (Ameghino dirá más tarde que fue un despojo).

Palcos hace notar el hecho de que Sarmiento haya omitido al editar parte de las obras de Muñiz justamente estos artículos, y lo atribuye a que, debido a que en las notas Muñiz elogia a Rosas, su reproducción en 1886 hubiese afectado la memoria de Muñiz (un caso de los efectos de la historiografía *whig*).

Muñiz continuó sus exploraciones y logró reconstruir y aumentar sus colecciones con ejemplares hasta entonces desconocidos como por ejemplo, el oso fósil denominado *Arctotherium* –estudiado y reclasificado por Gervais con el nombre de *Ursus bonaerensis*. Otros hallazgos importantes fueron el lestodon y el toxodon, aunque el favorito de Muñiz fue el hallado en 1844: el tigre fósil de dientes de sable, bautizado como *Muñifelis bonaerensis* por el propio Muñiz, aunque Burmeister lo renombró *Machaerodus neogaens* y finalmente Ameghino le asignó el nombre de *Smilodon bonaerensis*.[7]

Nuevamente *La Gaceta Mercantil* fue el foro donde Muñiz publicó su hallazgo el 1 de julio de 1845.

El 6 de mayo de 1854 se crea la Asociación, de Amigos de la Historia Natural del Plata. Esta asociación, de la que Muñiz fue socio fundador, impulsó el alicaído Museo Público de Buenos Aires, dirigido desde 1852 por Germán Conrado Burmeister, con la incorporación de piezas adquiridas y donadas. Sin embargo las actividades de la Asociación fueron languideciendo hasta su total disolución. Como ya dijimos, recién en 1866 Burmeister funda la Sociedad Paleontológica Argentina, que ocupa el espacio vacante dejado por la Asociación.

Teodoro Miguel Simón Vilardebó y Matuliche (1803-1857)

Nacido en Montevideo en 1803, Vilardebó se embarca en 1815 primero a Río de Janeiro y luego a Barcelona donde realiza sus estudios secundarios e inicia los de medicina quirúrgica; en 1825 comienza sus estudios de medicina en París. En 1830 se doctora en medicina y al año siguiente en cirugía.

En 1833 regresa a Montevideo, dejando incompleto un doctorado en ciencias y farmacia.

Desde 1833 a 1844 ejerce la medicina en Montevideo.

Vuelve a radicarse en Río de Janeiro en 1844, y en 1847 regresa a Europa, primero a Barcelona y luego a París.

En 1853 regresa nuevamente a Montevideo, donde permanece hasta que fallece el 29 de mayo de 1857 durante una epidemia de fiebre amarilla, atendiendo a sus pacientes.

Vilardebó, primer médico uruguayo diplomado que ejerció en su terruño, tuvo el mismo final que Muñiz, aunque su muerte fue bastante más prematura. De los cincuenta y tres años de existencia, Vilardebó estuvo veinticinco en el extranjero y sólo desarrolló actividades profesionales en el Uruguay durante quince años.

Pero en esa década y media de actividad en Montevideo participó intensamente en la vida cultural y científica de su país.

En el peculiar contexto cultural resultante de la Guerra Grande (1843-1851), llegan al Uruguay algunas personalidades destacadas. Entre ellas un ciudadano francés, Ernesto José Gibert, señalado por Mañé Garzón como el iniciador de los estudios botánicos en el país. Gibert compiló el primer herbario y publicó en 1872 el primer trabajo científico referente a la flora del Uruguay. Tuvo además el mérito de haber creado una atmósfera de discusión entre ciudadanos cultos, que se reunían en el local de una farmacia ubicada en la calle Sarandí en Montevideo.

Frecuentaban estas reuniones, entre otros, Teodoro Vilardebó y José Arechavaleta. Cabe señalar que no existían en el medio sociedades científicas como las que ya florecían en Europa desde el siglo XVI. En 1832 se crea la

Sociedad de Medicina, que tiene corta vida y ha de reinstalarse en 1852 y 1892 (Trujillo-Cenóz y Macadar, 1986).

El aporte de Vilardebó a la paleontología rioplatense ha sido sin duda el informe que realiza juntamente con Bernardo P. Berro (1803-1868), quien siendo presidente del senado fue nombrado presidente interino[8] de la República el 15 de febrero de 1852 hasta el 1 de marzo del mismo año, cuando lo sucedió Juan Francisco Giró.

En diciembre de 1837 se encuentra el esqueleto de un raro animal (supuestamente, una enorme tortuga) en una estancia del actual departamento de Canelones en las cercanías del arroyo Pedernal. Cuando la noticia llega a Montevideo, el Ministro de Gobierno envía los antecedentes a la Comisión de Biblioteca y Museo Público, la que nombra una comisión formada por Vilardebó y Berro, sumándose a título personal Arsene Isabelle, cónsul francés en Montevideo.

El *Informe sobre el fósil del Pedernal (y del Descarnado) (1838*) (dado a conocer a la opinión pública a través del periódico *El Universal* del 31 de marzo de 1838, N° 2551), pone en evidencia la formación, erudición y actualización de sus redactores.

Si bien ya existían referencias de edentatas fósiles para América del sur: la primera, por Thomas Falkner en 1774 y una segunda (comunicada a la Societe Philomatique de París, en 1823, por Dámaso Larrañaga (recogida por George Cuvier en la segunda edición de *Recherches sur les Ossements fossiles* del mismo año y en las ediciones siguientes); la descripción del *Dasypus antiquus* hecha y nombrada por Vilardebó y Berro en 1838 constituye una de las más completas de la época. Ese mismo año Richard Owen describe un ejemplar de nuevo género y especie proveniente de Luján, enviado por Woodbine Parish y lo nomina *Glyptodon claviceps.*

Alcides d'Orbigny lo menciona en su *Voyage dans l'Amerique Meridionale* (1842)[9] y también en su *Cours elementaire de Paléontologie et de Geologie stratigraphiques*, vol. I, París, 1849, página 172, en donde el autor lo presenta como *Glyptodon claviceps* (Owen). Allí, d'Orbigny misteriosamente omite a Berro y mantiene a su amigo, el francés Isabelle.[10]

Los contactos con d'Orbigny le permitieron a Vilardebó dar a conocer otros fósiles a la *Académie de Sciences* de París, como el hueso fósil de cetáceo encontrado en Paysandú en 1840.

Durante su estadía en Brasil (1844-1847) Vilardebó pudo continuar su actividad paleontológica cuando fue admitido como miembro del Instituto Histórico y Geográfico de Río de Janeiro el 15 de abril de 1845, posiblemente por sus antecedentes en la cofundación con Andrés Lamas de un instituto similar en Montevideo en 1843.

Silvia F. Figueiroa (1993) menciona, al analizar los artículos de la *Revis-*

ta del Instituto Histórico y Geográfico Brasileño que siempre estuvieron presentes aquellos cuya temática correspondía a las ciencias naturales, entre esos ejemplos cita la publicación de cartas de los científicos discutiendo sobre puntos específicos o avisando del envío de especímenes. Por ejemplo, la carta de Jacob van Erven (leída en la sesión del 21 de agosto de 1845 y publicada en el tomo 7) remitiendo al Instituto "una porción de huesos fósiles que se supone pertenezcan a la especie extinta de los megaterios y encontrados en lavaderos de oro de Santa Rita, en Cantagallo".

Casi inmediatamente a ser aceptado como miembro correspondiente del Instituto Histórico y Geográfico de Río de Janeiro, Vilardebó es nombrado como integrante de una comisión especial junto con Duarte de Ponte Riveiro y el médico francés Joseph F. X. Sigaud, para estudiar los huesos fósiles hallados en la localidad de Cantagallo mencionados anteriormente. Esta comisión redacta un informe en diciembre de 1845, que si bien, según Mané Garzón, es menos valioso que su anterior informe sobre los fósiles del Pedernal, muestran también un excelente manejo técnico de la disciplina. Ese trabajo constituye el primero de la bibliografía paleontológica brasilera realizado por naturalistas radicados en dicho país (dos de ellos sudamericanos y el primero brasilero) (Mañé Garzón, 1989, pág. 329).

V. MUÑIZ Y VILARDEBÓ: ALGUNAS CONCLUSIONES ACERCA DE SUS ESTRATEGIAS DE VISUALIZACIÓN Y LEGITIMACIÓN COMO PALEONTÓLOGOS

Ambos médicos ejercieron su profesión exitosamente, lo que les valió reconocimiento entre sus colegas y cierto renombre en la sociedad, aunque debido a la debilidad de la corporación médica, no recibieron retribución económica acorde al prestigio alcanzado, por lo que, en ambas biografías es factible encontrar años de pobreza.

Mientras Muñiz recibió su formación académica en la Argentina; logrando doctorarse en Medicina en 1844 en la Universidad de Buenos Aires,[11] Vilardebó se formó en Barcelona y París, donde pudo doctorarse en medicina (1830) y en cirugía (1831) y deja incompleta su tesis doctoral en ciencia y farmacia. Posiblemente esta opción, determinada por su padre, se debió en principio a las circunstancias políticas que obligaron a la familia Vilardebó a mudarse a Río de Janeiro y posteriormente enviar a Teodoro a estudiar en Barcelona, donde residían sus abuelos. Una vez en Europa, el joven Vilardebó optó por la plaza de mayor prestigio científico y se trasladó a París.

Si bien Vilardebó recibió una educación más formal en ciencias naturales y tuvo acceso a mejores docentes y bibliografías; Muñiz fue casi un autodidacta que supo suplir la formación académica con largos años de trabajo de campo.

En ambos autores se manifiesta la intención de convertir la paleontología en una disciplina exacta. Las minuciosas descripciones, apoyadas por las mediciones rigurosas de los especímenes estudiados revelan la tendencia que el positivismo reforzará a lo largo de los siglos XIX y XX.

Ambos autores carecieron en el Río de la Plata de foros de debate y de publicaciones adecuados: debieron recurrir a periódicos no especializados para dar a conocer sus estudios ante las sociedades respectivas. Sin embargo, ambos intentaron relacionarse con los círculos académicos extranjeros; en el caso de Muñiz tuvieron mayor vinculación con la medicina a raíz de sus comunicaciones acerca de la vacuna indígena, aunque también logró algún reconocimiento en el campo de las ciencias naturales al intercambiar información con Charles Darwin acerca de la vaca ñata.

Los años de residencia en Europa le dieron a Vilardebó contactos más intensos con los científicos centrales; pero al mismo tiempo una mayor dependencia intelectual que lo inclinaba a soñar con retornar a la vida de estudiante parisino.

Ambos, debido a que el mero hecho de ser médicos los vinculaba a las elites criollas, mantuvieron estrechos contactos con los funcionarios y gobernantes de turno, aunque tal cercanía no los desvió de sus metas en relación con la medicina y las ciencias naturales. Ambos supieron alejarse del poder cuando el compromiso era muy condicionante.

NOTAS

1. Emilio Quevedo V. (1993) sostiene que el modelo difusionista de Basalla se apoya, entre otras cosas, en el esquema de los estados del crecimiento económico (Rostow, 1960), el cual, a su vez se fundamenta en la ley de los tres estados de Comte.

2. Cabe notar el contraste con la América sajona donde ya en 1859 se funda el ahora famoso MIT.

3. "Si se adopta el modelo funcionalista de los tipos ideales parece realmente dudoso poder aplicar el concepto de profesión a los pocos médicos diplomados que ejercían en Buenos Aires a mediados del siglo de unas elites ilustradas que por la presión de una "comunidad" ocupacional. Podemos hacerlo, sin embargo, si apelamos a la diferenciación que establece Freidson entre *learned* y *consulting profession*" (Ricardo González Leandri, 1998).

4. Ver la Sección IV B sobre T. M. Vilardebó.

5. Dice José Babini (1961): "Pero al sobrevenir la tiranía [de Rosas] la leve brisa científica que habían aportado los sabios extranjeros desaparece; la Universidad suspende el sueldo a los profesores, el Colegio se cierra, las instituciones que se ha-

bían creado: la Biblioteca, el Museo, todo está aletargado. Si se exceptúa cierta actividad de Urquiza en Entre Ríos, durante los últimos años de la tiranía, como por ejemplo la fundación del luego llamado Colegio Histórico del Uruguay, a lo largo de casi un cuarto de siglo las actividades científicas en la Argentina se reducen a algunos esfuerzos personales esporádicos o a los proscriptos. En efecto, debe considerarse científica la labor del grupo de la Asociación de Mayo [...]"

"En cuanto a los esfuerzos individuales, cabe mencionar a De Angelis [...], y sobre todo a Francisco Javier Muñiz, considerado el primer naturalista argentino, que si bien no tuvo actuación pública después de Caseros, su labor científica, como médico y como paleontólogo, se desarrolló durante la época de Rosas".

6. Las cifras del primer censo nacional de 1869 son elocuentes al respecto: mientras detecta la presencia de 1.047 curanderos –cifra seguramente subvaluada– sólo son registrados 453 médicos diplomados.

(Para la ciudad de Buenos Aires, 9 curanderos y curanderas y 154 médicos; para la campaña 118 curanderos y curanderas y 89 médicos. Primer Censo de la República Argentina (1869). Buenos Aires, 1872.)

La escasez de médicos diplomados había sido una constante en toda la primera mitad del siglo XIX, destacándose su práctica inexistencia en la campaña. El grueso de la población recurría a curanderos o "inteligentes", forma más extendida de asistencia dado que por diversos motivos sólo en última instancia los pobres recurrían a algún médico o al hospital.

Aquella escasez venía de lejos. Si bien a partir de la creación del Protomedicato en la época colonial importantes regulaciones redundaron en beneficio de los médicos diplomados, esa situación crónica no pudo ser transformada en lo esencial.

Poco se modificaron las cosas con el comienzo del período independiente a pesar de la mayor legitimidad con que pudieron contar los médicos a partir de la creación de la Facultad y de instituciones como el Tribunal de Medicina, que tendieron a reforzar su papel social.

Los esbozos ilustrados de política sanitaria estatal que se implementaron especialmente bajo la presidencia de Bernardino Rivadavia al crear funciones específicas bajo control médico –médicos de sección, de campaña, de policía y del puerto– permitieron a éstos avanzar sobre territorio público y aumentar su influencia.

Pero esta influencia siempre fue limitada y, a pesar de que por origen social los médicos podían ser considerados miembros de la elite porteña, siempre ocuparon dentro de ésta un segundo lugar. Se ha considerado en tal sentido que la actividad del médico diplomado "no logró modificar su tradicional perfil de trabajo especializado con una mediana significación social".

El hiato institucional, producto de los condicionantes sociales y políticos que condujeron a la consolidación del rosismo, arrastró consigo a la profesión médica a una mucho más difícil situación. Mientras que la Facultad, órgano vital en todo proyecto profesional, el territorio que los médicos habían logrado conquistar en el espacio público prácticamente desapareció, la misma elite de la profesión se vio diezmada por el conflicto político que arrastró a muchos de sus miembros al exilio.

7. José Babini escribió al respecto: "En algunos descubrimientos Muñiz posee indiscutibles derechos de prioridad que no pudo hacer valer en su momento, pues

daba cuenta de esos descubrimientos en la *Gaceta Mercantil* que evidentemente ni era un periódico científico ni era conocido en el mundo científico. Uno de esos descubrimientos fue el "tigre fósil" que hoy lleva el nombre *Smilodon bonaerensis* (Muñiz). El mejor elogio que puede hacerse de Muñiz es recordar las expresiones de Ameghino al reconocer que sus propias descripciones parecen copiadas de las de Muñiz".

8. Berro no fue el único presidente que se interesó por la paleontología. El tercer presidente de los Estados Unidos, Thomas Jefferson (1743-1826) describió en 1797 el fósil de un mamífero edentado, el *Megalonix*, encontrado en una caverna del estado de Virginia.

9. Citado en francés por Mañé Garzón (1989) en la página 311, siendo su traducción: "Y la Banda Oriental (República del Uruguay) donde los señores Tadeo (sic) Vilardebó, Bernardo Berro y Arsene Isabelle encontraron, en 1838, a orillas del arroyo Pedernal, un enorme animal todavía con su caparazón, al que denominaron *Dasypus giganteus* (en nota: informe publicado en *El Universal* de Montevideo, el 31 de marzo de 1838, Nº 2551)" [la traducción me pertenece].

10. "Entre los géneros extinguidos que se agrupan alrededor del *Dasypus*, se puede citar el género *Glyptodon, Owen*. No se conoce aún más que una sola especie, ésta es *G. claviceps* (descrita en 1838 con el nombre de *Dasypus giganteus* por los señores Vilardebó e Isabelle), cuyo tamaño alcanzaba aproximadamente un tercio del de un megaterio." (Orbigny, A. d', 1849) [la traducción me pertenece].

11. Cabe recordar que para ello, debió jurar fidelidad al régimen federal por la fórmula impuesta por el gobierno rosista y demostrar que sus opiniones políticas rechazaban las ideas unitarias.

REFERENCIAS BIBLIOGRÁFICAS

Babini, José (1961): "Breve historia de la ciencia argentina", en de Asúa, Miguel (comp.), *La ciencia en la Argentina. Perspectivas históricas*, Buenos Aires, CEAL, 1993, págs. 27-43.

Elena, Alberto: "La configuración de las periferias científicas: Latinoamérica y el mundo islámico", en A. Lafuente, A. Elena y M. L. Ortega (comps.) *Mundialización de la ciencia y cultura nacional*, Madrid, Ediciones Doce Calles/ Universidad Autónoma de Madrid, 1993, págs. 139-146.

Elliott, John. H.: *The Old World and the New, 1492-1650*, Cambridge, Cambridge University Press, 1970; cit. Por la ed. Esp. *El Viejo Mundo y el Nuevo (1492-1650)*, Madrid, Alianza Editorial, 1972, págs. 20-21.

Figueiroa, Silvia Fernanda: "Associativismo científico no Brasil: O Instituto Historico e Geografico Brasileiro como espaço institucional para as ciencias naturais durante o seculo XIX", en A. Lafuente, A. Elena y M. L. Ortega (comps.) *Mundialización de la ciencia y cultura nacional*, Madrid, Ediciones Doce Calles/ Universidad Autónoma de Madrid, 1993, págs. 449-460.

González Leandri, Ricardo: "La profesión médica en Buenos Aires: 1852-1870" en Mirta. Z. Lobato (comp.) *Política, médicos y enfermedades. Lecturas de historia de la salud en la Argentina*, Buenos Aires, Editorial Biblos/ Universidad Nacional de Mar del Plata, 1998, págs. 19-53.

Hanke, L. L.: *History of Latin American Civilization. Sources and Interpretations*, Londres 1967, pág. 400.

Hilton, R.: *The Scientific Institutions of Latin America*, Stanford, 1970, pág. 699.

Lértora Mendoza, Celina A.: "Introducción de las teorías newtonianas en el Río de La Plata", en A. Lafuente, A. Elena y M. L. Ortega (comps.) *Mundialización de la ciencia y cultura nacional*, Madrid, Ediciones Doce Calles/ Universidad Autónoma de Madrid, 1993, págs. 307-324 .

Mañé Garzón, Fernando: "Vilardebó (1803-1857), Primer médico uruguayo", en Academia Nacional de Medicina del Uruguay, *Apuntes tomados por Teodoro M. Vilardebó del primer curso sobre Phisiologie Expérimentale dictado por Claude Bernard en el Collége de France (1847-1848). Prólogo de Héctor Mazzella y Fernando Mañé Garzón. Seguido de Vilardebó (1803-1857) Primer médico uruguayo por Fernando Mañé Garzón*, Montevideo, Fundación Beisso-Fleurquin, 1989, págs. 183-535.

Myers, Jorge: "Antecedentes de la conformación del Complejo Científico y Tecnológico, 1850-1958", en Oteiza, E. *et al.*, *La política de investigación científica y tecnológica argentina. Historias y perspectivas*, Buenos Aires, CEAL, 1992, págs. 87-114 .

Muñiz, Francisco Javier: *Escritos científicos*, Buenos Aires, Jackson, 1944.

Quevedo V. Emilio: "El conflicto entre tradiciones científicas modernas europeas y americanas en el campo de la medicina en la América Latina colonial", en A. Lafuente, A. Elena y M. L. Ortega (comps.) *Mundialización de la ciencia y cultura nacional*, Madrid, Ediciones Doce Calles/ Universidad Autónoma de Madrid, 1993, págs. 269-285.

Roche, Marcel: "Los albores de la ciencia en la América hispana", en Comisión Nacional Quinto Centenario, *Testimonios. Cinco siglos del libro en Iberoamérica. Caracas-Madrid,* 1992, Barcelona, Lunwerg Editores, 1992, págs. 251-292.

Trujillo-Cenóz, Omar y Macadar, Omar: "Biología" en Centro de Investigaciones Económicas, *Ciencia y Tecnología en el Uruguay*, Montevideo, Ministerio de Educación y Cultura, 1986, págs. 42-70.

Vaccarezza, Raúl. F.: *Vida de médicos ilustres*, Buenos Aires, Troquel, 1980, pág. 167.

Vessuri, Hebe: "La ciencia en América Latina, 1820-1870" en *Historia General de América Latina*, vol. VI, cap. 23, París, Unesco (en prensa).

Vilchis, Jaime: "Simbolización e historia natural en la Iberoamérica colonial", en A. Lafuente, A. Elena y M. L. Ortega (comps.) *Mundialización de la ciencia y cultura nacional*, Madrid, Ediciones Doce Calles/ Universidad Autónoma de Madrid, 1993, págs. 179-184.

EL "PINEL ARGENTINO": DOMINGO CABRED Y LA PSIQUIATRÍA DE FINES DEL SIGLO XIX

MARÍA LAURA PIVA

> Asistido hoy en el lecho, en salas amplias y confortables, que pueden equipararse a las de los mejores hospitales comunes, en donde no escapa a la observación científica ningún síntoma propio de la psicopatía o extraño a ella, el alienado ha reconquistado totalmente sus derechos de enfermo del cerebro.
>
> DOMINGO CABRED (1910)
>
> "Discurso inaugural del Pabellón de clinoterapia y obras de ensanche del Laboratorio de la Clínica de Psiquiatría".

INTRODUCCIÓN

A diferencia de lo que ocurre en otros países donde la historia de la ciencia tiene una tradición independiente y está constituida como un campo específico, en la Argentina ha tenido escaso desarrollo como disciplina autónoma y profesionalizada (de Asúa, Miguel, 1993), probablemente por el peso de la tradición fundacional de estos estudios en el país, fuertemente apegada a la crónica (Montserrat, 1993, pág. 7). Es así como prácticamente no ha habido eco de los debates centrados en el circuito académico anglosajón acerca de las fronteras disciplinares entre la filosofía y la sociología de la ciencia, la historia de la medicina, la historia de la tecnología y la historia general (de Asúa, 1993 b: I,7).

En cuanto a la historia de la medicina, a pesar de la larga tradición de estos estudios, son escasos los trabajos que adoptan perspectivas metodológicas actualizadas (Lértora de Mendoza, 1986). En este contexto, las obras consagradas a la historia de la psiquiatría se ubican en la línea conmemorativa de las reseñas producidas años atrás por los propios médicos.[1]

Existen, por otra parte, trabajos que se ocupan de la profesión o de las instituciones médicas desde la Historia Social por lo cual no constituyen estrictamente historias de las disciplinas o especialidades. En este contexto, el interés ha sido, más bien, la salud pública en el marco de los cambios urbanos del país inmigratorio (Lobato, 1996). Así, se ha abordado el estudio de la reforma de la asistencia de los alienados en el marco de la política sanitaria de la generación del ochenta, con sus objetivos de homogeneización social y control de las desviaciones en el proceso de consolidación del Estado nacional a fines del siglo XIX.

Se ha propuesto, asimismo, una *Historia de la locura en la Argentina* (Vezetti, 1985). El autor, desde el ámbito de los estudios de historia de la psicología y del psicoanálisis, adopta –como el título de la obra lo indica– una perspectiva foucaultiana en términos de la locura como un fenómeno social o cultural. La crítica historiográfica suscitada por la *Histoire de la folie* en los años siguientes a su aparición –centralmente los trabajos de Gladys Swain (Swain, 1977)– no parece haber tenido repercusiones en el medio local.

Finalmente, pueden mencionarse aportes desde la perspectiva de la historia de las ideas o de los intelectuales, cuyo tema es el positivismo argentino como corriente de ideas en las que se inscribiría el positivismo psiquiátrico (Terán, 1987).

El personaje de Cabred, uno de los protagonistas de la reforma de la asistencia médica que se produjo en el país hacia fines del siglo XIX, no ha sido objeto de estudios históricos específicos. La literatura de homenaje local, los europeos y los latinoamericanos que lo habían conocido lo identificaban, previsiblemente, en tanto alienista, con la figura fundacional de Pinel –el supuesto liberador de los locos de Bicêtre en los días de la Revolución Francesa (Cabred,1927, pág. 584)–[2] conservando para la posteridad sólo sus rasgos filantrópicos.[3] Si bien la actividad de Cabred en el marco de la extensión del sistema hospitalario y su interés particular por los alienados no son independientes, resulta interesante analizar cómo algunas de sus preocupaciones de especialista aparecen en los textos asociados a su actividad institucional y en sus escritos médicos. Se tomará en este trabajo la cuestión de las *causas de la locura*, revisando tanto aquellos textos vinculados a su rol de sanitarista como los destinados al público médico. Los vicios morales, la vorágine de la ciudad, las agitaciones políticas, la ambición de los inmigrantes, la sociedad, en fin, enloquecen, parecía decir en los primeros. En los segundos, en cambio, el trastorno psiquiátrico tenía que ver, cada vez más, con el cuerpo: las preguntas eran, en ese caso, dónde la patología se aloja o cómo la herencia interviene en su producción.

UN ORGANIZADOR ENTUSIASTA HASTA EL DELIRIO[4]

Cabred nació en 1859 y se doctoró en 1881, en la Facultad de Ciencias Médicas de Buenos Aires. Fue básicamente un organizador, tanto en su desempeño académico como en su actividad de funcionario público. Su labor docente estuvo asociada a su especialidad mientras que su actuación como funcionario se enmarcó en la reorganización del sistema sanitario, como presidente de la Comisión Asesora de Asilos y Hospitales Regionales. Entre 1893 y 1918 fue profesor titular de la Cátedra de Enfermedades Mentales de la Facultad de Medicina y Director del Hospicio de las Mercedes. En ambas posiciones sucedió a Lucio Meléndez quien había creado la Cátedra en 1886 e implantado en el Hospicio, desde 1876, los criterios de lo que podría rápidamente llamarse alienismo clásico. Por iniciativa de Cabred, las clases comenzaron a dictarse en el asilo, apoyadas en presentaciones de enfermos.[5]

Cabred se interesó en poner al país al día en cuanto a los avances en la asistencia y tratamiento de los alienados, al mismo tiempo que propició el desarrollo de la actividades de investigación en la línea del tránsito hacia la imposición del modelo organicista que comenzó a imponerse en el alienismo después de la segunda mitad del siglo XIX. En este contexto de ideas puede ubicarse la contratación del profesor alemán Christofred Jakob para organizar un laboratorio de clínica psiquiátrica en el Hospicio de las Mercedes y la fundación de la Sociedad de Psiquiatría, Neurología y Medicina Legal cuyo nombre mismo traducía la aproximación entre psiquiatría y neurología, uno de los rasgos de este proceso de transformación.[6]

En 1899 inauguró el asilo-colonia de Luján, primer establecimiento en el país donde se implantaba el *open door system*, corolario del principio del *no restraint* –supresión de la coerción mecánica en el tratamiento de los alienados– introducido en Inglaterra hacia los años '40. Su interés por la asistencia se expresó en la fundación de varios establecimientos donde se les brindaría un tratamiento científico. Son este tipo de acciones las que le valieron el título de "Pinel argentino" en la hagiografía médica.

Sin embargo, aunque estas dos facetas del personaje, el especialista y el médico social, son inseparables, es interesante notar que en sus textos la locura aparece de modo diferente según hable el uno o el otro.

ARTÍCULOS PARA PSIQUIATRAS

Algunos de los que han hecho el elogio de los psiquiatras de esta época, han juzgado su producción científica como poco nutrida.[7] Así, Nerio Rojas –un antiguo tesista de Cabred– consideraba que éste, por su labor como organizador, y su sucesor, José T. Borda, por su actividad clínica merecían un lugar en el panteón médico (Rojas,1970, pág. 293).[8] Analizando la nómina de trabajos del Instituto de Clínica Psiquiátrica,[9] entre 1910 y 1919, se advierte que de los más de doscientos citados, treinta son de Cabred quien a su vez figura en otros diez como coautor. Allí aparecen los textos asociados a investigaciones médicas en un mismo nivel que aquellos relativos a su labor como "profilacta social".

Los temas de sus trabajos revelan la preocupación por la búsqueda del sustrato orgánico de las enfermedades mentales: así, se encuentran varios sobre parálisis general progesiva (Cabred, 1885-1915; 1887; Cabred-Roffo, 1914), uno sobre afasia (Cabred y Morixe, 1916), otros sobre demencia precoz (Cabred, 1899-1915; 1914 y Cabred-Borda, 1904), informes médico-legales sobre casos de demencia senil (Cabred, 1894), desequilibrio hereditario (Cabred *et al.*, 1894) e idiotismo. Por otra parte, entre los que se ocupaban del tratamiento de la locura, hay conferencias y algunas ponencias a congresos.

A fin de aproximarnos a las ideas de Cabred como especialista y para intentar mostrar su posición respecto de la causalidad de la locura, hemos seleccionado tres textos significativos: su tesis doctoral, su trabajo sobre la demencia precoz y el discurso en el banquete de despedida que el 30 de julio de 1910 se le ofreció al doctor Jakob que regresaba a su país, tras once años de labor en el Instituto de Clínia Psiquiátrica.

Cabred se doctoró en 1881 con una tesis sobre la locura refleja,[10] patología producida por la alteración material o funcional de un órgano más o menos lejano del cerebro y sin relaciones directas con él, que se distinguía de la locura sintomática, dependiente siempre de lesiones intracraneanas. Estaba convencido de que *"la actividad mórbida de las células cerebrales puede ser provocada por la actividad mórbida de órganos más o menos distantes del cerebro, por el mecanismo de la acción refleja"* (Cabred, 1881, pág. 11). No se explicaba cómo alienistas como Falret padre y Georget sostenían que las alteraciones en cuestión no eran las causas de la locura sino secundarias a ésta.[11] Para que la locura apareciera eran necesarias, sostenía, la predisposición hereditaria y la lesión. En cuanto al pronóstico, planteaba que, a diferencia de las locuras idiopáticas y sintomáticas, la de origen reflejo era relativamente más fácil de tratar aunque esto dependía, según él, del momento en que se la abordara, dado que la enfermedad se cronificaba una vez producidas las alteraciones materiales que se sumaban a los trastornos funcionales originarios: *"La continuación y persistencia del funcionamiento mórbido del sistema nervioso* –afirmaba– *crea en éste una modalidad constante y habitual que sobrevive a su causa*" (Cabred, 1881, pág. 17).[12] La terapia propuesta era, en primer término la medicación dirigida a ésta siendo, por otra parte, el tratamiento moral complemento indispensable.

En el capítulo denominado anatomía patológica, puntualizaba la situación de atraso de la psiquiatría en este campo: *"La luz proyectada* –decía– *por los estudios anátomo-patológicos, desde principios de este siglo, sobre todos los ramos de la medicina, no ha aclarado, sin embargo, como era de esperarse, a la patología mental*" (Cabred, 1881, pág. 21) salvo en el caso de la parálisis general progresiva (PGP), *"la única entidad mórbida en nosología mental hasta el presente que tiene estudiada de un modo exacto su anatomía patológica"*[13] (Cabred, 1881, pág. 22). Es decir que era ésta, según él, la que proporcionaba finalmente las certidumbres respecto del origen de la locura.

En 1904 publicó junto con Borda *La Demencia Precoz.*[14] Citando la sexta edición del tratado de Kraepelin (la llamada edición clásica[15]), se señalaba como el aporte fundamental de este autor la introducción del criterio evolutivo en la definición de la enfermedad mental. En esta edición de su tratado, Kraepelin diferenciaba las adquiridas o *exógenas* de las *endógenas*. Los dos grandes tipos de psicosis endógenas que presentaba eran la demencia precoz y la psicosis maníaco-depresiva. Plantear para estas afecciones una etiología endógena implicaba, como sostiene Jacques Postel (Postel, J, 1994, págs. 228-229), afirmar que su origen estaba en el propio individuo, es decir, en su predisposición, en su constitución, eventualmente en su "carácter moral": *"La psicosis no es sólo un accidente sino que acompaña la trayectoria misma de la existencia y del destino del hombre enfermo"* (Postel, J, 1994, pág. 227). En esta concepción, el medio exterior no tenía que ver con la locura y no se podía entonces operar sobre ella puesto que era considerada incurable y evolucionaba hacia la demencia. Toda psicosis endógena, entonces, devendría crónica lo cual daba lugar al pesimismo terapéutico y justificaba la idea del aislamiento asilar.[16]

Cabred y Borda acordaban con esta perspectiva más allá de algunos matices[17] y señalaban el desacuerdo reinante respecto de la importancia a asignar a la herencia que, para ellos, estaba entre las causas de primer orden: *"La demencia precoz necesita para desarrollarse un terreno especial preparado por causas hereditarias, congénitas o adquiridas, pero las primeras tienen un rol más importante"* (Cabred-Borda, 1904, pág. 37). El texto señalaba que la patogenia de esta enfermedad (su *causa íntima*) era ignorada ya que la anatomía patológica no había dado respuestas concluyentes.[18] La terapia conveniente en el período agudo eran la hospitalización y la clinoterapia, y en el crónico, el Open Door si bien el pronóstico era desfavorable más allá de que eventualmente podían observarse mejorías considerables.

El 30 de julio de 1910, en el Hospicio de las Mercedes, le fue ofrecido un banquete de despedida al doctor Jakob que regresaba a su país. La intervención de Cabred (Cabred, 1910, pág. 447) historiaba la creación del Laboratorio y la acción del homenajeado. La anatomía normal y patológica del sistema nervioso no ha sido objeto, en nuestra Facultad de Medicina, hasta hace pocos años, de estudio especial; y el método anátomo-clínico, tan fecundo en resultados, no podía por consiguiente aplicarse de un modo completo" para a continuación destacar que el estudio de muchas enfermedades mentales y nerviosas ha pasado "[...] del período exclusivamente sintomático o sindrómico al patogénico".

Para él "[...] el anhelo dominante en la actualidad es explicar el mecanismo del proceso anátomo-clínico de las psicopatías y de las neuropatías, demostrando la vinculación de los síntomas con las lesiones y la de éstas con la etiología, como ocurre en la patología común". Así, contaba, contactó en Alemania a este científico de la Facultad de Erlangen y logró que las autoridades apoyaran la iniciativa de constituir el laboratorio. Comentó largamente el éxito de la investigación en el instituto y su poder de convocatoria. La enumeración de los temas de trabajo que se desarrollaban en él[19] culmina con una referencia a los límites actuales del método:

> Si en algunas formas mentales, que todavía se llaman vesanias, funcionales o psiconeurósicas, a falta de exacto calificativo etiológico, no se ha podido realizar el mismo trabajo, ello sólo se debe a que sus lesiones patógenas escapan a nuestros actuales medios de investigación. La lesión o trastornos nutritivos, bioquímicos de las neuronas corticales, existe sin duda alguna, pero reclama la atención de nuevos reveladores que lo pongan de manifiesto.

Los textos comentados antes indican el interés por encontrar el sustrato orgánico de la enfermedad (Loudet, O., 1959, págs. 121-122)[20] y la ubicación de Cabred en el marco del mencionado proceso de tránsito hacia el organicismo, en medio de la crisis del optimismo terapéutico que había presidido la instauración del tratamiento moral (Maglioni, 1979, pág. 15).[21] Algunos de los factores que ponían en duda su eficacia aparecen en su discurso: hacinamiento creciente, expansión de las locuras degenerativas y del alcoholismo, pocas curaciones. Sin embargo, como se verá enseguida, en las intervenciones públicas, este médico defendía la institución, a reformar por supuesto, asignando a la locura causas morales genéricas, vinculadas a factores sociales (Vezetti, 1985, pág. 221).[22]

Es probable que el inicio de este proceso se advierta más claramente en textos como los analizados hasta ahora que en aquellos donde el médico hacía un elogio de las ventajas de los nuevos hospicios, donde el aumento en el porcentaje de curaciones era un argumento importante y estaba relacionado no tanto con los avances en la localización del mal sino con la aplicación de una nueva versión del viejo tratamiento moral.

LO DICE SOBRE LA LOCURA EL FUNDADOR DE HOSPITALES

En la memoria oficial sobre el Hospicio de las Mercedes, que por entonces dirigía Cabred, correspondiente al año 1892 (Cabred, 1893), se detenía en una descripción de las locuras más frecuentes, introduciendo en el análisis factores que podrían considerarse extramédicos. Las causas determinantes de estas afecciones, según él, despertaban la atención "tanto del médico como del sociolojista [sic] por la frecuencia de su acción y lo temible de sus resultados" (pág. 335). Hacía allí una asociación entre locura y civilización que, en el caso de la Argentina y de Buenos Aires en particular, tenía que ver con el vertiginoso crecimiento de la ciudad: "[...] los grandes centros –decía– ejercen una acción atractiva sobre estos degenerados, como si buscaran hallar en el seno de las grandes poblaciones, el complemento de sus aptitudes anormales" (pág. 336). Una población especialmente sensible a la locura, locura alcohólica sobre todo, eran los inmigrantes que constituían, además, "*la clase proletaria*". Las agitaciones políticas y el crecimiento económico tenían también mucho que ver:

> Los pueblos que, como el nuestro, recorren períodos de agitación violentos y transitorios, absorbiéndose por completo en las preocupaciones dominantes en esos períodos, se hallan sujetos a sufrir padecimientos nerviosos y mentales, como consecuencia de las conmociones. En efecto, las agitaciones de la política, las empresas comerciales, la ambición inmoderada de riquezas, son causas sumamente influyentes en la producción de esos estados y se revelan aún en las manifestaciones delirantes de cierta clase de enfermos (pág. 335).

En este mismo texto citaba el caso de la PGP como "*la enfermedad de los pueblos civilizados*", alarmándose ante su frecuencia:

> [La parálisis general progresiva] asume entre nosotros proporciones alarmantes, a tal punto de llegar a ocupar el segundo orden, entre las formas de alienación en general, y el primero entre las de orden sociolójico [sic] (pág. 336).

Esta consideración remite a las condiciones ambientales que favorecían la expansión de la sífilis, de la que la PGP era reconocida desde hacía tiempo como el último estadio.

Junto con las causas sociales de la locura, igual espacio merecían las causas individuales predisponentes: además de la herencia en primer lugar, el celibato y la vida irregular. No debía exagerarse, creía, el factor educativo: si había más instruidos entre los locos, eso se debía a que en el país había simplemente más instruidos: la educación así generalizada alcanzaba a todos: desde el "normalmente constituido hasta el degenerado bien caracterizado" comprendiéndose entonces que "en los últimos, cuyos cerebros no se encuentran organizados para recibir los beneficios de la instrucción, el estudio influya de una manera poderosa en la producción de los transtornos mentales". Si bien la sociedad producía locura, lo hacía sobre un organismo predispuesto por la herencia o por la conformación anormal de los cerebros.

En eventos institucionales, Cabred pronunciaba discursos que no abundaban generalmente en consideraciones acerca de la naturaleza de la locura y sus causas (cf. Cantón, 1897)[23] ya que el punto central era, en estos casos, el tratamiento. La crítica al manicomio urbano y la defensa del Open Door tenían como tópicos la indiferencia de los poderes públicos en relación con los alienados, el hacinamiento y la penuria de recursos en los hospicios, y la reforma propuesta remarcaba la necesidad de "profesionalización" de la atención:

> El número de insanos alojados en los establecimientos de la Capital Federal es muy superior a lo que permite la capacidad higiénica de ellos y el tratamiento médico deja mucho que desear [se trata] de solucionar, de una vez, el problema de la hospitalización científica y económica de los alienados. Así se prestará asistencia a los que carecen de ella, y se trasladará a los nuevos establecimientos, a los que hoy está hacinados en los asilos metropolitanos (Cabred, 1908, págs. 22-23).

Más allá de los propósitos humanitarios, aparecía claramente la voluntad de fortalecer el carácter médico (en tanto técnico) de las instituciones. El estado de cosas existente no sólo contravenía "los principios de la civilización" sino que atentaba contra la posibilidad de un tratamiento diferenciado para crónicos y agudos al tiempo que dificultaba la clasificación y la vigilancia de los enfermos (Cabred, 1899, pág.14).[24]

Como se ha visto, en estas ocasiones las consideraciones relativas a las causas, si aparecían, tenían que ver con lo "social" (que actuaba, como se ha dicho, sobre un organismo predispuesto), la institución tal como estaba, si no la causa estricta, era un factor contraproducente:

> La secuestración a que están condenados todos los enfermos, sin excepción en los asilos cerrados, es pues no solo innecesaria, sino también contraria a los derechos del hombre y a las exigencias del tratamiento científico de la locura. Y son tan mezquinos los resultados curativos [...] que Marandon de Montyel [...] los llama fábricas de crónicos y de incurables" (Cabred, 1899, pág. 11).

No podría decirse que en este discurso el hospicio aparecía claramente fabricando locos: en realidad, los cronificaba o los transformaba en incurables. Se imponía entonces su reforma que además se daba en el marco de una reforma hospitalaria general, guiada por los ideales de la Higiene Pública.[25]

El acento estaba puesto, entonces, más en el tratamiento moral desplegado en el marco del Open Door, ya sea como solución o como paliativo, que en la eventual fatalidad de la locura:

> Claro que esta modificación favorable, comentaba a propósito de la implementación de los asilos abiertos, no llega hasta curar estados que, por su naturaleza, son incurables; pero la mejoría en el aspecto físico y en el espíritu del enfermo es tan grande, que se experimenta una íntima satisfacción ante este resultado, el único posible de alcanzar (Cabred, 1904, pág. 779).

CONCLUSIONES

Se ha intentado mostrar que la cuestión de las causas de la locura aparece de modos diferentes en los textos de Cabred. En las intervenciones públicas de este médico predominaba la atribución de la locura a factores que tenían que ver con cuestiones ambientales: consecuencias negativas del avance de la "civilización", crecimiento vertiginoso de la ciudad inmigratoria, sobresaltos de la coyuntura política. Cuestiones, en fin, de interés *"tanto para el médico como para el sociologista"*, problemas enmarcados en las preocupaciones higiénicas de la época. Aun la institución misma tenía que ver, si no en la producción, al menos en la cronificación de la enfermedad.

Sin embargo, aun en este tipo de intervenciones, a la hora de justificar las reformas al sistema de asistencia existente, siempre surgía el argumento estrictamente médico: se trataba, también, de que los locos fueran tratados de acuerdo con "los avances de la psiquiatría" y, por ende, pudieran ser mejor estudiados y clasificados. Al hablar como especialista, en los textos destinados al público médico, Cabred se mostraba muy interesado por la idea de la causalidad orgánica y exhibía esperanzas en el progreso de los estudios anátomo-patológicos que lograrían determinar la relación enfermedad/lesión que para muchas patologías aún resultaba desconocida. Es en este contexto donde se ubica la creación del Laboratorio de Psiquiatría donde se investigaban problemas que poco tenían que ver con la locura entendida como una cuestión vinculada a lo social.

Es evidente que la equiparación de este médico con el célebre liberador de los locos es sólo un lugar común propio de la retórica de la disciplina ya que, en realidad, su acción y sus ideas no tenían ya que ver con el tratamiento moral en su expresión clásica, sino más bien con la etapa de cuestionamiento de su eficacia, al cabo de la cual será reemplazado por una clínica moral preocupada por encontrar las causas del trastorno en el laboratorio y por mejorar la institución existente, reforzando su carácter médico. Es decir, el momento en que los alienistas se integran a las corrientes dominantes de la medicina.

Desde Foucault se ha venido señalando que la psiquiatría aparece como una transacción entre una percepción médica y una percepción asilar de la locura que nunca llegan a conciliarse, produciéndose sólo tardíamente la adopción del modelo anátomo-patológico vigente ya en el resto de las ramas de la medicina. Podría sugerirse que en el caso analizado se sitúa la transición entre una concepción de la locura como producida por causas morales y asociada a factores sociales y un análisis del cuerpo del enfermo mental donde encontrar las claves, las sedes, de su patología.

Sin embargo, también podría pensarse que la (aparente) diversidad de las posiciones de este médico respecto de qué era lo que producía el trastorno, estaba en relación con el interlocutor, según se dirigiera a la sociedad o a los colegas médicos. La cuestión a determinar es si Cabred tenía una percepción exclusivamente médica de la enfermedad pero, al dirigirse a la sociedad adoptaba un discurso genérico al respecto para propagandizar mejor la reforma o si se ubica en la transición entre una visión "moral" de la locura y una perspectiva positivista medicalizada. Es posible que en cada caso se esté hablando de cosas distintas: la locura como un fenómeno cultural y el trastorno mental como enfermedad a analizar, poniéndose a tono con los tiempos, a partir del cuerpo (cf. Quétel, 1991 y Collée-Quétel, 1987).[26]

NOTAS

1. Ejemplos claros de este abordaje son las obras de Loudet (entre ellas, su *Historia de la psiquiatría argentina*, Buenos Aires, Troquel, 1971), la tesis de Lardies González, *La Psiquiatría Argentina en el siglo XIX*, 1953, el manual de Alberto Guerrino, *La psiquiatría argentina*. Buenos Aires, Cuatro, 1982.

2. Al propio Cabred le gustaba asimilarse no sólo al gran Pinel sino a otros sabios famosos como Pasteur. En su discurso de agradecimiento a la Academia por el homenaje tributado, de 1927, logró encontrar, aunque tangencial por cierto, al menos algo que lo asemejaba a éste:

"En una ocasión similar, dominado por la emoción, no obstante que se trataba en ese entonces, de una de las cumbres más altas de las ciencias biológicas, Luis Pasteur entregó su discurso de respuesta a un hijo suyo, como lo hago yo ahora, a pesar de la diferencia considerable que media entre el obsequiado de hoy y el sabio inmortal, que fue también objeto de análogo homenaje, pero que en el dominio de la patología nerviosa adolecía de la misma enfermedad que me aqueja". Otro ejemplo de este tipo de identificaciones es el relato del peruano Paz Soldán acerca de su visita al manicomio de Lima en 1913 donde el autor reproducía la célebre escena mítica de la liberación de las cadenas por Pinel en Bicêtre, esta vez protagonizada por Cabred. Finalmente, también sus amigos europeos acudían al mismo lugar común. Es el caso de Paul Sérieux que lo saludaba así: "[...] la République Argentine peut actuellement se glorifier de l'oeuvre impérissable de son émule, le Professeur Cabred [...]. Je salue respectueusement l'illustre Maître, savant clinicien, grand réformateur, bienfaiteur de l'humanité", cf. Academia Nacional de Medicina (1927), Libro de Oro de Homenaje a Domingo Cabred, págs. 584; 173 y 183-184, respectivamente.

3. Ha sido justamente Gladys Swain la que se ha ocupado de analizar el proceso de construcción de la figura del Pinel filantrópico en la obra citada en la introducción. También vale la pena mencionar al respecto la obra de Jacques Postel (1981) *Genèse de la psychiatrie. Les premiers écrits de Philippe Pinel*, París, Le Sycomore.

4. Así lo calificaba un editorial de *La Semana Médica*, 12 de diciembre de 1929, págs. 1-3.

5. "Cabred dictaba sus clases los martes, como Charcot lo hacía en la Salpetrière, pero salvo esa simple coincidencia del día de la semana esas clases no se parecían [...] Cabred docente se asemejaba más a Chaslin, procedía con el rigor científico y la precisión matemática de un maestro germano y la expresión y rapidez mental de un latino", Bonhour, Alberto (1959). "Cabred y la enseñanza de la psiquiatría", en *Psiquiatría*, 1959, pág. 128.

6. Trillat señala la aproximación hacia la Neurología como una de las dos líneas según las cuales el alienismo se transforma para dar lugar a una psiquiatría nueva que tiende puentes hacia la medicina somática por un lado y hacia la naciente psicología por el otro (Trillat, 1983, pág. 339).

7. Evidentemente, sería necesario para dar un sentido más preciso a este comentario, un estudio específico sobre cómo, cuánto y dónde publicaban los médicos de la época y qué significaba hacerlo en aquel contexto.

8. Al comentar la obra de José T. Borda, contemporáneo de Cabred, el académico Nerio Rojas afirmaba en 1970: "La producción bibliográfica del Profesor Borda no es tan abundante como su actividad hospitalaria y docente lo haría suponer y consiste en comunicaciones y artículos, pero eso es otro signo de su modesto carácter personal. Por lo demás, en ese tiempo no se abusaba tanto, como ha sucedido después entre nosotros, de la profusión de artículos, en que la calidad no siempre es igual a la cantidad". Cabred, por su parte, pasaría a la historia más bien como un hombre de acción. Así, se ha dicho que "[...] prefería hacer un hospital a escribir un libro. Parecía haber adoptado esa fórmula: 'Muchos asilos y pocas monografías'" (Loudet, O. y Loudet, O. E., 1978, pág. 292).

9. Es la que aparece en la Publicación Institucional de 1919 del Instituto.

10. Fundamentaba su elección en el hecho de que sobre este punto de patología mental los alienistas no estaban de acuerdo y presentaba algunas historias clínicas, fruto de su experiencia como practicante interno en el Manicomio de Mujeres.

11. El debate sobre la base anátomo-patológica de la locura fue uno de los que dividió a los alumnos de Esquirol cuya obra, no obstante, gozó de consenso durante una generación (1820-1850). Para la época en que Cabred escribía, las posiciones or-

ganicistas ya eran dominantes. Los dos autores mencionados, sostenían esta tesis, según Cabred "[...] por una de esas alteraciones del espíritu que no se comprenden en alienistas de esa talla". Sería interesante determinar cuáles fueron las lecturas que de estos autores hizo Cabred. En cuanto a Falret, su posición al respecto no fue idéntica a lo largo de su obra. Aquí Cabred parece referirse al llamado "período clínico" de este autor (*Des maldies mentales et des asiles d'aliénés*, 1864) donde éste abandona sus posiciones anatomistas iniciales y el análisis de la alienación a partir de las diversas perturbaciones en las facultades mentales. En relación con Georget, como señala Bercherie, ocupó más bien una posición intermedia entre la de los anatomistas y la de los funcionalistas. Es decir, para él, las perturbaciones mentales sintomáticas provienen de causas orgánicas mientras que las idiopáticas, cuyas causas son desconocidas, resultan de perturbaciones funcionales. Estas últimas constituyen la locura propiamente dicha (cf. Bercherie, 1980, pág. 58 y sigs.).

12. Se refiere a "la producción de alteraciones materiales en el encéfalo después de un tiempo de desarrollada la enfermedad [la cual] deja de ser una neurosis para convertirse en una afección que seguirá la evolución de la lesión que la sostiene".

13. J. Bayle había individualizado en 1822 esta nueva entidad mórbida neuropsiquiátrica, caracterizada por una asociación de perturbaciones mentales y de manifestaciones neurológicas debida a una meningo-encefalitis difusa cuyo origen sifilítico sería precisado cincuenta años más tarde por Fourier. Esta causa infecciosa sólo será confirmada en 1913 cuando el japonés Noguchi descubría el treponema en el encéfalo de paralíticos generales fallecidos. Cf. Postel, J (1994) "La paralysie générale", en *Nouvelle Histoire de la Psychiatrie,* París, Dunod, IX-XIX. Es importante destacar que hacia la segunda mitad del siglo XIX la PGP deviene el modelo de lo que se consideraba patología psiquiátrica.

14. Se trata de la ponencia que ambos presentaron en el II Congreso Médico Latinoamericano, en la sección Psiquiatría, Neurología y Medicina Legal. Una síntesis de las otras ponencias del congreso se encontrará en *Archivos de Psiquiatría,Criminología y Medicina Legal* , año III, enero-febrero de 1904, págs. 371-381.

15. El *Compendium der Psychiatrie* de Kraepelin apareció en 1883 y tuvo una segunda edición en 1887. A partir de entonces, toma el nombre de *Psychiatrie* sucediéndose seis ediciones más (1889, 1893, 1896, 1899 ,1904 y 1909-1913). Cabred cita aquí la llamada edición clásica, la sexta , de 1899 que fue la que alcanzó difusión internacional. El manual de Kraepelin no tuvo nunca traducción francesa. Cabred y Borda citan sólo una vez directamente al autor en forma incompleta (Tratado de Psiquiatría) pero en cambio mencionan la obra de Weygandt, alumno de Kraepelin cuyo manual (prácticamente un resumen del de éste) fue traducido al francés (*Atlas-Manuel de Psychiatrie*, París, Baillère, 1904).

16. Posición terapéutica diferente a la representada por el tratamiento moral donde la idea pineliana del resto de razón siempre presente en el alienado (la locura es siempre parcial y siempre total) autorizaba a plantear la posibilidad de un *diálogo* con él.

17. Los autores manifiestan su acuerdo con los franceses para quienes los delirios sistematizados y la demencia precoz deben ser separados en las clasificaciones tal como se distinguen en la clínica. Cabred y Borda se referían así a las posiciones

del llamado Grupo de La Salpetrière cuyo representante más destacado fue Jules Sèglas. Casi todos los representantes de este grupo participaron en la elaboración del tratado dirigido por Gilbert Ballet (*Traité de pathologie mentale*,1904) que es citado por nuestros autores. De todas formas y más allá de las discrepancias, se trataba de un grupo muy influido por las concepciones alemanas que importó las nociones de confusión mental, paranoia y demencia precoz, cf. Bercherie, 1980, pág. 117.

18. Si bien se citaban "[...] investigaciones recientes de la anatomía patológica de la demencia precoz que muestran que las lesiones se localizan preferentemente en los centros de asociación de la corteza cerebral" (pág. 37).

19. Entre ellos: lesiones de las psicopatías orgánicas, las de la involución senil, las del alcoholismo, las de varias infecciones. En neuropatología, las esclerosis medulares, los tumores, los reblandecimientos, las hemorragias [...], estudios sobre Quimismo cerebral [...]".

20. Otra es la opinión de Osvaldo Loudet quien sostiene lo siguiente respecto a su posición sobre el abordaje de la enfermedad mental: "Si en clínica general, lo esencial es la clínica y lo complementario el laboratorio, en clínica psiquiátrica lo fundamental es la exploración psíquica y lo complementario, lo somático. Así lo entendió Cabred, colocando al lado de la Clínica un laboratorio de Anatomía Patológica y otro de Psicología Experimental". Loudet, exaltaba así las habilidades clínicas del profesor, precediendo el comentario con una reflexión personal acerca de las características del encuentro entre el psiquiatra y su enfermo: "No es posible prescindir de un contacto espiritual directo y de un diálogo profundo que llevan al diagnóstico y al descubrimiento [...] La esencia de lo psíquico está más allá de los somático y de lo físico-químico" (Loudet, O, 1959, pág. 121). Finalmente, termina comparando a Cabred con Henry Ey, aunque en el plano de las ideas sobre la asistencia y no de la teoría de la enfermedad mental.

21. El camino a la adopción de un modelo organicista se advierte en otra de las tesis, la de Maglioni, dedicada a temas psiquiátricos, de la época: "Los estudios de la Fisiología y de la Patología han llegado a demostrar con la claridad de la evidencia la verdad de la escuela somaticista [...] Sí, los enagenados son *enfermos del cerebro* así como los que padecen encefalitis, siendo muchas veces la locura el paso de este estado agudo al estado crónico que la caracteriza".

22. Así, Vezetti asocia a Cabred con una concepción de la locura genérica cuyas causas se atribuyen a "los males de la sociedad" pero admite que con él se inicia una diferenciación: "En la medida en que cierto discurso sobre la locura, asociada al vicio y el delito, abarcaba directa y conjuntamente el espacio de la ciudad, en el dispositivo propiamente psiquiátrico tiende a diferenciarse un desarrollo que en los hospicios y la cátedra se repliega sobre la investigación neuripsiquiátrica de la patología mental. Domingo Cabred aparece promoviendo esa diferenciación, porque a la vez que desarrolla su acción sanitarista y despliega hospitales y asilos, importa a Christofredo Jakob en 1899 y lo coloca al frente del Laboratorio del Hospicio de las Mercedes". Tanto para demostrar que la concepción de la locura en alienistas como Cabred era genérica y relativamente despreocupada de lo orgánico como para ilustrar el desplazamiento hacia un abordaje más "médico" desde la neuropatología, el autor ci-

ta a Loudet: En el primer caso, el pasaje comentado más arriba, y en el segundo con lo siguiente: "[...] al lado de esos discursos en los que la locura resaltaba sobre el fondo de los conflictos de la civilización, nace un complejo de conocimientos [...] en torno al órgano sagrado: el cerebro. Osvaldo Loudet aporta una metáfora que enlaza esa obra a la indagación del espacio social e imaginariza el cerebro como un país interior: 'Fue [Jakob] el historiador y geógrafo del cerebro humano. Fue el historiador porque estudio su filogenia y su ontogenia; y fue el geógrafo, porque trazó la evolución de sus circunvoluciones, como quien dice sus ríos y colinas'", pág. 222.

23. Lo mismo ocurre en otras intervenciones públicas como la del doctor Cantón que defendió en el Congreso de la Nación el proyecto de ley de creación del Open Door donde hace las referencias habituales respecto del aumento del número de locos: su relación con la inmigración y con las agitaciones políticas. Es curioso cómo introduce este último tema en su discurso: "Ahora, señor Presidente, *si yo quisiera hacer reír* a la cámara, diría también que hay otra causa que le da actualidad al proyecto. No existe nada que perturbe más las facultades intelectuales que las agitaciones políticas. Y las agitaciones políticas principian en este momento. Yo no sé dónde irán; pero estoy seguro de que muchos locos han de ir después al hospicio de las Mercedes".

24. "Todas las enfermedades mentales, cualesquiera sean sus formas y períodos, recibirán pues en las distintas secciones de este asilo, ecléctico y completo, el tratamiento especial impuesto por los progresos de la psiquiatría".

25. "Forman parte de este vasto programa, los asilos para alienados, para cretinos, para alcoholistas, para epilépticos, para ancianos, para niños vagabundos; hospitales generales, hospitales especiales para tuberculosos, para leprosos, para infecciosos, para palúdicos, para crónicos atacados de dolencias comunes, etc." (Cabred, 1908, pág. 24).

26. Este tipo de distinciones también se traduce en abordajes diversos, ya sea desde el modelo de análisis citado o desde aquellos que sostienen que es posible concebir una historia de la psiquiatría o de la internación que no sea una historia de la locura. Cf., a modo de ejemplo, el debate suscitado por la ponencia de Claude Quétel en el IX Coloquio de la Sociedad Internacional de Historia de la Psiquiatría y el Psicoanálisis en París en 1991.

REFERENCIAS BIBLIOGRÁFICAS

Asúa, Miguel de (comp.): *La ciencia en la Argentina. Perspectivas históricas*, Buenos Aires, CEAL, 1993.

——————: *La historia de la ciencia. Fundamentos y transformaciones,* Buenos Aires, CEAL, 1993b, 2 vols.

Bercherie, Paul: *Les fondements de la clinique. Historie et structure du savoir psychiatrique*. París, Navarin Editeur, 1980.

Cabred, Domingo: "Contribución al estudio de la locura refleja", Tesis Facultad de Ciencias Médicas de Buenos Aires y *Anales del Círculo Médico Argentino*, tomo V, 35, 1881.

———: "Memoria del Hospicio de las Mercedes. Año 1892", *Anales de Higiene Pública y Medicina Legal*, tomo I, año 3, nº VIII, 1893.

———: "Discurso inaugural de la Colonia Nacional de Alienados", *Revista de Derecho, Historia y Letras*, junio de 1899.

———: "Asilo de puertas abiertas Open Door", *Anales de Sanidad Militar*, tomo VI, 1904, págs. 770-784.

———: "Discurso pronunciado con motivo de la colocación de la piedra fundamental del Asilo Colonia Regional Mixto de Alienados, en Oliva, provincia de Córdoba", en Cabred, D., *Discursos pronunciados con motivo de la colocación de la piedra fundamental de los Asilos y Hospitales Regionales en la República Argentina. Ley 4953*, 1908.

———: "En honor del Doctor Chr. Jakob", *Argentina Médica*, 32, año VIII, 1910, págs. 447-448.

———: Evolución de la enseñanza de la Psiquiatría en la Facultad de Ciencias Médicas de Buenos Aires, Buenos Aires, Facultad de Ciencias Médicas, 1918.

Cabred, D.; Borda J.: "La demencia precoz", *Revista de la Sociedad Médica Argentina*. XII, 353 y en *Actas del II Congreso Médico Latinoamericano* II, 1904, págs. 397-424.

Cantón, Eliseo: "Colonia Nacional de Alienados. Open Door. Discurso del Dr. Cantón en el Honorable Congreso de la Nación", Publicado en *La Semana Médica*, tomo IV, 1897, págs. 249-251.

Collée, Michel; Quétel, Claude: *Histoire des maladies mentales*, París, PUF. Col. Que sais-je?, nº 2345, 1987.

Hospicio de las Mercedes: *El Instituto de Clínica de Psiquiatría de la Facultad de Medicina de Buenos Aires*, publicación institucional, 1919.

Lértora de Mendoza, Celina: "Los estudios de historia de la ciencia en la Argentina" *Quipu*, enero-abril de 1986, págs. 135-147.

Lobato, Mirta (comp.): *Política, médicos y enfermedades. Lecturas de Historia de la Salud en la Argentina*, Buenos Aires, Biblos, 1996.

Loudet, Osvaldo: "Domingo Cabred (1859-1959). Su obra médico-social", en *Psiquiatría*, 2, 1959, págs. 119-126.

Maglioni, Luis: *Los manicomios*, tesis, Facultad de Medicina de Buenos Aires, Buenos Aires, Coni Hnos, 1879.

Montserrat, Marcelo: *Ciencia, Historia y Sociedad en la Argentina del Siglo XIX*, Buenos Aires, CEAL, 1993.

Postel, Jacques; Quétel, Claude (comps.): "Avant-propos à la nouvelle édition, Introduction à la première édition", en *Nouvelle Histoire de la Psychiatrie*, París, Dunod, IX-XIX, 1994.

Postel, Jacques: "La démene précoce et la psychose maniaco-dépressive, Kraepelin", en: Postel, Jacques; Quétel, Claude (comps.): *Nouvelle Histoire de la Psychiatrie*, París, Dunod, 1994, págs. 224-232.

Quétel, Claude: "¿Hay que criticar a Foucault?", en Roudinesco *et al.*, *Pensar la locura. Ensayos sobre Michel Foucault*, Buenos Aires, Paidós, 1991, págs. 67-89.

Rojas, Nerio: "El Profesor José T. Borda y la psiquiatría de su tiempo", *Boletín de la Academia Nacional de Medicina,* vol. 48, 1970, págs. 289- 297.

Roudinesco, Elizabeth: "Lecturas de la *Historie de la Folie* (1961-1986)", en Roudinesco *et al*: *Pensar la locura. Ensayos sobre Michel Foucault*, Buenos Aires, Paidós, 1991, págs. 9-32.

Swain, Gladys: *Le sujet de la folie. Naissance de la psychiatrie*, Toulouse, Privat, 1977.

Terán, Oscar: *Positivismo y Nación en la Argentina*, Buenos Aires, Puntosur, 1987.

Trillat, Etienne: "Une histoire de la psychiatrie au XXe siècle", en Jacques Postel; Claude Quétel (comps.): *Nouvelle Histoire de la Psychiatrie*, Paris, Privat, 1983.

Vezetti, Hugo: *La locura en la Argentina*, Buenos Aires, Paidós, 1985.

LA HISTORIA NATURAL DEL CONOCIMIENTO NATURAL: UTILIDADES DE LA COMPARACIÓN*

LEWIS PYENSON

Este año asistí a la reunión anual de la Association for Asian Studies [Asociación de Estudios Asiáticos] realizada en Boston. Más de novecientos académicos hablaron sobre temas sociológicos, culturales, políticos e históricos referidos a docenas de civilizaciones a lo largo de tres milenios. Ver a estos eruditos reunidos en un solo lugar, escuchar los idiomas hablados en los corredores, caminar a lo largo de los *stands* de más de cincuenta editoriales: todas estas impresiones de los sentidos indican que al final del siglo XX un grupo importante de personas con una gama asombrosamente amplia de experiencias pueden trabajar en pos de una meta común sin que su esfuerzo tenga una retribución económica. En verdad, las costumbres de los eruditos son de adopción universal. De esta solidaridad culta proviene una profunda comprensión de la condición humana. La razón por la que hemos venido a Victoria, invitados por don Marcelo Montserrat, es participar en este tipo de intercambio.

Si analizamos los muchos cientos de conferencias y discusiones especializadas que tuvieron lugar en Boston, se nos ocurren varias observaciones. En primer término, la ciencia fue poco visible. La mayor parte de las colaboraciones se refirió al mundo moderno. Varias de ellas se ocuparon de las máquinas y la atención de la salud, pero muy pocas abordaron específicamente *la ciencia*. En segundo lugar, los trabajos fueron en gran medida microcós-

*. Traducción del inglés de Horacio Pons.

micos en materia de tiempo, espacio y tema; al respecto, fue típica la sesión n° 18, en la que se presentaron tres oradores y un comentarista, cuyo tema central fue la mujer en el Vietnam del norte contemporáneo. Tercero, las sesiones generales tendieron a ser heterogéneas y endogámicas; un ejemplo de ello fue la sesión n° 173, "Ejecutando la (alter)nación: las prácticas trasnacionales y traslocales y el fracaso de la modernidad", en la que se presentaron cuatro trabajos sobre Okinawa, Corea del Sur, la costa este de Estados Unidos y Nepal; tres de los cuatro oradores, además del presidente y el comentarista, pertenecían a la Universidad de Chicago. A juzgar por el programa impreso, el único buen sustantivo es un gerundio; si se toma al azar la página 51, que enumera los trabajos presentados entre las sesiones 193 y 199, el lector se ve ante estos títulos: "Salvando la brecha", "Reduciendo la 'vehemencia' de un problema", "Recordando experiencias traumáticas", "Conceptualizando la juventud", "Cuestionando sitios", "Occidentalizando a las mujeres chinas". Otro signo de los tiempos es la aparición de construcciones entre paréntesis en los títulos, como el de la sesión n° 173, antes mencionada, y el de la n° 20, "¿Choque de civilizaciones? La(s) cultura(s) estratégica(s) asiática(s) en vísperas del siglo XXI". Por último, el sexo estaba presente en una gran cantidad de títulos.

Es riesgoso generalizar a partir de una reunión académica masiva, pero me parece que a unos cuantos participantes con inquietudes antropológicas no les importaría que me aventurara a hacer algunas observaciones. Primero, la ciencia está debajo del horizonte de la mayoría de los asianistas cultos. Irónicamente, si se tiene en cuenta la retórica posmoderna presente en muchos títulos, los congresistas sostenían, al parecer, que la ciencia es una construcción cultural universal. Ningún antropólogo señaló un laboratorio en Indonesia o Japón; ningún científico político se mostró interesado en la fabricación de instalaciones y armas nucleares; ningún historiador consideró que la cultura universitaria asiática tenía un pasado digno de explorarse. Hay algo más que un interés pasajero en las prostitutas comunes que venden su cuerpo, pero virtualmente ninguno en las prostitutas científicas que venden su mente.

Segundo, el carácter ambiguo e inexpresable de los títulos de los trabajos sugiere un notable desdén por la audiencia. Cada uno de los títulos o extractos recién citados –que no son excepcionales sino típicos– oculta el significado que le quiere dar el orador. Tomemos los ejemplos de "Conceptualizando la juventud" y "Occidentalizando a las mujeres chinas": ¿son los propios jóvenes quienes piensan, o bien el orador da con una idea de la juventud? ¿Las mujeres chinas adoptan conceptos occidentales, o bien un observador externo compara su *couture* con *Vogue* y *Marie-Claire*? Vale decir, ¿después del gerundio tendría que estar la preposición *"of"* ["de"], o bien aquél funciona como un adjetivo?* En cuanto a la dificultad de expresión, las lenguas cuyos sustantivos tienen masculino y femenino sufren hoy una práctica de neutralización; en el Canadá francés, se llama *professeures* a las profesoras mujeres, y los documentos universitarios hablan regularmente de los profesores como *professeur(e)s*. En inglés, un idioma gramaticalmente neutro, constatamos referencias impresas al hermafrodita *"s/he"*. ¿Pero qué haremos con los neologismos parentéticos de los títulos antes mencionados, cuya enunciación precisa es imposible en una situación expresamente concebida para la comunicación oral? Evidentemente se trata de un código, conocido por los miembros de instituciones de elite como la Universidad de Chicago. Si alguien necesita hacer una pregunta sobre ellos es porque no pertenece a la compañía.

Tercero, el escozor de muchos de los títulos hace que el lector recuerde los escritos de Bruno Latour sobre los microbios de Pasteur y la relatividad de Einstein. Se habla del objeto y se gira en torno de él, pero contadas veces se lo muestra concretamente. Sospecho que pocos oradores doctos invitaron a su público a ver películas o escuchar cintas sobre el acto sexual, así como una discusión sobre la bacteriología o las ecuaciones de Maxwell es ajena a la iconoclastia de Latour. Como éste, es posible que los asianistas crean que la realidad está a la vuelta de la esquina, en el caso de Latour en el laboratorio de la vereda de enfrente, en el caso de los asianistas en las habitaciones del hotel, y por esa razón no requiere una atención explícita. Es revelador que los oradores sexuales posmodernistas parezcan dar por sentado el acto, como si la eyaculación y el orgasmo fueran experiencias fisiológicas universales, así como Latour considera que las ecuaciones diferenciales parciales no son problemáticas cuando analiza a uno de sus manipuladores maestros, Einstein.

En la conferencia sobre Asia me habían pedido que actuara de comentarista en una sesión dedicada a la "Iniciativa y respuesta: los agentes vietnamitas y la introducción de los sistemas médicos y técnicos europeos en Vietnam". Se ponía el acento en los regímenes franceses de salud pública y explotación agrícola. Un trabajo se ocupaba de la explotación de la tierra co-

*. Corresponde una aclaración para poder entender a qué se refiere el autor. Los títulos originales a los que alude son *"Conceptualizing Youth"* y *"Westernizing Chinese Women"*, que pueden traducirse respectivamente como "La juventud conceptualizadora" y "Las mujeres chinas occidentalizantes" o como "La conceptualización de la juventud" y "La occidentalización de las mujeres chinas". En el primer caso, el gerundio funciona como un adjetivo; en el segundo (en el que habría que agregar el *"of"*) hace las veces de sustantivo (n. del t.).

mo una forma de controlar la malaria. Otro se refería a la construcción de canales en el delta del Mekong a lo largo de los siglos. Un tercer trabajo analizaba la experiencia vietnamita con la vacuna antivariólica en el siglo XIX. Y la cuarta ponencia ponía de relieve la red de hospitales levantados durante la dominación francesa.

Aunque alguno de los trabajos comparaba las visiones europeas de la enfermedad y la geografía con las concepciones vietnamitas, los cuatro sostenían que el aprendizaje de basamento europeo, ya se tratara del conocimiento de la enfermedad o del conocimiento de la topografía, era una totalidad indiferenciada. Los curanderos y explotadores agrícolas improvisados se describen como "científicos", una palabra de atribución imperfecta en el ámbito francés. Pero si todo el aprendizaje occidental es de un solo tipo, ¿por qué la tecnología atravesó rápidamente las civilizaciones, en tanto ciertas clases de ciencia como la física y la biología evolutiva demoraron generaciones en echar raíces más allá del mundo noratlántico? El trabajo acerca de la explotación de la tierra y la malaria se extendía sobre el uso de la política social para influir en el curso de una enfermedad que era incurable, una situación conocida que puede utilizarse hoy en la campaña contra el síndrome de inmuno deficiencia adquirida (sida). El orador que se refirió a la construcción de canales imaginó que los científicos franceses llegaron a la cumbre de la jerarquía colonial, algo que rara vez sucedió, a menos que se equipare ciencia con ingeniería. Los oradores que hablaron de la viruela y los hospitales trataron con deferencia a los médicos franceses, a quienes identificaron por su título de "doctores". ¡Qué atribución tan erróneamente percibida y obsequiosa! Los médicos occidentales pudieron hacer muy poco por los enfermos hasta fines del siglo XIX, y en el Vietnam colonial del siglo XX carecían de los recursos necesarios para ayudar con eficacia a la gente; un sanador vietnamita tradicional, que hubiera utilizado el canon médico chino, bien podría haber alcanzado mejores índices de curación. ¿No hay pruebas para decidir la cuestión? No obstante, la sesión prestó un valioso servicio. Pese a los ocasionales cabeceos de aprobación a la retórica relativista, hoy casi de rigor en los círculos universitarios, la forma en que se abordó la ciencia en el encuentro representó una mala noticia para el posmodernismo.

Pese al título de la sesión, apenas aparecieron en forma individual los médicos y tecnólogos vietnamitas. La omisión es sorprendente. Durante la dominación francesa hubo una gran cantidad de vietnamitas que consiguieron credenciales académicas, supongo que entre mil y mil quinientos, a razón de unos veinticinco a treinta por año entre 1890 y 1940. Su prosopografía puede encontrarse en las listas de graduados de las facultades de medicina e ingeniería de Hanoi y Saigón y del territorio continental francés. Sería especialmente interesante estudiar las tesis doctorales publicadas por los integrantes del grupo. Por la misma razón, también lo sería conocer las características colectivas de los médicos e ingenieros franceses que trabajaron en Indochina. Dejé Boston con la esperanza de que entre el público hubiera alguien que considerara la posibilidad de dedicarse a estos asuntos.

* * *

Un lector de las plateadas riberas de Victoria preguntará por qué el orador de Louisiana se consagró tan extensamente a la Indochina francesa. Los libros de historia pocas veces abordan el sudeste asiático y América del sur en un mismo párrafo, si acaso se refieren a ambas regiones en un capítulo. Las tradiciones indígenas sudamericanas en materia de medicina y tecnología no parecen tener puntos en común con las tradiciones de Vietnam. El colonialismo europeo adoptó formas especiales en cada lugar. No obstante, la conferencia de Boston y los problemas planteados por ella no carecen de pertinencia para los temas sudamericanos.

Los canales vietnamitas, construidos por los franceses, pretendían transformar el paisaje, cosa que lograron. Lo mismo sucedió con los ferrocarriles en la Argentina. ¿Fueron los canales de hierro más eficaces que los canales acuáticos para crear una economía de exportación en la desembocadura de dos de los grandes ríos del mundo? ¿De qué manera ambos sistemas de infraestructura cambiaron la estructura social de la tierra sobre la que se extendían? ¿Contribuyeron rieles y canales a la creación de una *nación*?

Mucho se ha hablado del rumbo independiente trazado por talentosos investigadores médicos sudamericanos como Bernardo Houssay y Oswaldo Cruz. ¿Fue empero su camino más independiente que el de Alexandre Yersin y Noël Bernard, médicos franceses de Indochina que estaban íntimamente vinculados a la Francia metropolitana? América del sur ha brindado enseñanza médica durante más de cuatrocientos años. ¿Siguió esa educación las normas españolas en la misma medida que la formación médica en el Vietnam independiente siguió las normas chinas? ¿Hasta qué punto expandieron los médicos en cada caso su farmacopea, para valerse de la flora local? Se ha señalado que la vacunación antivariólica tuvo una recepción favorable en Vietnam porque sus habitantes rechazaban el punto de vista tradicional chino de que la viruela era causada por un defecto metabólico innato. Si la homeopatía disfrutara de más éxito en América del sur que en Europa, ¿podría un *ethos* americano explicar la diferencia?

Las investigaciones de John Tate Lanning, que hoy tienen casi dos generaciones sobre sus espaldas, hicieron mucho para aclarar la situación de la graduación médica en América latina durante la dominación española. Sin embargo, ¿dónde y cómo recibieron su capacitación los médicos latinoamericanos durante el período nacional? ¿Qué pasó con los médicos recibidos en las universidades latinoamericanas? ¿Cuántos disfrutaron de una formación adicional en otros lugares? ¿Cuántos ejercieron realmente su arte? ¿Fue el patrón de sus carreras similar al de los médicos diplomados en las facultades indochinas? ¿Cuántos médicos latinoamericanos hicieron un doctorado en Francia, Bélgica, Italia o Alemania? ¿Cuántos vietnamitas? Entre ellos, ¿cuántos ejercieron en su patria?

Pasemos a la arquitectura. ¿Exporta sus estructuras el imperio del período moderno, así como los templos griegos puntúan el Mediterráneo y los baños romanos se extienden desde Gran Bretaña hasta Rumania? ¿Cuánto se parecía a La Plata el Saigón de fines del siglo XIX? ¿Las nuevas formas se originaron en los ámbitos urbanos o en los rurales? ¿Hasta qué punto los materiales locales crearon nuevas apariencias? Los edificios evocan la vida cívica. ¿Cuán extendidos estaban los servicios públicos: agua, cloacas, electricidad, teléfono? ¿Quiénes instalaban las redes? ¿Quiénes las inspeccionaban? ¿Cómo se reclutaban y capacitaban los funcionarios y técnicos? Sigamos adelante y planteemos una pregunta que me pareció particularmente interesante: ¿cómo se dotaba de personal a laboratorios y observatorios? ¿Hasta qué punto sería revelador el hecho de que los observatorios de Phûlien, cerca de Haifong, y La Plata, por ejemplo, estuvieran organizados y se dotaran de personal de una manera similar (su ornamentación externa muestra similitudes)? Cuánto diría esa circunstancia, por sí sola, sobre la fortaleza de las normas disciplinarias internacionales. ¡Qué argumento más atrapante podría plantearse contra los posmodernistas relativistas, quienes, al sostener que toda la ciencia no es más que relaciones sociales, se ven obligados –frente a hechos que demuestran lo contrario– a postular distintos discursos en ámbitos sociales especiales!

Sí, hechos. En esta era de relatividad, tal vez parezca disonante invocar las cosas que animaron al maestro de la experimentación y la observación modernas. Francis Bacon sabía que había muchas clases de hechos, cada una de ellas ganada con dificultad a la confusión de la vida; en su opinión, compartir los nuevos hechos, en una sociedad de iniciados con inquietudes similares, fomentaría el conocimiento y promovería la síntesis. Bacon ha tenido mala prensa durante más de un siglo. Los posmodernistas, al margen de su aversión visceral a la Ilustración, tienen poco de bueno que decir sobre él. Pero los hechos baconianos están en el origen mismo de la ciencia moderna, una circunstancia reconocida tanto por el dialéctico G. W. F. Hegel (en las largas conferencias de su *Historia de la filosofía*) como por el posmodernista Steven Shapin (en su breve y confuso libro, *The Scientific Revolution*).

No es más fácil determinar los hechos en historia que en las ciencias de la naturaleza. La tradición sostiene que la historia se refiere a acontecimientos separados producidos en condiciones especiales, y que la caída de Roma no tiene, al margen de algunas advertencias generales, nada que ofrecer a los estrategas de Washington de hoy en día. La mayoría de los escritos históricos son motorizados por un interés de anticuario o la conveniencia política: tanto los entusiastas de la historia local como las comisiones nacionales mantienen ocupados a los profesores de historia; hay una fuente incesante de puestos de trabajo en la corrección de las tesis del Maestro y la reescritura de manuales introductorios. Pero no todo lo que se reúne en un solo lugar es útil.

* * *

Se hizo alusión a la comparación, pero no se la abordó francamente. Los historiadores muestran una crecida elocuencia en el asunto, y en otro lugar traté de hablar en favor de ella. Como las fuentes históricas son tan dispares, es notoriamente optimista suponer que un escritor pueda controlar las cosas para obtener una información absolutamente comparable en ámbitos vastamente dispersos. Ya es bastante difícil comparar presupuestos, superficies cubiertas, inventarios de bibliotecas y dotaciones de personal en las instituciones de un único sector nacional, en el que todas las cifras se dan en una sola moneda y con un conjunto aparentemente común de convenciones tácitas. Tener que lidiar con documentos de una diversidad de archivos –oficiales, institucionales y privados–, ninguno de los cuales tal vez sea completo, puede desalentar incluso a la más veterana de las ratas de biblioteca. No obstante, las ideas obtenidas gracias a la comparación de fenómenos parecidos en ámbitos diferentes compensan los compromisos asumidos en el transcurso del trabajo. En este punto tendría que señalar algunas de las promesas ofrecidas por la comparación.

Al analizar de qué manera la comparación puede informar la comprensión general en historia de la ciencia, es útil comenzar con la noción de disciplinas. Michel Foucault, nada amigo del rigor académico, reconocía no obstante que las cosas vienen en clases y que no todo el conocimiento del mundo natural es de un solo tipo. La observación es evidente para cualquiera que haya pasado algún tiempo en el osario de la administración académica. La cultura de los departamentos de biología se aparta significativamente de la cultura de los departamentos de historia, y ambas están a una gran distancia de lo que ocurre en una escuela de música.

Las disciplinas y las configuraciones disciplinarias absorbieron gran parte de mi atención en los últimos veinticinco años. En particular, me dediqué a observar lo que entre los años 1800 y 1940 se llamaban ciencias exactas. Algunos historiadores de las ciencias con fundamentos cualitativos, que padecen una forma académica de envidia al pene, se ofenden por la exclusividad de la exactitud, y mis descubrimientos sobre la insularidad disciplinaria los perturban. En resumen, comprobé que en el período moderno la astronomía y la física parecen relativamente impermeables a la vida cotidiana: un físico que publique en Bandung o Java escribe más o menos como lo haría en Leiden; un astrónomo que publique en La Plata hace casi lo mismo que hacía en Gotinga. Estos descubrimientos perturban a los posmodernistas, que sostienen que la escritura no es otra cosa que relaciones sociales y que, como consecuencia, exigen que en distintas circunstancias sociales se produzca un discurso especial. Los críticos menos refinados de esos hallazgos también desearían ignorar los rasgos históricos de las ciencias exactas y preferirían hacer una sopa con la astrofísica, la homeopatía y la frenología, metiendo en la olla todo lo que tuvieran a mano.

Puede acudirse a la comparación para estudiar las condiciones del éxito disciplinario. ¿Por qué a los museos de historia natural les va mejor en Australia que en la Argentina? ¿Por qué la física se asentó con fuerza en la Argentina e Indonesia a principios del siglo XX, mientras languidecía en Chile y Malasia? ¿Por qué los franceses pudieron hacer mucho con la geopolítica en Argelia, en tanto los norteamericanos hicieron poco con esa disciplina en las Filipinas? ¿Por qué la química orgánica prosperó en la India británica, cuando nada comparable surgió en Sudáfrica?

Los críticos nativistas suelen cuestionar la posibilidad de responder estas preguntas. La física en Tratralandia, dicen, depende de circunstancias únicas de ese Estado nación. Por supuesto, pero sigue siendo física. De vez en cuando, las disciplinas sí se trasmutan en nuevos ámbitos. La economía y la historia, por ejemplo, adoptaron distintas formas en el siglo pasado en Leipzig, Chicago, La Habana y Buenos Aires, y hasta tal punto que se pone en duda la existencia misma de la disciplina. Las disciplinas biológicas se sitúan a veces entre ambos extremos. La variación en cuestión puede ser menos el grado de cuantificación (¿qué podría ser más cuantificado que la recaudación impositiva y los precios bursátiles?) que el acuerdo sobre lo que hay que medir. Las ciencias exactas, al concentrarse en los movimientos estelares y las temperaturas de las reacciones químicas, difieren en este aspecto de la etnografía física y las pruebas de inteligencia. Pero no debería aceptarse aquí la palabra de un comentarista. Está abierto el camino para una investigación sostenida.

La comparación también puede revelar el lugar de la rutina diaria en los emprendimientos científicos. ¿Depende el descubrimiento de lo que el descubridor come en su desayuno, del dios al que se hace justicia, del tipo de ropa usada para ir al laboratorio o la clase, de los costumbres familiares, del ritmo del trabajo y el juego? ¿Las normas de la ciencia tamizan muchas de estas variaciones culturales? ¿Qué partes de la vida corriente intervienen en la generación de nuevas ideas? ¡Qué interesante sería comparar la paleontología en Calgary, La Plata y Tokio, por ejemplo, o la botánica en Nueva Orleans, San Pablo y Bandung!

Las palabras, dicen los posmodernistas, son como actos. ¿Lo son, en verdad? ¿Las palabras de la química y la física, traducidas a nuevos lenguajes, producen una nueva comprensión? ¿Dan los laboratorios chinos, japoneses y árabes con nuevas formas de observar las reacciones químicas? ¿Se describen de maneras especiales las bolas que descienden por planos inclinados? ¿Surgen nuevas formulaciones a causa de una discusión en un idioma determinado? Vale decir, ¿hay una escuela japonesa de razonamiento físico, así como hubo una escuela polaca de lógica matemática? Y si es así, ¿cuáles son los requisitos de infraestructura para la innovación (una universidad de investigación, una sociedad científica, una imprenta)? ¿Cómo se compararía el conocimiento producido por laboratorios químicos de Calcuta y Beijing con el de Santiago de Chile y Singapur? ¿Cuáles son los puntos fuertes y los inconvenientes del bilingüismo científico, en el que la investigación se realiza en un idioma y se publica en otro?

La política, sostienen los posmodernistas, está por doquier en el cuerpo de la ciencia, así como, sin duda, la deidad reside en el alma de cada científico. Sabemos mucho sobre la política de la ciencia en los principales estados del mundo noratlántico y empezamos a tener una idea más clara de este tópico en naciones como Japón y la Argentina. Sin embargo, es menos claro el equilibrio relativo entre las dos principales justificaciones de la investigación científica: la practicidad y el prestigio. ¿Se inclinan más ciertos tipos de régimen, por ejemplo, a financiar un emprendimiento determinado de ciencia pura (es decir, fundamental) debido a las promesas de éste de irradiar prestigio nacional? ¿Zozobra el argumento práctico cuando una comunidad científica hace promesas que no puede cumplir? ¿Resultan ambas justificaciones menos convincentes frente a proyectos rivales montados por ingenieros y tecnólogos? Para los estudiosos como yo, que creemos que la empresa de la ciencia está hoy amenazada por la tecnología, encontrar una respuesta a través de la comparación sería de gran importancia.

Una cuestión que la comparación puede dilucidar es la noción de masa crítica científica: la importancia que tiene para la innovación la proximidad física de una comunidad de intereses compartidos. Muchas veces escuchamos la queja: ¿cómo pueden esperar que yo haga algo en un lugar como éste? La queja resuena en mil localidades provincianas, desde las ciudades universitarias barridas por los vientos de las altiplanicies y los seminarios religiosos en un bosque tropical, hasta las pequeñas facultades en medio de un bosque y las escuelas técnicas en un estuario aislado. Hay poco dinero para equipamiento, y menos aún para libros y publicaciones periódicas. Los estudiantes son casi analfabetos. Y así siguiendo. Pero en lo fundamental la queja se refiere a la falta de colegas cultos, la ausencia de una comunidad de interés compartido.

Uno ve la identificación en la obra de muchos historiadores de la ciencia, que escriben sobre el surgimiento de una *comunidad* científica en uno u otro ámbito. Comunidad, *community*, *Gemeinschaft*, *communauté*: la palabra misma tiene matices de sectarismo y exclusivismo hereditario, exactamente lo contrario de lo que creemos que implica la ciencia. De hecho, los científicos parecen entender implícitamente este aspecto, ya que llaman sociedades y no comunidades a sus asociaciones: la Gesellschaft deutscher Naturforscher und Aerzte, la American Physical Society, la Société française de biologie y la *Urquelle*, la Royal Society. Lo cierto es que los innovadores que hicieron época trabajaron sin un contacto estrecho con colegas de su disciplina. Einstein dice que antes de 1905 apenas sabía qué era un físico teórico. Al menos él trabajaba en una oficina dedicada a la ciencia situada en una ciudad universitaria, la capital de Suiza. Darwin decidió vivir en el campo, en parte, tal vez, para evitar tediosas discusiones con sus colegas naturalistas. Para Einstein y Darwin, la sociedad de colegas, a través de sus publicaciones, era todo.

¿Qué tipo de comunidad, qué tipo de sociedad estimulan la innovación en una disciplina científica en particular? Las respuestas que nos vienen del mundo noratlántico son limitadas, porque Europa occidental y Norteamérica a menudo ven las cosas de una manera. ¿Los investigadores médicos laureados con el Nobel en Buenos Aires y Túnez compartían características estructurales? ¿De qué manera fueron alentados los físicos premios Nobel de Adelaida y Montreal? ¿La conexión con sociedades científicas formales es indispensable para los innovadores científicos? Y por último, y de interés para las personas que se ganan la vida con la docencia, ¿cómo se relaciona con la innovación la instrucción en asuntos científicos?

* * *

Pese a sus imperfecciones como técnica, la comparación nos permite ver con más claridad. O al menos así me parece, tras haber pasado mi carrera profesional en las dos culturas francoparlantes de América del norte: Quebec y Louisiana. Acaso, en interés de la precisión, debería decir en el Canadá francés y en Acadiana, porque en Quebec no todo es francés –ni histórica ni emocionalmente– y en gran parte de Lousiana el francés es hoy en día una lengua extranjera. Hace algunos años mi esposa escribió el bosquejo de una pieza satírica sobre una revolución francesa en Lafayette, donde hoy trabajo.

Con una suspensión voluntaria de la incredulidad, uno podía verdaderamente identificar a personas que conocía con algunos de los más coloridos *indépendentistes* del país del invierno. Volví a revisar su bosquejo y creo de veras que ella tenía algo serio entre manos. En todo caso, si unimos los dos contextos, me parece como si la política entrara en el mundo del aprendizaje menos como conspiración sutil que como crudo *Diktat*; los políticos parecen incapaces de evitar ensuciar la alfombra cuando entran a zancadas a una habitación para dar instrucciones a la gente dedicada a la enseñanza.

En nuestro libro reciente, *Servants of Nature*, mi esposa y yo sostenemos que el posmodernismo está acabado. Aunque no somos tan presuntuosos como para pronosticar qué lo reemplazará entre los escritores de mediana edad que disfrutan de la holganza en las universidades doradas, me gustaría creer que el nuevo siglo recibirá con beneplácito el énfasis en la claridad, el ingenio y la elegancia. El mundo de la evidencia está abierto de par en par ante nosotros; sólo es preciso que hagamos las preguntas adecuadas.

En respaldo de esta esperanza, me gustaría mostrar el contenido del número de abril de 1999 de la revista parisina *Cahiers de science et vie*. En su comité editorial se sientan algunos de los principales portavoces del posmodernismo, incluidos Bruno Latour y Simon Schaffer. Según el redactor en jefe, Jean-Pierre Icikovics, el número está dedicado a "la misión civilizadora de las ciencias y las tecnologías". Ni uno solo de los colaboradores de la revista, entre ellos Schaffer, discute el carácter universal de los resultados de las ciencias exactas durante el siglo XIX. Hay un profuso debate sobre el contexto de justificación y la inspiración para emprender una medición o una observación, pero prevalece un acuerdo general en cuanto a que astrónomos y físicos cumplieron con los pormenores de su trabajo gracias a las normas de sus disciplinas. Empero, se revela en verdad que las que solían llamarse ciencias "más blandas" –historia natural, medicina, antropología– son ideológicas de cabo a rabo. Esta distinción, reconocida por los imperialistas, es la razón de que surgieran observatorios astronómicos en muchos lugares distantes de Europa. El camino para estudiar cómo un aprendizaje abstracto y desinteresado satisface la meta insustancial del prestigio en los asuntos de estado está despejado. Un resultado saludable será la afirmación de la integridad disciplinaria en las empresas doctas en general, una buena noticia para los académicos en estos tiempos de grandes cambios en la vida universitaria.

LA CIENCIA EN SUS DISCURSOS

Jens Andermann
Dora Barrancos
Ariel Barrios Medina
Silvina Gvirtz
Álvaro Fernández Bravo
Pablo Rafael Kreimer
Marcelo Montserrat
Patricia Vallejos de Llobet

ENTRE LA TOPOGRAFÍA Y LA ICONOGRAFÍA: MAPAS Y NACIÓN, 1880

JENS ANDERMANN

> [...] En aquel Imperio, el Arte de la Cartografía logró tal Perfección que el mapa de una sola Provincia ocupó toda una ciudad, y el mapa del imperio, toda una Provincia. Con el tiempo, esos Mapas Desmesurados no satisfacieron, y los colegios de cartógrafos levantaron un Mapa del Imperio, que tenía el tamaño del Imperio y coincidía puntualmente con él. Menos Adictas al Estudio de la Cartografía, las Generaciones siguientes entendieron que ese dilatado Mapa era Inútil y no sin Impiedad lo entregaron a las Inclemencias del Sol y de los Inviernos. En los desiertos del Oeste perduran despedazadas Ruinas del Mapa, habitadas por Animales y por Mendigos; en todo el país no hay otra reliquia de las Disciplinas Geográficas.
>
> JORGE LUIS BORGES,
> *Del rigor en la ciencia*

La Argentina tiene un tamaño de 1 m x 1, 68 m. Consiste de tres partes y mucho mar (esto último, naturalmente, para que queden incluidas en ella las islas Malvinas): espacio que sobra para, en una escala mayor, ubicarla en el hemisferio americano y resaltar, en una escala menor, la capital y sus alrededores. La *Carta General de la República* publicada, en cuatro hojas, en 1896 por el coronel Jorge J. Rohde con los auspicios del Instituto Geográfico Argentino, fue el resultado provisional de una intensa y concertada labor cartográfica que atraviesa más de una década. Ya en 1882 el Instituto había resuelto "prestar a la Nación el servicio de trazar una carta de la República Argentina y una geografía nacional que salve las deficiencias que existen",[1] solicitando por tanto a los gobiernos provinciales el envío de toda documentación disponible al respecto, que luego fue evaluada por una comisión especial integrada por los socios Godoy, Schwartz y Courtois y finalmente remitida a Arthur Seelstrang, catedrático alemán en la Facultad de Ciencias Exactas de Córdoba, y a quien fue encargado el trabajo (anterior a la *Carta*) de confeccionar el atlas oficial del Instituto.[2] Trazar el mapa, representar el país entero bajo un mismo patrón cuantitativo y totalizador, a fin de construir una copia exacta de la Argentina en tanto totalidad de sus "accidentes geográficos" era, de algún modo, el proyecto complementario a la llamada Organización Nacional que había comenzado en Caseros: normalizar por fin el caótico paisaje histórico de provincias en pugna que había emergido de la Independencia y de las luchas civiles, convertirlo en una positividad medible y controlable, aparecía desde esa perspectiva como la condición misma de poder consolidar un estado y abrir la economía a las exigencias de los mercados mundiales.

Pero como nos sugiere Borges, los mapas envejecen tanto más rápido cuanto más categóricamente se postulan como mimetizaciones exactas de la naturaleza. No se trata tanto de una cuestión de tamaño o, más bien, es en el tamaño donde reside el artificio principal de la cartografía, en convencernos de que ésta ha sido la única modificación que se permitió el mapa respecto de su referente espacial, para facilitar su almacenaje y disponibilidad, pero dejando intacta su constelación particular de montañas, bosques, costas y casas. Esta pretensión mimética, sin embargo, encubre que si realmente nos propusiéramos construir el monstruoso mapa borgeano, éste precisamente no se iría a confundir con el Imperio que representa sino que lo enterraría por completo bajo una superficie de signos: un mapa no es una *reducción* sino una *representación* del espacio, un artefacto cuya supuesta fidelidad a la naturaleza es, ella misma, un concepto manufacturado y consensuado en el ámbito de la cultura. La teoría geográfica actual nos enseña que la exactitud presumiblemente neutra y desinteresada con que la cartografía dice contemplar su objeto, el espacio, es realmente el producto de un proceso secular de autonomización, convencionalización y disciplinamiento de un vocabulario gráfico que descansa sobre una serie de premisas implícitas sobre territorialidad, subjetividad, nación, alteridad, cultura, etc., y sobre las relaciones y jerarquías que unen y separan a estas categorías. La cartografía, podríamos decir, es histórica justamente en cuanto disimula su propia historicidad, en cuanto nos proporciona una imagen sin tiempo.[3]

Los mapas, además, no nos vienen solos (y esto, o sea, el presupuesto de que estemos frente a una totalidad autónoma y autoevidente, es el segundo artificio constitutivo de la cartografía). Cada representación cartográfica está imbricada en un entramado discursivo que complementa tanto su dimensión pictórica como textual: no sólo hay, en la superficie misma del mapa, varios tipos de escritura (nombres, leyendas, cifras) que la vinculan al orden del lenguaje y discursivizan la propia imagen cartográfica. Ésta también forma parte de un conjunto publicista más amplio –el atlas o almanaque, las publicaciones periódicas de las instituciones geográficas– organizado y serializado según pautas librescas, y por lo tanto viene acompañada por una masa textual que desglosa la imagen cartográfica y la vuelve a temporalizar, aunque no sea más que por someter su contemplación a los ritmos diacrónicos de la lectura. Pero también por el costado visual el mapa requiere la co-presencia (efectiva o al menos en la mente del lector) de un suplemento que reción garantiza su legibilidad, el *paisaje*. Lienzo, fotografía, poema o relato de viaje, el paisaje constituye otro orden de representación del espacio, necesario porque inscribe ahí una *perspectiva*, y por lo tanto un sujeto contemplador cuyo borramiento es, en cambio, la condición de posibilidad del supuesto *mimesis* cartográfico: el paisaje es el medio encargado de dramatizar la *apropiación de la tierra*, algo que el mapa, por sus mismos presupuestos atemporales, sólo puede perpetuar y naturalizar, pero nunca fundamentar. Como sostiene W. J. T. Mitchell, el paisaje es un medio que representa en la naturaleza misma –como emanación de ésta– el status de *diferencia* que le es adscrita por la cultura: esta naturaleza fetichizada como lo extrasocial y prediscursivo, como otredad e inmediatez, se va convirtiendo, según el término de Marx, en un *jeroglífico social*, un emblema precisamente de las relaciones sociales que *des-tierra*.[4] Si el mapa, entonces, siempre se refiere implícitamente al paisaje como un suplemento estético, éste –al menos en su vertiente academicista decimonónica– recurre a su vez al mapa para fundamentar su pretensión de veracidad: ambos, paisajismo y cartografía –así como sus equivalientes textuales: el relato de viaje y el relevamiento topográfico– son tecnologías complementarias con las que la mirada imperial avanza sobre sus afueras, asimilándolos y ensimismándolos dentro de un concepto de *lo natural* que cifra una hegemonía.

El mapa es, entonces, una imagen abierta que presupone y necesita la complicidad de otras tecnologías de representación: en lugar de constituir una imágen hermética y autosuficiente el mapa integra, pues, un conjunto intermedial de imágenes y escrituras que mantiene múltiples lazos con otras producciones culturales. La geografía posestructuralista ha empezado últimamente a conceptualizar el mapa como un "thick text", una estructura sígnica confeccionada en un lenguaje pictórico socialmente consensuado que dispone de sus propios recursos retóricos y es por lo tanto susceptible de lecturas deconstruccionistas.[5] La metáfora textual, no obstante, no me parece rendir cuenta suficientemente del impacto particularmente poderoso de los mapas en tanto representaciones pictórico-escriturales que están a su vez inmersas en conjuntos significantes donde coexisten componentes visuales y escritos. Prefiero recurrir, por eso, al término más ambivalente de *iconografía*, para dar cuenta de los efectos generados por estas representaciones y que trascienden, justamente, las capacidades de persuasión del mero lenguaje escrito.[6]

Es a partir de estas premisas que quisiera intentar en estas páginas una lectura discursiva e iconológica de algunas producciones cartográficas argentinas y de su significado particular en el contexto de una violenta expansión territorial y un replanteo no menos dramático de los conceptos de nación y estado, que marcaron la fecha crucial del ochenta. Es decir, no me interesa contribuir a una historia disciplinar de perfeccionamiento paulatino, perspectiva predominante hasta la fecha en la historiografía argentina y que, como ya sospechó David Viñas en *Indios, ejército y frontera*, contribuyó no sólo al silenciamiento de la violencia fundacional del Estado conservador-positivista, sino que también ratificó el resultado de esa violencia, el borramiento de los sujetos otros, al naturalizarlo en la imagen teleológica de un avance científico sobre las manchas blancas del mapa nacional.[7] Como han sugerido James Duncan y David Ley, sólo al localizar el sujeto del relevamiento topográfico en el artefacto que éste produce, es posible quebrar la ilusión de *mimesis* y concebir el mapa, no como una copia de la naturaleza sino como el relato de su apropiación, en tanto "naturaleza", por parte de una comunidad que de esa manera logra diferenciarse y auto-representarse como "cultura".[8] Es necesario, pues, reinsertar estas representaciones en el contexto discursivo e iconográfico donde fueron producidos y leídos: en un primer paso voy a esbozar, entonces, el papel fundamental de la geografía en la formulación de una nueva hegemonía que entra en vigencia hacia fines de la década de 1870, para pasar después a leer dos expresiones complementarias de re-funcionalización del espacio en el discurso sobre nación y estado: la topografía militar de Manuel J. Olascoaga y la topografía empresarial de Carlos M. Moyano.

MEDIR LA NACIÓN: LAS SOCIEDADES GEOGRÁFICAS Y LA REDEFINICIÓN DE LA ARGENTINA

> No es menos brillante la gloria científica de la jornada, durante la cual han luchado la chuza de *tacuara*, distintivo de los araucanos, con el sextante y el cronómetro, que marchan a la vanguardia de la Humanidad, descubriendo y situando en todas las zonas del Planeta, nuevos teatros para la actividad prodigiosa de la Civilización.
>
> ESTANISLAO S. ZEBALLOS,
> "La última jornada en el avance de la frontera" (1880)

Dos meses antes de comenzar las "operaciones" del ejército nacional en lo que aun era descrito con el término más moral que ecológico de *desierto*, el que a pesar de su corta edad ya se había convertido por entonces en el ideólogo principal de la solución final, convocó a un grupo selecto de científicos y militares para promover el fomento y la institucionalización de la geografía como disciplina rectora de la nueva Argentina.[9] Estanislao Zeballos, diez años menor que Roca, de quien en adelante será, con breves interludios, el apologeta incondicional, ya había pasado entonces por una intensa y notoria actividad científico-publicista: miembro fundador –cuando aun cursaba el primer año en la flamante Facultad de Ciencias Exactas de Buenos Aires con los profesores italianos traídos en 1865 por Juan María Gutiérrez– de la Sociedad Científica Argentina (1872); redactor de *El Colegial* (1869) y de *El Mensajero de Rosario* (1874), editor –junto con los hermanos Ramos Mejía– de los *Anales Científicos Argentinos* (1874) que se convertirán, a partir de 1876, en el órgano oficial de la Sociedad, más adelante oficiaría asimismo como fundador de la Sociedad Rural, del Club del Progreso y del Círculo de Periodistas, así como de director del *Boletín de Derecho Internacional Privado* y de la *Revista de Derecho, Historia y Letras*. Pero es durante su actuación al frente del Instituto Geográfico Argentino entre 1879 y 1884 que Zeballos se va convirtiendo en el intelectual orgánico de un nuevo orden que empieza a representar su hegemonía en términos de un paulatino y triunfal avance territorial: como Roca, quien, en la literatura burocrático-militar que rodea el ochenta, emerge de su carpa de campaña como el destinatario final de una enorme red de partes e informes que atraviesan un campo de anexión cada vez más vasto, Zeballos en su despacho de la calle Perú recibe y ordena diarios de viaje, croquis y mapas, subsidia y abastece expediciones y escribe a los comandantes militares aconsejándolos sobre el trayecto de su próximo avance.

El itinerario institucional de Zeballos es particularmente representativo en cuanto marca los cortes y las continuidades de su generación con respecto al proyecto de nación que los letrados románticos de mediados de siglo habían intentado implementar a partir de Caseros. Formados bajo la tutela de los matemáticos italianos y los naturalistas y geógrafos alemanes y franceses contratados por Mitre, Urquiza y Sarmiento, estos jóvenes, que alrededor de 1880 se hacen cargo del Estado tras un reajuste de fuerzas entre las burguesías provincianas, representan lo que imaginan como su papel histórico, como una suerte de contaduría heroica, una puesta en orden de un inmenso banco de datos territoriales que es necesario operativizar ante los mercados imperiales. El ejemplo –escribe Zeballos–,

> de profesores estrangeros mas ó menos competentes [...] alent[ó] poderosamente á algunos argentinos á trillar la senda dificil de las exploraciones, en las cuales la lucha con la Naturaleza se resuelve á menudo en conquistas útiles á la Humanidad y gloria para los espíritus esforzados. Jóvenes que hacían concebir halagueñas esperanzas, oficiales del ejército que buscaban nuevos horizontes, marinos que dejaban al fin las brisas de agua dulce, se lanzaron en los últimos años á los territorios argentinos para revelarnos su constitucion, sus riquezas, sus deficiencias y su porvenir.[10]

Toma de posesión que casi explícitamente confunde el final de la adolescencia propia con la maduración del país entero, estas referencias autocomplacientes a la trayectoria generacional conllevan casi siempre alguna desaprobación hacia los mayores cuya inquietud por conceptualizar el lugar simbólico de la flamante nación en los términos identitarios del romanticismo, ahora es leída apenas como una geografía deficiente: "Había por delante una obra inmensa de investigacion no a través de viejas bibliotecas sino en el territorio mismo", como lo resume en 1896 Carlos Corra Luna.[11] Lo que se va poniendo de relieve en esta oposición entre "viejas bibliotecas" y "nuevos territorios", es un cambio de paradigmas en el discurso sobre la nación, donde las sociedades geográficas y científicas ahora se encargan del papel que el Salón Literario nunca llegó a cumplir de veras para la generación de 1837.

Es interesante que entre ambos paradigmas de concebir el lugar de la nación –el estético del 37, que buscaba conceptualizar el espacio argentino como teatro agónico de luchas y mezclas que iban a generar una identidad original y distintiva, y el cuantitativo del 80, que acumulaba tierras siempre "fértiles" pero despojadas de cualquier agencia propia– media, histórica y conceptualmente, el episodio paisajístico-militar de la zanja de Alsina. Con la obsesión particular del positivismo por distinguir entre "normalidad" y "degeneración", esta zanja traza un corte neto entre los que quedan de uno y otro lado, y de esa manera, como sugiere Andrea Pagni, inscribe en el espacio mismo la clausura del proyecto romántico de fundar una identidad nacional en el intersticio entre lo europeo (que viajeros como Alberdi y Sarmiento habían cuestionado como un modelo al menos deficiente) y lo americano que, aunque bárbaro, contenía unos "potenciales poéticos" ineludibles para todo postulado estético-político de "argentinidad".[12] Ahora, ese intersticio donde el autor de *Facundo* todavía posicionaba, y no sin orgullo, su escritura monumental, se acaba de convertir en un límite y una herramienta militar para cercar al enemigo y preparar el avance final.

Avance tras el cual el antiguo denominador moral del desierto se convierte en un error geográfico: una vez que ha dejado de ser la guarida de la barbarie, el espacio anexado al territorio nacional se convierte, como de milagro, en una "tierra virgen", un edén austral que, por su disponibilidad absoluta, funciona asimismo como representante territorial del nuevo proyecto de nación esgrimido por la elite del 80: "Nuestros resultados han sido inesperadamente ricos y sorprendentes", escriben los alemanes reunidos en la Comisión Científica Agregada al Estado Mayor que acompañan al general Roca y convierten su operación militar en un éxito inmediato ante el público geográfico y la especulación inmobiliaria internacional: "En una marcha invernal de tres meses, pudimos recoger más de 300 especies y la experiencia ha demostrado que estos desiertos, tan mal afamados, son regiones fertilísimas [...]".[13] El revés siniestro, violento, de este paisaje del progreso, la "tierra sembrada de cadáveres", como escribe Zeballos con su particular elocuencia eugénica,[14] queda excluido del enfoque topográfico; en cambio aparece en los trabajos "antropológicos" que publican Francisco P. Moreno y el mismo Zeballos por estos años sobre colecciones de calaveras y esqueletos indígenas que, curiosamente, ya parecen hallazgos de tiempos inmemoriales.[15]

Las instituciones geográficas –el Instituto Geográfico Argentino, fundado en 1879; la moderadamente rivalizadora Sociedad Geográfica fundada por Ramón Lista en 1881, y la Oficina Topográfica Militar (más tarde Instituto Geográfico Militar) establecida en 1879 bajo el mando de Manuel J. Olascoaga y Jordán Wysocki– nacieron, pues, de la inquietud de los sectores ascendientes de la elite roquista, surgida al paso de las conquistas militares, por formalizar una nueva concepción cuantificadora, expansiva y redistributiva del espacio que habría de convertir a la Argentina en un aspirante legítimo al trono del poder imperial regional. Tanto el Instituto como la Sociedad Geográfica subsidiaron e intervinieron en todos los estadios de recolección, sistematización y distribución de los datos geográficos: ambas entidades, en una etapa inicial que va de 1879 a 1882, promulgan las expediciones a las zonas recién anexadas del sur, y publican sus resultados; más adelante y en la medida en que avanza la campaña militar del general Victorica iniciada en 1884, el foco se desplazará en parte al Chaco. En el *Tercer Congreso y Exposición Internacional de Geografía*, celebrado en 1881 en Venecia, la delegación argentina cosecha varias menciones y medallas por sus recientes contribuciones al gran proyecto de la geografía imperial: borrar las últimas manchas blancas de la superficie del globo.[16] En el frente editorial, al lado de las cartas generales y los atlas (los más importantes en la década del 80, aparte del atlas de Seelstrang patrocinado por el Instituto, eran los de Dufour publicado en 1881 y de Paz Soldán, publicado en 1887, ambos dedicados a difundir el saber geográfico en la enseñanza superior), también aparecieron a lo largo de la década varios "diccionários geográficos", como el de Coni, confeccionado entre 1877 y 1880, el de Paz Soldán, de 1885 (del que sólo se publicó la primera parte), y el de Latzina, publicado en 1891. Estos diccionarios eran una suerte de repertorios topográficos; catalogizaban los "accidentes" del territorio según su nomenclatura geográfica, latitud, longitud, altura, y "registrador". Como los mapas mismos, estos diccionarios organizaban y reificaban el país entero bajo una común disciplina espacial que desdramatizaba las implicaciones históricas y nemónicas de los lugares. El mapa –con sus distintas variantes textuales y pictóricas– se va convirtiendo por estos años en el Gran Dibujo del Estado roquista y del discurso positivista con que sus elites encaran el país, país que ahora, en primer lugar, se piensa como una realidad cartografiable.

OLASCOAGA: EL SECRETARIO DE LA CONQUISTA

> Cuando la ola humana invada estos desolados campos que ayer eran el escenario de correrías destructoras y sanguinarias, para convertirlos en emporios de riqueza y en pueblos florecientes en que millones de hombres puedan vivir ricos y felices, recién entonces se estimará en su verdadero valor el mérito de vuestros esfuerzos. Extinguiendo estos nidos de piratas terrestres y tomando posesión real de la vasta región que los abriga, habéis abierto y dilatado los horizontes de la patria hacia las comarcas del sur, trazando por decirlo así, con vuetras bayonetas, un radio inmenso para su desenvolvimiento y grandeza futura
>
> JULIO A. ROCA,
> "Orden del Día",
> Carhué, 26 de abril de 1879

El paisaje, a primera vista, no parece más que el telón de fondo por delante del cual se despliega el espectáculo grandioso: en primer plano, el estratega parado sobre su potro en una pose estatuaria, contemplando el desfile de hombres y animales que se van perdiendo en la lejanía que comienza en la otra orilla del gran río que divide la imagen. El grabado, "Paso Alsina", adorna la primera edición del *Estudio topográfico de La Pampa y Río Negro* de Manuel J. Olascoaga, documentación oficial de la "Campaña del Desierto", y representa el cruce del río Colorado al suroeste de Bahía Blanca, esto es, el comienzo del último trozo de marcha hasta el río Negro y de la ocupación de un territorio que desde la expedición de Rosas medio siglo antes había estado fuera de la soberanía nacional. Recién al mirar más detenidamente observamos que, en realidad, hay como un engrandecimiento mutuo entre la tropa y ese paisaje llano y enorme: sin la presencia de la masa humano-ecuestre, sería una vista poco propensa a invitar el gesto grandilocuente del pintor, aunque por otra parte recién el haberse internado en ella, y así definido a esta naturaleza vaga, los hace aparecer heroicos a los soldados. El pacto dignificador mutuo entre el ejército conquistador y el paisaje que se le *presenta*, o incluso *entrega*, resalta al comparar la escena con otros dos paisajes contemporáneos de guerra: "Trinchera de Curupaytí" de Cándido López (1893), escena de la campaña anterior del ejército federal en el Paraguay donde, a diferencia del grabado de Olascoaga, el carácter ambiguo del recuerdo personal se manifiesta en lo onírico de un paisaje que, más que enmarcar, protagoniza la imagen, devorando a los soldados e imprimiendo un tinte doloroso y fatal a su actuación. Por otro lado, "La vuelta del malón", cuadro demagógico pintado por Angel Della Valle en 1892 y donde la llanura pantanosa y siniestra aparece en contigüidad con el cliché de crueldad y apetito sexual encarnado por los jinetes, y en flagrante oposición con la blancura virginal de la joven raptada. El hecho de que el lugar representado es el mismo en Della Valle y en Olascoaga, resalta la diferencia fundamental entre ambos paisajes: allá el desierto de Echeverría y Sarmiento, paisaje que victimiza a una civilización indefensa; aquí un campo solitario y sereno que abre tranquilamente sus inmensos horizontes a la marcha disciplinada del ejército civilizador. El garante de esta resignificación iconográfica del paisaje es, para Olascoaga, el cartógrafo. Medido, clasificado y nombrado en los términos del mapa moderno, el espacio fronterizo puede, por fin, entregarse a los paisajistas de pluma y pincel:

> El plano que publicamos y que hemos confeccionado en vista de los conocimientos que [la geografía] ha proporcionado, presenta por primera vez, oscurecido de nombres e indicaciones topográficas, un espacio de mas de 20.000 leguas de superficie que hasta hoy figuraba en blanco en nuestras cartas geográficas; y á ese blanco dábamos los nombres de pampa, desierto, territorio inútil... Y creíamos que eso era realmente una pampa desierta é inútil, donde solo los indios, protejidos por no sé qué ley física imaginaria que debia hacerlos superiores á las necesidades de la humanidad, podian habitar y mantenerse vigorosos y capaces de pugnar durante siglos contra el poder de una nacion civilizada y aguerrida. Entre tanto, hoy sabemos que esa pampa es una rejion generosamente dotada de todas las condiciones de produccion y de vida, y que los que en ella habitaban tenian razon de ser fuertes y guerreros.[17]

Ese saber que redefine el espacio fronterizo y, con él, a la nación entera, es –según Olascoaga– el resultado más que la condición de su conquista y ocupación: el mapa, parece, ha sido el objeto de esa lucha tanto o más que el espacio que representa. Guerra entre topógrafos e indios baqueanos (portadores, todavía en el *Facundo*, de la *ciencia del desierto*), entre "la chuza y el sextante", de la que el saber occidental moderno, naturalmente, ha de salir airoso:

> La operación últimamente realizada contra los Indios y demás merodeadores advenedizos que dominaban nuestras grandes y desconocidas tierras del Sud, ha hecho su principal triunfo en el conocimiento topográfico de la vasta rejion que ha batido y explorado. Este triunfo de la Geografia imprime el sello de lo definitivo y durable al resultado obtenido (ET, pág. 159).

Es por medio de la representación cartográfica que los logros militares pueden ser transformados en realidades objetivas y perdurables: antes "mixtificada" por el discurso paisajístico del romanticismo, ahora la pampa es sometida a los instrumentos del topógrafo que inmediatamente convierten cada legua atravesada en saber archivístico y, por lo tanto, disponible sobre la ubicación, ingredientes y "aplicaciones" de cada trozo de tierra para su colonización y explotación futura. En Olascoaga, pisar, nombrar y describir son actos que denotan propiedad y confluyen naturalmente en la acción militar de conquistar. Este avance acumulador de territorio tanto en el mapa como en los textos e ilustraciones del *Estudio topográfico* que lo acompañan y comentan, es inscrito por Olascoaga en el espacio mismo, mostrándolo como un espacio *habitable y habitado* por argentinos. La metáfora, otra vez, es doble: por un lado, los militares, quienes representan a la nación entera en el desierto, pero ese desierto apropiado en marchas ordenadas y disciplinadas, con diana a las seis, también representa el país con el que sueña un oficial positivista.

El *Plano del territorio de la Pampa y Río Negro*, en escala 1: 200.000, compilación de los datos recolectados entre los 33° y 43° latitud sur, es la obra cartográfica más conocida de Olascoaga, polemista, cartógrafo, militar y pintor ocasional. Había debutado en 1866 con un mapa del Paraguay confeccionado en plena guerra de la Triple Alianza: la geografía, desde principios, es una ciencia militar. En 1864 presenta un informe sobre fronteras por el cual es ascendido a comandante en jefe de la frontera sur de Cuyo. Entre 1867 y 1873 vive exiliado en Chile donde conoce al general Saavedra, jefe de fronteras en la Araucanía,[18] y después de una breve actuación periodística se desempeña, también ahí, como topógrafo y confecciona un mapa escolar del país trasandino. Reincorporado al ejército argentino en 1878 como secretario personal de Roca, Olascoaga es quien proporciona en gran parte la información sobre la que será armada la Ley 947, votada en octubre de 1878, y que vuelve a autorizar al Ministro a iniciar el hostigamiento de las comunidades indígenas.[19] Como muchos otros exploradores y geógrafos militares del momento (Álvaro Barros en la Patagonia a fines de 1870, Carlos M. Moyano y Ramón Lista en Santa Cruz y Tierra del Fuego, o Luis J. Fontana en el Chaco), después de 1880 asciende rápidamente de topógrafo a gobernador de los territorios anexados: en 1883 entrega los resultados de la comisión científica que preside para el relevamiento topográfico de los Andes australes (*Memoria del Departamento de Ingenieros Militares*), en 1888 ocupa la gobernación de Neuquén y en 1901 publica una *Topografía andina*, nuevo balance de los avances territoriales en la cordillera. Representación y dominio, mapa y poder, en la Argentina positivista de fines de siglo, son categorías casi sinónimas.

La violencia de la "operación de limpieza" que el ejército –en palabras de Alfred Ébelot, otro veterano de la ingeniería conquistadora– realizó en el sur, en Olascoaga queda relegada a los márgenes del paisaje o a alguna broma pesada sobre los indios hambrientos y andrajosos. El centro de la escena, tanto las textuales como las visuales, lo ocupan las divisiones argentinas que vemos avanzando o acampando en faldas, valles y llanuras. Las descripciones del diario de campaña que "subtitulan" estas escenas, las van enriqueciendo con datos relativos al abastecimiento de una tropa en marcha: calidad de pastos, abundancia de caza y de leña, etc; y de los cuales se deducen las perspectivas de su colonización futura. Colonias modelizadas, obviamente, según el modelo del establecimiento militar:

> Aquí se ha desarrollado ya en abundancia el monte para leña, que hace la delicia de los campamentos. El pasto y el agua no faltan; la clase que más se ve del primero es el *alfilerillo*. [...] El terreno que aquí pisamos es lo que con toda propiedad puede llamarse tierra virgen; es decir: dispuesta a rendir como en ninguna parte los más espléndidos beneficios en toda clase de labranza. Podría hacer competencia a la que fuera más bien abonada por la mano del hombre: es negra y arenosa (ET, pág. 193).

El *Plano* que acompaña el volumen, documenta el avance medidor y poblacional en sus distintas etapas que son atribuidas como "accidentes geográficos" al territorio mismo, naturalizando la política anexionista. Los límites militares de ayer y hoy articulan la sucesión espacio-temporal de distintas zonas de representación que aparecen como cualitativamente diferenciadas. La primera es la que va de Buenos Aires hasta las antiguas fronteras militares (primera y segunda línea). Es una red de focos poblacionales, de comandancias y fortines, unidos por ferrocarriles y telégrafos: un territorio cuyo status de *civilizado* se manifiesta en su estructura de comunicación funcional a la inserción comercial en los mercados mundiales. Al suroeste de esta zona –que es al mismo tiempo el punto de partida de los cuerpos militares y el referente y la meta de la expansión cartográfica– queda la zona que es el objeto principal del *Plano*, el territorio anexado en la campaña del general Roca y que termina en la "Línea Militar del Río Negro y Neuquén" que atraviesa el centro de la imagen. Este es un espacio organizado (u "oscurecido") por varios tipos de nomenclatura: la más prominente (por el tipo de letra y grosor de líneas) es la de los itinerarios de las divisiones y comisiones, y que asimila cada zona al apellido y rango militar del oficial al mando del cuerpo que la atravesó y, con eso, la agregó al territorio nacional. En segundo lugar, flanqueando estas líneas principales, aparecen cúmulos de nombres inferiores, las observaciones de cada división y que –como el texto que acompaña al mapa– inscriben en el espacio una suerte de relato polifónico, un polílogo cronotópico cuya violencia se manifiesta en la subordinación de los nombres indígenas a la autoría de los comandantes militares. Es una suerte de gran masa de datos crudos de distinto orden, entrelazados únicamente por la perspectiva de los oficiales quienes, de ese modo, se convierten en los emisarios del topógrafo y de su mirada consignadora en la superficie misma del mapa:

"Montes de algarrobo", "Paso descubierto", "Campamento de indios", "Invernadera de Amaya", "Balseadero", "Campo muy rico", "Antigua residencia de los Pincheiros", etc., son algunos de los microrrelatos que Olascoaga transcribe al mapa de los diarios de campaña. Al sur del río Negro queda el tercer tipo de territorio, "oscurecido" apenas por los recorridos de algunas exploraciones individuales ("Coronel Guerrico", "Capitán Musters en 1870") cuyas observaciones son inscritas o dibujadas en el mapa de manera muy sumaria. "Rejion de muchas lagunas saladas", "Indios de las Manzanas", "Abundancia de Caza", "Varias Tribus de Indios", "Travesía", son, además de algunas líneas de altura y cursos de ríos, las únicas informaciones pero que ya territorializan esta zona como una de expansión futura: por eso el énfasis en las posibilidades de abastecimiento y los grados esperables de resistencia por parte de las tribus aborígenes que ahí encontrarán las tropas. Los pocos datos que caracterizan esta parte del mapa, ya la construyen como un territorio *conquistable*, y es esa *conquistabilidad* la que aparece como el principal de sus atributos geográficos, como un rasgo constitutivo del espacio mismo.

La elección de un marco que haga figurar en el centro de la imágen cartográfica el "teatro" de la operación militar recién concluida, en Olascoaga traduce al espacio y territorializa el lugar que se le otorga a la "Campaña del Desierto" en la historia: el de una segunda fundación de la Argentina, cumplimiento y clausura de la Revolución de Mayo. Es en contigüidad con esta nueva teleología que la división del mapa en tres zonas inscribe en estos planos sucesivos una temporalidad que aparece como natural y "realista" por su coincidencia con la perspectiva de las imágenes visuales y las descripciones escritas que la comentan, conformando así un conjunto iconográfico cuyas partes se apoderan mutuamente. En los grabados paisajísticos como en el mapa, la toma de posesión del paisaje transcurre, casi siempre, de arriba abajo. Curiosamente, la distribución de posiciones jerárquicas en el espacio visual organizado según la perspectiva lineal, obedece a un paradigma que la cartografía medieval y renacentista todavía compartía: el sur, esto es, el horizonte, la parte simbólicamente inferior por su lejanía del sujeto que mira, en la retórica de la imagen artística está ubicada en la mitad superior. Sin embargo, el grado de convencionalización al que han llegado ambas retóricas –la cartográfica y la paisajística– hace que la traducción de la parte superior del lienzo a la inferior del mapa, ambas significando una lejanía ubicada "por debajo" del sujeto que mira, sea casi automática.[20] Finalmente, el texto del diario también organiza su espacio de representación por medio de *vistas* matizadas en planos más o menos lejanos, y que implican diferentes grados de control por parte del saber cartográfico. Esta matización del espacio se pone de relieve sobre todo en aquellas "escenas de llegada" que Mary Louise Pratt ha caracterizado como *monarch-of-all-I-survey scenes*, y donde una estética de la presencia representa a los lugares lejanos como *apriorísticamente disponibles* a la expansión colonial representada, a nivel textual, por su sometimiento al placer estético del narrador y sus lectores.[21] La más impotante de estas escenas en Olascoaga es, por supuesto, la llegada al río Negro donde, tras la apropiación apriorística ("¡El Río Negro! Fue la exclamación instintiva de todos los que llegamos a aquel punto") el paisaje es organizado y jerarquizado por una mirada casi cinematográfica:

> El primer plano del paisaje principia a cien pies de profundidad. Es el valle del Río Negro que se presenta propiamente a vista de pájaro. Nuestras visuales lo abarcan claramente hasta las barrancas del sur que se hallan a 6 leguas de distancia y en una extensión horizontal que no bajará de quince. Imagínese todo este gran espacio cubierto uniformemente de verde, sin una sola mancha de suelo limpio. En el primer término un arroyo que cruza entre lomadas haciendo brillar de trecho en trecho el espejo de sus aguas; en el segundo término multitud de líneas pareadas de verde denso que representan cuádruples filas de sauces, resaltando delante o detrás de ellos una franja plateada que hace caprichosas vueltas y rodeos, que se pierde detrás de las arboledas, que reaparece y se divide tomándolas en medio y se va desvaneciendo en forma de lagos sucesivos a los dos extremos laterales del horizonte. El último plano de este majestuoso panorama son las barrancas australes que se levantan como una cordillera, resaltando sus colores calcáreos entre los últimos tintes verdes del paisaje y del azul del cielo (ET, págs. 217-218).

En los distintos grados de precisión –esto es, de entrega a la vista– que corresponden a los sucesivos planos de este paisaje se inscribe, pues, un movimiento expansivo, de avances paulatinos y matizados del lenguaje, y donde una estrategia militar se traduce en una práctica estética de representación. Estética expansiva que conlleva una topografía de la esperanza, una manera de hacer plausible la política conquistadora que confunde estratégica y conscientemente la expansión territorial y la teleología temporal: siempre el objeto verdadero del deseo, los pastos todavía más fértiles, los minerales más preciosos y la caza más abundante yacen más allá del horizonte de la actual frontera militar. "Y si la Pampa –arguye Olascoaga– es decir, el territorio que llega hasta el río Negro, se halla en tan favorables condiciones; ¿qué no se podrá esperar de los campos de la Patagonia, zona de lluvias continuas y de vegetación vigorosa?" (ET, pág. 163) Más lejos-más rico: es ésta la lógica que la imaginación progresista inscribe en la naturaleza como *evidencia cartográfica*. Pero si la cartografía militar, en su lógica de ocupación del territorio, sólo puede proyectar esta evidencia a lo invisible, lo que yace más allá de su marco de representación y de los límites del mapa, la cartografía pionera de los geógrafos exploradores tomará como su objeto precisamente ese espacio que la cartografía militar deja en blanco.

MOYANO: *AT HOME WITHOUT THE PATAGONIANS*

> No puede darse nada mas encantador, y desearia tener una imajinacion de poeta para ensayar su descripcion que siempre seria pálida.
>
> CARLOS M. MOYANO,
> "Noticia sobre el Río Chico y sus afluentes" (1879)

La *Carta General de la Patagonia* dibujada por Carlos M. Moyano en 1881, resultado de varios viajes del autor entre los años 1877 y 1880, está dedicada enteramente a la representación del espacio que Olascoaga había indicado apenas como uno de expansión futura de la cartografía. No obstante, el mapa de Moyano no parece destacarse todavía por mucho más que por el desplazamiento del foco hacia varias latitudes más al sur: con la excepción de algunos cursos fluviales, la Patagonia de Moyano es, como la de Olascoaga, una silueta territorial de contenido incierto. La lógica cartográfica de organizar el espacio de representación en una densa superficie sígnica que cobra sentido por las diferencias entre las situaciones individuales, parece aquí llevada hasta el absurdo por la diseminación de una misma nomenclatura –"territorios inesplorados"–, significante de la indefinición que aquí es el encargado, paradójicamente, de la tarea de definir y diferenciar entre las diferentes zonas del mapa. Parece un ejercicio de tipografía más que de topografía, una suerte de borrador provisional de otro mapa más saturado de información como el que efectivamente publicará Moyano cuatro años más tarde. El anterior, en comparación, aparece como una suerte de pura superficie cartográfica cuyo logro principal parece ser el de haber *representado* esta indefinición, de haber traducido la falta de saber cartográfico en un término de la cartografía y de haberla sometido, de ese modo, a la autoridad del mapa aun antes de que futuros cartógrafos vengan a llenar los segmentos en blanco. El comentarista de la presentación del mapa en 1881 en el Instituto Geográfico Argentino, destaca, pues, sobre todo su relevancia en cuanto "rectificación" de la imagen sombría que había adquirido la Patagonia por culpa de los informes de Darwin y Fitz Roy, y en despejarla como escenario de representaciones futuras en un tono mucho más favorable:

> Moyano, de pie, con una regla en la mano y á su frente un precioso mapa confeccionado por él, que según la espresion del Dr. Zeballos, es 'el mas exacto que se conoce', dió principio á su tarea. [...] Nos dió una ligera idea sobre la na-

> turaleza del suelo de la Patagonia, idea que desvirtúa las falsas aseveraciones hechas por sabios estrangeros, que no tuvieron el coraje de internarse, venciendo los obstáculos que la naturaleza oponía á sus primeros pasos. [...] Hasta ahora no teníamos una carta de la Patagonia [...] El capitan Moyano ha venido á llenar una necesidad nacional; y si bien su carta no es sinó parcial, por cuanto solamente se refiere á los territorios recorridos por él, estos son ya tan estensos, que sus trabajos asumen un carácter general. Con los viages que sucesivamente piensa realizar el capitan Moyano, su carta progresará invadiendo los detalles determinando cientificamente nuevas zonas [...].[22]

Aquí se han modificado, sólo dos años después de la "Conquista del Desierto", algunas de las premisas principales que todavía sostenían el mapa e informe de Olascoaga: si bien el cartógrafo argentino sigue siendo el representante científico de los reclamos territoriales de su país, basados en su conocimiento empírico superior al de sus antecesores extranjeros, ahora posee un grado mayor de autonomía frente a las instituciones estatales. Ante todo, ya no forma parte, como Olascoaga, de un cuerpo militar sino que se interna solo y por iniciativa propia en la lejanía desconocida: la figura del topógrafo conquistador ha sido reemplazada por aquella del topógrafo emprendedor. Esto no quiere decir, sin embargo, que éste sea una figura menos agresiva que aquél: más bien, la suya reemplaza una noción del espacio como territorio en posesión de los otros que hay que echar o someter, por otra donde éstos ya no aparecen ni siquiera como habitantes indeseables. Si en Olascoaga la violencia todavía aparecía como parte de la representación en la retórica militar de su mapa ritmizado por sucesivas líneas de frontera, el cartógrafo-emprendedor a lo Moyano ya no necesita la protección militar porque "invade" un espacio donde los únicos obstáculos con que tropieza son de orden puramente "natural". Vencidos los últimos caciques, ya no hacen falta las indicaciones estratégicas de Olascoaga, y el mapa se puede dedicar a construir un espacio puramente topográfico, lo que significa, en un primer paso, borrar de él todas las inscripciones anteriores.

Si el mapa de Olascoaga había confeccionado el espacio bajo el paradigma de su *ocupación*, haciendo hincapié en el establecimiento de guarniciones y límites fortificados, el de Moyano busca operacionalizarlo en términos de su integración al sistema productivo de la economía nacional: aquí el paradigma que rige la representación cartográfica será, pues, el de la *comunicación*. Naturalmente, más que de una relación antagónica se trata de una de contigüidad: la colonización, que es la meta final de la cartografía de Moyano, es una fase posterior de sometimiento, una vez asegurado el dominio militar sobre los territorios anexados. Hay dos grandes propósitos en las exploraciones que Moyano realiza en la Patagonia: encontrar una vía de comunicación con el Pacífico, y determinar el mejor camino para el transporte de ganado desde Buenos Aires. En ambos casos se trata de insertar a la Patagonia en los circuitos comerciales: si por un lado la tarea consiste en demostrar la *disponibilidad* del espacio patagónico, haciéndolo aparecer como un espacio natural dotado de recursos espléndidos, por otro lado hay que mostrar su *accesibilidad*, esto es, su ubicación en una especie de cruce de las vías comerciales del futuro. Este segundo propósito se manifiesta en el mapa por medio de una serie de itinerarios jerarquizados según su mayor o menor relación con el cartógrafo: las líneas principales son el "itinerario seguido" y el "trozo de la vía de comunicación reconocida por el autor"; en un segundo lugar sigue el "trozo de la vía reconocida por otros viajeros", y por último el "trozo de la misma recorrida solamente por los indios y otras personas de quienes solamente se tienen noticias verbales". La jerarquía de miradas es clara: la principal y más confiable es la del propio autor, ya muy por debajo siguen los viajeros anteriores y finalmente los informantes indígenas cuyos aportes, si bien históricamente constituyen la condición de posibilidad de toda representación del espacio previamente desconocido, son puestos entre paréntesis por el cartógrafo por tratarse de un saber "verbal" y, por lo tanto, inexacto.

¿Por qué esa actitud ambigua de transcribir y al mismo tiempo desautorizar la palabra del otro? Si se leen los informes que Moyano escribe a lo largo de la década del 80 para el *Boletín del Instituto Geográfico Argentino*, donde desempeña el papel de una suerte de corresponsal-estrella,[23] se observa una preocupación constante por subrayar la objetividad de las propias observaciones y tomar distancia de cualquier modelización estética. El sujeto se excluye de su propio texto donde, más que la trama convencional de un relato de viaje (el avance del observador sobre el paisaje observado) parece ocurrir una distribución espacial de datos registrados por un ojo topográfico:

> No me detendré á relatar detalladamente las aventuras ó peripecias de nuestro viaje, por no encontrar en ellas nada que pueda ser enseñanza y lo que podría decir respecto de las costumbres que tienen que adoptarse, etc., en estas regiones, lo han dicho ya Musters y lo dirá también en la amena relacion que prepara mi compañero el Sr. Lista (RC, pág. 3).

Esa modestia recurrente en los textos de Moyano, actitud característica de una formación particular del discurso imperial que Pratt ha caracterizado como "anti-conquista",[24] crea un no-personaje que se precia por su objetividad absoluta: los otros pueden escribir relaciones más amenas, pero cuando se trata de armar el mapa, la información proporcionada por ellos aparece como poco confiable. Las frases de Moyano, por lo tanto, son predilectamente impersonales, sugiriendo una relación mimética y suprimiendo el sujeto de la mirada: "A cinco ó seis leguas de Corpen-aiken *se ve* la primera manifestacion de la meseta basáltica *representada allí* por dos trozos aislados. Uno de ellos *tiene* la forma de una fortaleza y *se divisa* desde una gran distancia" (RC, pág. 3). También los dibujos y grabados de Moyano sugieren esa mirada impersonal: espacios solitarios sin ningún rastro de presencia humana, y que parecen enfocados desde ningún lugar en particular, sensación que surge de la falta de primeros planos.

Sin embargo, hay dos tipos de percepción subjetiva que sí intervienen de manera constitutiva en estas iconografías de un paisaje autosuficiente: la primera son las indicaciones de los informantes indígenas cuyas sistematizaciones *alternativas* del espacio como territorio identitario y nemónico descalifica Moyano precisamente porque las reconoce como *representaciones* (a diferencia de la suya propia que pretende ser pura *reproducción*). Como no se someten a sus propias pautas de exactitud, las referencias de los indígenas para Moyano carecen de todo sentido, y se queja de "la vaciedad e incertidumbre de que adolecen siempre los datos de los indios" (SC, pág. 234). No hay que olvidar, sin embargo, que estos datos contradictorios que para Moyano son una confirmación de la inferioridad de "estos bárbaros" (SC, pág. 309), les son arrancados en un contexto de colonización y guerra, situación de la que Moyano es perfectamente consciente: "Las primeras tentativas que hice cerca de ellos para obtener noticias de estos caminos, fueron infructuosas, porque el indio es siempre reservado cuando se toca un asunto como este al que da, y con razón, la mayor importancia para su seguridad presente y del futuro," (IV, pág. 3) le escribe al ministro de guerra. Hay, por lo tanto, un silenciamiento múltiple de la violencia en los mapas informes que produce el viajero emprendedor: la información que, en un primer instante, le es arrancada al otro y que recién posibilita el viaje explorador, en un paso posterior es descalificada como "inexacta" y, finalmente, borrada del mapa-texto donde queda enterrada por debajo de la nomenclatura del cartógrafo blanco, desposesión simbólica que instituye y ratifica la desposesión real. Los indios, según Moyano, no pueden reclamarse como dueños de un espacio que ni siquiera conocen y donde, por lo tanto, ellos son los verdaderos extranjeros. Es leyendo entre las líneas de este mapa, en las partes que aun quedan en blanco, que podemos desenterrar de él la topografía de estas luchas por el saber y con él: sobre la base de los errores y las inexactitudes del mapa se puede hacer la arqueología de la resistencia subalterna silenciada contra el avance conquistador.

El segundo tipo de percepción subjetiva es enteramente distinto: es ahí donde se representa la experiencia estética del paisaje por parte del explorador blanco y que, si bien su texto pretende reducirse al mero desglosamiento de los "accidentes" topográficos, lo convierte en el escenario "natural" de la nueva hegemonía surgida en el ochenta. La dramaturgia de estas apropiaciones estéticas del paisaje implícito en el mapa, y donde culmina el relato de viaje, es siempre la misma: el cambio repentino hacia un relato en primera persona que cuenta el ascenso del explorador hacia algún punto elevado, camino plegado de obstáculos y fatigas cuyo vencimiento finalmente es premiado por una vista panorámica que "domina el paisaje" anticipando su representación cartográfica y lo hace caer al viajero en una especie de trance en la que entrevé por detrás de la naturaleza silvestre el futuro paisaje de colonización y riqueza. Como en Olascoaga, entonces, el mapa es el término medio entre la aventura conquistadora y la incorporación del territorio conquistado, entre la hazaña individual y el esfuerzo colectivo, un medio de escritura y al mismo tiempo de lectura del espacio. Y es ahí, también, donde la confección del mapa es inscripta en una trama narrativa, donde el cartógrafo se permite por única vez una referencia al *placer* que le depara este acto de apropiación:

> La ascensión es fatigosa por el viento y las piedras que ruedan bajo nuestros piés, y á poco andar comienzo á oír un rumor sordo cuyo orijen preveo y me dá aliento para adelantarme algunos metros de mi compañero. [...] Hago un esfuerzo y consigo llegar á la arista de la montaña desde donde contemplo con asombro y con un placer inmenso, el cuerpo principal de un lago completamente desconocido para la geografía. [...] Cualquier aficionado á viajes habria envidiado mi posicion en la alevada cresta de aquel monte, desde donde podia contemplarse tan soberbio panorama. Tenía á la vista, á mi frente y á mi espalda, los dos únicos lagos de esta rejion que no habian sido visitados por el hombre civilizado [...] El sol decaía ya, y hechas las narraciones necesarias dejamos con sentimiento aquella montaña desde donde dominábamos un paisaje que no se borrará jamás de mi memoria (SC, págs. 311-312).

Siempre este impacto estético es representado por Moyano como un atributo del paisaje mismo, cuya belleza es tan enorme que hasta el topógrafo no puede más que dejar, "hechas las narraciones necesarias", su tarea para dedicarse por algún tiempo a contemplar estas "maravillas". Las intromisiones de esta mirada contemplativa y subjetiva en una escritura que por lo demás se cuida por no salir de la consignación topográfica, son para el texto escrito lo que las aguafuertes y dibujos paisajistas son para el mapa: recién en su conjunto son capaces de *iconizar* a la vez que estandarizar y archivar el espacio de la Patagonia, dos aspectos que necesariamente van de la mano en el marco de un proyecto de conquista y colonización de ese espacio. Apelan a dos nociones distintas de propiedad: una militar y administrativa de *dominio territorial*, y la otra, estética, de incorporación del paisaje a un espacio identitario de la nacionalidad. La estética paisajista es la encargada de objetivizar ese segundo propósito al representarlo como emanación de la naturaleza misma: por eso es necesario retirar la perspectiva subjetiva apenas concluida la toma de posesión. Porque, si bien sólo ella es capaz de cargar de un sentido ideológico el mapa, lo tiene que hacer a escondidas y en otro género de representación, para no poner en peligro la pretensión de objetividad y mimetismo de aquél. El explorador solitario es, por lo tanto, el encargado de una misión doble: topógrafo al mismo tiempo que iconógrafo de la nación surgida tras la "Conquista del Desierto", tiene que esconder su perspectiva subjetiva para objetivizar el dominio territorial en una representación aparentemente mimética que territorializa los resultados de la historia, pero al mismo tiempo debe dramatizar ese dominio por su propia conquista de una posición elevada desde donde su mirada "domina" el paisaje. A diferencia de Olascoaga, Moyano totaliza esa mirada y contempla el paisaje desde el no-lugar del cartógrafo.

CONCLUSIÓN

La insistencia misma de la retórica de la exactitud que atraviesa los textos tanto de Moyano como de Olascoaga, y la agresividad verbal con que buscan diferenciarse de sus antecesores europeos, indican el dilema fundamental de estos cartógrafos argentinos del ochenta. Sus mapas, en realidad y en contra de lo que pretenden en páginas y páginas de informes y autocongratulaciones, son imágenes declamatorias más que representaciones técnicas, iconografías de un *proyecto* de nación más que topografías operativas para el manejo administrativo-geográfico de esa masa territorial. Los mapas de explotación, control y vigilancia efectiva sobre ese espacio que los cartógrafos argentinos sólo pretenden armar, en realidad se siguen dibujando lejos del país, en Alemania, Francia o Inglaterra, o bien son confeccionados por los corresponsales extranjeros de la ciencia imperial contratados por las universidades y academias argentinas. La cartografía nacional tan elocuentemente invocada y celebrada por las sociedades geográficas locales, sigue siendo, pues, más que nada la que produce la materia prima de otras representaciones, mucho más sofisticadas y con un aparato institucional mucho más poderoso por detrás. En el emergente sistema capitalista de repartición global de las tareas productivas, los ejércitos y estados latinoamericanos se desempeñan apenas como los agentes locales de estrategias acumulativas diseñadas e implementadas por los grandes capitales centrales: la cooperación entre militares argentinos y científicos extranjeros en la anexión de la Patagonia refleja entonces bastante fielmente el funcionamiento de la delegación imperial que define los términos en que la Argentina es admitida en los mercados mundiales. A los geógrafos pertenecientes a la burguesía local se les deja, por lo tanto, la tarea de *iconizar* estas expansiones como glorias nacionales. Sin embargo, los sueños de grandeza que subyacían en esta retórica cartográfica grandilocuente, no se cumplieron por algún contratiempo posterior e imprevisible sino, por el contrario, porque su función desde el principio había sido, ante todo, ideológica: producir estas representaciones heroicas de imperios locales emergentes sólo había sido posible al reducir el marco y dejar fuera de foco el contexto global de poder; y lo que iconizaban nunca había sido más que la propia inserción subalterna en este marco global. Los mapas del imperio del estado roquista, no eran sino las despedazadas ruinas del mapa borgeano; reliquias de una geografía futura que nunca se concretó.

NOTAS

1. *Boletín del Instituto Geográfico Argentino* 3, 1882: 63. En adelante todas las citas del *Boletín* se identificarán con la sigla *BIGA*.

2. Véase Hilda Nilda Goicoechea, *El Instituto Geográfico Argentino*, historia e índice de su boletín (1879-1911-1926-1928); Resistencia, Universidad Nacional del Nordeste, 1970.

3. Véase J. B. Harley, "Deconstructing the Map", en Trevor J. Barnes & James S. Duncan (comps.), *Writing Worlds, Discourse, Text and Metaphor in the Representation of Landscape*, Londres, Nueva York, Routledge, 1992, pág. 231-247.

4. "[...] como una mercancía fetichizada, el paisaje es lo que Marx llamó 'un jeroglífico social, un emblema de las relaciones sociales que encubre. Al mismo tiempo que indica un precio específico, el paisaje se representa a sí mismo como 'más allá de un precio', una fuente de valor puro e inagotable. [...] El paisaje debe representarse a sí mismo por ende, como la antítesis de la 'tierra', como una 'propiedad ideal' relativamente independiente de la 'propiedad inmobiliaria', como una 'propiedad poética' antes que una material." W. J. T. Mitchell, "Imperial Landscape", en id. (comp.), *Landscape and Power*, Chicago, Chicago UP, 1994, pág. 15.

5. J. B. Harley, "Maps, Knowledge, and Power", en Denis Cosgrove y Stephen Daniels (comps.), *The Iconography of Landscape*, Essays on the Symbolic Representation, Design and Use of Past Environments, Cambridge, Nueva York, Cambridge UP, 1988, págs. 277-312; id., "The Map and the Development of the History of Cartography", en J. B. Harley y David Woodward (comps.), *The History of Cartography*, Chicago, Chicago UP, 1987: I, págs. 1-42; Alan G. Hodgkiss, *Understanding Maps*, Folkestone, Dawson, 1981.

6. Ese concepto fue propuesto a principios de siglo por el historiador de arte alemán Aby M. Warburg, quien, sobre la base de un método iconográfico que más tarde fue formalizado por Panofsky y que tuvo una influencia considerable sobre el joven Lévi-Strauss, llegó a descifrar los significados mitológicos de frescos y cuadros renacentistas que se habían perdido largamente en los siglos XVIII y XIX. El ícono,

en esta estrategia de lectura de representaciones no-verbales, estaba conceptualizado como portador de sentidos nemónicos no del todo traducibles en lenguaje. El ícono es, entonces, una imagen distintiva que no es ni simbólica ni alegórica sino que tiene su lugar, como explica Edgar Wind, uno de los asistentes de Warburg,

> [...] en el medio, allí donde el símbolo ya se concibe como *signo* pero donde todavía permanece intacta su vitalidad de *imagen*; allí donde la tensión emotiva entre estos dos polos no es absorbida por la metáfora y su poder de enlace hasta descargarse en acción, ni tampoco disuelta a tal punto por el orden analítico del pensamiento que se esfume en terminologías. Y es ahí precisamente donde tiene su lugar la "imagen" (en el sentido de la imagen artística, de apariencia)." [Edgar Wind, "Warburgs Begriff der Kulturwissenschaft und seine Bedeutung für die Ästhetik", 1931, cit. según Ekkehard Kämmerling (comp.), *Ikonographie und Ikonologie*, Theorien –Entwicklung– Probleme, Köln, DuMont, 1994, págs. 174-175 [la traducción me pertenece].

El ícono es la imagen que se ha vuelto signo (es decir, *representación* [*Vertretung*] de un sentido que es posible verbalizar), pero un signo desbordado por su propia plasticidad nemónica en la que queda grabada la huella de la mímesis. Es por eso que se construían íconos: porque representaban [*Darstellung*] en un orden que no era el analítico y transparente del lenguaje alegórico, pero que ya tampoco era el lazo inmediato y animado con las cosas propio de la magia. Sobre los propósitos de Warburg y su "Biblioteca de Ciencias Culturales", véase William S. Heckscher, "The Genesis of Iconology", en *Stil und Überlieferung in der Kunst des Abendlandes*, Akten des 21, Kongresses für Kunstgeschichte, Berlin, Gebr. Mann, 1964, págs. 239-262.

7. David Viñas, *Indios, ejército y frontera*, Buenos Aires, Siglo XXI, 1982, pág. 11.

8. James Duncan y David Ley, "Introduction: Representing the Place of Culture", en id. (comps.), *Place / Culture / Representation*, Londres, Routledge, 1993, pág. 4.

9. Además del propio Zeballos asistieron a esa reunión, de la que iba a surgir eventualmente el Instituto Geográfico Argentino, los militares Martín Guerrico, Manuel J. Olascoaga, Clodomiro Urtubey, Jordán Wysocki, Julio de Vedia y Martín Rivadavia (quienes iban a participar poco después en la "Campaña del Desierto"), y los civiles Faustino Jorge, Rafael Lobo, Mario Bigi, Pedro Paulino Pico, Ramón Lista, Clemente Fregeiro, Emilio Rosetti y Benjamín Aráoz.

10. Estanislao S. Zeballos, "Exploracion de los territorios argentinos", *BIGA* 1, 2, 1880, pág. 61.

11. Carlos Corra Luna, "La obra del Instituto Geográfico Argentino", *BIGA* 17, 1896, pág. 239.

12. Véase Andrea Pagni, *Post/Koloniale Reisen*, Reiseberichte zwischen Frankreich und Argentinien im 19, Jahrhundert; Tübingen, Stauffenburg, 1999, págs. 202-208.

13. *Informe Oficial de la Comisión Científica Agregada al Estado Mayor General de la Expedición al Río Negro (Patagonia)*, realizada en los meses de abril, mayo y junio de 1879, bajo las órdenes del general Julio A. Roca, Buenos Aires, Ostwald y Martínez, 1881, *passim*. La Comisión Científica estuvo integrada por

científicos alemanes, en su mayoría contratados por Burmeister para la Facultad de Ciencias Matemáticas y Físicas en Córdoba, creada en 1870: los botánicos Paul G. Lorentz y Gustav Niederlein, el geólogo Adolf Doering, el zoólogo Friedrich Schulz y el geógrafo Franz Host.

14. Estanislao S. Zeballos, "La Conquista de las quince mil leguas", Buenos Aires, *Revista de Buenos Aires*, 1878, *passim*.

15. Véanse Irina Podgorny y Gustavo Politis, "¿Qué sucedió en la historia? Los esqueletos araucanos del Museo de La Plata y la Conquista del Desierto", *Arqueología contemporánea*, 3, 1990-1992, págs. 73-79; Jens Andermann, "Total Recall: Texts and Corpses, the Museums of Argentinian Narrative", *Traves(s)ía* 6, 1, 1997, págs. 21-32.

16. La delegación del Instituto Geográfico Argentino fue representada en Venecia por Carlos M. Moyano (quien se llevó una medalla de oro por sus mapas y fotografías de la Patagonia austral) y expuso las obras de Hermann Burmeister, *Description physique de la République Argentine* , 1876, de Benjamín Gould, *Urometría argentina*, 1879, y de M. Olascoaga, *Estudio topográfico de la Pampa y río Negro,* 1880.

17. Manuel J. Olascoaga, *Estudio topográfico de La Pampa y Río Negro* [1880], Buenos Aires, Eudeba, 1974, págs. 160-161. En adelante se abreviará ET.

18. Éste, más tarde, cuando Olascoaga ya es a su vez gobernador en Neuquén, le propone juntar los esfuerzos "civilizadores" de ambos lados de la cordillera: "¿No sería mejor –le escribe– que en vez de agriarnos con estas cuestiones internacionales, nos diéramos en la Cordillera las manos de amigos, para quitarnos de encima los indios de uno y otro lado? Quedaríamos buenos vecinos y confundiríamos nuestro progreso [...]", citado según Olascoaga, *Topografía andina, passim*.

19. Leyes sobre el traslado de la frontera al río Negro ya habían sido aprobadas por el Congreso Nacional en 1867 y 1870 pero quedaron sin efecto. Sobre Olascoaga y su papel en la preparación de la acción militar véase David Viñas, "Manuel J. Olascoaga: la versión canónica", en id., *Indios, ejercito y frontera*, *op. cit.*, págs. 243-245; y los artículos –aunque (o porque) absolutamente acríticos y apologéticos del genocidio– de Juan Carlos Walter, "Prólogo" a M. J. Olascoaga, *Estudio topográfico*, *op. cit.*, págs. 15-22; y de Oscar Ricardo Melli, "El coronel Manuel J. Olascoaga y la geografía argentina", *Boletín de la Academia Nacional de la Historia* 53, 1980, págs. 189-211.

20. Sobre el génesis histórico de la perspectiva linear y su significado iconológico, véase el estudio clásico de Erwin Panofsky, "Die Perspektive als symbolische Form" (1925), en Fritz Saxl (comp.), *Vorträge der Bibliothek Warburg (1924-1925)*, Nendeln/Liechtenstein, Kraus, 1967, págs. 258-352; sobre la perspectiva en la cartografía Paul D. A. Harvey, *The History of Topographical Maps*, Londres, Thames y Hudson, 1980; y George Kish, *La carte, image des civilisations*, París, Seuil, 1980.

21. Véase Mary Louise Pratt, *Imperial Eyes, Travel Writing and Transculturation*, Londres, Routledge, 1993, págs. 204-208.

22. Anónimo, "La conferencia del capitan Moyano", *BIGA* 2, 1, 1881, págs. 91 y 94.

23. Los textos principales de Moyano son "Noticia sobre el Río Chico y sus afluentes" (*BIGA* 1, 1 [1879-80], págs. 1-7 (en adelante abreviaré RC); "Exploracio-

nes de las nacientes del Río Santa Cruz", *BIGA* 1, 4 [1880], págs. 277-318 (en adelante abreviaré SC); "Informe sobre un viage a través de la Patagonia", *BIGA* 2, 2 [1881], págs. 1-35 (en adelante abreviaré IV); y "Patagonia Austral: Exploración de los ríos Gallegos, Coile, Santa Cruz y Canales del Pacífico", *BIGA* 8, 12 [1887] - 9, 7 [1888] (en adelante abreviaré PA; con núm. del Boletín y págs.).

24. La retórica de anti-conquista desplaza la retórica conquistadora anterior, identificando al sujeto vanguardista de la expansión imperial (el naturalista europeo) como inofensivo y apolítico, dedicado exclusivamente al servicio del saber: el término de anti-conquista se refiere, pues, a "strategies of representation whereby European bourgeois subjects seek to secure their innocence in the same moment as they assert European hegemony" (Pratt, *Imperial Eyes*:, págs. 7).

REFERENCIAS BIBLIOGRÁFICAS

AA. VV.: *Mapa de las líneas férreas de la República Argentina*, Ferro-Carril Portátil Decauville, Buenos Aires, Guillermo Kraft, 1889.

———: *Atlas escolar y geografía de la República Argentina*, tercera edición revisada y corregida, Buenos Aires, Angel Estrada, 1895.

———: *Plano preliminar y parcial de los territorios del Neuquén, Río Negro, Chubut y Santa Cruz*, La Plata, Talleres del Museo de La Plata, 1896.

———: *Atlas geográfico de la República Argentina*, Obra dedicada a las escuelas y bibliotecas de la República, París, Librería Garnier Hnos., 1900.

Brackebusch, Ludwig (=Luis): *Mapa del interior de la República Argentina*, construido sobre los datos oficiales y sus propias observaciones hechas en los años 1875-1883, Gotha, Instituto Cartográfico de C. Hellfarth, 1885.

———: *Mapa de la República Argentina y de los países limítrofes*, construido sobre los datos existentes y sus propias observaciones hechas durante los años 1875 hasta 1888, Gotha, Instituto Cartográfico de C. Hellfarth, 1891.

Burmeister, Hermann (=Germán): *Mapa original de la República Argentina y Estados adyacentes comprendiendo las Repúblicas de Chile, Paraguay y Uruguay*, edición geognóstica, compilado por A. Petermann, trazado según observaciones propias y documentos existentes por G. Burmeister, Gotha, Instituto Cartográfico de C. Hellfarth, 1874.

Chavanne, José: *Mapa de los Ferro-Carriles de la República Argentina y de los países limítrofes*, Buenos Aires, Dirección de Ferro-Carriles Nacionales, 1892.

Cobos, N. B.: *Plano del Territorio del Chubut*, Buenos Aires, 1895.

Delachaux, Henri S. (=Enrique): *República de Argentina*, La Plata, Talleres del Museo de La Plata, 1890.

———: *Mapa-relieve de la República Argentina*, La Plata, Talleres de Publicaciones del Museo de La Plata, 1894.

Ezcurra, Pedro: *Plano-Mapa-del Territorio del Chubut*, Buenos Aires, Librería José Ruland, 1893.

Grondona, Nicolás: *La cuestión chilena. Demostración gráfica de los incalificables avances de Chile en el territorio argentino*, Buenos Aires, 1875.

———: *Mapa de la República Argentina*, Rosario, Oficina Geográfica Argentina, 1876.

Koffmahn, Otto: *Die argentinischen Territorien der Pampa, des Rio Negro und Chubut*, Nach den Aufnahmen des Expeditionscorps gegen die Indianer, unter General D. J. A. Roca, Gotha, Justus Perthes (en Petermann´s Geographische Mittheilungen, Jahrgang 1881), 1881.

———: *Patagonien*, Übersicht über die neuesten Forschungsreisen und die chilenisch-argentinische Grenze vom 24. Juli 1881, Gotha, Justus Perthes, 1882.

Melchert, F. L.: *Carta topográfica de la Pampa y de la línea de defensa (actual y proyectada) contra los indios*, Buenos Aires, Librería Albert Larsch, 1875.

Moreno, Francisco P.: *Francisco P. Moreno´s Erforschung eines Theiles von Patagonien 1876 und 1877*, Gotha, Justus Perthes (Petermann´s Geographische Mittheilungen, Jahrgang 1879), 1879.

Moussy, Martin de: *Description géographique et statistique de la Confédération Argentine*, París, Librairie Firmin Didot, 1873.

Moyano, Carlos M.: *Carta General de la Patagonia*, construida por el capitán de la Armada argentina Dr. Carlos M. Moyano. Que contiene el resultado de sus esploraciones y la línea de marcha durante sus viajes realizados en 1876, 1877, 1878, 1879, 1880, y además el trozo de una línea de comunicación apropiada a la conducción de Ganados desde el Río Negro hasta el Estrecho de Magallanes, *Boletín del Instituto Geográfico Argentino* 2, 1 (1881), 1881.

———: *Patagonia*. Croquis de la parte comprendida entre los paralelos 50 á 53 con el itinerario de la espedición efectuada en Noviembre á Febrero de 1883-84 por el capitán de la Armada argentina Dr. Carlos M. Moyano y el Subteniente Teófilo de Legui, *Boletín del Instituto Geográfico Argentino* 9 (1885), 1885.

Olascoaga, Manuel J.: *Plano del territorio de La Pampa y Río Negro*, en id., *Estudio topográfico de La Pampa y Río Negro*, Buenos Aires, Ostwald y Martínez, 1880.

———: *Topografía andina*, Ferrocarril paralelo á los Andes con fomento de población y seguridad de frontera. Complemento indispensable de la Campaña de 1879, por el cnel. Manuel J. Olascoaga, con 5 planos, Buenos Aires, Jacobo Peuser, 1901.

Paz Soldán, Mariano Felipe: *Atlas geográfico de la República Argentina*, Buenos Aires, Librería de Félix Lejouane, 1887.

Rhode, Jorge J.: *Mapa de los Territorios del Limay y Neuquén y de las provincias chilenas entre los grados 35 hasta 42 latitud Sud*, Buenos Aires, G. Kraft, 1886.

———: *Mapa parcial de la República Argentina entre la latitud 35 hasta 42 Sud y longitud desde 62 hasta 74 Oeste de Greenwich*, con un registro gráfico de las Gobernaciones Nacionales de La Pampa, del Río Negro y del Neuquén y con las provincias correspondientes de la República de Chile, Buenos Aires, Casa Editora Librería Alemana Ernst Nolte, 1891.

———: *Mapa General de la República Argentina y de los países limítrofes*, publicado por el Instituto Geográfico Argentino bajo la dirección del Coronel Jorge J. Rhode, dibujado por H. Oberler, Buenos Aires, Librería José Ruland, 1896.

Rhode, Jorge J. y Servando Quiroz: *Plano nuevo de los Territorios del Chaco Ar-*

gentino, confeccionado con los datos de las Comisiones Topográficas que acompañaron las columnas expedicionarias al mando en gefe del Ministro de Guerra General Benjamín Victorica en 1884 y por su órden por los oficiales de la IV Sección del Estado Mayor General, Buenos Aires, Guillermo Kraft, 1885.

Seelstrang, Arthur: *Mapa de la República Argentina*, Construido por A. Seelstrang y A. Tourmenter por orden del Comité Central Argentino para la Exposición de Filadelfia, Buenos Aires, Litografía de Alberto Larsch, 1875.

Stiller, Curt: *Mapa geográfico de la República Argentina*, Buenos Aires, Litografía e Imprenta Stiller y Laass, 1882.

Wysocki, Jordán: *Planos de la nueva línea de frontera sobre la Pampa*, construido por orden del Excmo Sr. Ministro de Guerra y Marina, Buenos Aires, 1877.

ITINERARIOS CIENTÍFICOS FEMENINOS A PRINCIPIOS DEL SIGLO XX: SOLAS, PERO NO RESIGNADAS

Dora Barrancos[1]

Entre los días 17 y 23 de mayo de 1910 –coincidiendo deliberadamente con los fastos del Centenario– sesionó en Buenos Aires el XVII Congreso Internacional de Americanistas cuyo último encuentro se había efectuado en Viena dos años antes. La elección de Buenos Aires tuvo mucho que ver con las gestiones de nuestros dos destacados científicos, Juan B. Ambrosetti y Robert Lehmann-Nitsche, asistidos por la Cancillería Argentina. Ambos tuvieron a su cargo la conducción de los trabajos preparatorios para la realización del XVII Congreso en nuestra capital.

Este trabajo –todavía preliminar– intenta dar cuenta de la participación de las tres únicas mujeres argentinas que se animaron a quebrar las reglas de exclusión femenina, comunicando trabajos científicos en ese destacado evento. Como se verá más adelante, aunque sus percepciones no contaron con especial reconocimiento –fenómeno del que sólo eran merecedores los varones– una reconstrucción de los saberes científicos de nuestro pasado ya no puede eludirlas. La presencia femenina en el ámbito del conocimiento, menguada por razones que indagan especialmente algunas teorías feministas, debe salir de su clausura para completar el cuadro de la historiografía intelectual de la misma manera que el reconocimiento del protagonismo de las mujeres ha avanzando en la historia social.

Volvamos al clima general de la organización del XVII Congreso Internacional de Americanistas. Con una larga tradición –la sesión inaugural había tenido como sede Nancy, Francia, en 1875– su prestigio se debía sobre todo a la importancia de las disciplinas etnográfica y arqueológica, centrales en la conformación de un programa científico que congregaba a cada vez más especialistas vueltos hacia América. Era un período exploratorio pero en el que se delimitaban de manera creciente los "campos disciplinarios" –tal como ha propuesto Bourdieu– y numerosos estudiosos, atraídos sin lugar a dudas por las posiciones evolucionistas, eran convocados al examen instigante y todavía bizarro de la formación arqueológica, etnográfica y antropológica del área americana.

La elección de Buenos Aires, en homenaje al Centenario, merece algunos comentarios. La Argentina era menos conocida en los ambientes intelectuales occidentales, por sus riquezas naturales –el reconocimiento económico a las praderas argentinas, y la fama del ganado y del cereal–, que por su notable desarrollo en materia educativa y cultural. La atracción que ejercía entre los intelectuales, los políticos, los periodistas de otras latitudes estaba cifrada sobre todo en el alcance de la escuela pública –obligatoria, gratuita y laica–, la producción intelectual y los múltiples equipamientos culturales. No hay ninguna exageración en sostener que hacia 1910 Buenos Aires constituía la ciudad más importante de América del sur en materia educativa y cultural, a lo que se unía un significativo desarrollo urbanístico con innegables muestras de modernidad.

La cultura oficial tenía larga continuidad o contrapunto, según se vea, en las iniciativas provenientes de diversos grupos sociales, en particular la acción para elevar a los trabajadores realizada por anarquistas, socialistas y otros núcleos independientes convencidos de la importancia que tenía la educación popular. Hacia 1910 Buenos Aires también compartía con la mayoría de las ciudades europeas y de América del norte una fiebre de difusión cultural que comprendía la extensión al proletariado de los conocimientos científicos.[2]

Me referiré especialmente a la situación capitalina. Los viajeros notables y los que no lo eran –se registraron numerosas visitas en este período– quedaban impresionados por las realizaciones culturales y educativas. Algunos no se privaron de observar con cierta agudeza la posición que ocupaban las mujeres,[3] constatando que la participación femenina en la arena pública era aún limitada tanto como su inclusión en el cuadro educativo general. Esa inclusión se circunscribía a la escuela elemental –no hay cómo negar la rápida paridad que alcanzaron ambos sexos en la matrícula primaria, a diferencia de otros países latinoamericanos– a las escuelas profesionales (dedicadas a estrictas habilidades "femeniles") y desde luego al magisterio, tarea que la enorme mayoría de los protagonistas del período creía que se compadecía perfectamente con la función mayor esperada para el sexo femenino, la maternidad.

La ilustración femenina era una proclama de los espíritus alcanzados por el influjo evolutivo-positivista y aun de quienes no se avenían a estas posiciones. Pero la mayor apuesta a la elevación de las mujeres gracias a la educación provenía de los sectores radicalizados y también de los reformistas que abrazaban la causa del proletariado. Educandas y educadoras ellas mismas, fueron numerosas las militantes anarquistas y socialistas dedicadas a la difusión de conocimientos, a inculcar la lectura y en general a promover la participación femenina en la cultura. Desde luego, operaban mecanismos de mentalización tributarios del Iluminismo y por lo tanto el crédito en la cultura letrada era casi absoluto. Niños, mujeres y trabajadores estaban comprendidos en el mandato de la necesaria elevación de los minusválidos.

La universidad estaba vedada a las jóvenes aunque legalmente no hubiera restricciones, pero sí las había en el cuadro normativo de las casas de estudio. Sin embargo, había disciplinas en las que tanto la opinión general como la de las autoridades universitarias estaban de acuerdo en que constituían una buena elección para las muchachas ya que no contradecían los valores propios de la condición femenina. A la cabeza se situaba Letras y con buena diferencia le seguían, dentro de la Facultad de Filosofía y Letras de la Universidad de Buenos Aires, los estudios arqueológicos, etnográficos y de geografía. Con dificultades, algunas pocas mujeres consiguieron penetrar en la Facultad de Medicina –siguiendo la decisión pionera de Cecilia Grierson – pero fueron poco acompañadas dada la hostilidad del ambiente universitario que no sólo alcanzaba a los profesores: en buena medida el estudiantado se manifestaba renuente a compartir las aulas con las muchachas. Un poco más adelante, en la misma década de 1910, algunas precursoras se inscribieron en la Facultad de Ciencias Exactas, Física y Naturales para seguir estudios de química.

La experiencia mundial indica que la incorporación de las mujeres a los estudios superiores se hizo tardíamente y muy a cuenta gotas. Sólo bien entrado el siglo XIX las jóvenes tuvieron acceso a las altas casas de estudios; baste señalar que data de la década de 1840 el ingreso a la "high school" en algunos condados norteamericanos, que la Universidad de Ginebra recibió a mujeres en los años 1860 y que las universidades inglesas, Cambridge en particular, sólo permitió el acceso femenino a sus claustros en la década de 1870, lo que significó un largo proceso de exclusión de la titulación formal a la que sólo accedieron plenamente las mujeres después de la Segunda Guerra Mundial.[4]

El imaginario de la época había consolidado ideas que, si bien se remontaban a otros períodos históricos, sólo se consagraron durante el siglo XIX cuando arreció una discursividad que puso en duda la capacidad intelectual de las mujeres, abonando así la superioridad masculina en materia de inteligencia y aptitud para el conocimiento, a lo que agregaba una patética preocupación por "la salud de las mujeres cuando se someten al esfuerzo de abstracciones como las matemáticas" –tal era la opinión muy difundida–. Desde luego, éstas eran consideradas un dominio reservado exclusivamente para varones y ese ominoso mito se las ha arreglado para perdurar, de alguna manera, a lo largo de nuestro siglo. Es necesario, sin embargo, señalar que algunas voces masculinas discordaban con el parámetro universal y sostenían la igualdad intelectual de los sexos. Hostigada por la epidemia de tales concepciones, la participación de las argentinas en la educación superior y en el trabajo científico quedaba reducido a un pequeño número de casos, pero de existencia real y tangible.

Volveré por un momento, antes de ingresar de lleno a las ponentes del XVII Congreso Internacional de Americanistas,[5] María Clotilde Bertolozzi, Elina González Acha de Correa Morales y Juliane A. Dillenius, a las mujeres que participaron en condición de adherentes.

En la larga lista –alrededor de 300– figuran doce mujeres. Entre las escasísimas extranjeras no deja de sorprender un nombre; se trata de la Princesa Teresa de Baviera, a la sazón miembro honorario de la Academia de Ciencias de Munich en cuya Universidad se había doctorado. Seguramente con menos linaje pero igualmente interesadas en la ciencia se encontraban A. Bertoni de Winkelried de Puerto Bertoni, Paraguay –de la que no es posible saber su profesión– y Emilia Angier de Blanco, profesora de francés y gimnasia del Liceo de Señoritas de Talca, Chile. Otra extranjera es Cecilia Seler, seguramente la esposa de Eduard Seler, miembro de la Comisión Directiva del Congreso ya que ambos tienen la misma residencia en Berlín.

Las adherentes argentinas fueron: la recordada Cecilia Grierson, de la que se dice es "médico y profesora normal", Clotilde Guillén de Rezzano –bien conocida por su actuación docente a la sazón directora de la Escuela Normal nº 5 de Barracas–, Amira Pinochet de Muñoz González, Clorinda Matto de Turner –la célebre publicista directora del periódico "El Búcaro Americano"–, además de las tres participantes de las que paso a ocuparme.

LAS COMUNICACIONES DE MARÍA CLOTILDE BERTOLOZZI, ELINA GONZÁLEZ ACHA DE CORREA MORALES Y JULIANE A. DILLENIUS

Borradas de la memoria científica nacional, estas estudiosas penetraron intersticialmente la sólida misoginia de los ambientes académicos. Todo indica que las tres encontraron en Robert Lehmann-Nitsche un adecuado escucha y promotor de sus aptitudes, ya que es evidente que en su condición de profesor de antropología las tres fueron sus alumnas.

¿Quien era María Clotilde Bertolozzi? Nacida en Salta en 1880 de padre italiano –y es muy probable, con ideas liberales–, egresó como maestra normal y luego llegó a Buenos Aires a proseguir estudios superiores en la Facultad de Filosofía y Letras. Hacia 1910 debía de estar muy inclinada a la investigación en materia social que planteaba la antropología. Dos años más tarde se casaba con el cincuentón profesor D. Calixto Oyuela –de reconocida trayectoria– que había enviudado hacía un tiempo. Aunque tampoco llegó a ser conocida por sus trabajos literarios, Bertolozzi expresa en ellos un pensamiento consecuente con su identidad norteña y con las asimilaciones académicas de los estudios antropológicos, perspectivas que confieren a sus textos una peculiar sensibilidad por los habitantes de su terruño. Su obra más importante "La flecha del Inca y otros sabores de mi tierra"[6] se inspira en imágenes y sensaciones promotoras de un bello texto basado en tradiciones orales que la autora ha recibido durante la infancia y adolescencia salteña. No deja de llamar la atención su lúcida comprensión del medio y la ausencia de cualquier apreciación discriminatoria, una suerte de fresco de posiciones que parece confirmar la adhesión de Bertolozzi a las tesis de un precoz relativismo cultural.

Es lamentable que sólo haya sobrevivido el esqueleto, el plan, de su comunicación al Congreso, lo que coloca una serie de interrogantes, a saber: ¿se trató de un error involuntario?, ¿la exclusión fue deliberada, en todo caso, por qué?, ¿se consideró que su ponencia se escurría de los tópicos y preocupaciones centrales?, ¿se encontró su texto muy literario, poco científico? En ese caso ¿cómo fue que mereciera una mesa de discusión integrada, entre otros, por Hermann von Ihering, Rodolfo Lenz, Juan Silvano Godoi, Antonio Larrouy, Adolfo Saldías y el propio Robert Lehmann-Nitsche? Este juego de adivinanzas podría continuar. Lo cierto es que el esquema sobreviviente rinde todavía la estructura de un corpus de modo que intentaré, triangulando con lo que nos ha legado su texto literario mayor, una interpretación de las posiciones de la autora.

No caben dudas de que el encuadre epistémico refiere a la "antropología social" aunque en el debate abierto en el período no estuviera tan clara la segmentación interna del campo disciplinario. Vayamos al texto inserto en las Actas del Congreso bajo el nombre "Problemas sobre la actual población argentina. Diferencia étnica y social entre provincianos y porteños" que paso a transcribir:

I. La República Argentina, aspecto general del suelo. Prehistoria y pueblos indígenas: quichuas y calchaquíes, lugar de habitación, caracteres distintos. Guaraníes , lugar de habitación, caracteres, comparación con los anteriores. Tribus del Chaco: Abipones, Tobas, Matacos. Tribus del litoral, caracteres y comparaciones.

II. Los indígenas y los conquistadores. Lucha étnica y sus caracteres. ¿Ha sido favorable la influencia española a los indios? ¿Ha influido la civilización indígena a la extensión de la conquista? Conclusiones.
III. La sociedad bajo el antiguo régimen. Nobles, gente decente, mestizos, *cholos*, indígenas, negros y mulatos. Caracteres generales y particulares. Cultura social. Vida doméstica.
IV. La sociedad actual en las provincias y en Buenos Aires considerando la división colonial. Diferencia étnica y social entre aquéllas y ésta. La cultura y la educación. Causas que influyen en la diferencia.
V. Los indios en la actualidad, lugar de habitación, costumbres. Influencia de la civilización. ¿Les es benéfica o perjudicial?

Sobre el ítem I no es posible inferir qué tipo de descripciones habrá efectuado Bertolozzi, tampoco cuáles fueron las variables que utilizó para efectuar la comparación inter grupos aborígenes, y mucho menos asomarnos a sus conclusiones. Lo cierto es apenas algo: su preocupación se centra en caracterizar los diferentes grupos étnicos indígenas, comenzando por su región natal y por el contexto de inserción vital ("lugar de habitación" es reiterativo) para, a partir de allí, desplegar un examen comparativo entre ellos, y sobre todo, con referencia a la colonización española. De ahí que el ítem II se vislumbra desafiante y en la duda que plantea hay una estocada en un escenario que frente al Centenario encuentra a algunos intelectuales –Ricardo Rojas a la cabeza– reivindicando las raíces nativas frente a la amenaza de la ola inmigratoria.

Seguramente Bertolozzi puso en cuestión los beneficios de la conquista hispánica sobre las poblaciones aborígenes y si ello fue así, consiguió distinguirse de los reivindicadores del hispanismo que aparecían por derecha, patrimonio racial idealizado que debía preservarse y con el que se encantó un reconocido coro del Centenario. La concesión al aborigenado en algunos coreutas, pudo ser apenas un comedimiento, un gesto, que suele aparecer en la textualidad que vuelve sobre el pasado por temer al presente y que aflora con la idea de Nación.

Creo no equivocarme al afirmar que nuestra ponente toma el punto de vista del reconocimiento del valor étnico y cultural a los pueblos americanos. Su segunda duda da una pista firme y puede traducirse de la siguiente manera: ¿podría la conquista española haberse extendido sin contar con la "civilización indígena"? Me gustaría hacer hincapié en este concepto que suena a los oídos de la época como una auténtica paradoja –aunque no fuera sólo Bertolozzi quien lo adoptara– esto es, admitir una "civilización indígena" cuando el suelo epistémico y axial del período se debate entre la civilización y los que no han llegado justamente a ese estadio y que, según algunas opiniones del evolucionismo, ya perdieron esa oportunidad. En su libro ya citado recurre de manera permanente a las tradiciones del indigenado como parte inescindible de los acervos locales del área salteña. No hay cómo distinguir una asignación de sobre valor a las reglas de cotidianidad que proceden de lo hispánico. En todo caso, por lo menos por su origen paternal no es España un *telos* que necesite reivindicar, y no debe descontarse que ir más allá de lo hispánico, situarse en el principio civilizatorio de los pueblos antecedentes, constituya una estrategia para situarse en un lugar que le permita sortear, tal vez, el sentimiento de autoimpugnación de su condición de hija de un inmigrante italiano.

El ítem III es muy significativo. Además de contemplar una diversidad de estamentos sociales y étnicos, que abarca en primer lugar a "los nobles" (de procedencia hispánica por cierto) y la denominada "clase decente" –aquella que por sus bienes, poder o concentración de símbolos culturales hegemonizaba el cuadro social del "antiguo régimen" argentino, pero también el del Centenario– hasta una relación entrelazada de *clase-raza q*ue denota al unísono atributos de los sectores más bajos de la pirámide junto con características aborígenes. Pero además hay algo que debe ser destacado en este diseño antropológico social y es la incorporación en el examen tanto de la dimensión pública ("social") como de la doméstica. Nuevamente su libro ayuda a completar la interpretación: tributa de manera notable al ámbito doméstico. La distinción de fenómenos culturales en ambas esferas suscita una imagen de avance analítico que no siempre acompaña las indagaciones antropológicas o sociológicas del período. Para distinguir procesos de ambas dimensiones, lo que procede de la literatura del período es mucho más esclarecedor que lo que rinde la investigación académica.

En lo referente a los tópicos de la sección IV, seguramente Bertolozzi debe de haber hecho un contrapunto entre el desarrollo de la metrópolis; Buenos Aires, frente al "atraso" del interior, "considerando la división colonial" precedente. No le escapa (según el plan que examino) que hay una dimensión racial diferente, habida cuenta de la presencia de trazos dominantemente indígenas en las poblaciones del interior, sobre todo del noreste y noroeste, que es causa y consecuencia de la fuerte divergencia social entre porteños y provincianos. Estructuras étnico-sociales diferentes separan el puerto del interior. Pero, sin desviarse de la óptica prevaleciente en el período, Bertolozzi ha incluido las variables "cultura y educación" como dimensiones que no pueden omitirse a la hora de las comparaciones, proponiendo, en todo caso, el análisis de las "causas que influyen en la diferencia", en un momento en que arrecia el valor terapéutico de la educación. Aquí el concepto "cultura" está –creo– significado por el sentido banalizado de "cultura", esto es, aquellos recursos consagrados por un imaginario jerarquizante que los exalta públicamente y los distingue sobre otros. Una inferencia probable es que en este punto Bertolozzi no haya podido escapar a las generales de la ley adjudicando alto significado a la cultura de Buenos Aires.

Finalmente, nuestra ponente vuelca su indagación sobre la situación de los aborígenes, su "lugar de habitación, costumbres". Es evidente que no se trata de explorar sus caracteres físicos (como debe de haber ocurrido cuando abordó el ítem I, tributando a la etnografía física en sentido estricto); ahora el análisis se vuelca a las sociedades indígenas del país y la pregunta que formula revela una crucialidad no muy recurrente en el período aunque tampoco resulte extraña: la importancia de la civilización, su auténtico valor, hasta qué punto beneficia a aquellas comunidades.[7] Pregunta que seguramente ha encontrado una respuesta más negativa que positiva por parte de la autora, porque el régimen discursivo indica que si se está seguro de la positividad no se formula la duda una vez que en sí misma importa un cuestionamiento.

Las conjeturas sobre un texto que sólo rinde indicios, pero se concordará que no resultan pequeños, siguen abiertas, y gracias a Bertolozzi podemos introducirnos en el estado de un dominio disciplinario que todavía buscaba su propio estatuto, tanto como en un debate que confrontaba civilización y atraso, modernidad y tradición, y de manera muy específica el contrapunto social y cultural de porteños y provincianos.

Con relación a Elina González Acha de Correa Morales, su propia hija Cristina –una distinguida artista plástica– reseñó a grandes rasgos su biografía. Fue una mujer que no abandonó el campo del conocimiento aun cuando debió atender una maternidad prolífica (siete hijos, y la atención de dos sobrinos). Nacida en Chivilcoy en 1861 en el seno de una familia que estimuló su vocación por el saber y la indagación, gracias sobre todo a su "inteligentísima y culta"[8] madre, doña Cristina Acha, quien la hizo ingresar en la Escuela Normal de Profesores creada por Sarmiento. Tuvo como profesora a Emma Nicolay de Caprile, una reconocida docente del período. Elina misma escribió: "[...] Las materias que más me interesaban desde el principio fueron las ciencias naturales. Hice los primeros herbarios para el futuro museo (se refiere sin duda al referido establecimiento) y bajo la dirección del profesor Eduardo L. Holmberg aprendí a disecar aves y coleccionar insectos. Continué haciendo estos trabajos por mucho tiempo después de haberme recibido. En varias ocasiones mi nombre fue mencionado como eficaz colaboradora en los trabajos de Holmberg y de Lynch Arribálzaga". He aquí manifestada una temprana y constante adhesión a un conocimiento en el que cabían tan poco y mal las mujeres. Su hija no vacila en decir "nació geógrafa y educadora",[9] porque efectivamente, dirigió su vocación hacia la geografía, saber que por largo tiempo sólo fue considerado como ciencia natural. Se casó con el destacado escultor Lucio Correa Morales y ello contribuyó a ampliar aún más el círculo de las referencias públicas.

En 1901 publicó el texto escolar "Isondú" –prohijado por la Biblioteca de la Mujer– que siguió editándose hasta 1927 con aprobación del Consejo Nacional de Educación. En 1903, editó "Geografía Elemental" destinada a la divulgación básica, pero su obra más importante es sin duda el "Ensayo de Geografía Argentina" que no consiguió terminar y que la ocupó hasta pasados los ochenta años. En 1935, editó otro libro escolar, "Amalita". Fue amiga íntima de Cecilia Grierson y con ella participó en el Consejo Nacional de Mujeres y en la Escuela Técnica del Hogar; muy vinculada a Ernestina López de Nelson, promovió también el Club de Madres. No puede decirse que no se envolvió en la militancia femenina de la época caracterizada de manera fuerte por el "maternalismo" aunque su caso revela toda una fuga de sus valores más conspicuos.

Elina fue asidua concurrente al Museo de Ciencias Naturales que estaba en la Manzana de las Luces –Perú y Alsina– en donde departía (siempre de acuerdo con la semblanza realizada por su hija) con los científicos del período, Holmberg, los Ameghino, Berg, entre otros.

Educó a sus hijas en la búsqueda del espíritu científico, si nos atenemos a la selección de los regalos que solía hacerles tales como un microscopio monocular, cajitas con crisálidas, planisferios, etc., aunque procuraba, como buena matrona de la época, que no se extralimitaran de las reglas consagradas en la época. También se dedicó al arte, como su hija Cristina, pero su más relevante tarea tuvo que ver con el sostenimiento de la ciencia. Creó en 1922, junto con especialistas y jóvenes interesados en el desarrollo de los estudios geográficos, la GAEA, Sociedad Argentina de Estudios Geográficos, que encontró no pocos escollos. "Su mayor interés dentro de la GAEA –dice la hija–[10] era lograr, cuanto menos en el plano científico, la unión de los investigadores dispersos, con el deseo y la esperanza, bien satisfecha posteriormente, de crear un centro en donde argentinos y extranjeros, particularmente italianos y alemanes, trabajaron de consuno para adelantar el conocimiento de las ciencias geográficas en nuestro país". Estaban referenciados en la GAEA, los alemanes Kuhn, Keidel, Reichert, Groeber, Windhausen, y los italianos Frenguelli, Fossa Mancini y Feruglio. Allí se congregaban también los científicos Félix Oules, Cristóbal Hicken, Juan José Nágera. Elina falleció en agosto de 1942 convencida de que el gran ensayo sobre la geografía nacional que se había propuesto había quedado por demás trunco al punto de resultar inservible.

Ingresemos ahora a la comunicación que presentó en el XVII Congreso con el nombre "Facultades que han contribuido a desarrollar el ejercicio de la caza entre los primitivos" que también coloca interrogantes sobre su discusión ya que no consta en las actas el grupo debate, muy probablemente debido a un error de impresión. Luego de introducir la idea de que existen innegables "*trazas de un ser inteligente*"[11] en el hombre primitivo, se explaya sobre los diferenciales de inteligencia entre los animales –en los que reconoce la capacidad de pasiones tales como odio, traición, "espionaje" (sic)– y el mismo hombre, a quien atribuye, como situación única dentro de las diferentes especies, la capacidad de *"iniciativa creadora consciente"*. Confiere enorme significado al hecho de que el hombre tuvo capacidad creadora para *"haber aumentado sus medios defensivos y ofensivos"*, y destaca la creación de armas como un antecedente fundamental para el camino evolutivo. Correa Morales introduce aquí las tesis de Florentino Ameghino que consiguieron, más allá de los debates, el acatamiento local en las primeras décadas del siglo. En efecto, no puede sorprender que nuestra ponente haga referencia central a la hipótesis de la evolución ameghiniana –recuerdo que presentaba la evolución americana hominídea en ocho grandes grupos de sucesiva constitución, siendo decisivos los tres últimos, tetraprothomo, diprothomo y prothomo que venían a desembocar en el homo– ya que debió ser moneda corriente en las explicaciones provistas por sus más actualizados profesores. Siguiendo esta línea explicativa, la autora señala la importancia del tetraprothomo –tal como también lo hacía Ameghino– como una fase crucial ya que al ser sus ejemplares anteriores al plioceno demostraron conocer el fuego y servirse de él. El tetraprothomo desarrollado en la llanura pampeana había ampliado las posibilidades ya que se habían extingido los grandes animales del eoceno y oligoceno y tenía a mano los de pequeña estatura, aptos para ser cazados con mayor facilidad.

Nuestra ponente recorre una serie de autores para dar cuenta del significado de las habilidades ofensivas y defensivas. Recurre a Topinard, con quien comparte la idea de que el uso del fuego es posterior a la creación de elementos de defensa y menciona a Mortillet, autor que había sostenido que

> la caza estaba en la fuerza de las cosas y es tan antigua que ninguna tradición habla de sus principios ni de la invención de las armas, o en todo caso se hace referencia a que fueron inventadas por héroes o semidioses.[12]

Lo cierto es que donde se encuentran antepasados humanos se puede observar la existencia de guijarros, bolas, hondas y otras armas. Los animales cazan, desde luego, pero, señala Correa Morales

> el hombre ha echado mano de todos los medios ejercitando así variadas facultades lo cual ha debido necesariamente ejercer una influencia decisiva en el progreso de su evolución.[13]

Destaca un párrafo al señalar el crecimiento paulatino de la masa craneana, determinante de la hominización. Vuelve nuevamente sobre el tetraprothomo para enfatizar que, además de la ventaja comparativa de disponer de animales de menor tamaño, no puede descartarse, en el examen del aumento de las aptitudes para la caza y por consiguiente para la defensa, la existencia de animales carniceros en la región pampeana, lo que coadyuvó a un aumento de las habilidades no sólo físicas sino también intelectuales.

> Esto lo obligó a una continua vigilancia respecto de la vida y costumbre de los animales. Su vista, oído y olfato tienen que haber estado directamente interesados en adquirir datos concretos respecto a la futura presa.[14]

Debió estar obligado a conocer por indicios la proximidad de animales y de manera concomitante se fue tornando especialista en la construcción de las armas adecuadas para cada situación; mencionando a Lubbok, reflexiona sobre la creciente pericia para la elección de materiales y diseño de armas. El trabajo de la atención significó una *"gimnasia intelectual"* –sostiene– lo mismo que un agudo desarrollo de la imaginación aunque en contrapartida debe admitirse que los propios animales se vieron forzados a un mejor desempeño –aumentando los niveles de desconfianza y hasta creando funciones como la de centinela en algunas manadas.

Lo cierto es que el rastreo de las armas, sostiene Correa Morales, da cuenta de la propia evolución, del sentido de la agudeza ganada por la especie humana. No hay dudas de que propone el examen de éstas para dar cuenta de la propia hominización y en esto sus ideas buscan la referencia de Mortillet, a quien defiende por haber sostenido que la paleontología debe orientarse teniendo como punto de partida su fabricación. Los habitantes de la región sudamericana al desarrollar su adiestramiento en armas y salir a la caza de manera pedestre, tuvieron otro gran beneficio. Pudieron enderezar el cuerpo, proporcionando *"un armónico desarrollo de sus proporciones"* al mismo tiempo que se enriquecía su atención e inventiva y progresaba el abovedamiento del cerebro y *"refinamiento, por así decir, de la materia que lo forma"* –sostiene–. Por lo tanto es fácil concluir que el ejercicio de la caza ha influenciado decididamente en el desarrollo humano según dos perspectivas: el aspecto físico por una parte, y el intelectual, el surgimiento del *"espíritu de asociación"*, por otro.

A partir de este momento, la comunicación entra de lleno a considerar el significado de la caza entre los grupos humanos sudamericanos, alternando entre visiones prehistóricas y otras de actualidad. En efecto, con referencia a los huarpes, se les atribuye enorme ligereza y resistencia extraordinaria gracias a la influencia de las acciones de cazar. Los tobas tienen olfato finísimo y tanto en este caso como en el anterior las referencias son antropológicas y no paleontológicas, pues recaen en citas de Techo Ovalle y fray Zaccarías Ducci. Trae a colación las visiones de Boggiani[15] con referencia a los guaraníes, lo que hace que la comunicación ingrese en la situación actual de las etnias; considera los querandíes, haciéndose cargo de una transposición de ópticas que vienen del siglo XV, asumidas recientemente por Muñiz y Mantegazza que atribuyen a estos indígenas ser muy diestros en materia de velocidad, así como de disponer diversos elementos para la lucha (arcos, flechas, bolas de piedra del tamaño de un puño atadas a una cuerda que las guía). Algo similar recoge de Lozano cuando refiere que los charrúas tienen notable velocidad y que hasta superan a los guaraníes. Para el caso de los onas toma como base a Dabbene, quien ha estudiado el desarrollo del sentido de la vista y el oído, siendo expertos fabricantes *"de flechas con pedazos de vidrio"* (sic) a las que se atribuye un notable valor estético.

El texto continúa con referencias a los matacos –según Pelleschi y otros–, grandes caminadores y muy leves; los terrenos –que al decir de Robide eran de elevada estatura y muy esbeltos–; los pilaya, onas y tehuelches que también son observados como esbeltos y robustos, en entero contraste con los yaganes, que como no deben salir de sus canoas pues son pescadores, resultan de baja estatura y muy torpes para caminar. Es de Boggiani también la referencia de que los machucuí, grandes cazadores como los tobas, poseen una muy armoniosa estructura corporal.

Continúan diversas menciones más a razas indígenas sud y también centroamericanas para demostrar la importancia del ejercicio de la caza en todo el desarrollo humano.

> Tales ejemplos –dice– ponen de relieve la influencia del ejercicio generalizado en todas las partes del cuerpo. Los miembros inferiores ejercitados en la marcha o la carrera, adquieren un desarrollo superior al de los primates (sic) que por ser esencialmente arborícolos tienen por el contrario muy largos los brazos que es lo que más ejercitan. Los músculos de los brazos y de las piernas se han fortalecido con el uso de la onda (sic), el arco, la lanza; el oído, la vista, el olfato, han tenido que aguzarse por el ejercicio para incautarse de la presa del enemigo.

A lo que agrega con respecto a la dimensión intelectual: "El desarrollo gradual de la imaginación se constata por la gran variedad de las formas del arma [...], por la aplicación de materiales que su experiencia le fue dando a conocer [...].

No puede escaparle una referencia a la actividad pictórica hallada en cuevas y cavernas, a las representaciones de animales, de presas de caza. En todo caso esa actividad estética la vuelve hacia la vida social como una necesaria continuación de la cacería a cuyos acontecimientos confiere un papel decisivo para encauzar nuevos vínculos entre los hombres. Atribuye a los peligros que corren los cazadores, a las sensaciones compartidas de peligro –a emociones como el agradecimiento y la amistad devenidos de la solidaridad que crean los desafíos de la caza– el nacimiento de la vida social. Correa Morales cifra la explicación de la complejidad de los vínculos y la sociabilidad, desde el fondo de los tiempos hasta la vida actual de numerosas tribus aborígenes, en las actividades de la caza. Eso mismo la lleva a reconocer que en diversas tradiciones rituales y religiosas de esas mismas comunidades, dominan las imágenes que tienen que ver con la caza de animales y que sus representaciones significan deidades y cultos, en una suerte de sobredeterminación de ésta –ejerciendo una influencia directa e inexorable para el desarrollo físico, intelectual, estético y social– por encima de otras cuestiones antropológicas.

Ingreso ahora a la última del grupo. Se trata de Juliane A. Dillenius de la que paradójicamente han quedado mucho más evidencias de una producción intelectual por cierto destacada y muchos menos datos de su vida, aunque hay uno de innegable significado: contrajo matrimonio con el profesor Lehmann-Nitsche. Sus trabajos revelan una adhesión conspicua al conocimiento científico –se trataba de una joven seguramente muy preparada, con dominio de idiomas, incluido el latín, a juzgar por las numerosas referencias bibliográficas que sustentan sus posiciones o con las que supo discutir. Resulta con claridad la más formalmente preparada pues se doctoró en la Facultad de Filosofía y Letras de Buenos Aires con la tesis, aprobada el 11 de septiembre de 1911 y cuyo padrinazgo recayó en Robert Lehmann Nitsche, que lleva el nombre "Craneometría comparativa de los antiguos habitantes de la Isla y del Pukará de Tilcara (provincia de Jujuy)".[16] Este trabajo fue precedido por el artículo "Observaciones arqueológicas sobre alfarería funeraria de la 'Poma' (Valle Calchaquí, provincia de Salta", publicado primero por la Revista de la Universidad (tomo XI) y luego como separata.[17] Otro trabajo de su autoría –que figuró entre las obras presentadas en homenaje a la celebración del XVII Congreso– es "El hueso parietal bajo la influencia de la deformación fronto-occipital", aparecido en el cuaderno nº 7 de las publicaciones de la Sección Antropológica de la Facultad de Filosofía y Letras de Buenos Aires (1910). Muy probablemente, Juliane pertenecía a una familia que la había impulsado con firmeza a la vocación científica; una pista la encontramos en la circunstancia de que su padre también participó en calidad de adherente del XVII Congreso.

Ceñiré el análisis, como en los casos anteriores, a la comunicación presentada bajo el nombre "La verdadera forma del cráneo calchaquí deformado", una adaptación del trabajo mencionado en último término que aparece como un texto muy resumido aunque recoge, felizmente, parte del debate gracias a lo cual es posible vislumbrar la fuerza y determinación de Dillenius en la defensa de sus concepciones (y muy seguramente la de su profesor guía, Lehmann Nitsche). Nuestra ponente comienza señalando la frecuencia universal de la práctica de la deformación de cráneos en los recién nacidos –con propósitos divergentes–, lo que origina transformaciones persistentes durante toda la vida del individuo. En su caso, las orientaciones tendientes a esclarecer los cambios morfológicos de los cráneos de la cuenca calchaquí, se basan sobre todo en el método del estudio del hueso parietal a la manera que lo ha demostrado, con mucha solvencia según la autora, el padre Aigner a través de su obra "Die Ossa parietalia des Menschen". Este texto se ofrece como el más adecuado camino metodológico pues tiene como clave de análisis el referido hueso.

Sobre la base de las muestras de cráneos existentes en el Museo Etnográfico de la Facultad de Filosofía y Letras, Dillenius ha examinado que la deformación es de carácter fronto-occipital y que el resultado morfológico redunda en una *ultrabraquicefalia,* esto es, un tipo de cráneo corto y sobremanera ancho, al punto que éste suele ser más ancho que largo.

Queda la duda si para hacer más didáctica la exposición mostró uno de estos cráneos, ya que dice "es uno de ellos el que aquí presentamos", pero lo cierto es que su investigación basada en una serie de medidas lineares y angulares y con base en los índices obtenidos, lleva a sostener que "el parietal calchaquí presenta aún muchos elementos dolicocéfalos, a pesar de la reducción antero-posterior sufrida que hoy le da el carácter de parietal braquicéfalo".[18] Expone aun que tanto los análisis de la sutura coronal, de la sutura total y del diámetro sagital, corroboran la presencia de una morfología dolicocéfala, esto es, la característica ovalidad y no la chatura de las cabezas. El parietal calchaquí, sostiene, no es más pequeño sino más grande que cualquier otro, "su comparación con el dolicocéfalo demuestra que lo que el cráneo ha perdido en sentido sagital lo ha recuperado en sentido transversal; ganancia y pérdida se cubren".[19]

Su conclusión, cierta de que provocará alguna reacción adversa en la platea de oyentes entre los que se encuentran sus propios maestros y otros sabios –Ameghino entre ellos– es entonces terminante y además aparece subrayada:

> El hueso parietal del calchaquí, no obstante la deformación sufrida que ha hecho de él un suprabraquicéfalo, presenta elementos dolicocéfalos, y los valores comparados comprueban que, por su forma, ha pertenecido a aquel tipo paleoamericano".[20]

Completa su exposición abonando estas ideas con la referencia de que no hay nada anormal en la sutura parietal-temporal de los cráneos analizados, tampoco en las turgencias parietales (tubera) ni en la conformación de la sutura coronal y que se han hallado, en el ángulo esfenoidal de los calchaquíes, trazos que Aigner sólo ha encontrado en los de tipo dolicocéfalo.

La discusión se abrió y desde luego Ameghino elogió el trabajo. Confirmaba sus tesis sobre el hombre primitivo de América: la dolicocefalia hablaba de la enorme antigüedad de los calchaquíes. Para Lafone Quevedo había que investigar la enorme confusión gentilicia de las regiones analizadas, el hecho de querer modificar el cráneo presupone la existencia de una situación que desea ser cambiada y ello puede medirse también por la existencia de diversas lenguas en la región andina, "natural refugio de las razas perseguidas, de la barbarie frente a la civilización, del viejo poseedor que huye del conquistador mejor armado". En suma, abonaba la idea de que la alteración fronto-occipital resultaba el indicio de un tipo paleo-americano, dejando así también feliz a Ameghino.

Fue el norteamericano Hrdlicka quien llevó la voz cantante de la oposición. Sostuvo que no todos los cráneos calchaquíes eran dolicocéfalos ya que su propia experiencia le había mostrado la presencia de algunos cráneos que no habían sido deformados. Agregó que había visto algunos con dilatamiento occipital y que no eran braquicéfalos. Seguramente sintiéndose incómodo y para no crispar la discusión de tantos amigos de Ameghino, al final concluyó que era necesario explorar si por ventura los valles calchaquíes ofrecerían orígenes tanto dolico como braquicéfalos.

La última palabra correspondió a nuestra expositora. Insistiendo en sus afirmaciones, manifestó

> que el hueso parietal braquicéfalo del calchaquí no presentaría elementos dolicocéfalos si no hubiera representado antes a este tipo: no puede tratarse de caracteres adquiridos pues están en directa contradicción con la presión antero-posterior sufrida [...].

Aun admitiendo que algunos ejemplares podrían haber diferido morfológicamente, su hipótesis quedaba en pie: la predominante morfología dolicocéfala de la región andina, un crédito más a la teoría del hombre americano que paladeaban los seguidores de Ameghino, la mayoría de sus maestros.

A MODO DE CIERRE

He querido mostrar un registro olvidado de la participación femenina en la labor científica a principios de nuestro siglo. No está en discusión la calidad relativa de los trabajos ni su desactualización por fuerza del desarrollo del conocimiento en la paleontología, la etnografía, la arqueología y la antropología, disciplinas que se abrían paso en medio de innegable encantamiento, habida cuenta de la extensa adopción del evolucionismo. Ni examen exigente sobre el valor científico comparativo con sus pares varones ni confrontación anacrónica. En todo caso sólo sitúo algún rendimiento de la "voluntad de saber" de las mujeres, lo que de inmediato evoca su situación de solitarias oficiantes, en todo caso un espectáculo estético y de mejoramiento moral si acompañamos el discurso de cierre del Congreso de José Nicolás Matienzo. Proclamando la fórmula "América para los que estudian y trabajan", se dirigió a las mujeres presentes: "Estoy seguro de que las damas que nos honran con su presencia en esta noche aprueban de corazón esta propuesta. Ellas han venido aquí a compartir esta fiesta universitaria con la misma simpatía con que acuden a las conferencias de la Facultad de Filosofía y Letras; porque habéis de saber, señores delegados extranjeros, que la facultad a la que pertenezco es la preferida de las damas que de ese modo patentizan la cultura y la delicadeza de su espíritu. Les rindo con este motivo el homenaje de mi respeto y agradecimiento por su benévolo e interesante concurso". De impecable condescendencia revela cómo el patriarcado habla alto en las ciencias.

Sólo en las últimas décadas se ha abierto un campo de indagaciones que ingresa al centro mismo de la cuestión, sacudiendo la base epistémica y cuya tarea intenta desentrañar las relaciones entre ciencia y feminismo, avanzando en una consideración temeraria pero incontrastable: la "generización" de la ciencia, esto es, la evidencia de los vínculos sexuados de la ciencia que no sólo se revelan en los cálculos numéricos, atendiendo a la cuestión de cuántas son sus practicantes, sino a cómo se constituyó una versión androgénica de los saberes que las excluyó doblemente.[21] De momento, haber extraído de las catacumbas las intervenciones de nuestras tres mujeres se limita a hacerlas ingresar al palco y promover más indagaciones. Pero es necesario ir más lejos, inquerir hasta el fondo cómo aun excluidas y solas, las mujeres movidas por el conocimiento pudieron investigar poniendo en evidencia la íntima necesidad de no resignarse a ser apenas márgenes de la ciencia.

NOTAS

1. La autora agradece profundamente la colaboración de Gregorio Caro Figueroa, Lucía Solís y Nélida Boulgourdjian. Esta comunicación tiene el carácter de una primera versión por lo que ruega no citar sin su consentimiento.

2. Remito al libro de la autora "La escena iluminada. Ciencias para trabajadores 1890-1930", Buenos Aires, Plus Ultra, 1996.

3. Ver especialmente Georges Clemenceau, *La Argentina del Centenario*, Buenos Aires, Hispamérica, 1986; Gómez Carrillo, *El encanto de Buenos Aires*, Madrid. Mundo Latino, 1921; V. Blasco Ibañez, *Argentina y sus grandezas*, Madrid, Editorial Española-Americana, 1910.

4. Remito especialmente a Martha Vicinus (comp.), "Suffer and Be Still: Women in de The Victorian Age", Londres, 1973; Mary Roth Walsh, "Doctors Wanted: No Women Need Aply-Sexual Barriers in the Medical Profession, 1835-1975 , Yale University, 1977.

5. La presidencia del XVII CIA recayó en José Nicolás Matienzo, decano de la FFyL de la Universidad Nacional de Buenos Aires, y la Secretaría General estuvo en manos de Robert Lehmann-Nitsche. Como vice presidentes se nombraron a J. B. Ambrosetti, A. Gallardo, O. Krausse, S. Lafone Quevedo y E. Peña. Fueron miembros de la Comisión Directiva, entre otros, F. Ameghino, J. V. González, V. P. Quesada, G. Bondendeuer y los extranjeros Eduard Seler (Museo Etnográfico de Berlín), Aler Hrdlicka (Museo Nacional de los Estados Unidos, también representante de la Institución Smithsoniana y de la Sociedad Antropológica de Washington). En el grupo de vocales organizadores se encontraban G. Holmberg, A. Alvarez, M. T. Argañaraz, A. Martínez, D. Rocha, A. Saldías. N. Sarmiento, F. P. Moreno. Entre los vocales del Congreso (operativos) se encuentra una sola mujer, Juliane Dillenius, la única con algún cargo relevante en medio de veintiséis varones entre los que se cuentan A. Alvarez, J. J. Biedma, A. Carranza y P. Arata.

6. Buenos Aires, Ed. A. y G. Casellas, 1924. Sobre M. C. Bertolozzi han escrito Gregorio Caro Figueroa y Lucía Solís Tolosa: ver Lucía Solís Tolosa, "María Bertolozzi, de la narración histórica a la historia social", *Revista Todo es historia,* N° 309, abril de 1993; Gregorio Caro Figueroa, "María Bertolozzi: el olvidado talento de una mujer salteña", Revista *Claves*, año II, N° 15, febrero de 1993.

7. No es raro encontrar en los textos encuadrados en el evolucionismo posdarwiniano referencias a ciertas paradojas para la propia construcción de la teoría, como exaltar algunas conductas de etnias "atrasadas" en las que se encuentra mayor inteligencia para la sobrevivencia de la especie que en la raza blanca. Remito especialmente a Ernest Haeckel, figura fundamental del posdarwinismo, que a menudo introduce estas imágenes, sobre todo en lo atinente a "selección artificial". Ver especialmente de este autor, *Historia de la creación de los seres organizados*, Buenos Aires, Americana, 1947.

8. Cristina Correa Morales de Aparicio, Federico Daus, *Dos semblanzas, dos bibliografías. Elina González Acha de Correa Morales, Francisco de Aparicio*, Buenos Aires, Imprenta Fontana, 1977.

9. Cristina Correa Morales de Aparicio, *op. cit.* pág.13.

10. *Ibid.* pág. 15.

11. Subr. original.

12. Actas del XVII CIA, Buenos Aires, 1910, pág. 545.

13. *Idem* ib.

14. *Idem*, pág. 546.

15. Boggiani resulta todavía un caso a indagar. Seguramente menos científico que curioso por las culturas bizarras, fue a habitar con los guaraníes y se cree que

fue asesinado a raíz de una pendencia amorosa. Fue un gran cultor de las costumbres guaraníticas, a él se deben notables fotografías de los aborígenes de la región chaqueño-paraguaya. Escribió un *Compendio de etnografía paraguaya* que tuvo alguna divulgación.

16. Buenos Aires, Imprenta Coni Hnos, 1913.

17. Buenos Aires, Imprenta Biedma e hijo, 1909.

18. Actas XVII CIA, pág. 151.

19. *Idem*. pág. 152.

20. *Idem* ib.

21. Entre otros autores, remito a Sandra Harding, *Ciencia y feminismo*, Madrid, Morata, 1996; Rita Arditti, "Feminism and Science", en R. Arditti, P. Brennan y S, Cavrak (comp.) *Science and Liberation*, Boston, South End Press, 1980; Diana Maffía, *Género, subjetividad y conocimiento*, Buenos Aires, Tesis Doctoral (mimeo), Facultad de Filosofía y Letras, UBA, 1999; VV.AA., *Gênero, tecnologia e ciência*, Cadernos Pagú 10, Universidade de Campinas, Brasil, 1998.

"SOMOS MISIONEROS ENTRE GENTILES" UNA PERSPECTIVA MISIONOLÓGICA DE LA CIENCIA

ARIEL BARRIOS MEDINA

Recientemente, una sociedad de estudios del siglo XIX convocó a la reunión *Visiones, Sueños y Pesadillas* en homenaje a la conclusión del siglo y del milenio, y al centésimo aniversario de *La Interpretación de los sueños* de Sigmund Freud.[1]

Bajo ese título, la convocatoria invitaba a explorar los materiales, las manifestaciones y las interpretaciones de las *Visiones*, las esperanzas milenaristas, las aspiraciones políticas, las comunidades utópicas, los planes revolucionarios, las profecías religiosas, las promesas tecnológicas, las vanguardias estéticas, las arquitecturas futuristas, los espiritualismos, la hipnosis, la telepatía, la clarividencia y la fotografía, juntamente con los *sueños* y las *pesadillas* de esas visiones hechas realidad en el terror individual o de Estado.

Asimismo, en la auscultación de los autores de las convergencias y conflagraciones del pasado milenio para prever el curso del futuro, el semanario *Time* recordó, para América latina, a quienes configurarían el siglo XXI, entre ellos, hombres de ciencia.[2]

En este trabajo exploraremos las visiones, los sueños y las pesadillas de uno de estos guías del nuevo milenio: el sueño misionero por la ciencia del fisiólogo argentino Bernardo Alberto Houssay (1887-1971).

El 23 de octubre de 1939, al agradecer la designación como profesor honorario de la Facultad de Agronomía y Veterinaria, Houssay afirmó: "Dedicarse a la ciencia no es tarea normal entre nosotros y es todavía un difícil apostolado entre gentiles".[3] Pocos meses después, en marzo de 1940, en la carta a un becario de la Fundación Rockefeller, que retornaba del Instituto de Neurología de la Facultad de Medicina de la Northwestern University, reafirmó: "Somos misioneros entre gentiles".[4]

La expansión de la cultura europea en la Argentina definirían etapas de la ciencia: las instituciones y las expediciones científicas europeas durante la colonia, los científicos solitarios durante las luchas de la independencia, la implantación criolla durante la organización nacional, la apropiación del modelo europeo a fines del siglo XIX y principios del siglo XX.[5]

El análisis misionológico de estas etapas revelaría que la misión por la ciencia de Houssay en la Argentina logró el compromiso y la decisión personal por la ciencia, la conversión; propuso la consumación del desarrollo social mediante la ciencia, una escatología; fomentó la incorporación de la comunidad científica argentina a la comunidad científica internacional, la implantación de la ciencia, y estableció la legitimidad y la legalidad de la asignación de recursos para el sostenimiento de la ciencia, la filantropía.[6]

El 9 de noviembre de 1934, en el homenaje al 25° aniversario por el ejercicio de la docencia universitaria, Houssay narró su vida a los académicos argentinos y extranjeros, colegas, profesores, alumnos e, incluso, Agustín Pedro Justo, el presidente de la Nación, reunidos en el aula magna de la Facultad de Ciencias Médicas: "Los que vivimos en el presente, preparando el futuro, pocas veces nos detenemos para mirar el panorama de nuestros años ya idos, pero este acto me obliga a ello", anunciando aquellos temas misionológicos.[7]

Esa autobiografía pública fue la justificación de Houssay al requerimiento de sus colegas, discípulos, amigos y estudiantes que adherían a las ideas y las obras a las que había consagrado su vida: "Es el significado profundo de este acto manifestar pública y solemnemente que nuestras universidades deben ser, ante todo, centros de investigación científica y que nuestro país debe contribuir como las grandes naciones del orbe a elaborar todas las formas de la cultura superior".[8] Asimismo, Houssay reafirmaba que la investigación científica era la característica de la universidad, "que debe crear y propagar los conocimientos", y el índice más seguro de la civilización de un pueblo: "Un país no es una gran potencia si no tiene organizada la investigación científica. Bien dijo Sarmiento, que 'la cultura científica es la única redentora posible de estos pueblos'".[9]

En 1909, en la colación de grados de la Facultad de Ciencias Exactas, Físicas y Naturales, el decano, ingeniero Otto Krause, había puntualizado:

> El talento y el empuje de Sarmiento fueron tan grandes que su propaganda a favor de la enseñanza primaria y contra el analfabetismo ha continuado hasta nuestros días por sus discípulos y admiradores. ¡Plegue a Dios darnos pronto otro Sarmiento que con igual talento y empuje combata el analfabetismo científico y lleve la enseñanza universitaria del país a la cima del saber humano![10]

Esa plegaria fue escuchada. A principios del año siguiente, el año del Centenario, Houssay fue designado Encargado del Curso de Fisiología de la Facultad de Agronomía y Veterinaria.[11]

Esta designación, que Houssay vaciló en aceptar, confirmaba su conversión juvenil a la fisiología, acaecida en 1907, tras la lectura de *Introducción al estudio de la medicina experimental*, obra escrita en 1865 por el fisiólogo francés Claude Bernard.[12]

La conversión de Houssay, que inauguró su misión de implantación de la ciencia en la Argentina, refutó la superstición de la naciente sociedad de esa época en la ciencia europea:

> He creído que es llegada la hora de variar el hábito, explicable hasta hace poco de limitar la actividad personal a repetir hechos conocidos, por lo que orienté mis esfuerzos hacia la investigación original que, por modesta que sea, estimula y enseña infinitamente más y fundamenta las bases de una verdadera ciencia nacional.[13]

La prédica y la práctica del misionero claman por el reconocimiento de aquello que revela y en cuyo nombre habla. La verdad por la cual clamaba Houssay era conocida y admitida supersticiosamente. Pero, ¿cuál fue el signo de aquello que Houssay anunciaba?[14]

La dedicación exclusiva era el signo de la ciencia cuya práctica Houssay acataba y cumplía.[15]

En 1939, su discípulo Oscar Orías registró esta percepción en la opinión de sus contemporáneos: "A varios he oído la atinadísima reflexión de que usted no sólo 'habla y escribe' acerca de estas cuestiones, sino que ellas constituyen la norma de su actividad".[16]

Cuando estudiantes, quienes serían los maestros de Houssay en la Facultad de Ciencias Médicas, habían increpado a su sociedad: "¿No es vergonzoso, señores, que en los tiempos en que se hacen diariamente descubrimientos científicos, que van rápidamente transformando las sociedades modernas, nosotros permanezcamos inactivos?".[17] Esa generación de estudiantes de medicina también afirmaba que la fisiología experimental era "la rama de la medicina que primero ha merecido el nombre de CIENCIA".[18]

Esa sociedad, empero, consideraba hombres de ciencia a quienes ejercían una profesión científica: "Así el naturalista es un hombre de ciencia, lo mismo que el médico, el farmacéutico y hasta son llamados hombres de ciencia los charlatanes que hablan de cualquier cosa que la generalidad no entiende". Quien fue uno de los maestros de Houssay, el químico Pedro Narciso Arata, definió como hombre de ciencia al que dedicaba su inteligencia y su actividad al cultivo de una rama del saber humano y concluyó: "Nuestras ciencias son experimentales y necesitan del laboratorio, del libro y del maestro", de los cuales carecía el país.[19]

En 1911, Houssay, puntualizó, en el prólogo de su tesis doctoral, el requerimiento fundamental para la creación de esos laboratorios: "Verdaderos espíritus disciplinados y con ideal nacional, capaces de dirigirlos fructíferamente".[20]

A ese fin, en 1917, a los treinta años de edad, Houssay abandonó la práctica hospitalaria y privada, "el consorcio de la clínica y la fisiología": "Elegí la fisiología porque tenía más posibilidades de investigaciones en ese campo y porque creía ser más útil a mi país en una actividad que creía se debía mejorar rápidamente".[21]

Tres años después, el 30 de marzo de 1920, esa decisión culminó en la apertura del primer curso completo como profesor titular y, como director, de las actividades del Instituto de Fisiología de la Facultad de Ciencias Médicas: "El primero consagrado a la docencia e investigación científica en nuestra Facultad. De acuerdo con mis ideas, pedí que se incluyera en el reglamento una cláusula que establecía mi dedicación exclusiva".[22]

El científico austríaco que lo había llamado, en 1915, a colaborar en el Instituto Bacteriológico proclamó, acerca del rumbo de enseñanza e investigación que Houssay inauguraba: "Acontecimiento memorable en la evolución de la medicina teórica argentina".[23] Más de veinte años después, en 1942, Herbert Mac Lean Evans, el fisiólogo californiano que fue el primer biógrafo de Houssay, puntualizó que ese acontecimiento había sido el comienzo de la "post-Houssay era".[24]

Otro colega, fisiólogo en Harvard, puntualizó la consumación de esa era: "Houssay es uno de los pocos hombres en el mundo de los cuales podría decirse que estableció una *escuela*", pues la conversión de Houssay había fructificado en sus discípulos: "Y habéis logrado transmitir vuestra fe, vuestro espíritu crítico, vuestros métodos rigurosos, a toda una falange de discípulos, que forman la *'Escuela de Houssay'*, y que nos aseguran ya plenamente el porvenir científico del país".[25]

Aquel colega y biógrafo también advirtió y puntualizó el sentido misional de la obra de Houssay en el Instituto de Fisiología: "El sentido de destino de Houssay por su Instituto y quienes había formado y enviado a puestos de influencia en otras universidades, fue, a través de los años, el origen de ataques personales y frecuentes conflictos en los ambientes nacionales y universitarios".[26]

En 1934, un periodista proclamó ese sentido: "El Profesor Houssay es el Instituto de Fisiología: el Instituto de Fisiología es el Profesor Houssay".[27]

Luego de un comentario parlamentario que ignoraba la obra de Houssay, ese mismo periodista propuso: "Organizar una Asociación que los vinculara para trabajar por el adelanto de la Ciencia, promover la investigación científica, ayudar a la formación de jóvenes investigadores y facilitarles medios de trabajo". La Asociación Argentina para el Progreso de las Ciencias institucionalizó la filantropía por la ciencia de la misión de Houssay.[28]

La era en la cual estaba inscripta la de Houssay fue la de la inmigración europea llegada masivamente a Buenos Aires en los tres últimos decenios del siglo XIX. En 1887, uno de los miles de niños nacidos de padres extranjeros, en este caso franceses, en Buenos Aires fue Bernardo Justino Alberto Houssay Laffont.[29]

GRÁFICO 1
La población de Buenos Aires por sexos y edades en los dos grandes grupos de los argentinos y extranjeros

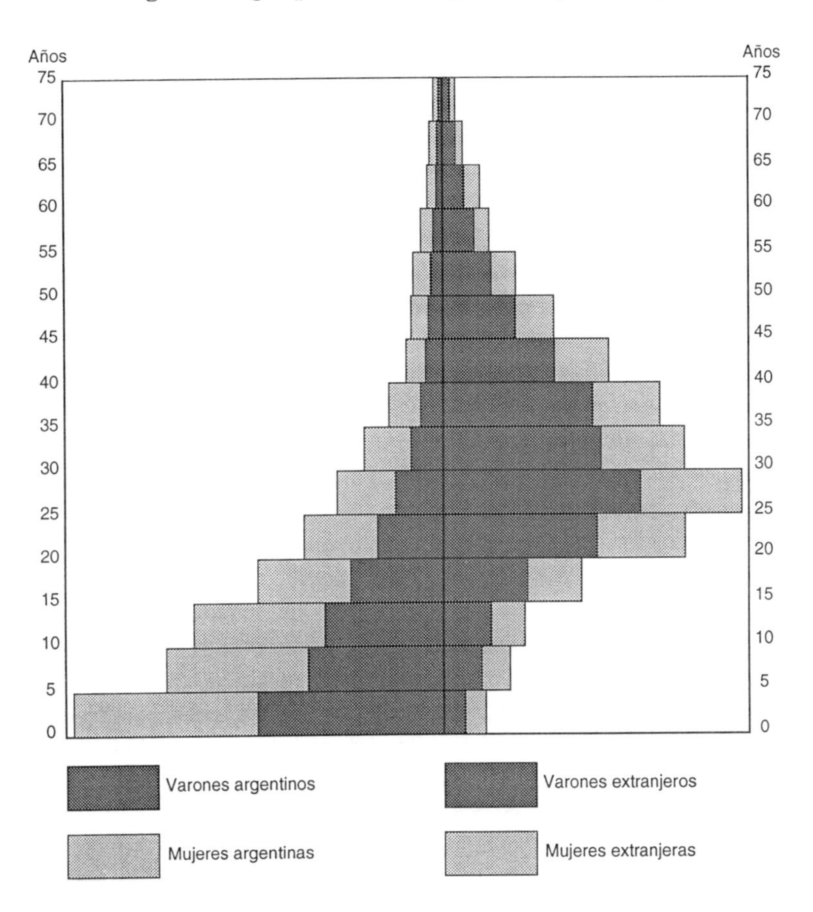

Este hijo de inmigrantes franceses, cuya familia logró la supervivencia de la identidad de sus integrantes, luego de la inmersión en una nueva cultura, seguida por un proceso de vaivén e integración entre las culturas de origen y de llegada, alcanzó la formación de una identidad bicultural, que culminó en el surgimiento de una identidad transcultural.[30]

Houssay, cuyos hermanos mayores fueron enviados a estudiar a Francia, manifestaba en la definición "misionero entre gentiles" la identidad transcultural surgida luego de su conversión a la ciencia.[31]

Esta identidad transcultural de la ciencia constituye el fundamento de la identidad cultural que Houssay impuso a su sociedad, la argentinización de la ciencia europea, y fue reconocida por sus colegas y contemporáneos: "Houssay puso a la Argentina en el mapa de la fisiología".[32]

La implantación de la comunidad hermenéutica de la ciencia en la Argentina, el proceso de argentinización de la ciencia europea realizado por Houssay, "la revolución houssayana", fue señalado por dos acontecimientos.[33]

En agosto de 1936, en conmemoración del tercer centenario de la fundación, la Universidad de Harvard confirió el doctorado honoris causa a Houssay junto a setenta y cinco celebridades, entre ellas el neurólogo Adrian, el filósofo Carnap, los físicos Compton y Eddington, el medievalista Gilson, el helenista Jaeger, el filósofo del derecho Kelsen, el químico Landsteiner, el antropólogo Malinowski, el psicólogo Piaget.[34]

En octubre de 1936, un *Motu Proprio* del papa Pio XI completó la reorganización y designó a Houssay miembro fundador de la Academia Pontificia de Ciencias junto a, entre otros, el biofísico Abderhalden, los físicos Bohr, Marconi, Millikan, Rutherford, Planck, Schrödinger, el neurólogo Sherrington, el antropólogo Morgan.[35] "Hay que tener un ideal en la ciencia y tender a él por la investigación, el estudio y también por el sacrificio".[36] Ante estos acontecimientos, un publicista afirmó: "Yo vaticino que el próximo premio Nobel otorgado a la Argentina lo será en medicina".[37]

La consumación de esta profecía acaeció en 1947.[38]

En 1932, el fisiólogo Evans habían reconocido que la hormona de crecimiento era el factor mediador entre los islotes del páncreas y la parte anterior de la hipófisis, y que las secreciones de una y otra glándula, la insulina y la hormona de crecimiento, eran antagónicas, no sinérgicas.[39]

Posteriormente, en 1949, Frank George Young y sus colaboradores en el Instituto de Bioquímica de la Universidad de Cambridge, admitieron que los resultados de su investigación sobre la acción diabetógena de la hormona de crecimiento, estaban inmanentes en aquella observación.[40]

Houssay, quien había hecho evidente la relación entre ambas glándulas, la hipófisis anterior y el páncreas endocrino, remontó la evidencia hasta 1908. La historia de la diabetes hipofisaria es la autobiografía en la cual

Houssay rememora que su obra científica era parte activa en el develamiento de la inmanencia de esa verdad.[41]

Una historia completa es la explicación narrativa que integra las representaciones del protagonista y su mundo, y provee el mapa de su acción y su capacidad para establecer relaciones sociales. En la biografía de su precursor, el fisiólogo Señorans, el misionero Houssay había demostrado que la justificación, por la fe y por las obras, era el tema de sus propias rememoraciones biográficas. Coincidentemente, el nombre del iniciador de la medicina experimental en la República Argentina era Juan Bautista.[42]

Cuando el psicoanalista Jung se propuso explicar la historia de su vida, admitió que sólo podía expresarse mediante mitos, pues: "En el fondo uno nunca sabe como ha ocurrido nada".[43]

En 1967, al cabo de su vida, Houssay puntualizó que los logros del presente eran sueños realizados que habían sido considerados imposibles. Quizá sabía, efectivamente, que su vida había sido la realización de un sueño infantil: el misionero que había convertido un pueblo pagano a la ciencia.[44]

NOTAS

1. S. Freud, *Die Traumdeutung*, Leipzig-Vienna, 1899, Franz Deuticke; *La interpretación de los sueños*, en *Obras Completas*, tomo I, págs. 343-720, Editorial Biblioteca Nueva, Madrid, 1973, versión castellana de Luis López-Ballesteros y de Torres. La sociedad convocante es la Nineteenth-Century Association para la reunión del 23 al 25 de marzo de 2000 en Washington, D.C.

2. "Latin America Leaders for the New Millennium", *Time*, Special Issue, vol. 153, No. 20, 24 de mayo de 1999, que incluye a Bernardo Alberto Houssay y a Luis Federico Leloir, en páginas 116-117.

3. B. A. Houssay, "Recuerdos de un profesor y consideraciones sobre la investigación", en Barrios Medina, A. y Paladini, A. C. (comps.), *Escritos y Discursos del Dr. Bernardo A. Houssay*, Buenos Aires, Eudeba, 1989, págs. 576-586; lo citado, en pág. 582.

4. Ver el borrador de la carta, fechada en Buenos Aires el 21de marzo de 1940, en el Museo Bernardo A. Houssay, y ver el legajo 17.873 en el Archivo de la Facultad de Medicina, de Flaminio Vidal (1902-¿?) quien, graduado en marzo de 1933, viajó en octubre de 1939 a la Northwestern University Medical School para estudios de perfeccionamiento en anatomía y fisiología del hipotálamo: ver "Pallidohypothalamic tract or X bundle of Meynert, in the Rhesus monkey", *Archives of Neurology and Psychiatry*, volumen 44, N° 6, págs. 1219-1223, diciembre de 1940.

5. Cf. José Babini, *La evolución del pensamiento científico argentino*, Buenos Aires, La Fragua, 1954; reeditado *Historia de la ciencia en la Argentina*, Buenos Aires, Ediciones Solar, 1986. Para el contexto político y económico, ver G. Ferrari y E.

Gallo (comps.), *La Argentina del Ochenta al Centenario*, Buenos Aires, Sudamericana, 1990.

6. David J. Bosch, *Transforming Mission Paradigm Shifts in Theology of Mission*, Nueva York, 1991, Maryknoll, págs. 4-6. La segunda parte, "Historical Paradigms of Mission", analiza los paradigmas misioneros de la primera iglesia de Occidente, de la iglesia católica romana del Medioevo, de la reforma protestante, de la Ilustración y examina en la tercera, "Toward a Relevant Missiology", el surgimiento de un paradigma ecuménico.

7. B. A. Houssay, "Discurso en el homenaje que se le tributó al cumplir veinticinco años como profesor", pronunciado en 1934, en Barrios Medina y Paladini, *op. cit.* nota 3, págs. 559-568.

8. Houssay, *op. cit.* nota 3, pág. 559. Al comentario que los asistentes al homenaje habían llenado el anfiteatro de la facultad, alguien respondió: "Si hubieran reunido a los enemigos, habrían llenado la facultad".

9. Houssay, *op. cit.* nota 3, pág. 563.

10. Otto Krause, "Discurso pronunciado por el Decano de la Facultad de Ciencias Exactas, Físicas y Naturales con motivo de la colación de grados de 1909", *Anales de la Sociedad Científica Argentina*, vol. 68, págs. 5-19, 1909; quien había expresado en el párrafo anterior: "La cultura superior universitaria debe á mi juicio, en el momento actual preocupar a nuestros estadistas, en un grado mucho mayor aun que el mismo analfabetismo, pues si bien es cierto que es una verdadera llaga social el hecho de que haya una masa más o menos grande de pueblo que no sepa leer ni escribir, no es menos cierto que la carencia de hombres de ciencia fundamentalmente bien preparados en las diversas ramas de los negocios públicos, capaces de dirigir los destinos de la nación, es un verdadero freno puesto a su progreso, y en un momento dado podría ser un peligro para su propia estabilidad. Y así como entre nosotros se extreman los medios para combatir la primera ignorancia, ha llegado igualmente el momento de extremarlos para que las universidades puedan cumplir realmente su cometido".

11. Houssay, *op. cit.* nota 3, págs. 560-561 y págs. 576-579.

12. El recuerdo autobiográfico integra la biografía "Claude Bernard y el método experimental", pág. 453, conferencia pronunciada en 1941, y "The Role of the Hypophysis in Carbohydrate Metabolism and in Diabetes", pág. 193, conferencia de recepción del Premio Nobel, en Barrios Medina y Paladini, *op. cit.* nota 3, págs. 448-458 y 192-198, respectivamente. Claude Bernard, *Introducción al estudio de la medicina experiment*al, Buenos Aires, Emecé, 1944, págs. 70-71, expresa el fundamento de esta conversión: "La primera condición que debe llenar un sabio que se entregue a la investigación de los fenómenos naturales es conservar una completa libertad de espíritu, apoyada sobre la duda filosófica", y pág. 74, "que deja al espíritu su libertad y su iniciativa, y de la cual se derivan las cualidades más preciosas para un investigador en medicina y fisiología", ya que la creencia en las teorías sin su verificación experimental, "no es en el fondo más que una superstición científica".

13. Ver la cita de Houssay, marzo de 1919, en "Concurso para profesor titular de fisiología nota de presentación" en Barrios Medina y Paladini, *op. cit.* nota 3, pág. 14.

14. La traducción de la cita "misioneros entre gentiles", *Missionare unter Hei-*

den, puntualiza la legitimidad del misionero: *estar debajo de - estar entre*: *debajo de*, es quien subvierte la aceptación de un orden establecido; *entre*, rodeado de, pues es un extranjero intruso.

15. Cf. la noción de superstición científica en nota 12.

16. Barrios Medina y Paladini, *op. cit.* nota 3, págs. 7-8.

17. Antonio F. Crespo, "Discurso pronunciado al recibirse de la presidencia del Círculo Médico Argentino el 29 de junio último", *Anales del Círculo Médico Argentino*, vol. 2, págs. 396-405, 1879, pág. 404. Juan Bautista Señorans (1859-1933) era miembro de esa nueva comisión directiva.

18. Crespo, *op. cit.*, pág. 403, mayúsculas en el original.

19. Narciso Arata, "Discurso en la ceremonia de su recepción de Académico en la Facultad de Ciencias Médicas", *Anales de la Universidad de Buenos Aires*, vol. 8, págs. 257-276, Buenos Aires, 1981; ver pág. 266: "Nuestras ciencias son experimentales y necesitan del laboratorio, del libro y del maestro. Si falta algunos de estos factores no puede haber ciencia; habrá erudición, habrá conocimientos más o menos extensos, pero no habrá hombres de ciencia".

20. Barrios Medina y Paladini, *op. cit.* nota 3, págs. 11-13, "Tesis doctoral. Introducción", lo citado, en pág. 12.

21. Houssay en Barrios Medina y Paladini, *op. cit.* nota 3, pág. 561.

22. Houssay en Barrios Medina y Paladini, *op. cit.* nota 3, pág. 561.

23. Rudolf Kraus, "Discurso en el banquete ofrecido al Doctor B. A. Houssay tras su designación como titular de Fisiología", preservado en el Museo Bernardo A. Houssay.

24. Lo citado en "Chapter IV Professorship and marriage" de la biografía inédita redactada por el fisiólogo californiano Herbert Mac Lean Evans (1892-1971), preservada en el Instituto de Química y Fisicoquímica Biológicas (IQUIFIB). Ver el resumen de esta biografía en Barrios Medina y colaboradores, "Bernardo A. Houssay Primer Premio Nobel científico argentino", Buenos Aires, CD-ROM Hipermedial, 1997.

25. Walter B. Cannon, "Introduction", B. A. Houssay, *Functions of the Pituitary Gland, New England Journal of Medicine*, 1936, pág. 2, y Gregorio Aráoz Alfaro, "Discurso", págs. 62-74, "Libro Jubilar del profesor B. A. Houssay 1910-1934", *Revista de la Sociedad Argentina de Biología*, vol. 10, suplemento, 1934, lo citado, en pág. 73.

26. El ataque llegó, incluso, hasta el intento de destrucción personal, el 29 de febrero de 1932, mediante una bomba en su casa, cf. "Chapter XI 'I have a heap of trouble', 1932" de la biografía inédita de H. M. Evans; ver Barrios Medina y colaboradores, *op. cit.*, nota 24.

27. Carlos Alberto Silva, "El Profesor Houssay es el Instituto de Fisiología, el Instituto de Fisiología es el Profesor Houssay", *El Hogar*, Año XXIX, Nº 1256, págs. 8-9, 25 y 69, 1º de diciembre de 1933. Acerca del rol de este periodista en la creación de la Asociación Argentina para el Progreso de las Ciencias (AAPC), ver la nota necrológica "Carlos Alberto Silva", *Ciencia e Investigación*, vol. 14, págs. 435-436, 1958.

28. Houssay, "Pasado y futuro de la Asociación Argentina para el Progreso de

las Ciencias y su papel en el adelanto de la Argentina", págs. 395-400, en Barrios Medina y Paladini, *op. cit.*, nota 3. Asimismo, Marcos Cueto (comp.), *Missionaries of Science The Rockefeller Foundation & Latin America*, Bloomington and Indianápolis, 1994, Indiana University Press, puntualiza el aspecto filantrópico de esa fundación.

29. Cf. el comentario de la biografía inédita de H. M. Evans en nota 22 y el cuadro reproducido en el tomo segundo del *Censo General de población, edificación, comercio e industrias de la ciudad de Buenos Aires*, Levantado en los días 17 de agosto, 15 y 30 de setiembre de 1887, dos tomos, Buenos Aires, Compañía Sud-Americana de Billetes de Banco, 1889.

30. Cf. la reseña de Daniel Dervin de P. H. Elovitz y C. Kahn (comps.), *Inmigrant Experiences*, Madison, Farleigh Dickinson University Press, 1997, en *Journal of Psychohistory*, vol. 26, Nº 3, págs. 746-749, 1999.

40. Bernardo Alberto Houssay había deseado, cuando pequeño y luego de la lectura de la vida de santos y misioneros, ser uno de éstos. Bernardo confió la decisión a la madre, agregando que sería santificado y, quizás algún día, podría leer la historia de su vida. La azorada madre mostró los riesgos de esa decisión, logró disuadirlo, y Bernardo, al día siguiente, manifestó que sería ingeniero; cf. este testimonio en el "Chapter I Youth" de la biografía inédita de H. M. Evans citada en nota 24.

41. El discípulo Juan Treharne Lewis (1898-1976), en la entrega del libro de homenaje, afirmó: "Querido maestro: vuestros discípulos, a quienes transmitisteis el fervor de la vocación científica y los medios técnicos de satisfacerla: vuestros camaradas en la ciencia, del hemisferio Sur y del hemisferio Norte, del Viejo y del Nuevo Mundo, se asocian todos en esta demostración de aprecio al hombre que, según la frase feliz del eminente fisiólogo de Chicago, Profesor Carlson, ha puesto a la Argentina en el mapa mundial de la fisiología", pág. 82 de "Libro Jubilar del Prof. B. A. Houssay 1910-1934", *Revista de la Sociedad Argentina de Biología*, vol. 10, suplemento, 1934.

42. A. Barrios Medina, "Die Houssayanische Revolution", *Rostocker Wissenschaftshistorische Manuskripte*, Heft 21, 1992, págs. 183-202.

43. Houssay, "Discurso en la comida de los delegados al Tercer Centenario de la Universidad de Harvard", en Barrios Medina y Paladini, *op. cit.* nota 3, págs. 574-575.

44. Ver la noticia de la instalación en *L'Osservatore Romano*, Giovedi 3 Giugno, 1937.

45. El epígrafe está manuscrito en el reverso del original preservado en el Archivo General de la Nación.

46. Cyrus T. B. Brady, *Por qué solo un latinoamericano ha recibido un Premio Nobel. Ensayos literarios panamericanos*, Buenos Aires, Empresa Editorial Bell, 1937, pág. 34. El primer sabio que propuso a Houssay para el Premio Nobel, en 1931, fue el bacteriólogo Charles Nicolle (1866-1936), Premio Nobel de Medicina en 1928 por sus investigaciones sobre el tifus exantemático.

47. Houssay, "The Role of the Hypophysis in Carbohydrate Metabolism and in Diabetes", y "Palabras en la sesión académica efectuada en su honor con motivo de habérsele otorgado el Premio Nobel de Medicina en 1947", en Barrios Medina y Paladini, *op. cit.*, nota 1, págs. 192-198 y 587-589.

48. H. M. Evans, K. Meyer, M. E. Simpson y F. L. Reichert, "Disturbance of Carbohydrate Metabolism in Normal Dogs Injected with the Hypophyseal Growth Hormone", *Proceedings of the Society for Experimental Biology and Medicine*, vol. 29, págs. 857-858, 1932.

49. P. M. Cotes, E. Reid, and F. G. Young, "Diabetogenic action of pure anterior pituitary growth hormone", *Nature*, vol. 164, págs. 209-211, 1949. Acerca de este científico ver B. A. Houssay, "Discurso de presentación del profesor Frank George Young en sus conferencias en Buenos Aires", págs. 534-536, en Barrios Medina y Paladini, *op. cit.*, nota 3.

50. Houssay, "Historia de la diabetes hipofisaria", págs. 158-169 en Barrios Medina y Paladini, *op. cit.*, nota 3, publicado originariamente en *Libro de Oro ofrecido al profesor Dr. Alejandro Ceballos al cumplir 25 años de profesor*, págs. 417-426, Buenos Aires, 1947, y "History of hypophyseal diabetes", *Essays in Biology in Honor of Herbert M. Evans*, págs. 247-256, University of California Press, 1943. La expresión *Houssay's phenomenon* remite a la atenuación de la diabetes pancreática por la extirpación de la hipófisis.

51. B. A. Houssay y A. Buzzo, *Juan B. Señorans Iniciador de la medicina experimental en la República Argentina*, Academia Nacional de Medicina de Buenos Aires, Buenos Aires, Imprenta y Casa Editora Coni, 1937.

52. C. G. Jung, *Recuerdos, sueños, pensamientos*, Barcelona, 1981, Seix Barral, pág. 5.

53. Houssay, "Discurso en el homenaje al 80º aniversario de su nacimiento", en Barrios Medina y Paladini, *op. cit.* nota 3, págs. 595-598, lo citado en pág. 598, y cf., nota 31.

LOS USOS POLÍTICOS DE LAS CIENCIAS NATURALES EN LA ESCUELA: ARGENTINA, 1870-1950*

SILVINA GVIRTZ

INTRODUCCIÓN

Si se pidiera a científicos y docentes de distintos niveles un parecer sobre la problemática que históricamente afectó a la escuela primaria y media en la Argentina, aparecerían probablemente coincidencias en el diagnóstico. Respecto de la problemática de la calidad de la educación se señalarían dos cuestiones: La primera de ellas estaría centrada en que uno de los grandes problemas del sistema educativo argentino es la falta general de actualización de los contenidos, tanto en lo que hace a los saberes vinculados a las ciencias sociales como en lo que respecta a las ciencias exactas y naturales

La segunda coincidencia referiría seguramente a la politización a la que se han visto sometidos en distintos períodos de nuestra historia, los contenidos de las llamadas "ciencias sociales". Los usos políticos de contenidos incluidos en disciplinas como "historia" (Braslavsky, 1992, 1993) o "instrucción moral y cívica" (Rein, 1998) en todas sus variantes terminológicas e incluso los usos políticos de contenidos vinculados a la enseñanza de la lectura (Wainerman y Barck de Raijman, 1987; Brafman, 1998) han sido ampliamente estudiados en el país.

* Este trabajo expone resultados de investigación de un proyecto sobre historia de la enseñanza de las ciencias naturales en la Argentina que contó con un subsidio UBACYT (JX035-98) y de la Fundación Antorchas.

Sin embargo, en esta misma línea, los contenidos vinculados a las ciencias naturales, presentes en la escuela argentina desde el siglo XIX, en disciplinas tales como aritmética, álgebra, geometría, biología, historia natural, lecciones de cosas, zoología, ejercicios intuitivos, etc. no han sido estudiados.[1]

El objetivo de este artículo es presentar evidencia respecto de los usos políticos que ha realizado el sistema educativo argentino entre 1870 y 1950 con los contenidos vinculados a las llamadas ciencias naturales. La hipótesis que se sostiene es que lejos de tratarse de contenidos "políticamente neutros", tienen modos de politización específicos. Mientras que las ciencias sociales han sido, en no pocas ocasiones, objeto de inculcación político-partidaria (Rein, 1998), las ciencias naturales más raramente fueron involucradas en este tipo de problemática[2] y más frecuentemente han sido arena de conflictos político-religiosos. A continuación presentaremos dos casos en los que se percibe la compleja relación entre ciencia y religión en la escuela.

1. LA DISTRIBUCIÓN DIFERENCIAL DE LOS CONTENIDOS: LAS TEORÍAS EVOLUCIONISTAS EN LA ESCUELA[3]

Sin bien la Ley 1.420, sancionada en 1884, que impone la educación primaria obligatoria, gratuita y laica, genera la impresión de un conflicto resuelto entre sectores laicos y religiosos, una mirada al interior de la institución escolar y la historia curricular de nuestra escuela muestra que esto no fue así.

Entre otros temas, los modos de abordar la problemática de la biodiversidad en la escuela fueron y son[4] ejemplo de cómo y dónde se encarnan no pocos conflictos entre estos sectores. En nuestro trabajo de investigación se han relevado ochenta y cinco libros de texto entre 1870 y 1950 que refieren al tema (libros de biología, historia natural, zoología, botánica, lecciones de cosas, etc.) con el objeto de analizar los distintos modos en que interpretaban la biodiversidad.

Las conclusiones de nuestro trabajo son las que siguen:

1. El debate entre las corrientes evolucionistas y fijistas no se cerró en todo el período estudiado (1870-1950). Durante todo este período, se expresan en los libros de texto tres posiciones diferenciadas:

a) *Creacionista-fijista*, que ignora (no nombra siquiera) la existencia de teorías científicas contrapuestas.

b) *Creacionista-fijista* en discusión con el evolucionismo. Esta forma de presentar el origen de la biodiversidad se diferencia de la anterior por dedicarle por lo menos un párrafo a la crítica a las teorías evolucionistas vigentes de la época.

> En cuanto al modo como se operó la aparición de los animales que caracterizan á cada uno de los períodos geológicos, la ciencia no ha podido aún resolver el problema, y con este motivo no faltan teorías o hipótesis. Unas admiten el origen de las varias especies en las transformaciones sufridas por las primitivas, "lo cual supone la variabilidad de las especies, que no se presenta en los tiempos históricos, [...] pero están, tal como se las presenta hoy día, en contradicción con los que revelan los fósiles mismos" (García Purón, 1888, pág. 146).

Esta confrontación entre las dos teorías ya entrado el siglo XX parece ser una visión particular, original, de los manuales escolares del período, en el sentido que no refleja las discusiones del ámbito académico, sino que plantea sus propios argumentos, elige discrecionalmente las evidencias que le sirven y, en fin, resulta una discusión "paralela" e independiente de las teorías que efectivamente se oponían (y se oponen aún) con respecto a cuál es el mecanismo de la evolución, una vez que se hubo aceptado la evolución como un hecho demostrado.

c) *Evolucionista.* Consideramos dentro de esta categoría todos aquellos textos que presentan por lo menos una teoría evolutiva como explicación de la diversidad de especies conocida.

2. El análisis del material evidencia que las distintas maneras de explicar el origen de la biodiversidad no se presentan con la misma frecuencia cuando se comparan los niveles educativos por separado. Por un lado, se observa que la concepción evolucionista es mayoritaria en los textos del nivel medio, en todo el período estudiado (en los subperíodos 1900-1910, 1911-1920 y 1931-1945, es única). Mientras que en el nivel primario se presentan dos diferencias importantes: primero, ninguna orientación es única, en ningún subperíodo, y segundo, sólo en este nivel hay libros que presentan la posición creacionista-fijista contraponiéndose explícitamente al evolucionismo.

Gráficos que presentan las distintas orientaciones de los libros de texto entre 1854 y 1945 en los subsistemas de enseñanza primaria y media

1. Gráfico para el nivel primario

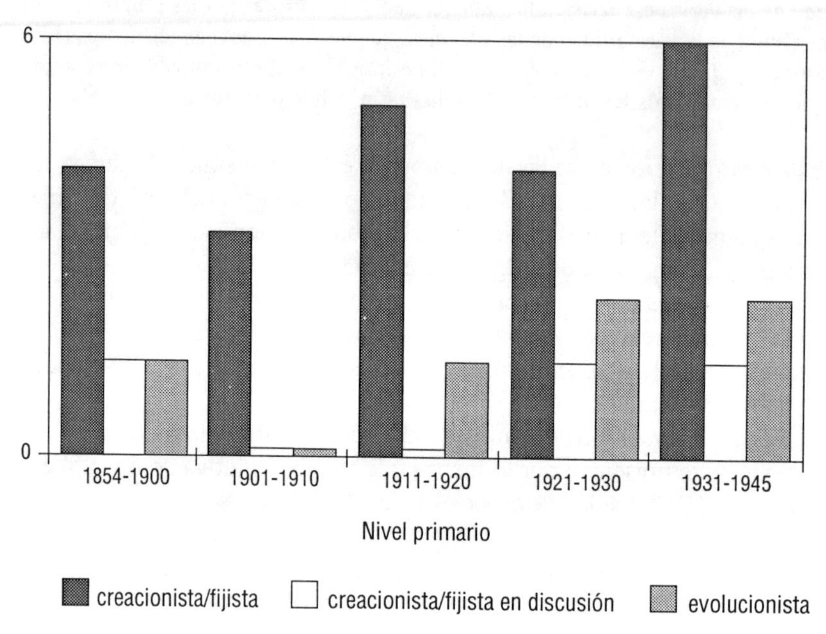

2. Gráfico para el nivel medio

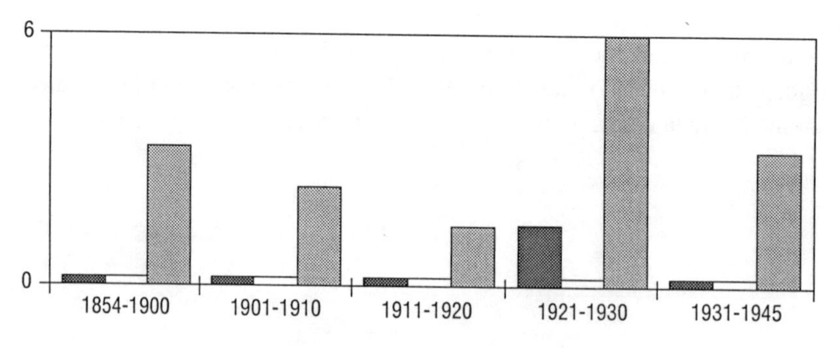

Fuente: Tomado de Valerani, A. (1999).

Estas diferencias curriculares entre uno y otro nivel podrían deberse a las funciones asignadas a éstos durante el período 1854-1945. Mientras la escuela primaria, gratuita y obligatoria recibía a *todos* los niños y les brindaba una instrucción *básica y general*, sólo una *minoría* alcanzaban el nivel medio.[5] En este marco, resulta razonable pensar que determinados conocimientos estuvieran restringidos a los estudiantes del nivel medio[6] y vetados a los de la primaria. La teoría darwiniana de la evolución ilustra esa distribución diferencial de saberes y lleva a relativizar el planteo según el cual una de las funciones básicas del sistema educativo argentino desde fines del siglo pasado hasta mediados del presente fue la incorporación de la población a los valores de la modernidad. Los datos que aquí se presentan llevan a la necesidad de revisar y complejizar aquella afirmación.

2. LA NEUTRALIZACIÓN DE LA DISPUTA Y LA DISCIPLINARIZACIÓN DE LOS CONTENIDOS: LA ASTRONOMÍA VS. LA COSMOGRAFÍA EN LA ESCUELA MEDIA[7]

Desde el siglo XIX, en el período de organización de la escuela primaria la astronomía se presentaba culturalmente, en palabras de Montserrat (1993), como:

> una suerte de ciencia piloto destinada a rebasar su significación científica para convertirse en un agente eficaz de cambio ideológico-social, papel que compartirá después, en pleno auge positivista, con el evolucionismo biológico (pag. 21).

Cuando se observa la historia de esta disciplina en los planes y programas de la época y cuando se analiza el tema de la teoría heliocéntrica en los libros de texto escolares se percibe que en la institución escolar también rebasa su significación científica y que era arena de conflicto permanente.

En lo que respecta al estudio de los libros de texto, el relevamiento de noventa libros[8] sobre el tema, permite distinguir, entre 1870 y 1950 claramente dos períodos. Hasta 1910 la disputa entre sectores laicos y religiosos se plantea explícitamente. El debate se centraba, entonces, alrededor de la historia de la teoría heliocéntrica. A partir de 1910 el debate desaparece. En lo que respecta a los espacios dedicados a la historia de la astronomía (que se reducen significativamente) se realiza una narración lineal de los acontecimientos, aparentemente desideologizada. Es breve, muy simple y omite cualquier tipo de problematización. Sin embargo, pese a esa apariencia de neutralidad, permanecían en los libros algunas posturas que preservaban la mirada religiosa del problema.

El primer período referido, aquel que incluye los textos escritos hasta 1910 refleja que en la institución escolar se discutía el tema. Tanto los libros de orientación religiosa como los que no la tenían presentaban el tema a partir del conflicto que generó en el seno de la Iglesia Católica. En los libros de corte religioso la argumentación histórica ocupaba un importante lugar. La primera obra similar a los manuales de cosmografía que existieron a mediados del presente siglo[9] fue la del sacerdote jesuita Eduardo Brugier (1896). Este libro dedica varias páginas a la historia de la astronomía. Adopta una postura decididamente crítica hacia Galileo:

Galileo, de Pisa [...] descubrió además cuatro satélites de Júpiter y su movimiento en torno de éste [...] si bien los hechos mencionados prueban que no todos los astros describen órbitas en torno de la Tierra, no dan, sin embargo, un argumento decisivo en favor del nuevo sistema. Efectivamente, estos hechos podían explicarse con la hipótesis de Tycho Brahe,[10] según la cual [...] Otras pruebas que daba Galileo en sus célebres Diálogos, eran mal interpretados textos de las Sagradas Escrituras, llevándose así la cuestión al terreno de la teología, por *culpa de Galileo, que tenía marcada afición a discusiones y sutilezas teológicas. Con razón dice un historiador que Galileo fue condenado no por buen astrónomo sino por mal teólogo* [...]" [el resaltado es nuestro] (pags. 86 y 87).

Esta obra, cuya primera traducción[11] al castellano data de 1896, resulta significativa por tres cuestiones. En primer lugar porque recibió el *imprimatur* oficial del Ministerio de Instrucción Pública de la Argentina y del Consejo Superior de Instrucción Pública de Chile. En segundo lugar porque se la utiliza como referencia de cuatro textos de la década del 20 y del 30 y, en tercer lugar, tuvo por lo menos siete reediciones, efectuadas por la editorial Estrada, la última de 1933.

Dentro de la misma categoría se presenta el libro "Elementos de Cosmografía", de U. Tirelli,[12] publicado en 1897. Este constituye el primer tratado sobre la materia escrito por un autor argentino. La orientación de este texto es marcadamente religiosa. Afirma, por ejemplo, que no existe contradicción entre los siete días de la Creación que figuran en el Génesis y los larguísimos intervalos de tiempo que postula la ciencia, pues, según el autor, la palabra bíblica "día" significa en realidad "un período de muchos siglos". Del mismo modo, alude al origen del Universo a partir de un Caos primitivo, "según la interpretación de San Agustín y San Gregorio Nisseno" (pág. 61).

Junto con los libros de orientación religiosa, se emplearon textos predominantemente de autores franceses de clara orientación laica. Estos libros poseían un nivel científico importante. Sus autores eran reconocidos astrónomos. En ellos la discusión histórica ocupaba un lugar mucho menor. El programa de 1884 del Colegio Nacional de Buenos Aires, menciona como libro de texto para Cosmografía el tratado de Pichot (1893) y, como obras de consulta, la de Briot (1893). En particular, el texto de Guillemin (1901) se tradujo al castellano y se empleó oficialmente en las escuelas

En conclusión, a principios de siglo convivían textos con una marcada orientación religiosa y textos escritos por reputados científicos de la época. Lo interesante es que, aun dentro del nivel medio de enseñanza, al que asistía un mínimo de la población, el segundo tipo de textos parecen –a decir por los datos obtenidos– haber sido usados incluso dentro de la enseñanza media, sólo en ciertos colegios de elite, como el Colegio Nacional de Buenos Aires.

A partir de 1910 los textos cambian la estrategia para enfocar el problema. En el período de 1910-1960 asistimos a una interesante producción de libros nacionales de cosmografía para la enseñanza media. Sus contenidos se centran en la *Astronomía de posición*, que estudia las relaciones geométricas entre las posiciones de los distintos cuerpos celestes desde la Tierra y con particular énfasis en la trigonometría esférica, preservando tácitamente una postura geocéntrica. La parte histórica es reducida respecto de la producción anterior.

Algunos textos de este período se resisten al espíritu que anima la enseñanza de la Cosmografía en la época que cada vez ocupaba un espacio menor en los planes y programas y en los textos. El libro de Dassen,[13] hace una interesante advertencia sobre el tema:

> La cosmografía constituye, a la inversa de lo que ocurre con la Trigonometría, una de las asignaturas más importantes, sino la más importante, de todas las que debe comprender la enseñanza secundaria [...]. Ninguna ciencia mejor que la Astronomía podrá elevar el espíritu hacia la paz y la hermandad general, sin distinción de grupos ni de divisiones geográficas [...]. Y aún sin remontarse tan alto, el conocimiento de la cosmografía será siempre de primer orden para todo hombre instruido (1915, pags. 7 y 8).

Es de destacarse que, contrariamente a lo que se supone, estos libros presentan un cúmulo de informaciones hasta cierto punto bien actualizadas.[14]

A modo de comparación y para ver cómo otra época resuelve este conflicto con claras connotaciones ideológicas, vale señalar que a fines de la década del 60 los textos de cosmografía experimentan un cambio radical, evidenciado en los siguientes puntos:

a) por primera vez hallamos dos textos nacionales escritos por profesionales de la disciplina, que poseen el título de "Doctor en Astronomía" (el de Varsavsky y el de Feinstein, ambos de 1969).

b) la perspectiva se modifica, apuntando más a una visión global del Universo, de carácter marcadamente no-antropocéntrico, frente a las descripciones cosmográficas de los sistemas de coordenadas centrados en la Tierra, de naturaleza casi tolemaica.
c) correlativamente, en los contenidos se reduce la astronomía de posición y crece la astrofísica, junto con la descripción de la enseñanza y la investigación astronómica en nuestro país.
d) la parte histórica adquiere un carácter marginal, en la forma de notas en letra más pequeña, y se vuelve decididamente antiteológica.[15]

Pero el tema y sus connotaciones político-religiosas se centraban no sólo en la problemática de la inclusión o exclusión de ciertos contenidos del área en el curriculum, sino que también se relacionaba con los modos de disciplinarización de estos contenidos en los planes y programas.

Disciplinar los contenidos de este tema como "astronomía" "geografía astronómica" o como "cosmografía" "matemáticas" "geografía" no es un problema meramente nominal. En estos tres últimos casos implica, en realidad, la preservación de una postura geocéntrica, aun cuando se acepte, formalmente, el sistema heliocéntrico.

En 1910, uno de los libros de texto que más se extiende sobre el tema, el de Isaurralde y Maradona, señala que la diferencia entre la astronomía y la cosmografía se resume en los siguientes puntos: 1) la astronomía encara los hechos de forma analítica, la cosmografía persigue sólo una interpretación sencilla de éstos; 2) la astronomía ve a la Tierra como un simple planeta, la cosmografía ve a la Tierra como objeto primero; 3) la astronomía es una ciencia definida, la cosmografía es la descripción de nuestro globo en relación con el Universo.

Cuando se incluía el tema como contenido de geografía, además, a la problemática se le dedicaba una mínima cantidad de tiempo y de páginas sobre el total de los libros de texto. En el caso de su inclusión con contenidos matemáticos y en algunos casos específicamente con trigonometría el tema se reducía a un problema matemático.

Modos de disciplinarización de los contenidos del área en los planes para la enseñanza media entre 1877 y 1953

Geografía	2do. año	Plan (PEN) de 1877
Geografía	1er. año	Plan (PEN) de 1878
Matemática	5to. año	Plan (PEN) de 1887
Cosmografía	6to. año	Plan (PCN) de 1888
Nociones de cosmografía	4to. año (EN) 5to año (ES)	Plan estudios secundarios (ES) y normales, 1900 (EN)
Astronomía y cosmografía	4to. año	Plan estudios generales secundarios de 1901
Geografía	1er. año	Plan (PCN) de 1902
Cosmografía	4to. año (PCN)	Primer ciclo, plan (PCN) de 1903
Trigonometría y cosmografía	7mo. año	Ciclo preparatorio, plan (PCN) de 1903
Geografía y cosmografía	1er. año	Plan (PEN) de 1905
Geografía	1er. año	Plan (PCN) de 1910
Matemática	7mo. año	Profesorado, plan de 1914
Geografía	1er. año	Escuelas de comercio e industriales, plan de 1941
Matemática (cosmografía)	5to. año	Bachillerato, plan de 1941
Geografía	1er. año	Ciclo Básico Común, plan de 1953
Matemática (cosmografía)	5to. año	Segundo ciclo de bachillerato, plan de 1953

Fuente: Tomado de Aisenstein, A. (1999).

Finalmente, en la década del 60 se incluye en los planes de estudio astronomía como disciplina. En 1965, cuando la proximidad de la llegada del hombre a la Luna otorgaba a la astronomía su pico de popularidad, la Asociación Argentina de Astronomía propuso a la Dirección General de Enseñanza Secundaria, Normal, Especial y Superior, la modificación del programa del ciclo secundario de esta materia, y su reemplazo por "astronomía elemental". En correspondencia con ello, casi en la misma fecha, el doctor Santaló escribía:

> En la Argentina, tradicionalmente, la Astronomía ha formado parte de los programas de Matemática, en un curso de Cosmografía que prácticamente ha ido convirtiéndose en trigonometría esférica [...]. En cuanto a la Astronomía, la consideramos de importancia fundamental. Es una rama imprescindible de la ciencia natural. Su conocimiento ha sido siempre de primordial importancia para colocar al hombre en el Universo. Actualmente [...] el estudio de la Astronomía es más

imprescindible que nunca [...]. Corresponde a los astrónomos planificarla y colocarla dentro de la escuela media en el lugar adecuado (1966, pág. 33).

En este contexto no puede extrañar que una de las primeras disciplinas que se dejan de dictar en 1976 sea astronomía elemental.

A MODO DE CONCLUSIÓN

Los dos casos presentados en el cuerpo del texto, permiten comenzar un replanteo sobre algunos supuestos de la relación entre contenidos de las ciencias naturales y la institución escolar Se trata de repensar, a partir de ellos, la complejidad de la relación. Los conflictos curriculares suscitados en la institución escolar tienen, en no pocas ocasiones, sus modos específicos de resolución vinculados a políticas curriculares. Los modos de seleccionar los contenidos y los modos de disciplinarlos no se deben como suele pensarse a la ignorancia de los pedagogos o docentes. Los datos de la investigación, contrariamente a lo que se supone, están indicando que la mayoría de los libros de texto del área fueron escritos por autores con formación universitaria. Sobre un total de 168 libros hemos detectado que sólo el 30% de ellos está escrito por profesores (el 70% restante está escrito por universitarios), el 39% por doctores en ciencias, el 21% por ingenieros y el 10% por médicos.

Tampoco pueden explicarse sólo por cuestiones coyunturales. Se trata, por el contrario, de casos de modos particulares de resolución de conflictos que se plantean en la institución y que son ideológicos en algunos casos, didácticos en otros. Lo que parece resultado del azar (v.g. la distribución de temas en los libros de texto) no es sino –mayormente– resultado de políticas curriculares diseñadas para formar un determinado perfil cultural en la población y de procesos de escolarización del saber.

En los casos analizados, los conflictos entre valores laicos y religiosos generaron modos particulares de saber, un saber escolarizado, a partir de argumentaciones que no provenían del ámbito académico y que no se daban en el político. Generaron en la institución escolar modos particulares de argumentación y modos específicos de disciplinarización, como hemos señalado.

Como dijo un historiador francés:

> El estudio de éstas [las disciplinas escolares] pone claramente de manifiesto el carácter eminentemente creativo del sistema escolar y conduce, pues, a dejar en el armario de lo accesorio la imagen de una escuela recluida en la pasividad, de una escuela receptáculo de los subproductos culturales de la sociedad. Las disciplinas se merecen el máximo interés precisamente porque son creaciones espontáneas y originales del sistema educativo. Y éste, como poseedor de un poder creativo insuficientemente valorado hasta la fecha, desempeña dentro de la so-

ciedad un papel del que nadie se apercibió que era doble: en efecto, forma no sólo individuos, sino también una cultura, que penetra a su vez en la cultura de la sociedad global, modelándola y modificándola (Chervel, 1991, págs. 68-69).

NOTAS

1. La falta de estudios sobre la problemática de las ciencias exactas y naturales en la escuela no se observa sólo en la Argentina. Al respecto puede verse el trabajo de Johnsen (1996) *Libros de Texto en el calidoscopio* y el trabajo de Goodson (1997) *Historia del curriculum. La construcción social de las disciplinas escolares.*

2. Trabajos que estudiaron esta problemática educativa durante la última dictadura militar, dan cuenta de que la prohibición de contenidos y de libros de textos escolares también alcanzó las disciplinas vinculadas a las ciencias naturales (Tedesco, Braslavsky, Carciofi, 1985).

3. Este trabajo se basa en un informe realizado por Valerani (1999), "La enseñanza sobre el origen de la biodiversidad: creacionismo vs. Fijismo (1845-1945)", en Gvirtz S. (comp.), "La enseñanza de las ciencias exactas y naturales y la construcción de la modernidad escolar en Argentina" (mimeo), Buenos Aires, 1999. También puede verse el tema en Gvirtz, S. y Valerani, A., "Pasado y Presente de las teorías de la evolución en la escuela", en *Novedades Educativas*, Nro. 101, 1999.

4. Cabe recordar al respecto la polémica generada en torno a los contenidos básicos comunes para la educación general básica a principios de la década del 90.

5. Tedesco (1980) observa que para 1914 el porcentaje de población de entre trece y dieciocho años matriculado en la enseñanza media era del 3%. En 1960 asciende al 23% (pag. 114).

6. Varios de los textos de nivel medio de esta muestra indican específicamente que corresponden a los programas de los colegios nacionales.

7. Este trabajo se basa en el informe realizado por Cornejo J., "Cosmografía y Astronomía en la enseñanza media", en Gvirtz S. (comp.) *op. cit.* También puede verse el tema en Gvirtz, S. y Cornejo, J. (1999), "Ciencias Naturales y Religión: el caso de la Astronomía y la Cosmografía en la enseñanza media", en *Novedades Educativas,* Nro. 102 (en prensa).

8. De los 90 libros de texto, 35 son libros de cosmografía nacionales, 15 son libros de cosmografía extranjeros, 8 son libros de astronomía elemental, 1 es un libro de matemática, 2 son libros de divulgación del tema y 29 son libros de textos de geografía que refieren en algún capítulo al tema que nos ocupa.

9. El texto más antiguo que hemos podido encontrar data de 1879. El autor, Asa Smith, es natural de los Estados Unidos, y el libro ha sido traducido en Nueva Granada, para que "*pueda servir de testo en las escuelas i academias de la América Española*". Es una obra compuesta por una serie de láminas, acompañadas por un texto constituido por preguntas y respuestas, en forma "catequística" (Escolano, Benito, 1997). El mayor énfasis está puesto en el gráfico, y las preguntas consisten en interrogaciones sobre sus diversos aspectos.

10. Que un autor jesuita alabe el sistema de Tycho Brahe no es algo casual. Brahe fue uno de los grandes astrónomos del pasado. Sin embargo, resulta llamativo el espacio que los textos escolares dedican a describir el sistema Ticónico, y el juicio que realizan de éste. Tycho Brahe no aceptó el sistema de Tolomeo ni el de Copérnico. Pretendió elaborar un esquema del Universo que fuese compatible tanto con las observaciones astronómicas como con la Biblia. Así, en su sistema, la Tierra ocupa el centro del Cosmos, el Sol gira alrededor de la Tierra y los restantes planetas giran alrededor del Sol. Los textos de Cosmografía describen este sistema como "intermedio entre el de Tolomeo y el de Copérnico"; sin embargo, los historiadores de la ciencia tienen una opinión muy diferente. Boido (1996) califica el sistema Ticónico como *"sistema de compromiso"*, explicando que, en ocasión de la polémica galileana, recibió el apoyo del Collegio Romano y fue aceptado por los jesuitas. El mismo Galileo sentía una animadversión profunda hacia este sistema, al que calificó de *"miserable artimaña de compromiso"*.

Sea como fuere, es claro que el sistema de Tycho es un retroceso con respecto al de Copérnico, y no deja de llamar la atención que los textos escolares omitan sistemáticamente la opinión de Galileo sobre éste, y el trasfondo político-eclesiástico que subyace a toda la cuestión.

11. El libro es traducción de un texto editado originalmente en alemán por B. Herder "Librero-Editor Pontificio".

12. Tirelli declara que no debe reconocérsele mérito alguno por su trabajo, pues éste no ha sido la redacción de un texto original, sino la consulta y traducción de una serie de obras escritas por autores ilustres: F. Arágo, P. Secchi, C. Flammarion, B. M. La Leta, J. Pichot, A. Guillemin, S. Ferrari y P. Denza.

13. Claro Cornelio Dassen escribió numerosos libros de matemática y es citado por Montserrat (1993) como autor de un texto titulado *Evolución de las ciencias en la República Argentina*, Buenos Aires, Coni, 1924.

14. A lo largo de los años, los manuales tienden a incorporar progresivamente los nuevos descubrimientos astronómicos, como se muestra en la tabla que sigue:

Tabla 1
Incorporación de descubrimientos

Descubrimiento	Fecha	Autor del texto	Año de publicación
Dos nuevos satélites de Urano (Ariel y Umbriel)	1857	Brugier, Dassen, Castro, Charola, etc.	Todos los textos de este siglo
Medición de todas las estrellas de 2° magnitud	1892	Tirelli	1897
Asteroide Eros	1898	Isaurralde-Maradona	1910
Hallazgo del planeta Plutón	1930	Loedel Palumbo-De Luca	1940
Composición de la atmósfera de Urano	1932	Loedel Palumbo-De Luca	1940
Publicación del primer tratado de radioastronomía	1952	Cabrera-Médici	1961

Fuente: Tomado de Cornejo, J. (1999).

15. Debemos resaltar aquí, con respecto a la figura de Tycho Brahe, una diferencia significativa entre los libros de cosmografía y los de astronomía elemental, puesto que en estos últimos prácticamente no se menciona el sistema Ticónico.

REFERENCIAS BIBLIOGRÁFICAS

Aisenstein, A.: "Análisis de planes y programas" en, Gvirtz S. (comp.), *La enseñanza de las ciencias exactas y naturales y la construcción de la modernidad escolar en Argentina (1870-1950)*, Buenos Aires, CEFIEC-UBA, 1999 (mimeo).

Boido, G.: *Noticias del Planeta Tierra. Galileo Galilei y la Revolución Científica*, Buenos Aires, A-Z Editora, 1996.

Brafman, C.: "La ciencia, lo científico y lo moderno en los libros de lectura de la escuela primaria argentina", 1998 (mimeo).

Braslavsky, C.: *Los usos de la historia en la educación argentina, con especial referencia a los libros de texto para las escuelas primarias (1853-1916)*, Buenos Aires, FLACSO, Serie Documentos e Informes de Investigación, 1992.

Braslavsky, C.: *Los usos de la historia en los libros de texto para las escuelas primarias argentinas (1916-1930)*, Buenos Aires, FLACSO, Serie Documentos e Informes de Investigación, 1993.

Chervel, A.: "Historia de las disciplinas escolares. Reflexiones sobre un campo de investigación", en *Revista de Educación,* Nro. 295, Madrid, Ministerio de Educación y Ciencia, 1991.

Escolano Benito, A.: *Historia Ilustrada del libro escolar en España. Del Antiguo Régimen a la Segunda República,* Madrid, Fundación Germán Sanchez Rupiérez, 1997.

Goodson, I.: *Historia del curriculum. La construcción social de las disciplinas escolares*, Barcelona, Pomares-Corregidor, 1997.

Gvirtz, S. (comp.): *La enseñanza de las ciencias exactas y naturales y la construcción de la modernidad escolar en Argentina (1870-1950),* Buenos Aires, CEFIEC-UBA, 1999 (mimeo).

Gvirtz, S. y Cornejo, J.: "Ciencias naturales y religión: el caso de la Astronomía y la Cosmografía en la enseñanza media", en *Novedades Educativas,* Nro. 102, 1999 (en prensa).

Gvirtz, S. y Valerani, A.: "Pasado y presente de las teorías de la evolución en la escuela: entre la política y la ciencia", en *Novedades Educativas,* Nro. 101, 1999.

Johnsen, J.: *Libros de texto en el calidoscopio*, Barcelona, Pomares-Corregidor, 1996.

Lanza, H. y Finochio, S.: *Curriculum presente, ciencia ausente. La enseñanza de la historia en la Argentina de hoy*, Buenos Aires, Miño y Dávila, 1992.

Liendro, E.: *Curriculum presente, ciencia ausente. La enseñanza de la biología en la Argentina de hoy*, Buenos Aires, Miño y Dávila, 1991.

Montserrat, M.: *Ciencia, historia y sociedad en la Argentina del siglo XIX*, Buenos Aires, Centro Editor de América Latina, 1993.

Rein, M.: *Politics and education in Argentina (1946-1962)*, Nueva York, Sharpe.

Tedesco, J. C.: "La educación argentina entre 1930 y 1955", en *Primera Historia Integral*, Buenos Aires, Centro Editor de América Latina, 1980.

Tedesco, J.C.; Braslavsky, C. y Carciofi, R.: *El proyecto educativo autoritario. Argentina 1976-1982*, Buenos Aires, Grupo Editor Latinoamericano, 1985.

Wainerman, C. y Barck de Raijman, R.: *Sexismo en los libros de lectura de la escuela primaria*, Buenos Aires, IDES, 1987.

LATINOAMERICANISMO Y REPRESENTACIÓN: ICONOGRAFÍAS DE LA NACIONALIDAD EN LAS EXPOSICIONES UNIVERSALES (PARÍS, 1889 Y 1900)

ÁLVARO FERNÁNDEZ BRAVO

Patriotism itself is a commodity-on-display
WALTER BENJAMIN[1]

Junto con la expansión de la mirada científica, el siglo XIX fue testigo del surgimiento de dispositivos culturales que acompañaron el creciente interés por las culturas periféricas. El museo y los relatos de viaje son dos instancias donde la autoridad de la ciencia se manifestó en formas de representación cultural. Tanto los libros de viaje como las incipientes colecciones de objetos expresaban, por su condición de *muestrarios*, el interés por exhibir ante un público generalmente europeo o norteamericano, manifestaciones culturales de regiones remotas y desconocidas.[2] América latina, junto con Africa y Asia, pertenecía entonces a la región del planeta poco conocida y despertaba una curiosidad que obras como la de Charles Darwin y otros naturalistas viajeros habían contribuido a generar. Por esta razón, las colecciones exhibidas en museos o los libros concebidos como instrumentos de difusión científica y pedagógica tuvieron gran éxito entre el público y la comunidad científica. Tanto los relatos de viaje como los museos son episodios relevantes en la historia de la circulación y recepción del discurso científico durante el siglo XIX. Hoy quiero hablar de un dispositivo análogo a los relatos de viaje y a los museos. Se trata de las Exposiciones Universales.

Me interesa en este marco, estudiar las representaciones nacionales latinoamericanas en las exposiciones y –paralelamente– los procesos de nacionalización de la naturaleza; es decir, los procedimientos mediante los cuales la representación nacional y regional latinoamericana se ligó a elementos de la naturaleza que se convirtieron en mercancías, materias primas colocadas por América latina en el mercado mundial, que rápidamente devinieron en condensaciones simbólicas de las naciones latinoamericanas.[3] Para ponerlo en ejemplos más evidentes: esta investigación intenta estudiar cómo el café o la carne se convirtieron en íconos nacionales del Brasil o la Argentina.[4]

Pero antes de profundizar mi estudio es preciso situar históricamente las exposiciones como espacio científico y de representación pública. Según lo ha estudiado George Stocking en su *Victorian Anthropology*, el Palacio de Cristal, que funcionó como emblema de la primera exposición internacional celebrada en Londres en 1851, es uno de los antecedentes más notables del nacimiento de la antropología y un punto de inflexión en el que ciencia y colonialismo se intersectan y dan lugar a la formación de nuevas disciplinas científicas (Mitchell, 1985; Buck-Morss, 1991; Stocking, 1991). Las Exposiciones nacen como resultado del repentino "achicamiento" del mundo –un antecedente de la tan mentada y escasamente problematizada globalización– y del afianzamiento de los poderes coloniales como árbitros de la política mundial. La demanda de materias primas y control social sobre las colonias crearon la necesidad de una ciencia que produjera conocimiento sobre esas sociedades y abasteciera los archivos metropolitanos. Así, las sociedades geográficas y científicas se multiplicaron y fueron generosamente subvencionadas por sus principales beneficiarios: las potencias coloniales que buscaban usufructuar del conocimiento generado por esas instituciones (Pyenson, 1993).

Las exposiciones, fuertemente insertas en este contexto cultural y político, se plantean sin embargo bajo un doble discurso. Por un lado pretenden convertirse en homenaje al internacionalismo y a la fraternidad universal, y también vehiculizar el progreso del conocimiento humano, poniéndolo al alcance del público urbano y europeo (y en menor medida norteamericano) que asistía a ellas. Su misma denominación de "universales" invoca una virtual apertura e invitación a participar a todas las naciones.[5] Pero el universalismo es siempre un concepto que esconde jerarquías y niveles de poder. Su misma formulación desde el continente europeo hacia el resto del mundo plantea problemas de perspectiva y posición. Junto con la internacionalización es posible leer la rivalidad, la competencia y el esfuerzo de las potencias coloniales por mostrar la primacía de una sobre otra. Así, las representaciones de las colonias organizadas por las propias metrópolis coloniales, y que constituían uno de los grandes atractivos de las exposiciones para las masas ávidas por "ver" y "palpar" las culturas "exóticas" sobre las que habían leído en libros (u observado en museos), evidencian un status desigual.[6] Mientras algunas naciones tenían la capacidad de representarse a sí mismas, otras eran representadas por sus tutores políticos. Esta distribución, en la que algunos países "maduros" habían alcanzado la industrialización y otros "inmaduros" permanecían en la etapa agroganadera –asociada con un escalón "atrasado" en la cadena de la evolución–, es interesante para interrogar la representación de América latina en las exposiciones.

En todos los casos, las exposiciones son organizadas como colecciones y miniaturas: espacios públicos donde el orbe pretende estar representado en su totalidad a través de algunas de sus manifestaciones culturales más elocuentes. Palacios lujosos, arena, camellos y palmeras representan a Oriente; una pequeña Venecia representa a Italia en la exposición de París de 1889; aldeas africanas con guerreros watusi representan a las colonias británicas en Africa. Razas y animales, productos y tecnologías se amontonan y confunden en una organización que mucho tiene de los zoológicos, los jardines botánicos o incluso los parques de diversiones que surgen por la misma época para atender la curiosidad de las masas urbanas. Son esos nuevos consumidores burgueses quienes irrumpen en el escenario capitalista ávidos de consumir todo aquello que comenzaban a conocer en libros y publicaciones periódicas. Esta miniatura del globo reproduce también las relaciones de poder entre las naciones y, naturalmente, las dimensiones y la riqueza de los pabellones nacionales aspiran a reproducir su poder económico y político.

Según lo señala Susan Buck-Morss, es preciso leer una transformación en las exposiciones: aquella que las lleva desde una celebración inicial del libre comercio (aunque siempre ensombrecida por la cuestión imperial) y las desplaza hacia una rivalidad imperial y nacional, con una creciente intervención estatal. Incluso desde su momento inaugural es posible leer la exhibición de mercancías y tecnologías junto con sus mercados cautivos, representados por las colonias que comerciaban con sus respectivas metrópolis, como una parodia del libre comercio. A lo largo de la segunda mitad del siglo XIX, cada vez con mayor frecuencia es el Estado quien define y ejecuta políticas de representación pública de la nación –así como a nivel doméstico se hace cargo de la administración de la ciencia, apropiándose de las colecciones y creando instituciones–. A tal efecto se abren oficinas de propaganda, encargadas de difundir imágenes nacionales y promover a los Estados y sus productos.[7] De este modo, la empresa colonial que aparecía asociada a compañías comerciales y a la expansión capitalista muta en una competencia nacionalista en la que los Estados asumen un protagonismo creciente, y junto con él aumenta la necesidad de relatos y una iconografía que los represente.[8] En América latina estos relatos cobran la forma de ficciones de Estado donde la misma condición de estados-nacionales de las naciones latinoamericanas se vuelve problemática. Las ficciones de Estado operan en este caso fabricando imágenes, pero también a nivel comercial buscando su inserción en el mercado mundial y promoviendo activamente sus productos (*commodities*). En el caso de la Argentina, las *ficciones de Estado* funcionarán, además de para promover las mercancías y exhibir su riqueza geológica inexplotada, fundamentalmente para atraer inmigrantes e inversores, es decir, capital y trabajo, los dos elementos que sumados a la tierra forman la tríada de la economía política clásica (Coronil, 1997). Capital y trabajo son también los elementos faltantes para sostener el modelo económico liberal y cumplir el proyecto diseñado en otros libros.

Mi propósito, entonces, es estudiar los pabellones latinoamericanos en las exposiciones universales como una expresión de las ficciones de Estado y como representaciones de cultura material en el proceso de formación estatal en América latina.

LAS FICCIONES DE ESTADO EN LA DIVISIÓN INTERNACIONAL DEL TRABAJO

Por su parentesco con el museo, las exposiciones universales pueden ser leídas como colecciones o museos momentáneos, *happenings*, acontecimientos en los que se reunían culturas materiales y se juntaban temporariamente colecciones de objetos distribuidas por afiliaciones nacionales y culturales. Joseph Rykwert recuerda la etimología griega de la palabra "museo", asociada con las musas, pero también en un sentido más amplio, como "cualquier cosa consagrada a las musas: una colina, un santuario, un jardín, una gruta, un festival o incluso un libro de texto" (1998, pág. 3).[9] Me parece interesante leer las exposiciones enmarcadas en esta definición. Como festivales o imágenes congeladas de un conjunto de relaciones culturales, la exposición permite interrogar el valor asignado históricamente a las nacionalidades, las identidades colectivas y los objetos, mercancías y *commodities* que las representaban.

Según Philippe Hamon,

> La exposición sin duda involucra tanto el sueño de poner un objeto en el lugar correcto dentro de una totalidad, como una tienda comercial, otorgándole así sentido, como el sueño de sacarlo a la luz o poner en exhibición aquello que está oculto, explicar una complejidad (1992, pág. 124) [la traducción me pertenece].

Mi pregunta a partir de esta cita es: si las exposiciones son colecciones comparables a un museo y la exposición implica el establecimiento de un ordenamiento, ¿qué lugar asignar a los pabellones latinoamericanos en esa colección?

¿Cuál era la posición asignada a las naciones latinoamericanas en el escenario mundial de fin de siglo y cuál era la posición que ellas mismas se asignaban en ese escenario? ¿Y cuál es, por último, el sentido que podemos descubrir en ese ordenamiento?

Sin duda este problema se planteó tanto para los organizadores como para los participantes de la exposición. América latina ocupaba un lugar confuso en el mundo imperial finisecular: las naciones latinoamericanas no eran consideradas naciones propiamente dichas, aunque tampoco eran estrictamente colonias. Eran invitadas a participar como naciones soberanas, pero su posición no era equivalente a la de los países europeos. Olga Vitali señala que

> Los organizadores de la exposición [de 1889] sugirieron a los países del sur y del centro de América la ventaja de presentar los productos en un mismo pabellón, como ya lo habían hecho en 1878, cosa a la cual se opuso la delegación argentina, solicitando en cambio un espacio de seis mil metros cuadrados; el comité francés le adjudicó sólo mil seiscientos metros cuadrados detrás de la Torre Eiffel (cuyas obras recién comenzaban), en el lugar llamado Campo de Marte, a orillas del Sena y próximo al puente de Iéna, sector asignado a los pabellones latinoamericanos y a las colonias africanas (1987, pág. 31).

La ubicación del pabellón argentino dentro del conjunto latinoamericano disgusta a los organizadores y la delegación argentina, presidida por Antonio C. Cambaceres –hermano del escritor–, la rechaza. La posición de la Argentina dentro del continente nunca fue cómoda y las exposiciones constituyen una coyuntura oportuna para explorar el imaginario latinoamericano de la identidad argentina.

Es importante recordar en este sentido que las exposiciones funcionaban como espacios de legitimación nacional. Se otorgaban premios en distintas categorías (entre las cuales la ciencia y la educación ocupaban lugares relevantes) y pretendían certificarse jerarquías y ordenamientos internacionales. Las naciones eran calificadas y clasificadas de acuerdo con los objetos que las representaban, con su desarrollo tecnológico y con el interés científico y económico que despertaban. Las exposiciones, también conocidas como *ferias*, eran espacios donde se compraba y se vendía; la mirada científica cumplía un papel en ese intercambio, evaluando y midiendo, prestando consejo a potenciales inversores sobre mercancías y oportunidades, y exhibiendo el progreso pero también el atraso, la civilización pero también la barbarie. El atraso poseía probablemente tanto interés como el progreso universal del cual las exposiciones pretendían ser testimonio. Sin embargo, la representación y la teatralización de la barbarie estaba en manos de las metrópolis, que así como exhibían sus propios progresos, los contrastaban con el atraso de las colonias a las que, por supuesto, negaban el derecho de representarse a sí mismas. La barbarie de los otros ponía de relieve la civilización de las naciones "avanzadas". Es importante destacar que esta trama de relaciones se producía en el ámbito cerrado sobre sí mismo, en esa "ciudad dentro de la ciudad" como la describe Rubén Darío[10] refiriéndose a la Exposición Universal de 1900. Todo lo que se veía en ella era, hasta cierto punto, fantástico: una escenografía universalista donde convivían pinturas con pistones –según la expresión de Benjamin– y se deificaba el progreso. La exposición comparte claramente la economía simbólica de la colección: asigna valores a partir de las relaciones interiores establecidas entre sus componentes (Stewart 1993, págs. 154-157). Así, las naciones mostraban lo que querían que se viera de sí mismas, se "representaban" y eran observadas y evaluadas a partir de los objetos exhibidos en sus pabellones nacionales. Estos objetos funcionaban a su vez como metonimias de sus culturas: una máscara aborigen como representación de una cultura primitiva. Lo que Clifford denomina "el recorte de objetos de su contexto específico para representar totalidades abstractas" (1988, pág. 220). En el caso de las naciones latinoamericanas esta representación debe leerse en el marco de una carrera por atraer inversores, capital e inmigrantes. Un artículo publicado en el diario *La Prensa* de Buenos Aires, el 3 de agosto de 1887 puede servirnos para examinar esta percepción. Cito:

> La Exposición de París será una lucha gigantesca, la más notable y amplia del siglo, en la que tomarán parte todos los frutos de la inteligencia y de la Tierra del universo. Será una batalla del espíritu y de la riqueza, acaso sin precedentes, presenciada por el mundo entero, que acudirá con el propósito de analizar y juzgar lo que cada pueblo de la Tierra es, posee y puede en el desenvolvimiento de la civilización. [...] Antes se llamaba "americanos" solamente a los Estados Unidos: hoy día se hace la diferencia entre los norte y los sud-americanos. Antes éramos agrupaciones movedizas y vacilantes, sin organización ni consistencia, presa ensangrentada de la revuelta crónica. Hoy día se nos asciende a la categoría de pueblos jóvenes, llenos de vida, merecedores de los beneficios del crédito y la inmigración de hombres. Antes únicamente los ingleses tenían negocios en estas regiones: hoy día el capital y el crédito vienen de otras naciones, que buscan nuestros mercados para la colocación de las mercancías y el dinero.

Hasta aquí, el artículo plantea el problema de la ubicación de América latina en el mapa mundial y la adquisición de una identidad asociada "a lo que cada pueblo posee". Estas *posesiones*, que para la región serán mercancías naturales (*raw materials*), servirán, a su vez, para atraer inversiones y para marcar una diferencia que distinga a los americanos del sur de los del norte. Las mercancías representan a las naciones. Pero la cita continúa.

> Podemos decir que de la América restaurada por la civilización ante el concepto universal, es la República Argentina la que más vivamente interesa a la

> Europa, la que nos comienza a llamar "los yankees del Sur". El juicio exterior de nuestro país está materialmente representado por los cientos de miles de hombres que llegan a nuestras playas espontáneamente, pagando su pasaje, y los cientos de millones de pesos oro, que vienen colocados bajo la forma de empréstitos públicos, de empresas privadas de aliento, de compra de papeles internos de crédito [...] ¿Por qué esas áureas corrientes no se detienen en el Brasil, que está en la ruta; por qué no se encauzan hacia el Paraguay, la Banda Oriental, Chile, Perú, Bolivia y demás nacionalidades sud y centro americanas, bañadas por los dos océanos, incluso Méjico mismo? [...]
>
> Pero tan señalado beneficio nos impone deberes y responsabilidades [...] La República Argentina necesita descollar en la Exposición Universal de París, sin discrepancia posible, respecto de todas las nacionalidades del Continente Sud-Americano.[11]

En la segunda parte de la cita la diferencia en la identidad se plantea ya no entre América del norte y del sur, sino dentro del mismo subcontinente latinoamericano. Aunque el texto manifiesta seguridad sobre la corriente inmigratoria, hay evidencia de cierta preocupación y existieron políticas de Estado que mostraban una rivalidad principalmente con Brasil, percibido como un competidor en la atracción de inmigrantes provenientes de Europa.[12]

Este ímpetu nacionalista debe leerse como una competencia por la representación: mostrarse dentro de un conjunto que parece relegado a una posición "pre-nacional", y hasta cierto punto exótico, como el pabellón latinoamericano citado por Vitali, parecería implicar que acepta una valuación claramente inferior a la que la Argentina buscaba alcanzar en la exposición. Es decir que la voluntad por diferenciarse y distinguirse dentro del conjunto de pabellones expuestos en la exposición puede ser leída en el marco de una rivalidad en la que la unidad de intercambio era la nación y no la "región" (como sería América latina).

La Argentina consigue un significativo éxito en su participación en la Exposición Universal de 1889. Entre los premios otorgados en las distintas categorías se destacan nombres e instituciones argentinas. La medalla de oro correspondiente a la clase 8 ("Organización, método y material de la enseñanza superior") es otorgada a Florentino Ameghino, Germán Burmeister, la Biblioteca Nacional y la Universidad de Buenos Aires entre otros premiados. La medalla de plata, otorgada a la Sociedad Científica Argentina y a la Facultad de Medicina, entre otros.[13] La ciencia funciona aquí como instrumento de legitimación y sirve para establecer un *ranking* internacional en el que según puede observarse, incluso científicos extranjeros intervienen en el bando argentino. Lo interesante aquí es cómo la nación se vuelve unidad de medida para evaluar el progreso universal. Y esto también ayuda a comprender la resistencia argentina a ser incluida en un pabellón regional latinoamericano, donde la identidad nacional habría quedado diluida en una categoría general similar a las utilizadas por las metrópolis para referirse a sus colonias. Según lo demuestra Edward Said en su *Orientalism*, la negación de la condición nacional a las razas inferiores en nombre de un cosmopolitismo amplio y tolerante es un argumento característico del discurso patriarcal imperialista, que divide a las naciones entre autónomas, racionales o "adultas" y coloniales, irracionales o "infantiles" (1978, págs. 37-40).

Por lo tanto la voluntad argentina por ocupar un espacio físico y simbólico diferenciado respecto de los otros países latinoamericanos debe leerse en este contexto sin descuidar, por supuesto, la innegable ambivalencia de los rioplatenses frente a una identidad regional que a menudo prefirieron –y prefieren– imaginar como más próxima a Europa que a América latina. Veamos entonces más de cerca la organización del pabellón argentino.

EL FETICHE CARNÍFICO

Un examen más cercano de los pabellones permitirá profundizar el estudio específico de las mercancías y su disposición material en las exposiciones. La pregunta que me formulo ahora tiene que ver con la elección de las mercancías que representan la nacionalidad. ¿Por qué elegir la carne, la madera, el trigo o las rocas, elegantemente dispuestas en vitrinas en el museo del pabellón argentino, para representar la nacionalidad? ¿Qué había de argentino (o de brasileño, de chileno, etc.) en un trozo de madera o en un producto de la naturaleza –por lo general escasamente elaborado– como los que se exhibían en los pabellones latinoamericanos de las exposiciones universales? La elección de materias primas parece igualar la representación argentina a las de los países latinoamericanos de los que buscaba diferenciarse. De este modo, su ficción de Estado se vuelve problemática ya que a pesar de sus declarados propósitos de "descollar entre todas las nacionalidades de la América del Sur", los objetos que simbolizan la nacionalidad no difieren sustancialmente de los de sus vecinos.

La complejidad de la mercancía y su fetichización fue analizada oportunamente por Marx (Pietz, 1993; Tucker, 1978, págs. 319-329) y me interesa analizar aquí su disposición, su organización y la misma naturaleza de las colecciones exhibidas en los pabellones. Si examinamos esas colecciones, vemos gabinetes parecidos a los *curious cabinets*, dispositivos precursores de los museos, donde se exhiben muestras de las mercancías nacionales. En el caso del pabellón argentino en la Exposición Universal de 1889 se exhiben rocas, maderas y productos agropecuarios. También se exhiben algunos productos procesados, como cerveza, alimentos, y carne refrigerada. Esta última parece una mercancía clave en el pabellón argentino e incluso merece la atención del *Journal Official de l'Exposition.* Se trata del producto que motorizaría las exportaciones argentinas hacia Europa en la primera mitad del siglo y que definiría alianzas políticas y económicas. Los frigoríficos se convertirían también en grandes empleadores de los inmigrantes (Smith, 1986). Lo que aparece significativamente borrado del museo de productos argentinos es el trabajo y las huellas de la cultura humana sobre las mercancías exhibidas. Según lo señala Pearce, las representaciones humanas demoraron bastante en ingresar en el universo simbólico del museo (1992, pág. 110). En el caso argentino, en contraste con otros pabellones nacionales latinoamericanos en la Exposición de 1889, el pabellón carece casi por completo de signos que permitan identificar no sólo representaciones humanas sino huellas de una cultura local. Por el contrario, desde las estatuas que adornan el edificio –todas obras de escultores franceses– (Vitali, 1987, pág. 32), hasta los alimentos y bebidas exhibidos (la cerveza Bieckert), el pabellón argentino resulta desprovisto de marcas nacionales que lo identifiquen con el país representado. Es significativo cómo todo signo referente a la cultura local o a América latina está ausente, en contraste con otros pabellones como el mexicano o el brasileño, que exhiben junto a productos naturales, marcas de sus culturas autóctonas, como objetos indígenas y precolombinos (Martí, 1975, págs. 417-18).

En la misma línea podría interpretarse el vaciamiento de referencias al trabajo, una característica general de las colecciones. Por su tendencia a descontextualizar, la colección "reemplaza el origen con la clasificación" (Stewart, pág. 153). Los productos parecen surgir *ex nihilo*, sin señales de cómo fueron obtenidos y cobra mayor importancia la relación de los objetos entre sí que con el "exterior" de donde provienen. La exhibición corta lazos con el pasado y se ubica en un tiempo universal homogéneo, en el que conviven todas las épocas y todas las culturas y, como dice Martí, se puede visitar la Edad de Bronce o el futuro sin viajar, tan sólo recorriendo diferentes sectores de la feria.

La intensa descontextualización que implica el desplazamiento de los objetos de su "habitat natural" al espacio artificial del museo y la colección, produce un nuevo relato. El relato que podemos reconstruir a partir de los restos de cultura material exhibidos en el pabellón argentino muestra dos cosas: en primer lugar, una débil afiliación con América latina, de la que la Argentina busca más bien diferenciarse tanto en el nivel físico como en el nivel simbólico. Sin embargo esta voluntad por diferenciarse no consigue mucho éxito: los productos primarios (*commodities*) dominan la representación de la nación, del mismo modo que lo hacen con otros países latinoamericanos. La ausencia de marcas culturales locales puede interpretarse como una estrategia de propaganda dirigida a atraer inversores e inmigrantes, a los que no se quiere atemorizar con el exotismo, es decir con marcas de cultura local como, por ejemplo, indígenas.

En segundo lugar, la presencia de mercancías como alimentos, rocas y madera puede asociarse con la empresa colonial en la que estaba embarcado el Estado argentino, recientemente constituido y con una agresiva política de expansión territorial en marcha. Por eso las colecciones pueden pensarse dentro del proceso de constitución cultural del Estado moderno (Taussig, 1996, pág. 218). Los objetos exhibidos invitan a su apropiación y al uso como si nadie ejerciera la propiedad sobre ellos: la riqueza está allí, lista para ser explotada y para enriquecerse a partir de ella; los alimentos, listos para ser consumidos, en una tierra fértil y abierta a la inmigración.[14] Los objetos poseen un valor representacional, que no parece equivalente ni a un valor de uso ni a un valor de cambio.[15] Esas mercancías exhibidas en el pabellón parecen ocultar incluso su valor económico y se presentan como objetos de interés etnográfico e incluso como curiosidades (una cerveza *argentina*; una máquina gigante para enfriar carne). Así, la intención de escapar al exotismo parece por el contrario reforzarlo. Las mercancías se presentan más bien como fetiches asociados con una naturaleza pródiga y generosa, esperando para ser explotada. Esta señal puede ser leída como dirigida tanto a los inversores –necesarios para financiar el desarrollo– como hacia la fuerza de trabajo –los inmigrantes, necesarios para sustentarlo–.

Los alimentos, y en particular la carne, evocan la satisfacción de una demanda alimentaria y construyen una imagen dirigida hacia la Europa finisecular en tanto exportador de fuerza de trabajo. Cabe destacar que esa fuerza de trabajo empobrecida era el excedente producido por la industrialización y pertenecía a las capas inferiores y campesinas de la población: el mismo sector para quien la iconografía alimentaria y los productos de la naturaleza podían quizá poseer mayor atractivo. En el plano doméstico, la iconografía alimentaria y agropecuaria elabora y construye una de las imágenes que la Argentina eligió para representarse a sí misma: la de un país rico, generoso y abundante. Curiosamente, la metáfora de la abundancia emplea la carne como su mejor anzuelo, el mismo signo que algunos años antes Sarmiento y Echeverría habían asociado con la producción de barbarie (el *régimen carnífico* del que habla Echeverría en *El matadero*). A pesar de la voluntad por separarse de la barbarie, y distinguirse de los países "atrasados", la barbarie persiste en la representación simbólica de la nación argentina.

Las palabras de Martí acerca del pabellón argentino describen mejor que las mías la imagen proyectada por el pabellón, una imagen que acaso nos permita observar aquello que la colección evoca y su violento contraste con la Argentina de hoy. Dice Martí:

> Brilla un sol de oro allí por sobre los árboles y sobre los pabellones, y es el sol argentino, puesto en lo alto de la cúpula, blanca y azul como la bandera del país [...]. Una estatua señala a la puerta un mapa donde se ve de realce la república, con el río por donde entran al país los vapores repletos de gente que va a trabajar; con las montañas que crían sus metales, y las pampas extensas, cubiertas de ganados. De relieve está allí la ciudad modelo de La Plata, que apareció de pronto en el llano silvestre, con ferrocarriles y puerto, y cuarenta mil habitantes, y escuelas como palacios. Y cuanto dan la oveja y el buey se ve allí, y todo lo que el hombre atrevido puede hacer de la bestia: mil cueros, mil lanas, mil tejidos, mil industrias: la carne fresca en la sala de enfriar: crines, cuernos, capullos, plumas, paños (1975, pág. 417).

Martí completa el sentido de la colección, acaso leyendo en ella lo mismo que sus autores querían que fuera leído: abundancia, comida, un país próspero y rico, "con escuelas como palacios", esperando ser poblado. Lo que no lee, lo que está oculto por la fantasmagoría de la mercancía, es el trabajo implícito en ella. Ese mismo trabajo que los inmigrantes eventualmente venderán para poder acceder a los bienes ofrecidos por el Estado –educación y comida–. También son invisibles en esta imagen los dueños de la tierra, quienes controlaban el Estado y buscaban trabajadores e inversores para multiplicar la producción agropecuaria.[16]

Para terminar, queda por preguntarse cuál es el sentido que esta representación de la nacionalidad, poco amistosa con América latina y vaciada de marcas culturales locales, pretende mostrar. En su versión internacional, como ya dijimos, la imagen de un país productor de materias primas, principalmente alimentos, se convierte en una de las iconografías de la nacionalidad argentina. Por otro lado, es interesante leer esta representación en el escenario doméstico, a donde el pabellón fue eventualmente trasladado. Allí parece consolidarse la imagen de "país europeo", "rico", "blanco" y, a fin de siglo, vaciado de marcas culturales autóctonas (indígenas u otros peligros oportunamente extirpados del territorio nacional) o con esos signos convenientemente controlados por el Estado y sus científicos. La misma palabra "desierto" cambia de sentido al leerse como participio verbal y no como sustantivo. Desierto como un espacio vaciado, limpio y listo para establecer un él en el nuevo sujeto de la nacionalidad imaginado por los argentinos como un europeo en América, inserto sin embargo en una iconografía que lo aproxima a la representación fetichista de las mercancías primarias, la misma representación con la que se identificaban las naciones latinoamericanas de las que la Argentina procuraba, acaso en vano, diferenciarse.

NOTAS

1. Citado por Susan Buck-Morss de su fragmentaria *Obra de los pasajes* (Buck-Morss, 1991, pág. 89).

2. Philippe Hamon (1992) habla del libro como exposición en el siglo XIX. Así, cita la presencia de listas, clasificaciones, catálogos y taxonomías en los libros como una práctica común del período. En este sentido, compara los libros con edificios: vitrinas de objetos y costumbres, catálogos y archivos. También menciona los poemas en prosa (los de Baudelaire, por ejemplo) y los textos que "retratan" una escena, una vista urbana, un paisaje, como ejemplos de libros-exposiciones o libros-depósito. Para una historia de los museos y las colecciones europeos véanse Pearce (1992; 1995); para un estudio de las exhibiciones en los Estados Unidos véanse Haraway (1993), Reynolds (1988) y Rydell (1984); para un estudio comparado de museos fuera de Europa y los Estados Unidos véase Sheets-Pyenson (1988).

3. Sobre procedimientos de nacionalización de la naturaleza véase Kaufmann y Zimmer (1998). Uno de los estudios más provocativos sobre las mercancías (*commodities*) y la identidad nacional en América latina es el *Contrapunteo cubano del azúcar y el tabaco* de Fernando Ortiz (Caracas, Biblioteca Ayacucho, 1978).

4. Para el rol del café en las representaciones brasileñas en las exposiciones véase Turazzi (1995, págs. 149-152); para un estudio sobre la carne en la Argentina véase Smith (1986).

5. Martí (1975, págs. 406-408) lee la Exposición Universal de 1889 como una celebración de los principios de fraternidad universal enarbolados por la Revolución Francesa, conmemorada en la Exposición. En este sentido, enfatiza contenidos de igualdad y hermandad entre las naciones.

6. Beckenridge (1989) estudia las exposiciones en el marco de la naciente industria del entretenimiento. Los primeros contactos con el exotismo, además de los libros y las colecciones, se dan a través de los "gabinentes de curiosidades" (antecedentes de las colecciones museales) y los Panoramas, máquinas visuales donde se exponían objetos y sujetos "exóticos". Véase también Buck-Morss, 1991, pág. 82.

7. En el caso de la Argentina, funciona una Oficina de Información y Propaganda con sede en París, dependiente del Ministerio de Relaciones Exteriores. Esta Oficina tiene a su cargo un Museo de Productos Argentinos, encargado de fomentar las exportaciones argentinas y de abastecer a museos europeos que piden muestras de materias primas locales. Conjuntamente con esta función, la Oficina de Propaganda promueve la inmigración de ciudadanos europeos hacia la Argentina a través de tareas de prensa en periódicos europeos y mediante la distribución de pasajes gratuitos. Esta Oficina también realiza tareas de inteligencia, informando al Ministerio sobre el número de inmigrantes europeos hacia otros países latinoamericanos y especialmente hacia el Brasil. Estos datos surgen de la caja N° 429 del Archivo del Ministerio de Relaciones Exteriores argentino. Agradezco al Director de la Biblioteca y el Archivo de la Cancillería, Ministro Carlos Dellepiane, su ayuda para la obtención de esta información.

8. La idea del Estado como generador y consumidor de ficciones la tomo de

Ludmer (1999). Sobre narraciones nacionales y naturaleza véase Kaufmann y Zimmer (1998).

9. Benjamin también habla de las exposiciones como "fairylands" o territorios fantásticos (Buck-Morss, 1991, pág. 86).

10. "Pero ya la ola repetida de este mar humano ha invadido las calles de esa ciudad fantástica que, florecida de torres, de cúpulas de oro, de flechas, erige su hermosura dentro de la gran ciudad" (1910, pág. 21).

11. *La Prensa*, 3 de agosto de 1887.

12. El director de la Oficina de Información y Propaganda así lo manifiesta en una carta dirigida al Ministro de Relaciones Exteriores argentino. Caja N° 23, Archivo de la Cancillería.

13. *Journal Officiel de la République Francaise*, 30 de septiembre de 1889, págs. 4724-5.

14. Taussig lee el fetiche (y el totem) como significantes vacíos en los que el espectador repone el significado. El sentido del relato de la colección no estaría por lo tanto en el "curador", como sostiene Dujovne (1995, págs. 48-50) sino en el espectador.

15. La categoría de valor representacional viene de Benjamin, citada por Buck-Morss (1991, pág. 81).

16. Según lo señala Ludmer (1999) la familia Cambaceres pertenecía a la clase terrateniente de origen europeo enriquecida durante el rosismo.

REFERENCIAS BIBLIOGRÁFICAS

Primaria

Bulletin Officiel de l'Exposition Universelle de 1889, 2° Série, N° 64, París, 1889.

Darío, Rubén: *Peregrinaciones*, prólogo de Justo Sierra, Paris, Bouret, 1910.

Glucq. *L'Album de l'Exposition de Paris de 1900*, París, s/f.

Legajos correspondientes a la Exposición Universal de 1889, Archivo General de la Nación, Buenos Aires, Argentina, Sala VII.

Le Guide Rapide Illustré de l'Exposition, París, E. Cornély, 1900.

Martí, José [1889]: "La edad de oro", en *Obras completas*, tomo 18, La Habana, Editorial de Ciencias Sociales, 1975.

Nervo, Amado: "Prosas, viajes, crónicas" en *Obras completas*, tomo II, Madrid, Aguilar, 1954.

Secundaria

Apter, Emily y Pietz, William (comps.): *Fetishism as Cultural Discourse*, Ithaca y Londres, Cornell University Press, 1996.

Benjamin, Walter: *Iluminaciones II*, traducción de Jesús Aguirre, Madrid, Taurus, 1972.

——————— [1969]: *Illuminations*, Nueva York, Schocken Books, 1985.

Breckenridge, Carol A.: "The Aesthetics and Politics of Colonial Collecting, India at World Fairs" en *Society for Comparative Study of Society and History*, 1989, págs. 195-216.

Brown, Bill: "Science Fiction, the World's Fair, and the Prosthetics of Empire, 1910-1915, en Kaplan y Pease, 1993.

Buck-Morss, Susan: *The Dialectics of Seeing: Walter Benjamin and the Arcades Project*. Cambridge, Massachusetts, Massachusetts Institute of Technology, 1991.

Clifford, James: *The Predicamnt of Culture: Twentieth-Century Ethnography, Literature, and Art*, Cambridge, Massachusetts, Harvard University Press, 1988.

Coronil, Fernando: *The Magical State: Nature, Money and Modernity in Venezuela*, Chicago, University of Chicago Press, 1997.

Dosio, Patricia Andrea: *Una estrategia del Poder: La Exposición continental de 1882*, Buenos Aires, Facultad de Filosofía y Letras, 1998.

Dujovne, Marta: *Entre musas y musarañas: una visita al museo*, Buenos Aires, Fondo de Cultura Económica, 1995.

Hamon, Philippe: *Expositions: Literature and Architecture in Nineteenth-Century France*, Berkeley, University of California Press, 1992.

Haraway, Donna: "Teddy Bear Patriarchy: Taxidermy in the Garden of Eden, New York City, 1908-1936", en Kaplan y Pease, 1993.

Kaplan, Amy y Pease, Donald E. (comps.): *Cultures of United States Imperialism*, Durham y Londres, Duke University Press, 1993.

Kaufmann, Eric y Zimmer, Oliver: "In search of the authentic nation: landscape and national identity in Canada and Switzerland", en *Nations and Nationalism* 4 (4), 1998, págs. 483-510.

Ludmer, Josefina: *El cuerpo del delito. Un manual*, Buenos Aires, Perfil libros, 1999.

Mitchell, Timothy: "The World as Exhibition", en *Society for Comparative Study of Society and History*, 1985, págs. 217-236.

Ortiz, Fernando: *Contrapunteo cubano del azúcar y el tabaco*, prólogo de Julio Riverend, Caracas, Ayacucho, 1978.

Pearce, Susan: *Museums, Objects and Collections: A Cultural Study*, Washington, Smithsonian Institution Press, 1992.

———————: *On Collecting: An investigation into collecting in the European tradition*, Londres y Nueva York, Routledge, 1995.

Pietz, William: "Fetishism and Materialism: The Limits of Theory in Marx" en Apter y Pietz, 1996.

Ramos, Julio: *Desencuentros de la modernidad en América Latina: Literatura y Política en el siglo XIX*, México, FCE, 1989, pág. 114.

Reynolds, Ann: "Natural Museum" en *October*, N° 45, 1988, págs. 109-127.

Rydell, Robert W.: *All the World's a Fair: Visions of Empire at American International Expositions, 1876-1916*, Chicago, Chicago UP, 1984.

Rykwert, Joseph: "Temples of today: The multiplication and santification of the museum", en *TLS*, The Times Literary Suplem*ent*, 6 de noviembre 1998, N° 4988, págs. 3-4, 1998.

Sheets-Pyenson, Susan: *Cathedrals of science*, Montreal, McGill-Queen's University Press, 1988.

Smith, Peter [1968]: *Carne y política en la Argentina*, Buenos Aires, Hyspamérica, 1986.

Stocking Jr., George (comp.): *Colonial Situations: Essays on the contextualization of ethnographic knowledge*, Madison, The University of Wisconsin Press, 1991.

Taussig, Michael: "Maleficium: State Fetishism", en Emily Apter y William Pietz, 1993.

Tucker, Robert C. (comp.): *The Marx-Engels Reader*, Nueva York, Norton, 1978.

Turazzi, Maria Inez: *Poses e trejeitos: A fotografia e as exposiçoes na era do espetáculo (1839-1889),* Río de Janeiro, Funarte, 1995.

Vitali, Olga. "1889: la Argentina en la exposición mundial de París", en *Todo es historia*, N° 23, 1987, págs. 30-37.

CIENCIA Y PERIFERIA: UNA LECTURA SOCIOLÓGICA

PABLO KREIMER

RESUMEN

El interrogante central que articula este trabajo se focaliza en la pregunta acerca de cómo explicar las prácticas científicas desplegadas por los actores en el marco de sociedades periféricas; es decir, de sociedades en las cuales la ciencia se desarrolló con posterioridad y en condiciones particulares respecto de los contextos institucionales más dinámicos, localizados en particular en Europa occidental y en Estados Unidos. Para ello, analizaremos brevemente los principales problemas derivados de la concepción de la ciencia como una actividad internacional, y el juego de los elementos presentes en los contextos particulares de emergencia de las comunidades científicas locales. Analizaremos luego las consecuencias de las corrientes en sociología de la ciencia desplegadas durante las últimas dos décadas y finalizaremos, a manera de ilustración, con el análisis de un caso particular, en un laboratorio de biología molecular en la Argentina, que ejemplifica un fenómeno que denominamos como de "integración subordinada".

1. Lo universal y lo local: enfoques clásicos

Existe, en los últimos años, una cierta cantidad de literatura en los estudios de sociología (y, naturalmente, también de historia) de la ciencia que, desde diferentes perspectivas, ha puesto en cuestión el problema de las dimensiones nacionales/internacionales de las prácticas científicas. El problema, por cierto, no es nuevo: el carácter (y la validez) universal de la ciencia son tópicos que reconocen muchas décadas de discusión. Hay, sin embargo, un espacio de reflexión que es más reciente, y que puede dar vuelta los términos del debate. Me refiero a los aportes teóricos y metodológicos realizados por las diversas corrientes que surgieron y se fueron desarrollando desde los años setenta y que implicaron, de hecho, la fractura del *paradigma mertoniano* en la sociología de la ciencia.

En efecto, para la sociología clásica de la ciencia, el carácter universal de las prácticas científicas funcionaba como un postulado de orden general, como un *a priori* que no necesitaba ser puesto en cuestión, y que se verificaba a través de la conocida norma del universalismo característica del *ethos* de la ciencia. El problema tampoco parece resolverse con autores que, como Ben-David, tomaron efectivamente en cuenta ciertas dimensiones locales para el estudio de las comunidades y de los roles científicos en diferentes tipos de sociedad. El análisis, ciertamente mecanicista, pone el énfasis en la existencia o en la carencia de las condiciones *objetivas* que son juzgadas como necesarias para el desarrollo de una profesión científica "moderna".

Más cerca en el tiempo, los conocidos libros de Lewis Pyenson destinados a comprender la difusión de las corrientes principales de ciertas disciplinas (en particular la física y la astronomía), con un centro particular en Alemania y en Francia, proponen un análisis de las relaciones que se establecen entre las metrópolis productoras de conocimientos y las sociedades más atrasadas que funcionan como "receptoras" de esos conocimientos.[1] Así, por ejemplo, Pyenson critica parcialmente el enfoque de la "teoría de la dependencia" esbozado por Thornton,[2] según la cual "la gente en una cultura dominada está presta a aceptar que su visión es inferior, y a aceptar la cultura del conquistador". Dice, por el contrario, que los físicos y astrónomos alemanes difícilmente encajen con la imagen de la teoría de la dependencia, puesto que, según él "los científicos alemanes que establecieron las bases del conocimiento científico estaban dominados por un horror por la mediocridad".[3] Agrega Pyenson que muchos científicos se vieron frustrados, en los años veinte, por defectos materiales y humanos que impedían su trabajo en las sociedades periféricas: el equipamiento no llegaba a tiempo o era inservible, la literatura científica era escasa o imposible de conseguir, los asistentes eran difíciles de formar y, cuando se los entrenaba, difíciles de mantener.

Sin embargo Pyenson, escribiendo bajo la perspectiva de un modelo de análisis que podríamos suponer como asociado a la *difusión* del conocimiento desde las metrópolis, no analiza la posibilidad y las características que adquiere la construcción de verdaderas *tradiciones de investigación* en las sociedades que analiza. Estas tradiciones, indisociablemente socio-cognitivas, se articulan *necesariamente* a lo largo de varias generaciones e incluyen, *aunque no como un recurso exclusivo*, la actuación de científicos provenientes de las metrópolis. Las relaciones implicadas son, en efecto, más complejas que el modelo y el período que analiza Pyenson.

Lo que permitió plantear los problemas desde una perspectiva que es, sin dudas, más adecuada para comprender las prácticas científicas en general, ha sido la gran cantidad de estudios de orden empírico que se fueron desarrollando durante las últimas décadas. Estas corrientes rechazaron el postulado de universalidad de la sociología clásica, a partir de dos supuestos básicos: primero, la ciencia no constituye una esfera autónoma de operaciones intelectuales. En la sociología *constructivista* (como una definición que abarca la mayor parte de las corrientes que emergen desde fines de los años setenta), se presenta a la ciencia como algo que no es diferente de (reductible a) otras formas alternativas de esfuerzos sociales y cognitivos. En pocas palabras, la ciencia es descripta y comprendida totalmente como una actividad socialmente determinada. El segundo supuesto que la alejó de los análisis clásicos fue su preocupación por la esencia de las prácticas de laboratorio. De este modo, los sociólogos analizan las fuerzas presentes en la enunciación y en la aceptación general de formulaciones científicas específicas, y apuntan directamente al contenido de la investigación.[4]

Hay pues, dos puntos de tensión fundamentales que proponemos para el abordaje de la ciencia y las prácticas científicas en el marco de sociedades que normalmente son definidas como periféricas, en particular respecto de los patrones de modernización implicados en los procesos de industrialización y, más recientemente, de lo que se denominan sociedades post-industriales. El primer punto de tensión *(o trade-off)* nos remite a cierta dinámica particular de la ciencia en la escena internacional, *versus* la constelación de factores que prevalecen en el contexto local en el cual se desarrollan las prácticas científicas.

Este punto de tensión, que ha sido abordado frecuentemente bajo la perspectiva de las relaciones centro-periferia, implica dos ámbitos específicos que deben ser complejizados, en varios sentidos: en primer lugar, el concepto mismo de "centro" es equívoco, en la medida en que, entendido de un modo acrítico (que ha sido más que frecuente) remite, indistintamente, a un conjunto difuso de instituciones, actores, prácticas y de contenidos cognitivos (agrupados dentro del rótulo de los *mainstream* de la ciencia internacional), que suelen ser muy heterogéneos entre sí, con notables diferencias entre países, disciplinas e instituciones.[5] Por lo demás, no todos estos elementos pertenecientes a las instituciones del "centro" son igualmente relevantes a la hora de analizar el desarrollo de las prácticas científicas que tienen lugar en un contexto periférico. En este sentido, trabajos como los de

Pyenson pueden ser relevantes, en la medida en que han mostrado el modo en que se estructuraron históricamente determinados grupos de investigación en algunas sociedades periféricas, aunque su análisis, como señalamos, se oriente especialmente a mostrar la influencia de individuos particulares provenientes de ámbitos sociales y cognitivos de las diversas "metrópolis". Finalmente, es necesario considerar si resulta suficiente que un grupo determinado se encuentre localizado en algunos de los países o institutos de mayor relevancia en la consideración de la mayoría de los actores de un campo disciplinario particular, para que sea, de un modo automático, etiquetado como un grupo perteneciente al *mainstream*.[6] Abundantes ejemplos dan muestra de lo contrario, y análisis como los que ha propuesto Harry Collins para la identificación de lo que este autor denomina los *core-set* en el estudio de las controversias pueden muy bien ser apropiados para identificar a los grupos más dinámicos dentro de cada campo disciplinario particular.[7]

En segundo lugar, por otro lado, las comunidades científicas en los países periféricos tampoco constituyen espacios homogéneos, más allá de las implicaciones sociológicas que el término "comunidad" pareciera implicar (e implicaba, de hecho, para buena parte de la sociología clásica). Así, los grupos de investigación, las instituciones, y las prácticas presentan, de un modo análogo, diferencias sustantivas, por ejemplo, en cada uno de los campos disciplinarios e institucionales. En este sentido, la identificación de las diferentes tradiciones que se fueron desarrollando en el interior de campos científicos determinados, resulta una tarea fundamental para el análisis del punto de tensión que nos ocupa. En efecto, muchas veces las diferentes tradiciones suelen distinguirse entre sí por una primera gran línea que discrimina entre aquellos grupos e individuos más "integrados" con grupos localizados en instituciones y grupos de investigación pertenecientes al "centro", y otros grupos que no han desplegado estas formas de relación. La puesta en perspectiva de este aspecto nos habrá de mostrar una "comunidad científica" local que, contrariamente a cierta visión idealizada, se encuentra profundamente segmentada, con hiatos que son, a menudo, profundos. En la última parte de este trabajo intentaré ilustrar este aspecto.

En tercer lugar, una vez que ha sido posible pensar las relaciones "centro-periferia" en los términos más complejos que hemos propuesto, es necesario pensar efectivamente el problema desde una perspectiva *dinámica y relacional*. Dicho de otro modo, si es posible identificar la trama de relaciones internacionales desplegadas por determinados grupos de investigación en el marco de una sociedad local, no debe abandonarse luego esta perspectiva para ahondar en un análisis "interno" de la dinámica de estos grupos, dejando de lado este carácter, sobre todo cuando los vínculos "externos" con grupos determinados, localizados en centros e institutos "centrales" resultan especialmente relevantes para comprender la conformación de las tradiciones locales implicadas.

2. *Hacia un nuevo enfoque*

El segundo punto de tensión que es necesario señalar, se refiere al modo de abordaje a través del cual habrán de estudiarse las prácticas que se enmarcan dentro de un contexto "periférico". Ya señalamos las limitaciones que, para desarrollar estos estudios, presentaba la sociología clásica de la ciencia, derivadas de su incapacidad para vincular el contexto social de emergencia de las prácticas científicas con las relaciones internas en el ámbito de producción (algunos dirán "fabricación") de conocimientos, y con los contenidos mismos de esos conocimientos. La emergencia de las nuevas corrientes, que genéricamente llamaremos constructivistas, posibilitó dos movimientos: el primero fue el cambio del objeto; es decir, la posibilidad de establecer algunas hipótesis explicativas entre estos tres niveles de análisis que la sociología clásica dejaba de lado. Así, si bien predominó a veces un sesgo excesivamente dirigido hacia los factores sociales y políticos, los procesos de producción de conocimiento fueron ubicados en un espacio de determinaciones que hacían que las dinámicas presentes en la sociedad local atravesaran el campo del trabajo científico tanto como atravesaban todo otro espacio de interacción social, simbólica y material. De allí surgen nociones tales como "intereses", "aliados", "arenas transepistémicas de investigación" y "relaciones de recursos", entre otras.[8]

Segundo, esta nueva forma de investigar implicaba, necesariamente, ingresar *dentro* de los espacios donde el conocimiento resulta efectivamente producido (y negociado, certificado y validado), puesto que resultaba la única forma posible para la identificación de los actores, del contenido de sus prácticas y de los recursos que ellos movilizan.

Durante la última década fue desarrollándose, en parte de un modo paralelo y en parte en contra de la sociología constructivista del conocimiento, una nueva generación de sociología de la ciencia que se puede denominar como "neo-institucional". Esta sociología toma en cuenta el papel de las restricciones en la práctica científica, y describe la investigación científica a lo largo de dos dimensiones: las condicionamientos cognitivos que están asociados al logro de la trayectoria intelectual (condicionamientos en las formas de razonamiento, las prácticas de trabajo, las pruebas, la evaluación y los criterios de publicación); y los condicionamientos socio-estratégicos que están asociados con el mantenimiento o el crecimiento de la reputación profesional. Este marco analítico a dos puntas permite analizar los factores económicos, políticos y posicionales, a la par que los factores intelectuales, como la selección de los tópicos de investigación, la instrumentación, los procesos de razonamiento y los criterios de evaluación. Este enfoque hace referencia constante a las instituciones científicas, sus supuestas normas operativas, las aspiraciones y realidades profesionales y a la historia y tradiciones de la ciencia. En esta corriente sociológica, todos estos elementos van tejiendo una trama que guía y limita las acciones de los practicantes. Las observaciones de los científicos acerca del entorno físico son examinadas en función de los sentidos que les conceden los propios actores. Este tratamiento de los resultados científicos contrasta con la interpretación constructivista, en la cual los hallazgos de la investigación y el entorno físico resultan subordinados simplemente al papel de recursos, movilizados por los practicantes en sus intentos por ascender en el espacio político, social, económico o profesional.[9]

El análisis del problema de la "periferialidad", cuando se lo analiza desde esta nueva perspectiva, puede iluminar aspectos que resultan ocultos (en la sociología clásica) o que han sido presentados de un modo que sólo son el resultado de la habilidad de los practicantes para movilizar recursos que logren imponerles su punto de vista a los otros actores (sociología constructivista). Aquí, por el contrario, dichos recursos son analizados como componentes de un campo de interacciones dinámicas, en donde no se supone, *a priori*, la supremacía de ninguno de los componentes.

3. *¿"Ciencia periférica" o ciencia "en" la periferia?*

Hebe Vessuri, en uno de los primeros trabajos que, en el marco de América latina, se dirigió a intentar comprender la "naturaleza periférica" del conocimiento científico y de la manifestación del contexto sociocultural sobre aquél, distinguió tres niveles de análisis: el nivel de los conceptos científicos, el nivel de los temas de investigación y el nivel de las instituciones.

Respecto del primero de ellos, afirma Vessuri que "el desarrollo conceptual tiene menos posibilidad de ocurrir en América latina, por los riesgos que supone la creación de conocimiento verdaderamente nuevo, tanto en términos de su costo económico como intelectual. Las comunidades científicas de la periferia son más conservadoras que en los centros, trabajan casi exclusivamente dentro de los parámetros de la ciencia "normal", en la resolución de rompecabezas cuya concepción fundamental se da en otras partes".[10]

En el nivel de los temas de investigación, afirma esta autora que, en las disciplinas fundamentales, el aporte que están en condiciones de hacer los científicos de la periferia, especialmente en disciplinas "maduras" está más en la *aplicación* de una ciencia, orientada por necesidades sociales, que en una verdadera "ciencia pura" percibida como "más científica". El caso más significativo sería aquí el de la medicina.

El nivel de las instituciones científicas se sitúa en la consideración de sus relaciones con la sociedad; e implica el modo cómo se ponen en juego relaciones de poder entre los hombres, determinan los métodos de trabajo, los modos de transferencia y difusión de la información. Según Papon (1978), son la expresión concreta de las estructuras y las mentalidades sociales que en gran medida dan forma al modo de producción de los conocimientos científicos.

Desde esta perspectiva, los contextos socioculturales ubicados en la periferia parecerían operar como una restricción fundamental en la consolidación de equipos de investigación *exitosos* en términos de la evaluación de sus pares en la "comunidad científica internacional".

El historiador peruano Marcos Cueto (1989) prefiere señalar la distinción entre la ciencia periférica y lo que él denomina ciencia *en* la periferia; considera que la primera de estas definiciones resulta más apropiada, puesto que hablar de una ciencia periférica implica que la ciencia de los países atrasados es marginal al acervo del conocimiento en términos de recursos, número de investigadores y en la calidad de los temas estudiados. Por el contrario, propone los términos de "ciencia en la periferia" y, sobre todo, de "excelencia científica en la periferia" para resaltar que el trabajo científico en estos países tiene sus propias reglas, que deben ser entendidas no como síntomas de atraso o modernidad, sino como parte de su propia cultura y de las interacciones con la ciencia internacional.[11] La cuestión que formula Cueto es relevante, y remite a la tensión que señalamos más arriba: cómo comprender la combinación de un trabajo moderno y creativo en un contexto cultural supuestamente tradicional y "periférico" a los centros mundiales de la ciencia. Cueto introduce una importante contextuación histórica cuando afirma que es necesario recordar que la presente distancia que existe entre la ciencia de los países desarrollados y la de algunos países subdesarrollados, no fue tan amplia en el pasado, y que más bien esta separación ha tendido a crecer en los últimos cuarenta años.

En un trabajo más reciente, Cueto (1997) enfatiza esa dirección, buscando los elementos que desempeñaron un papel importante en las operaciones *exitosas* en la construcción institucional bajo condiciones adversas. Distingue cinco tópicos que constituyen algo así como una agenda de problemas: 1) concentración (*versus* la dispersión de recursos y de personal); 2) utilitarismo: "La supervivencia de la tarea científica bajo condiciones adversas demanda que sus practicantes proclamen cierto grado de utilidad pública de su trabajo"; 3) nacionalismo, que puede afectar la selección de los tópicos y eventualmente el contenido de la ciencia; 4) tecnología: se refiere a las dificultades para obtener equipamiento y materiales; esto llevó a algunos investigadores a hacer más eficiente la ecuación entre recursos y productos, y 5) redes; se refiere a cómo se han construido las redes nacionales e internacionales o, más específicamente, cómo los científicos de América latina (o de la periferia) son reclutados en redes establecidas.[12]

Es interesante la reflexión de Cueto acerca de la distinción de una excelencia científica en la periferia, puesto que ésta pone de manifiesto el carácter heterogéneo de las comunidades científicas locales que el concepto de ciencia periférica tiende a desdibujar, y no sólo parece borrar las diferencias *en el interior* de comunidades científicas particulares, sino también entre varias comunidades científicas localizadas en contextos claramente diferenciados. El atributo de "excelencia" es, empero, más discutible. Es cierto que Cueto analiza algunos grupos que han sido ampliamente reconocidos por la comunidad internacional (el más emblemático es, sin dudas, el premio Nobel Bernardo Houssay en la Argentina), pero considerar dicho reconocimiento, ciertamente basado en la valoración de las contribuciones realizadas por aquellos grupos, como la dimensión fundamental para la distinción particular de una tarea "exitosa" o "moderna" y por ello menos periférica puede resultar en una interpretación sesgada. Si, como dice Cueto, la distancia entre la ciencia producida en ciertos países y el *mainstream* internacional no era tan amplia en el pasado, no hay ningún motivo para no indagar, junto con la constelación de los cinco tópicos que él menciona, *también* en la característica de aquellos grupos exitosos, las posibles razones de la ampliación del denominado *gap* actual.

Considerar los tres niveles de análisis que propuso Vessuri es útil en este caso, porque los dos primeros plantean el problema "periférico" en términos relacionales, que Cueto reconoce y enfatiza, y el tercero se concentra en las dificultades y restricciones propias del contexto local (institucional), que también reconoce.

Sin embargo, para un análisis integral del problema, considera que es necesario agregar algunas dimensiones al análisis. Enunciamos algunas brevemente:

a) En el análisis de las cinco dimensiones que señala Cueto, es necesario agregar a la consideración lo que Shinn y otros (1996) han señalado como el modo en que juega la *epistemología* en la constitución de nuevas categorías de saber, en su consolidación y en su institucionalización. La presencia de variables de orden epistemológico debe ser evaluado en función de los campos disciplinarios particulares, de las líneas y los temas de investigación y de la forma en que los contenidos resultan efectivamente construidos por los actores.

b) La dimensión histórica y la constitución de tradiciones particulares es un aspecto que ya ha sido mencionado. Sin embargo, las tradiciones científicas deben ser entendidas como algo más que lo que señala, por ejemplo, Petitjean. Este autor señala que "la constitución de tradiciones científicas es el resultado de que *las políticas públicas nacionales tomaron a cargo la ciencia*, y *a veces de la síntesis de elementos provenientes de diferentes culturas*."[13] Propongo, en cambio, que consideremos la articulación de tradiciones científicas como la constitución de espacios socio-cognitivos más complejos, como ámbitos de identificación cultural, política, cognoscitiva e institucional, que se van estructurando históricamente a través de las relaciones inter-generacionales, en los lugares de trabajo y en los diferentes ámbitos de actuación institucional.

c) La mayor parte de las dimensiones que señala Cueto como explicaciones de los recorridos "exitosos", en particular el "utilitarismo", el "nacionalismo" y la "tecnología" deben ser explicados dentro de un área problemática más amplia, que nos remite al problema general de la existencia de una suerte de "contrato" entre *ciencia y sociedad* y, en relación con éste, entre *ciencia y estado*.[14] En pocas palabras, y como ha sido mostrado por numerosos autores, se trata de comprender que el desarrollo relativamente tardío de la investigación científica en la mayor parte de las sociedades periféricas respondió más bien a un doble movimiento de imitación de la llamada "ciencia occidental" estrechamente asociada al ideal de modernización, por un lado, y a la creencia, fuertemente difundida, de que la investigación científica constituía un elemento fundamental en los procesos económico-sociales vinculados al *desarrollo*. Esta creencia, asociada a la idea de un modelo lineal de innovación que comenzaba con la ciencia básica y finalizaba con el desarrollo tecnológico y la innovación, suponía la necesidad de generar un "stock" de conocimientos disponibles para que puedan ser aprovechados por el tejido productivo.[15]

En muchos países, en efecto, se produjeron conocimientos –ciertamente, de calidad variable– que fueron puestos a disposición de la "sociedad". Empero, durante largas décadas, y aún en la actualidad, el problema general de la ciencia en la mayor parte de los países de la periferia ha radicado en la escasa o nula apropiación de diferentes actores sociales del conocimiento producido localmente; me refiero tanto a actores más típicamente representativos del "tejido productivo" como a todo otro actor social.

Es un tópico que aún no ha sido suficientemente investigado la determinación de la constelación de factores que han operado en esta falta efectiva de apropiación del conocimiento producido localmente. Naturalmente, entre ellos, podemos mencionar elementos propios de la lógica de los actores científicos locales, tales como la carrera por la publicación en la escena internacional, y por consiguiente por definir temas y líneas de investigación que se adecuen más a esos requerimientos que a las potenciales necesidades de la sociedad local, al contenido de las políticas públicas que en muchos casos enfatizaron largamente la autonomía de la esfera de la ciencia; como también la dinámica de los propios actores "externos" al ámbito de producción de conocimientos, en particular las empresas que, salvo excepciones, han tendido a subestimar o ignorar los conocimientos localmente producidos. Lo mismo podría decirse de la utilización, por parte del Estado mismo, de conocimientos producidos localmente para la resolución de problemas de cada sociedad particular, aunque, como bien señala Cueto, existen algunas excepciones significativas en el campo de la investigación médica.[16]

Tal vez dándole la vuelta al argumento, uno podría afirmar que este rasgo de producción de conocimientos "no apropiados" y, en muchos casos "no apropiables" por parte de la mayor parte de las sociedades de la periferia, constituye en sí mismo uno de los pocos rasgos de carácter general para describir el papel de la investigación científica en este tipo de sociedades. En efecto, muchos de los problemas que se describen comúnmente, tales como la falta de recursos, de "masas críticas", de estabilidad institucional, etc., tienen que ver con la falta de legitimidad que las prácticas científicas van adquiriendo en estas sociedades, como consecuencia de que la mayor parte de los actores percibe con mucha dificultad la utilidad de financiar un conjunto de prácticas sociales cuyos beneficios hacia fuera de la "comunidad" son, en el mejor de los casos, intangibles, y en el peor, inexistentes.

d) Para analizar el papel de las prácticas científicas en el interior de las comunidades de la periferia, no basta con identificar la existencia (o las condiciones de existencia) y el recorrido de las tradiciones científicas predominantes. Además de ello, es necesario realizar dos operaciones complementarias y fundamentales: por un lado, analizar la interacción de los grupos más representativos de esas tradiciones con la trama compleja de relaciones sociales en el sentido en que lo explicitamos en el punto anterior (poniendo bajo la lupa la suerte del contrato celebrado con la sociedad civil y con el Estado).

Por otro lado, es indispensable una indagación hacia el interior de las tradiciones mismas. En este sentido, es necesario penetrar más allá de los muros de los laboratorios, para establecer cómo operan y se articulan un conjunto de dimensiones sociológicas que resultan esenciales para la comprensión de los tópicos que han sido discutidos hasta aquí. Me refiero a los aspectos que señalamos más arriba, tales como las condicionamientos cognitivos que están asociados al logro de la trayectoria intelectual (condicionamientos en las formas de razonamiento, las prácticas de trabajo, las pruebas, la evaluación y los criterios de publicación), y los condicionamientos socio-estratégicos que están asociados con el mantenimiento o el crecimiento de la reputación profesional, las estrategias, las limitaciones, las redes, etc. Con este el arsenal analítico, desplegado para el estudio de las prácticas científicas, estaremos en condiciones de proponer explicaciones integrales, relacionales y contextuadas del desarrollo de estas prácticas en el contexto de las sociedades de la periferia.

4. La "modernidad periférica": un ejemplo de integración hipernormal.

El siguiente ejemplo está extraído de una investigación empírica que llevé a cabo hace algún tiempo, sobre tres laboratorios de biología molecular ubicados en Inglaterra, Francia y la Argentina. Me refiero aquí a ciertos aspectos particulares que surgen del análisis del caso argentino.[17]

En los comienzos de los años ochenta, el director de uno de los grupos del laboratorio que estudiamos, se encontraba en la Universidad de Cambridge, Inglaterra, como parte de sus trabajos de *posdoc.* Había llegado allí un tiempo antes, por recomendación de un antiguo profesor suyo, que había tenido que exiliarse como consecuencia del golpe militar que se instaló en la Argentina en 1976.[18] Mientras trabajaba en dicho laboratorio, este investigador argentino tuvo una importante participación en el descubrimiento del *gen de la fibronectina.* Este gen resultaba especialmente interesante, porque mostraba un fenómeno desconocido hasta entonces (y, además, anómalo): se trataba de lo que se conoce como "*alternative splicing*", que es la expresión del gen en más de una proteína. La importancia fundamental que este proceso adquiere estriba en el hecho de que esto parecía contradecir (y de hecho así fue luego demostrado) el dogma central de la biología molecular, enunciado por primera vez por Francis Crick. Este dogma establecía que había un flujo unidireccional de la información, al mismo tiempo que se produce una colinealidad entre ADN y proteínas: "En los sistemas biológicos, la información genética transita *siempre* de los genes hacia los ácidos ribonucleicos mensajeros, y de estos ARN hacia las proteínas. Esto tomó rápidamente la forma de un esquema ADN→ ARN→ proteínas. En donde, por el principio de colinealidad, a un gen particular le correspondía *siempre* una proteína particular".[19]

En las investigaciones desarrolladas en Cambridge se descubrió, como dijimos, que el gen de la fibronectina se expresaba en más de una proteína, lo cual era muy relevante para el campo disciplinario específico, de modo que los artículos que el grupo inglés publicó en esos años –con la participación del investigador argentino– tuvieron una gran repercusión, y fueron inmediatamente citados por una gran cantidad de artículos escritos por otros investigadores pertenecientes al *core-set* de la disciplina, en particular aquellos que se dedicaban al estudio de la regulación de la expresión genética.

Cuando, a mediados de los años ochenta, el investigador en cuestión retorna al país y se incorpora al laboratorio que nosotros estudiamos, organiza un equipo de trabajo con jóvenes investigadores y estudiantes de doctorado, para continuar investigando las distintas particularidades del gen de la fibronectina. Mientras tanto, sin embargo, en el laboratorio inglés ya se había descubierto un puñado de genes que responden a las mismas características, respecto a su capacidad para expresarse en más de una proteína. De este modo, los investigadores de dicho laboratorio pueden ir juntando una enorme cantidad de información acerca de las diferentes modalidades que adquiere el fenómeno en cada uno de los genes estudiados, constituyendo una base de datos que les permite hacer indagaciones sustantivas acerca del problema conceptual –teórico– fundamental, el "*splicing* alternativo".

Mientras tanto, en el laboratorio de Buenos Aires, las investigaciones se dirigen cada más a profundizar el conocimiento de un gen particular, perdiendo de vista todo el fenómeno conceptual en su conjunto. Se trata de un proceso que Lemaine (1980) ha denominado como "ciencia hipernormal", es decir, el hecho de indagar hasta los más mínimos detalles de un fenómeno particular, sin poder realizar ningún aporte sustantivo, pero haciendo realidad la proposición de Kuhn acerca de penetrar en cada uno de los intersticios que va dejando abiertos el imperio de un paradigma. Lemaine, que ha investigado esta actitud en países "centrales", le atribuye el carácter de una estrategia de tipo *conservador* por parte de los propios investigadores.[20] Habría que hacer las correcciones necesarias, puesto que este mismo fenómeno en un contexto periférico puede resultar más bien una estrategia de avance sustantivo de los conocimientos, en la medida en que la alternativa estratégica que Lemaine supondría más *riesgosa*, resulta simplemente imposible de practicar, como consecuencia de la falta de equipamiento, de investigadores suficientemente formados, de una tradición que socialice una cantidad suficiente de jóvenes investigadores para la reproducción del propio modelo, de incentivos institucionales más vigorosos y, en la mayor parte de los casos, una casi total indiferencia del sector privado de producción de bienes y servicios (sobre todo en la medida en que las investigaciones en cuestión no evidencien una aplicación *inmediata* al sistema productivo).

Una de las consecuencias de lo que venimos de afirmar es que el grupo de investigación de Buenos Aires continúa ligado a los otros grupos internacionales que trabajan sobre la misma temática (en particular el equipo británico) brindando la información sobre sus avances en la "hiperespecificación" de su línea de investigación. Y esto es así porque, para los otros grupos, dicha especificación resulta fundamental para ir completando el "tablero de a bordo" del conjunto del problema teórico involucrado, y para hacer avanzar sus propias investigaciones. De hecho, un equipo italiano desempeña, respecto del laboratorio de Cambridge, un papel semejante al del equipo argentino.

Otra consecuencia se hace visible para el estudio de la ciencia en la periferia: así como la relación del equipo argentino con sus pares ingleses podría ser pensada en términos de una "integración subordinada", al mismo tiempo debemos resaltar el fenómeno mismo de la integración, puesto que gracias a él, el científico argentino cuenta con un alto grado de información, y discute permanentemente acerca de la marcha del conjunto de las investigaciones en dicha temática. Lo cual nos señala, al mismo tiempo, una línea de diferenciación respecto de otros grupos (la mayor parte) en el país que, al no contar con esos mecanismos de integración, se encuentran aislados o, en el mejor de los casos reproducen las relaciones de integración subordinada, pero esta vez en el interior del país.

Debemos agregar que el tipo de estrategia que hemos denominado como "integración subordinada" posibilita, sin embargo, que grupos como el estudiado tengan la posibilidad de acceder a financiamientos de origen internacional a los cuales de otro modo difícilmente podrían acceder. Desde el punto de vista de los investigadores que componen el grupo de investigación argentino (y este punto de vista parece ser un denominador común en este modo de integración) la práctica cotidiana es percibida casi como una actividad "heroica" que se esfuerza en producir conocimiento en un nivel de excelencia, pese a las condiciones adversas producidas por un contexto local que es percibido como hostil o, por lo menos, como indiferente a los esfuerzos que ellos creen estar realizando. En este sentido, la tradición fundada por los antecesores ilustres, Houssay y Leloir, que reivindicaban la idea de una excelencia científica, pero desarrollada en la Argentina, en América latina, parece funcionar a pleno, más allá de que las condiciones se van modificando, cada día de un modo más evidente.

NOTAS

1. Me refiero en particular a dos de las obras de Pyenson (1985 y 1993).

2. Se refiere a Thornton, Archimbal, *Doctrines of Empire*, Nueva York, 1965. No se debe confundir este enfoque con los enunciados conocidos como "teoría de la dependencia" propuesto por autores latinoamericanos como F. H. Cardoso y E. Faletto (1971).

3. Pyenson (1985) pág. 307.

4. Véase Kreimer (1998); en particular la excelente introducción de Terry Shinn.

5. Raj (1996) señala, con razón, que "es común percibir a la ciencia 'del norte' como un conjunto homogéneo, indiferenciado, que fue, o no, transmitida adecuadamente hacia todos los países colonizados del globo. Así, a lo largo de la última década, un número creciente de estudios se ha dedicado a mostrar cómo las prácticas científicas y los contenidos son diferentes en las diferentes culturas que constituyen el 'norte' [...]" [la traducción me pertenece] (pág. 285)

6. Shinn (1983) distingue una universalidad radical (o global), como la que ha sido propuesta por la escuela mertoniana, de una universidad restringida: "Si el discurso y las prácticas científicas privilegian generalmente una categoría de saber basada sobre las características globales de las entidades y sobre las condiciones de las interacciones, independientemente de las variaciones espaciales y temporales, esta expresión de la universalidad no es la única forma de saber que existe. Otra universalidad (igualmente comprensible, coherente y rigurosa) se dirige en cambio a las manifestaciones locales de los fenómenos; reflejando las dimensiones locales de acontecimientos globales, pone el acento no sobre una representación idealizada, sino sobre los detalles, los particularismos y las anomalías de los objetos y de las acciones. Esta clase de universalidad, la universalidad restringida, tiende a prevalecer en la comunidad de los experimentadores, en donde el objeto de la investigación engendra ciertas restricciones cognitivas y sociales".

7. Véase Collins (1981).

8. Para tener una idea de cómo estos conceptos son utilizados, véase, por ejemplo, Latour y Woolgar (1978), Latour (1989), Knorr-Cetina (1981), Barnes (1974 y 1985). La idea de fabricación está bien expuesta en Chalmers (1990).

9. La descripción de esta corriente –no es difícil advertir que es aquella en la cual me siento más cómodo– se la debo a Terry Shinn, en Kreimer (1999), quien es uno de los mejores y más brillantes exponentes de la misma.

10. Vessuri, 1983, pág 17

11. Cueto (1988). pág. 28.

12. Cueto (1997) pág. 239-243.

13. Petitjean (1996), pág. 8. Las cursivas me pertenecen.

14. Dos de los análisis más clásicos que han señalado la existencia de esta suerte de contrato son Price (1965), Salomon (1970) y Rose y Rose (1972). Más recientemente, se puede consultar Rip y Van der Meulen (1996), Elzinga y Jamison (1995) y Cozzens y Gieryn (1990).

15. Para un análisis general, véase el volumen colectivo compilado por Salomon, Sagasti y Sachs (1994).

16. Pyenson, por ejemplo, sugiere que "los europeos de la época pensaban que el problema residía en la incapacidad de los 'no europeos' para comprender la lógica científica. En realidad, el razonamiento analítico tiene poco que ver con el problema, en los campos de conocimiento basados en la descripción y la clasificación –patología, geología y otros similares– los argentinos y los chinos habían hecho valiosas contribuciones hacia 1920. Al mismo tiempo, las herramientas matemáticas de las ciencias exactas no plantearon un problema para su asimilación, para la manipula-

ción matemática, y con mayor razón en el caso de las manipulaciones químicas o en la colecta de mariposas, eran técnicas que podían ser dominadas. Por el contrario, era a causa del cuadro implícito que surgía de la imaginación de los investigadores de las ciencias exactas el motivo por el que encontraban tan pocas mentes receptivas. *Mientras la tecnología atraviesa fácilmente las fronteras culturales, la ciencia permanece atada a las determinaciones culturales"*, Pyenson (1983), pág. 306 [la traducción me pertenece]. Entiendo que el problema es exactamente el inverso; si las cosas fueran así, la producción de conocimientos científicos en los países de la periferia no tendría inconvenientes para responder a las necesidades de cada sociedad local.

17. Ver Kreimer (1997a).

18. He intentado mostrar en otra parte cómo las migraciones científicas constituyen un aspecto fundamental para la introducción de nuevos temas y de nuevas líneas de trabajo en contextos periféricos. Ver Kreimer (1997b).

19. Ver la excelente historia escrita por François Gros (1986) así como el libro de Morange (1994).

20. Las investigaciones de Lemaine acerca de la ciencia hipernormal constituyen una buena muestra acerca de la heterogeneidad de las prácticas científicas que se despliegan en el "centro".

REFERENCIAS BIBLIOGRÁFICAS

Barnes, B.: *Scientific Knowledge and Sociological Theory*, Routledge & Keagan Paul, 1974.

Barnes, B.: *About Science,* Oxford, Basil Blackwell, 1985.

Ben David, J.: *The Scientist's Role in Society: A comparative Study,* Englewood Cliffs, N. J., Prentice Hall, 1971.

Cardoso, F. H. y Faletto, E.: *Dependencia y desarrollo en América latina* Buenos Aires, Siglo XXI, 1971.

Chalmers, A.: *Science and its fabrication*, Buckingham, Open University Press, 1990.

Collins, H.: "The place of the 'core-set' in modern science: social contingency with methodological propriety in science", *History of Science*, XIX, 1981.

Cozzens, S. y Gieryn, T. F.: *Theories of Science in Society*, Bloomington, Indiana University Press, 1990.

Crawford, E.; Shinn, T. y Sörlin, S. (comps.): "Denationalizing Science. The Contexts of International Scientific Practice". *Sociology of Sciences Yearbook,* vol. XVI, Dordrecht/Boston/London, Kluwer Academic Publishers, 1992.

Cueto, M.: *Excelencia científica en la periferia*, Lima, GRADE-CONCYTEC, 1989.

————: "Science under Adversity: Latin American Medical Research and American Private Philanthropy", 1920-1960, *Minerva* N° 35, 1997, págs. 233-245.

Elzinga, A. y Jamison, A.:"Changing policy Agendas in Science and Technology", en Jasanoff *et al.* (eds.) *Handbook of Science and Technology Studies*, Londres, Sage, 1995.

Gros, F.: *Les secrets du gène*, París, Editions Odile Jacob, 1986.

Knorr-Cetina, K.: *The manufacture of knowledge*, Oxford, Pergamon Press, 1981.

Kreimer, P.: *L'universel et le contexte dans la recherche scientifique. Etude des laboratorires en biologie moléculaire*, París, CNAM, tesis de doctorado, 1997a.

——————: "Migration of Scientists and the Building of a Laboratory in Argentina", *Science, Technology and Society*, N° 2, vol. 2, 1997b.

——————: *De probetas, computadoras y ratones: la construcción de una mirada sociológica sobre la ciencia*, Buenos Aires, Editorial de U.N. Quilmes, 1999.

Latour, B. y Woolgar, S.: *La vie de laboratoire. La production des faits scientifiques*, París, La Découverte, 1988.

Latour, B.: *La science en action*, París, La Découverte, 1989.

Lemaine, G.: "Science normale et science hypernormale. Les stratégies de différenciation et les stratégies conservatrices dans la science", *Revue française dee sociologie,* XXI, 1980.

Morange: *Histoire de la biologie moléculaire*, París, La Découverte, 1994.

Papon, P.: *Le pouvoir et la science en France*, París, Le Centurion, 1978.

Petitjean, P.: "Les sciences coloniales: figures et institutions", en *Les sciences hors d'occident au XXe Siècle*, vol. 2, París, Editions de l'ORSTOM, 1996.

Pyenson, L.: *Culture Imperialism and Exact Sciences: German Science Expansion Overseas, 1900-1930*, Nueva York, Peter Lang, 1985.

——————: *Civilizing Mission. Exact Sciences and French Overseas Expansion, 1830-1940*, Baltimore y Londres, The John Hopkins University Press, 1993.

Raj, K.: "Christian Confessions and Styles of Science in Nineteenth-Century Bengal: Their impact on the emergence of the social sciences in Britain", en "Les sciences coloniales: figures et institutions", *Les sciences hors d'occident au XXe Siècle*, vol. 2, París, Editions de l'ORSTOM, 1996.

Rip, A. y Van Der Meulen, B.: "El sistema de investigación posmoderno". *REDES* , vol. III, N° 6, 1996.

Rose, H. y Rose, S.: *Ciencia y sociedad*, Buenos Aires, Tiempo Nuevo, 1972.

Salomon, J.-J.: *Science et politique*, París, Seuil, 1970.

Salomon, J. J.; Sagasti, F., y Sachs, C.: *La quête incertaine; science, technologie, développement*, París, Economica, 1994.

Shinn, T.: "Construction théorique et démarche expérimentale: Essai d'analyse sociale et épistémologique de la recherche". *Information sur les sciences sociales*, vol. 22, N° 3, 1983.

——————: "Prefacio", en Kreimer, 1999.

Vessuri, H.: *La ciencia periférica*, Caracas, Monte Ávila, 1983.

LA SENSIBILIDAD EVOLUCIONISTA EN LA ARGENTINA DECIMONÓNICA*

MARCELO MONTSERRAT

In memoriam Susan Sheets-Pyenson.

Science! true daughter of Old Time thou art!
Who alterest all things with thy peering eyes.

EDGAR ALLAN POE

We are prisoners in a mansion of many rooms,
each of which is graced with splendid qualities.

LEWIS PYENSON

LA MUSA ESQUIVA

Ha escrito con admirable pertinencia Carl E. Schorske en una obra reciente:

> Contemplando hoy la historia, uno bien puede hablar de *glasnost*. El orden jerárquico de las disciplinas ha sido completamente alterado en nuestro siglo. Por primera vez en su larga vida. Clío está jugando en sus propios términos. Ha perdido la ilusión de ser la reina de todas las investigaciones en el panorama académico. Ya no está más al servicio de la teología ni el derecho, ni ligada a la filosofía para realizar con ella sus proyectos liberales y burgueses en el mundo de la política. Ahora, la historia elige a sus socios libremente [la traducción me pertenece].[1]

La tensión entre una visión céntrica de la historiografía y una apertura que le permita asumir estrategias de cooperación con saberes vecinos, no es, sin embargo, tan nueva. Ya Piaget distinguía con perspicacia entre la multidisciplinariedad como suma y yuxtaposición de conocimientos y la interdisciplinariedad como multiplicación de saberes.

*. Este trabajo forma parte de la investigación *El análisis histórico-social de la ciencia en la Argentina en la segunda mitad del siglo XIX,* realizada en el Departamento de Humanidades de la Universidad de San Andrés, mediante el apoyo de la Agencia Nacional de Promoción Científica y Tecnológica.

Lo cierto es que la historia se atreve ahora, en diálogo intercomunicacional, a escrutar regiones de la realidad pasada antes relegadas, aunque algunos sospechen que éste es el camino de su disolución.[2] Las mentalidades, los imaginarios sociales, las intrincadas urdimbres de las vidas privadas, son un claro ejemplo de ello.

En la estela de ese frágil navegar, circula la presente comunicación como una endeble chalupa. Empleo el concepto de sensibilidad –del cual es maestro José Pedro Barrán,[3] como algo menos organizado que una mentalidad o una ideología, pero más penetrante, sutil y envolvente. La mentalidad es un ropaje; la sensibilidad, a veces, apenas un perfume.

Me propongo analizar tres momentos de la sensibilidad evolucionista, a través de tres testimonios argentinos decimonónicos. Materiales antes trabajados en una dirección, serán ahora prismáticamente colocados bajo otra luz que revele distintas imágenes. Al fin y al cabo, eso es lo que solemos hacer los historiadores: acosar el huidizo flanco del pasado desde apuestas diversas, como en una aventura cinegética en la que la presa será –tras mil esfuerzos– apenas herida.

HUDSON: UNA ECOLOGÍA DEL ESPÍRITU

> "Hay una hora de la tarde en que la llanura está por decir algo; nunca lo dice o tal vez lo dice infinitamente y no lo entendemos, o lo entendemos pero es intraducible como una música".
>
> JORGE LUIS BORGES

Hace ya veinticinco años que más por *serendipity* que por escrupulosa búsqueda de las fuentes, encontré gozosamente al primer lector en la Argentina de *El origen* darwiniano.[4]

Un atribulado joven, William Henry Hudson, dejó expresa constancia en las últimas páginas de una obra escrita en inglés, y que aparecería en 1918 en Londres, de su encuentro con el texto famoso.

Lo que aquí nos proponemos es precisar los detalles de esta historia singular –porque creemos que una historia del acontecimiento tiene aún su propio valor–, y contrastarlos con las más recientes afirmaciones de Jason Wilson en su ensayo *W. H. Hudson: the Colonial's Revenge*,[5] quien también se ha ocupado del tema.

¿Cuál es el contexto del texto de Hudson?

Ha escrito con razón Coseriu[6] –en el ámbito de una lingüística del hablar– que "los entornos intervienen necesariamente en todo hablar" (y en todo escribir, agregamos), "pues no hay discurso que no ocurra en una circunstancia, que no tenga un *fondo*".[7] Dentro de una teoría del entorno, cobran especial importancia los *contextos* ("toda la utilidad que rodea un signo, un acto verbal o un discurso, como presencia física, como saber de los interlocutores y como actividad") [...] "Todos los contextos extraverbales pueden ser creados o modificados mediante el contexto verbal; pero aun la 'lengua escrita' y la literaria cuentan con algunos de ellos, por ejemplo, con el contexto natural y con determinados contextos históricos y culturales".[8]

Si se analiza, desde esta perspectiva teórica, el capítulo XXIV ("Ganancia y pérdida") de *Allá lejos y hace tiempo*, cobra mayor y más rico sentido el tema del encuentro con el texto de Darwin.[9]

Por de pronto, el contexto histórico-biográfico es de una particular importancia. Hudson tenía dieciocho años, por lo menos, y no catorce o quince –como sostiene Alicia Jurado– cuando leyó *The Origin...*, ya que éste había aparecido en 1859 y Hudson nació en 1841. Precisamente en 1859 la madre del escritor murió, y todo el capítulo está transido del dolor profundo de esa pérdida. En verdad, el amor maternal es elevado por Hudson a una categoría superior de los sentimientos. Como él mismo lo expresa: "El recuerdo perdurable y fortalecedor (*enduring and sustaining*) de un amor que no se parece a ningún otro de los conocidos por los mortales, y que representa casi un sentido y la presciencia de la inmortalidad".[10]

Según Jason Wilson relata,[11] la madre de Hudson –de origen norteamericano– provenía de una familia de estricta observancia puritana, lo que explicaría la extremada reticencia para entablar conversaciones explícitamente íntimas entre ambos. Al parecer, y el mismo Hudson lo cuenta, los dos se comunicaban a través de su mutua pasión por las flores; en especial, el cariño de la madre por éstas "rayaba en la adoración",[12] anticipada en el clima espiritual cuasi-animista del breve capítulo XVII.

El triángulo enfermedad (la fiebre reumática de Hudson), pérdida maternal y soledad –"La triste verdad de que un hombre, todo hombre, debe morir solo, se había fijado vivamente en mi cerebro [...]", que así comienza el capítulo XXIV– conforma el núcleo central del contexto histórico-biográfico. Es cierto que aparecen personajes laterales importantes ("mi hermano mayor, tan largo tiempo ausente, apenas había dejado de ser un niño cuando ya se había desprendido de toda creencia en la fe cristiana"),[13] y libros como el *Selborne* de Gilbert White,[14] que influencian notablemente al joven Hudson.

Este libro, llegado a través de un viejo amigo de la familia, conduce al Hudson de dieciséis años a una ambigua exaltación. "Lo leí y releí muchas veces" –escribe–. "Jamás había llegado a mi poder nada tan bueno en su género. Pero no me reveló el secreto de mi amor por la naturaleza."[15]

Conviene destacar que el *Selborne* fue un texto de notable infuencia en su época. Tal como Allen lo destaca, siguiendo a Lowell, el libro era el diario de Adán en el Paraíso [...]. Porque era, ciertamente, el testamento del Hombre Estático: en paz con el mundo y consigo mismo, satisfecho de profundizar el conocimiento de su pequeño rincón de la Tierra, suspendido en un equilibrio mental perfecto. Selborne es la parroquia privada y secreta dentro de cada uno de nosotros. Debemos estar agradecidos de que ello fue revelado tan tempranamente y con tal aparente gracia y simplicidad [la traducción me pertenece].[16]

Pero, con todo, el *Selborne* no tranquilizó la agitada conciencia de Hudson. El encanto rayano en la experiencia mística que Hudson hallaba en la contemplación de los seres de la naturaleza, parece mejor expresada por la conclusión del poema de Whitman, *When I heard the learn'd Astronomer, "in perfect silence at the stars"*. Pero el miedo a la muerte –verdadero trauma adolescente– no cedía ni ante el sentimiento oceánico de fusión con el mundo natural, que llegaría a su cima en *Idle days in Patagonia*, una pletórica apoteosis ecológica.

Es cierto que el recurso de la lectura no era de fácil acceso a Hudson. Alicia Jurado menciona entre los libros asequibles en "Los veinticinco ombúes" la *Historia Antigua*, de Rollin; una *Historia de la Cristiandad*, en dieciocho tomos, donde pudo leer largos extractos de *Las Confesiones* y *La Ciudad de Dios*, de San Agustín; la *Filosofía*, de Brown; la *Revolución Francesa*, de Carlyle; y el *Decline and Fall of the Roman Empire*, de Gibbon,[17] por lo que resulta claro que el contexto cultural –salvo en el caso de Gibbon– era de clave intensamente religiosa.

Es en este instante en que el personaje del hermano mayor, vuelto de Gran Bretaña, cobra particular intensidad como detonador de un viraje espiritual en el joven Hudson. La requisitoria es frontal, aun modelizada por el correr de los años: "¿Cómo conciliaba esas antiguas fábulas (las de la religión) y nociones con la doctrina de la evolución? ¿Qué efecto había surtido en mí Darwin?".[18]

Es evidente que el reto se inscribe en el contexto cultural de la época,[19] o para ser más preciso, en el clima victoriano donde la famosa querella se desarrollaría, aunque el contexto físico sea paradójicamente la pampa argentina.

La primera lectura que Hudson hace de la obra no le hace mella. Curiosamente, aparece el rechazo al argumento de la selección artificial; pero es necesario leer *El origen...* "como un naturalista", tal las palabras del hermano, y Hudson –tras un corto lapso en que su salud parece mejorar y durante el cual Darwin va penetrando en su "subconsciencia"– acepta, por fin, la admonición de su hermano mayor.

Es imprescindible citar textualmente el relato del período crucial:

Aquella obsesión subsistía el día entero en mí, tanto cuando recorriendo el campo sujetaba el caballo para contemplar a gusto un ser cualquiera, como cuan-

> do boca abajo observaba entre los pastos la misteriosa vida de algún insecto. Y toda existencia que caía bajo mi vista, desde el gran pájaro describiendo círculos en la vastedad del espacio, hasta el miserable bichito que se encontraba a mis pies, entraban en el argumento y reflejaban un tipo, representando un grupo, marcado por su semejanza de familia, no solamente en su aspecto, colorido y lenguaje, sino también en personalidad, costumbres y aun en los más ligeros rasgos de carácter y gestos. Y sucesivamente así, el grupo entero, a su vez, lo relacionaba con otro grupo y todavía con otros más y más alejados, haciéndose la analogía cada vez menos notable. ¿Qué otra explicación era posible sino la comunidad de origen? Parecía creíble que no se hubiera notado, aun antes de que se descubriera que el mundo era esférico y pertenecía a un sistema planetario que giraba alrededor del Sol. Todo este acontecimiento sideral carecía de importancia comparado con el de nuestro parentesco con las infinitas formas de vida que comparten la tierra con nosotros. ¡Y sin embargo, no fue hasta la segunda mitad del siglo XIX cuando la gran, casi evidente verdad, se abrió paso en el mundo! [...] En forma insensible e inevitable, me había convertido en evolucionista, aunque nunca del todo satisfecho con la selección natural, como la única y suficiente explicación de los cambios en las formas de vida. Y otra vez, insensiblemente, la nueva doctrina me condujo a modificaciones de las antiguas ideas religiosas y, eventualmente, a una nueva y simplificada filosofía de la vida. Bastante buena en lo que se refiere a esta existencia, pero que, desgraciadamente, no toma en cuenta la otra, la perdurable.[20]

Si las reflexiones hudsonianas son auténticamente recordadas –en ese periplo de la memoria que va desde la pampa infantil hasta el Londres victoriano–, ellas nos suscitan dos observaciones. En primer lugar, y sin pretender con ello establecer un nexo causal imposible, interesa el rechazo de la hipótesis de la selección natural que, años más tarde –a la búsqueda de una síntesis–, esgrimirá el "positivismo normalista" de Pedro Scalabrini, firme impugnador del concepto de la lucha por la existencia, tras los pasos de Comte.[21] En segundo término, el eco de la introyección darwiniana en Hudson nos conduce armónicamente a aquella notable confesión de Sarmiento, pronunciada precisamente en su conferencia en homenaje a Darwin al mes de su muerte:

"Yo señores, adhiero a la doctrina de la evolución más generalizada como procedimiento del espíritu, porque necesito reposar sobre un principio armonioso y bello a la vez, a fin de acallar la duda, que es el tormento del alma ", que analizaremos más adelante.[22]

Otra de las afirmaciones centrales de Jason Wilson en su obra ya citada es la ambigüedad que la figura de Darwin representó para Hudson, y que este autor desarrolla a través de la carta dirigida por Hudson a Sclater, leída públicamente en la Sociedad Zoológica, a propósito de una supuesta y errónea descripción de Darwin del pájaro carpintero. Todo ello porque, para Wilson, en el fondo, Darwin habría sido el destructor de la filosofía vital hudsoniana, pero, a la vez, el modelo de naturalista "científico" en que Hudson ansiaba convertirse.

Esta última anotación es harto dudosa. Hudson fue menos y más que un científico; fue, como Allen lo describe correctamente, un miembro de esa escuela de "nature essayists" que Joseph Wood Krutch llamó los "Thoreauists", y que tuvo como exponente principal a John Burroughs en los Estados Unidos.[23]

Si se trata de rastrear las fuentes más remotas de esta actitud y de esta mentalidad, nada mejor que situarse en el contexto de *The American Scholar*, alocución dirigida por Ralph Waldo Emerson a la Sociedad Phi Beta Kappa, en Cambridge el 31 de agosto de 1837. ¿Cuáles son las influencias que recibe el verdadero estudioso? En sus propias palabras:

> La primera en el tiempo y la primera en importancia de las influencias ejercidas sobre la mente es aquella que proviene de la naturaleza. Cada día, el sol; y después de su ocaso, la noche y sus estrellas. Simpre sopla el viento; siempre la hierba crece [...] ¿Qué es la naturaleza para el hombre? No es nunca un comienzo, nunca un fin de la inexplicable continuidad de esta trama de Dios. Es un poder siempre circular retornando a sí mismo [la traducción me pertence].[24]

Por ello, nos parece enteramente razonable la posición de Alicia Jurado en su biografía de Hudson, cuando al citar a su gran amigo Morley Roberts, recuerda:

> Hudson no era un científico. Nunca pretendió serlo. Se contentó con ser el observador, el amigo de aves y animales y del hombre mismo cuando ese hombre no era vil ni cruel. Vivió, por lo tanto, en las fronteras de la ciencia y careció de la paciencia necesaria para las lecturas intensas y vastas que deben constituir la tarea de aquellos que, sean cuales fueren la puerta y el precio, entran en el reino de la ciencia [...].[25]

Tal nos parece un retrato adecuado de aquel escritor admirado por Conrad ("He writes as the grass grows") y T. E. Lawrence, y que pudo expresar: Así fue que en mis peores días, en Londres, cuando estaba obligado a vivir alejado de la naturaleza por largos períodos, enfermo, pobre y sin amigos, yo podía siempre sentir que era infinitamente mejor "ser, que no ser",[26] y del que se esculpió este congruente epitafio en su tumba: "Amó a los pájaros, y los lugares verdes, y el viento en el brezal, y vió el resplandor de la aureola de Dios".

HOLMBERG: UNA TERAPIA DEL PROGRESO

"Hoy las ciencias adelantan que es una barbaridad, una bestialidad."
La Verbena de la Paloma

La década del setenta traería novedades de importancia: entre 1870 y 1873 llegaron los científicos extranjeros contratados por el gobierno nacional, asesorado por Burmeister, y destinados a la Facultad de Ciencias Físico-Matemáticas de la Universidad de Córdoba y a su Academia de Ciencias Exactas, que a partir de 1878 se independizaría como Academia Nacional de Ciencias; precisamente en esa ciudad se inauguraba en octubre de 1871 el Observatorio Nacional dirigido por Benjamin Gould, que había llegado al país con sus colaboradores en setiembre del año anterior, lanzándose de inmediato al trabajo; en julio de 1872 se creaba la Sociedad Científica Argentina. Un año después, el joven Eduardo Ladislao Holmberg, nacido en 1852, colaboraba activamente en el establecimiento de la Academia Argentina de Artes y Letras, que duraría lo que la década y agruparía a intelectuales "cuya tendencia a nacionalizar la literatura y el arte [...] estaba en oposición con los gustos y la educación completamente extranjera de los socios del Círculo Científico Literario, su antagonista".[27]

El mismo Holmberg advierte sobre el despertar del interés por las ciencias naturales en la ciudad. Poco antes había señalado que "era voz corriente, no sólo entre los estudiantes sino también en todo el país, que la Zoología era propia de carniceros, la Botánica de los verduleros y la mineralogía de los picapedreros, cuando más de los marmoleros". En cambio, en las primeras páginas de su obra *Dos partidos en lucha*, aparecida en 1875, se pregunta Holmberg: "¿A qué librería podremos ir hoy sin que hallemos que más de la mitad de las obras se relacionan más o menos directamente con las ciencias en cuestión?", y señala la aparición de órganos científicos como el *Boletín* de la Academia de Ciencias de Córdoba, los *Anales de Agricultura* y los *Anales Entomológicos* que se agregan a los *Anales* del Museo Público, solitarios al comenzar la década. Basta, en verdad, hojear algunos de los boletines bibliográficos corrientes para encontrar a Claude Bernard junto a Lyell y Agassiz, a Flammarion al lado de Verne y Mayne Reid.

Mientras Holmberg iniciaba en 1869 sus estudios preparatorios en la Universidad, otro joven apenas menor que él, Florentino Ameghino, era destinado a Mercedes como ayudante en la escuela elemental, y comenzaría allí una larga serie de exploraciones apoyado por Ramorino, quien habría de remitir parte del material paleontológico hallado al Museo de Historia Natural de Milán. Pocos años después, en 1873, comienzan las expediciones de un primo de Holmberg, Francisco Pascasio Moreno, primero a Carmen de Patagones y más tarde a la desembocadura del río Santa Cruz. Moreno, estimulado por Burmeister, describe en la *Revue d'Anthropologie* dirigida por Paul Broca sus descubrimientos patagónicos. También Holmberg, recién cumplida la veintena, viaja en 1872 al Río Negro, patrocinado por la novel Sociedad Científica Argentina. De este modo, la historia iría tejiendo su fina urdimbre alrededor de nuestros tres grandes naturalistas: Ameghino, Moreno y Holmberg.[28]

En 1874, por fin, la Universidad porteña se reorganiza e incluye en su estructura una Facultad de Ciencias Físico-Naturales que abre sus puertas en 1875. En este clima de incipiente pero sugestiva renovación intelectual, Holmberg ingresa en 1872 a la Facultad de Medicina, donde se doctorará en 1880. Es compañero de José María Ramos Mejía y camarada de la promoción que en 1882 culminará sus estudios en la Facultad de Derecho: José Nicolás Matienzo, Juan Agustín García, Rodolfo Rivadavia, Luis M. Drago y Ernesto Quesada. Casado en 1874 con Magdalena Jorge Acosta, Holmberg publica ese mismo año su primer trabajo científico –sobre arácnidos– en los *Anales de Agricultura*, al mismo tiempo que traduce los *Pickwick Papers* de Dickens y prepara *Dos partidos en lucha*.

No es extraño que el darwinismo golpeara entonces las puertas de una república ávida de novedades; lo insólito reside en que la profesión pública del credo darwinista fuese expresada a través de una obra de ficción escrita por un estudiante de medicina de veintidós años.[29]

Se trata indudablemente de un ejercicio literario primerizo; el lector advierte que Holmberg está bien informado, es sutil en la ironía y hasta en la crítica social, imaginativo pero con frecuencia farragoso en la exposición. El breve prefacio, fechado en diciembre de 1874, introduce a la obra mediante un conocido recurso fictivo: su verdadero autor sería un tal Ladislao Kaillitz –versión apenas deformada del Kannitz original de los Holmberg–, un darwinista que entrega el manuscrito al relator, a punto de partir hacia Europa. Tras una cita de "nuestro caro amigo el poeta Rafael Obligado", comienza la acción. ¿Cuál es la trama que alimenta los catorce capítulos de *Dos partidos en lucha*? Holmberg aprovecha los convulsos momentos políticos por los que pasan la ciudad y la nación –las elecciones presidenciales del 12 de abril en las que el mitrismo ha triunfado holgadamente en Buenos Aires frente a la victoria de Avellaneda-Acosta en casi todo el interior, la reunión del Colegio Electoral donde estos últimos obtienen 146 votos contra 79, y la rebelión mitrista que será finalmente derrotada en diciembre– para urdir sobre ellos un doble tejido de equívocos políticos y culturales. Los preparativos de aquel golpe secular vencido por el ferrocarril, el telégrafo y los Remington, según la concisa fórmula del ministro norteamericano Thomas Osborn a su gobierno, con sus mitines populares y la enconada lucha de los boletines periodísticos, abren la pequeña novela, tras el relato de un corto viaje del autor al Río Negro, ya mencionado, y escrito a la manera de un homenaje al periplo darwiniano de cuatro décadas atrás.

Holmberg, quien comienza lamentándose retóricamente de su desconocimiento del naturalista inglés –"Sin embargo, yo que acababa de pasar mi último examen de preparatorios en la Universidad, no sabía quién era Darwin" (pág. 3)–, no tarda mucho en iniciar sus célebres ataques a Burmeister, "un sabio demasiado sabio quizá, y esto lo entenderán los que estén en antecedentes" (pág. 7).

Sin soslayar un ápice los méritos científicos de Burmeister, hay que reconocer en él una obstinación verdaderamente prusiana respecto de las ideas novedosas. Ya en 1862, el ingeniero francés Adolfo Sourdeaux, ex capitán de infantería de marina de las fuerzas que bloquearon a Buenos Aires, tuvo que soportar el rigor del *dictum* burmeisteriano, a propósito de los pozos artesianos que introdujo en nuestro país. Para Burmeister, las tales aguas semisurgentes no existían y era "una locura buscarlas", pero el francés no se arredró y siguió perforando hasta anunciar bélicamente, en un número de *La Tribuna* de marzo de 1862, "que a pesar de los fatídicos pronósticos de ciertos sabios, esta especie de eunucos de la ciencia que, incapaces ellos, estorban a los demás; a pesar del fallo de esos jueces infalibles que desde su bufete y suavemente arrellanados en sus poltronas, todo lo saben, decretan y sentencian [...] aguas artesianas surgentes hay en este país. En efecto, a las 92 varas de profundidad hemos vuelto a encontrar en Barracas las mismas aguas halladas en nuestro sondaje de la Piedad y cuya ascensión había sido objeto de dudas y aun de mofa por parte de aquellos señores". Se enardece más entonces la singular querella francoprusiana, pues Burmeister, al frente de una junta de científicos, declara que el agua no es potable; el gobierno designa una nueva comisión de médicos y químicos que dictamina, por fin, que los pozos artesianos son perfectamente salubres y Burmeister no sale muy bien parado del conflicto.

No mucho mejor que a Sourdeaux le iría a Ameghino en 1873 al solicitarle a Burmeister que se ocupase de unos restos humanos fósiles que había encontrado en su exploraciones mercedinas. El sabio se excusó desdeñosamente: "No me inspiran mucha confianza tales descubrimientos; no creo en ellos; y aún suponiendo que fuese como Ud. me dice, no tienen gran importancia y para mí carecen de interés". Poco después, vuelve Burmeister a la carga: "Autodidactos de su género son bien conocidos como arrogantes; la vida del maestro de escuela de un pueblito pequeño campestre, en donde faltan los sabios verdaderos, aumenta esta calidad por la forma desautorizada de alta sabiduría, que obtienen los maestros en aquellos círculos de personas sin conocimiento mejor [...]". Cuando Ameghino, años más tarde y a pesar de estos penosos episodios, bautice a una especie de mamíferos fósiles –el *Orocanthus Burmeisteri*– con el nombre de su enemigo, éste rechazará indignado el homenaje.[30]

Pero volvamos a la ficción de Holmberg. *Dos partidos...* continúa con la presentación de tres crípticos personajes: Francisco P. Paleolítez, Juan Estaca y Pascasio Griffitz, tras quienes se esconden veladas alusiones a aliados y adversarios del autor.[31] Griffitz es un acérrimo darwinista que guarda en los vastos y secretos sótanos de su residencia porteña colecciones zoológicas y botánicas universales, clasificadas según la pauta del perfeccionamiento gradual; ha descubierto la técnica de revitalización de una ancestral sensitiva y se despide sigilosamente del autor expresándole: "Voy a decir a usted la verdad... Sirvo a una doctrina científica: el darwinismo. Tarde o temprano llegará a ser una doctrina política y necesito cierto misterio en mi conducta [...]" (pág. 45). Este singular híbrido de héroe verniano y conspirador porteño es uno de los personajes más logrados de la novela.

Por fin, se traban en lucha darwinistas y rabianistas –Rabián es el caudillo antitransformista– en la primera sesión pública del congreso científico especialmente convocado para dilucidar "si descendemos de monos, o si debemos creer, como pretenden algunos, que somos resultado de generaciones espontáneas de épocas, y particulares de cada especie" (pág. 52). Habla Paleolítez, en nombre de la doctrina "sagrada para algunos por cuanto no rechaza la narración mosaica, la que sostiene que descendemos de barro sucio, lo que es más noble que descender de monos" (pág. 54), hace su aparición el misterioso "Desconocido", quien por los rasgos delineados parece Ameghino y que proclama que "antes de discutir como antropologistas, manifestamos tácitamente que somos geólogos" (pág. 59), y hasta irrumpe el "médico de las enfermedades morales", verosímil alusión a José María Ramos Mejía, amigo del autor desde la adolescencia. Mientras tanto, Holmberg elogia a Verne y Mayne Reid, a Flammarion y a Figuier, y en el capítulo octavo –que el autor califica en el título de "un poco pesado" –se artillan agudas críticas al patriciado porteño, acusado de frívolo y tartufista. Repentinamente, la acción cambia de escenario: de un salón rabianista se salta a Regent's Street, en pleno Londres. Por allí marchamos hasta el Jardín Zoológico donde Charly (Darwin) y Dick "Old Bones" (Richard Owen) se hallan realizando la disección de un "mono antropomorfo" que resulta en realidad un Akka, pigmeo del África central descubierto por el doctor Livingstone.[32] No sin antes aclarar que a los ingleses "no solamente no les debemos nada, sino que no queremos deberles" (pág. 90), Darwin es invitado a la segunda sesión del congreso científico porteño y hasta la Reina Victoria pone a su disposición el más veloz navío de que dispone, el *Hound* (Galgo) –doble náutico del *Beagle* (Sabueso) de la expedición comandada por Fitz Roy–, gracias al cual llega a Montevideo en menos de dos semanas. En Buenos Aires, los ánimos se exaltan; uno de los pocos que mantienen la serenidad es el líder darwinista don Pascasio Griffitz, quien medita así: "Si triunfan los rabianistas, veremos la propaganda del *statu quo*, con toda su sombra, con toda su necia firmeza. Las ciencias no adelantarán, y si adelantan, será de una manera negativa, a mi modo de ver. Si por el contrario triunfamos los darwinistas... es incuestionable que tiene que alterarse por completo la norma social, y, o estalla una revolución filosófica de una trascendencia incalculable, o llega la indiferencia hasta el extremo de no saber apreciar la influencia de una doctrina científica en la marcha de la sociedad" (pág. 105).

El 28 de agosto de 1874 –"el año en que más pólvora se ha quemado en la República Argentina" (pág. 110)– llega en la ficción Darwin a Buenos Aires y a las diez en punto el presidente Sarmiento lo recibe significativamente: "Tengo el honor de saludar al ilustre reformador inglés..." (pág. 112). Tras la presentación del vicepresidente Alsina, el inglés saluda a Mitre manifestándole que "os aprecio, os admiro y no os comprendo" (pág. 113), y congratula al presidente electo Avellaneda.

Se celebra, al cabo, la segunda sesión en el Teatro Colón, habiéndose desechado el Congreso y la Catedral, pues "¿cómo discutir en un templo católico apostólico romano una doctrina que tan directamente ataca, según algunos, nuestras creencias religiosas?" (pág. 116). El primitivo Colón, pues, el que se erigía frente a la Plaza de Mayo, es el recinto imaginario donde se definirá la verdad o la falsedad del evolucionismo; convenientemente preparado con un telón de boca que ostenta el lema *Struggle for Life* sobre las escasamente decorativas figuras de tres grandes monos luchando por una gigantesca zanahoria, el teatro se llena de bote en bote. Se ejecutan el Himno Nacional, el *God save the Queen*, "moderado himno Albión" (pág. 126), y el *Die Wach am Rhein*, en transparente alusión a Burmeister, tras lo que se entabla la esperada polémica.[33] Después de una exposición preliminar de Darwin, interrumpido por Paleolítez, Estaca y hasta un expedicionario que irrumpe con un legítimo *Akka* de la mano, la discusión se centra sobre el origen de la vida. Estaca defiende tozudamente los fueros del creacionismo fijista ante la indignación de los evolucionistas, y Griffitz expone entonces una hipótesis basada en la generación espontánea primigenia de un germen universal llamado *Protobia*. El debate se aviva al reiterar Paleolítez sus observaciones anatómicas antitransformistas y ante la estupefacción o el aplauso del auditorio –"menos los que se habían dormido" (pág. 135)– se decide operar al *Akka* en busca de su real naturaleza.

Mientras la escena se prepara para ello, Darwin toma la palabra y afirma que "todo es eslabonamiento, o si queréis que repita el aforismo de Linneo, *Natura non facit saltus*. Hasta en los detalles más insignificantes veo esa gradación admirable de los seres" (pág. 135). Griffitz apoya al inglés y expone una suerte de panevolucionismo spenceriano, basado en la vieja creencia de que la sociedad humana siguió su curso progresivo de Oriente a Occidente. La evolución no se ha detenido "y si es verdad que durante muchos siglos la ilustración ha estado encadenada a la Europa, no lo es menos que en la América se presienten los albores del Imperio del Mundo" (pág. 136). Pero el impetuoso Griffitz va más allá: la humanidad toda deberá rendirse a la ley de la evolución y de la vida "cuyo ministro es la muerte", y caerá en medio de un gran cataclismo geológico, pero sólo para preparar "los elementos de una gran metamorfosis de la forma viva" (pág. 137). De las cenizas de la humanidad nacerá un ser en "que la forma humana se modificará muy poco, aunque la inteligencia ultrahumana llegará a su más alto grado de desarrollo" y cuya característica central será una maldad suprema, síntesis de "todas las maldades con que le ha precedido la especie nuestra: la humanidad actual" (pág. 137). Con este pronóstico wagneriano concluye Griffitz su exposición, pues llega el *Akka* al escenario, se le aplica cloroformo y se lleva a cabo la operación en el quinto espacio intercostal; se trata de un *experimentum crucis* sugerido por Darwin para observar el funcionamiento cardíaco del *Akka* y postular, por fin, que se trata de una "raza intermediaria del mono y el hombre" (pág. 142). La experiencia culmina con el grito dolorido de Paleolítez: "Señores... estamos vencidos; los Darwinistas han triunfado" (pág. 138).

Así concluye la obra, no sin antes aludir sesgadamente a las aficiones espiritistas del presunto autor del fraguado manuscrito, don Ladislao Kaillitz.[34] Por si restase duda alguna acerca de la ortodoxia darwinista de estricta observancia del joven Holmberg, al pie de la página 139 queda impresa su rotunda rúbrica: E. L. H., *Darwinista*.

SARMIENTO: UN EROS ARMÓNICO

> "[...] La mejor historia de los hombres sería la que uniera, al modo envolvente de una mano colectora, las espigas al ras del suelo, todas las espigas, preparando el corte rápido y único y luego todo el movimiento que yergue al cielo, o a los ojos, las diferentes edades del tiempo, todas maduras, pero todas aún lejos del pan."
>
> JOSÉ SARAMAGO

Durante estos últimos años ha ocurrido, entre nosotros, un enérgico rebrote de los estudios sarmientinos. Acallados, por aburrimiento, los torpes decires –escribires menos por la connatural agrafía de sus cultores– del antisarmientismo profesional, han aparecido obras de real mérito. Me parece justo destacar la preciosa edición crítica de los *Viajes* dirigida por Javier Fernández y el cautivante *Sarmiento* de Natalio R. Botana.[35]

La compleja personalidad de ese ser *enorme y extraño*, como escribió Groussac, ha llevado a indagar –antes ya se lo había intentado– sobre las vicisitudes eróticas de Sarmiento. ¿Influencias de la historiografía de la *vie privée* o simple bagatela biográfica dócil a los estremecimientos del consumo? Mera trivialidad, en todo caso.

Sin embargo, lo banal puede ser portada entreabierta a una reflexión más honda y penetrante: ¿no hay en toda la existencia de Sarmiento una textura vital capaz de analizarse a partir de una erótica, del examen de una energía pulsional a la que solemos llamar –cuando se expresa en obras– con la palabra ambigua y sugestiva de *genio*?

¿No es un genio, acaso, aquel que se lanza sobre los límites, mejor, que los crea y se los impone, en una formidable interacción entre el deseo, la conciencia y el espesor del contexto social e histórico? Este me parece el significado profundo de aquella carta postrera escrita desde Asunción a Aurelia Vélez Sarfield, poco antes de morir: "Venga, juntemos nuestros desencantos para ver sonriendo pasar la vida, con su látigo cuando castiga, con sus laureles cuando apremia. ¿Qué? Es de reírsele en las barbas".[36]

Escrita en el borde mismo de la vida, *orgía perpetua* como decía Flaubert de la literatura pero, al revés en Sarmiento, para elevar el vivir a una intensidad dirimente, la carta representa –en el plano superior del genio– lo que Elliot Jaques ha llamado una creatividad *esculpida*, que se enfrenta con una serenidad que ha conocido el drama, a lo hecho y a lo mucho que el deseo propone aún pero que no se podrá realizar, y a la muerte, gran cinceladora.[37]

EL EROS PEDAGÓGICO

Este genio, pues, volcado en buena medida a la construcción educativa de la república formalmente constituida en 1853, parece responder civilizatoriamente –no en el orden de las influencias modélicas personales, que en seguida precisaré– a la más honda tradición clásica. Jaeger lo ha expresado certeramente: "La concepción del *eros* como el poder educativo que mantiene en cohesión todo el cosmos espiritual aparece como una revelación adecuada ante Sócrates, en quien esta fuerza vuelve a encarnar en toda su pureza".[38]

Hay que rastrear en plena adolescencia de Sarmiento algunas de las raíces de esta fuerza autoformativa. Él mismo se ha encargado de señalarlo con su transparente soberanía del estilo, al recordar sus lecturas de aquella época:

"El segundo libro fue la *Vida de Franklin* y libro alguno me ha hecho más bien que éste. La vida de Franklin fue para mí lo que las vidas de Plutarco par él, para Rousseau, Enrique IV, Mme. Roland y tantos otros, ¿y por qué no? Era yo pobrísimo como él, estudioso como él, y dándome maña y siguiendo sus huellas, podría un día llegar a formarme como él, ser *doctor ad honorem* como él, y hacerme un lugar en las letras y en la política americanas".[39]

El prototipo humano de la racionalidad de la Ilustración aplicada –como lo ha mostrado Ralf Dahrendorf– ofrecía al joven Sarmiento un atrayente modelo de conducta para un universo racionalmente ordenado, una realidad esencialmente manipulable, tanto en el plano del cosmos natural, por medio de la ciencia aplicada, como en el del hombre y la sociedad, a través de la educación, y como cifra de todo ello, el paradigma político de quien según Turgot había robado fáusticamente "al cielo el rayo y a los tiranos el cetro", tal como Fragonard lo había representado en su grabado *Al genio de Franklin*.

Hemos perdido, entre las especulaciones desoladoras de los planificadores educativos, aquel *eros* fundacional de la pedagogía argentina, aquel espíritu reformista de un hombre que creía que éramos *un pueblo viejo* por carecer de instrucción y ciencia.

Existen, para mirarnos de manera especular, dos testimonios franceses recientes, que delatan el *élan* poderoso de una transformación educativa. Es difícil hallar una expresión más sincera que la de Albert Camus en su libro incabado *El primer hombre*: "Después venía la clase. Con el señor Bernard era siempre interesante por la sencilla razón de que él amaba apasionadamente su trabajo". Esto no ocurría en París sino en Argelia donde también había llegado el fervor personal y la voluntad democrática de la reforma educativa impulsada por la III República, al mismo tiempo que entre nosotros. Hace muy poco, Pierre Vilar ha evocado, con la misma nostalgia, aquella institución extraordinariamente original que fue la École Normal Supérieure, dirigida por hombres de la talla de Fustel de Coulanges y Louis Pasteur, y que diseñó una elite intelectual impar en la cultura francesa.[40]

En esta Argentina nuestra, sociedad inenarrable –como he escrito en otra parte–,[41] el *eros* pedagógico, la fuerza interior que, como en Sarmiento, pueda levantar un entusiasmo que lamine tanta mediocridad, tanto engaño y tanta corrupción, ya no está. "No es ya tiempo. No es aún tiempo", diría Saramago.

EL EROS CIENTÍFICO

El 19 de abril de 1882, Charles Robert Darwin moría y el 26, tras alguna polémica, era solemnemente enterrado en la Abadía de Westminster, bajo una austera lápida y a pocos pies del esplendoroso monumento a Newton. A un mes exacto de su deceso, se realiza en el porteño Teatro Nacional un homenaje organizado por el Círculo Médico Argentino, institución fundada cinco años antes por José María Ramos Mejía. Habla en primer término Sarmiento, desde sus aún fogosos setenta y un años, y Holmberg pronuncia, a continuación, una larga conferencia. Son las figuras enhiestas y vitales de dos generaciones argentinas las que rendirán tributo intelectual al científico inglés.

Nuestro sanjuanino comienza por un examen de las opiniones antitransformistas –Burmeister, Agassiz– y de las réplicas de Huxley y Ameghino. Afirma haber conocido al *Beagle* y a su tripulación durante su exilio chileno, pero no a Darwin personalmente, e ironiza sobre la variación de las especies empíricamente realizada por nuestros ganaderos (Pereira, Duportal, Chas, Olivera, Kemmis y Lowry, entre otros). Continua con el análisis de la influencia social del darwinismo, en el marco de una filosofía de la historia *sui generis*. Sobre toda la conferencia planea la profunda intuición de la armonía introducida por el paradigma evolucionista en la comprensión de la naturaleza:

> Si del bosquejo anterior no resultara comprobado directamente el *transformismo* en la naturaleza orgánica, sucediéndose en una serie de millones de años una forma más perfecta de la planta o del animal que la que precede, por haber todavía un salto entre el hombre y la larga y variada familia de los cuadrumanos, en cuyas especies están repartidas o iniciadas todas las partes del organismo del hombre, menos la inteligencia suprema y la conciencia; hay sin embargo una marcha general en la sucesión de los astros, en las formaciones geológicos y en los progresos del hombre prehistórico hasta nosotros, como en la lingüística, y aún en la sociología, y en todos estos diversos departamentos del saber humano, procediendo de la misma manera, de lo simple a lo compuesto, de lo embrionario a lo complejo, de la forma informe a la belleza acabada, de todo ello ha resultado la teoría universalmente aceptada de la evolución; y yo señores, adhiero a la doctrina de la evolución así generalizada, como procedimiento del espíritu, porque necesito reposar sobre un principio armonioso y bello a la vez, a fin de acallar la duda, que es el tormento del alma.[42]

Lo que Newton ha logrado reduciendo el cosmos físico a un mecanismo pulcramente inteligible, Darwin lo ha conseguido respecto del mundo orgánico, al someterlo a una legalidad transformadora y progresiva. Newton ha ordenado según el espacio, Darwin según el tiempo; la evolución, extrapolada al cosmos natural y humano a partir de las fórmulas spencerianas, se convierte así en una clave universal que da razón de la realidad toda.

Al año siguiente, Sarmiento, en ese "*Facundo* envejecido" que resultó ser el inconcluso *Conflicto y armonías de las razas en América*, escrito por un hombre que provenía de otras tradiciones intelectuales, necesita adornar su pensamiento con las tendencias vigentes. En una carta dirigida a Francisco P. Moreno, que figura en la obra mencionada, escribe Sarmiento: "Bien rastrea usted las ideas evolucionistas de Spencer que he proclamado abiertamente en materia social, dejando a usted y a Ameghino las darwinistas, si de ellas los convence el andar tras de su ilustre huella. Con Spencer me entiendo, porque andamos el mismo camino".[43]

El eros armónico –tanto el pedagógico como el científico– se constituye así en una sensibilidad capaz de aunar la potente pugnacidad sarmientina con los fantasmas de la muerte y el absurdo. *Eros* y *Thanatos* se equilibran así en el derrotero final de una personalidad superior.

NOTAS

1. "Contemplando hoy la historia, uno bien puede hablar de *glasnost*. El orden jerárquico de las disciplinas ha sido completamente alterado en nuestro siglo. Por primera vez en su larga vida, Clío está jugando en sus propios términos. Ha perdido la ilusión de ser la reina de todas las investigaciones del panorama académico. Ya no está más al servicio de la teología ni el derecho, ni ligada a la filosofía para realizar con ella sus proyectos liberales y burgueses en el mundo de la política. Ahora, la historia elige a sus socios libremente" [la traducción me pertenece]. Carl E. Schorske, *Thinking with History (Explorations in the Passage to Modernism)*, Princeton University Press, 1988, págs. 230-2, donde también pueden leerse sagaces observaciones sobre la historia de la ciencia. Las citas del epígrafe provienen de Edgar Allan Poe, "Sonet-to Science", en George Mc Michel (comp.), *Concise Anthology of American Literature*, Nueva York, Macmillan Publishing co., 1985 (2° ed.), pág. 370, y de Lewis Pyenson, "Higher Learning and its Kinds", en Lewis Pyenson (comp.), *Disciplines and Interdisciplinarity in the New Century*, The University of Southwestern Louisiana, 1997, pág. 31.

2. Timothy Tackett, "La communauté scientifique americaine: un risque de désintegration", en Jean Boutier et Dominique Julia (comps.), *Passés recomposés-Champs et chantiers de l'histoire*, París, Autrement, 1995, págs. 307-316.

3. José Pedro Barrán, *Historia de la sensibilidad en el Uruguay*, Montevideo, Ediciones de la Banda Oriental, 1989-1990 (2 vols.).

4. "La recepción del darwinismo en la Argentina: la etapa prepositivista", en *Criterio* XLV, N° 1653, 1972, págs. 652-6; "La mentalidad evolucionista: una ideología del progreso", en G. Ferrari y E. Gallo (comps.), *La Argentina del Ochenta al Centenario*, Buenos Aires, Editorial Sudamericana, 1980, págs. 785-818, reproducido en Marcelo Montserrat, *Ciencia, historia y sociedad en la Argentina del siglo XIX*, Buenos Aires, Centro Editor de América Latina, 1993, págs. 31-70, esp. págs. 31-2. Más precisiones en "La recepción literaria de la ciencia en la Argentina: el caso dar-

winiano", en Marcelo Montserrat, *Usos de la memoria (Razón, ideología e imaginación históricas)*, Buenos Aires, Editorial Sudamericana, 1996, págs. 150-169.

5. Jason Wilson, *W. H. Hudson: the Colonial's Revenge (A reading of his fiction and his relationship with Charles Darwin)*, University of London, Institute of Latin American Studies, Working Papers, 1981. Agradezco al Dr. Eduardo Zimmermann el conocimiento de este ensayo.

6. Eugenio Coseriu, *Teoría del lenguaje y lingüística general*, Madrid, Gredos, "Determinación y entorno", 1962, págs. 283-323. Cf. Hayden White, *El contenido de la forma (Narrativa, discurso y representación histórica)*, Barcelona, Paidós, 1992, cap. 8: "El contexto del texto: método e ideología en la historia intelectual", págs. 194-219.

7. Eugenio Coseriu, *op. cit.*, pág. 309.

8. *Ibidem*, págs. 313, 317.

9. Utilizo la versión castellana traducida por Fernando Pozzo y Celia Rodríguez de Pozzo, prologada por Roberto B. Cunninghame Graham, Buenos Aires, Ediciones Peuser, 1945, págs. 349-366. Tengo a la vista la versión *Far away and long ago (A childhood in Argentina)*, Londres, Eland, 1991, reeditada, con un prólogo de Nicholas Shakespeare. La primera edición fue publicada por J. M. Dent and Sons Ltd. en 1918.

10. Ver Alicia Jurado, *Vida y obra de W.H. Hudson*, Buenos Aires, Fondo Nacional de las Artes, 1971, págs. 51-2. W. H. Hudson, *op. cit.*, pág. 351.

11. Jason Wilson, *op. cit.*, pág. 15.

12. W. H. Hudson, *op. cit.*, pág. 357.

13. W. H. Hudson, *op. cit.*, pág. 350.

14. Gilbert White, *The Natural History and Antiquities of Selborne*, citado por David Elliston Allen, *The Naturalist in Britain (A Social History)*, G. B., Penguin Books, 1978, págs. 50-1.

15. W. H. Hudson, *op. cit.*, pág. 359.

16. David Elliston Allen, *op. cit.*, págs. 50-1.

17. Alicia Jurado, *op. cit.*, pág. 43.

18. W. H. Hudson, *op. cit.*, pág. 362. Respecto del problema de la memoria selectiva autobiográfica, Hudson es plenamente consciente de él (cap. XVIII, págs. 258-260).

19. Entre otros, ver Richard D. Alexander, *Darwinism and Human Affairs*, Seattle and London, University of Washington Press, 1982, cap. 1; Neal C. Gillispie, *Charles Darwin and the Problem of Creation*, Chicago and London, The University of Chicago Press, 1979; Robert M. Young, *Darwin's Metaphor (Nature's place in Victorian culture)*, Cambridge, Cambridge University Press, 1985.

20. W. H. Hudson, *op. cit.*, págs. 363-5.

21. Ver Marcelo Montserrat, "La presencia evolucionista en el positivismo argentino", en su libro *Ciencia, historia y sociedad en la Argentina del siglo XIX*, Buenos Aires, Centro Editor de América Latina, 1993, págs. 55 y 77.

22. Domingo Faustino Sarmiento, *Darwin en una conferencia*, Buenos Aires, Establecimiento tipográfico de *El Nacional*, 1882, pág. 21. Cito por esta rara edición gentilmente cedida por el Ministro Javier Fernández.

23. David Elliston Allen, *op. cit.*, págs. 228-230.

24. Ralph Waldo Emerson, *The American Scholar (An oration delivered before the Phi Beta Kappa Society)*, en Cambridge, agosto 31, 1837, reproducida en George Mc. Michael (comp.), *Concise Anthology of American Literature*, Nueva York, Macmillan Publ. Co., 2ª ed., 1985, págs. 472-484, esp. 473.

25. Alicia Jurado, *op. cit.*, pág. 44.

26. Así concluye el último capítulo de *Allá lejos y hace tiempo*.

27. Martín García Mérou, *Recuerdos literarios*, Buenos Aires, Eudeba, 1973, pág. 224. La edición original es de 1891. Alfred Ebélot, el ingeniero francés que dirigió los trabajos de la "zanja de Alsina" y acompañó a Roca al desierto, fue un testigo penetrante de este proceso de transición del 70 al 80, en una obrita notable, *La Pampa*, Buenos Aires, Eudeba, 1961, pág. 107. "En esto vino la *europeización*. Ser argentino parecía afrenta". La edición original francesa es de 1899, y fue vertida a nuestro idioma por el propio autor al año siguiente.

28. Entre otras biografías, pueden consultarse las de Fernando Márquez Miranda, *Ameghino (Una vida heroica)*, Buenos Aires, Nova, 1951; Carlos A. Bertomeu, *El perito Moreno, centinela de la Patagonia*, Buenos Aires, El Ateneo, 1949; Luis Holmberg, *Holmberg, el último enciclopedista*, Buenos Aires, 1952, edición de autor. Antonio Pagés Larraya ha escrito un excelente *Estudio preliminar* a los *Cuentos fantásticos* de Holmberg, Buenos Aires, Hachette, 1957, págs. 7-98.

29. El título completo es: *Dos partidos en lucha/Fantasía científica*, publicado por Eduardo L. Holmberg, Imprenta de *El Argentino*, Buenos Aires, calle Piedad 134, 1875 (148 págs.). Entre las páginas 140 y 148 se reproduce el artículo "Los Akkas, raza pigmea del África Central", por Paul Broca. Las citas en el texto corresponden a esta única edición.

30. Todo el encarnizado episodio acerca de los pozos artesianos está relatado con gracia insuperable por Noel H. Sbarra, en su *Historia de las aguadas y el molino*, Buenos Aires, Eudeba, 1973, 2ª ed., págs. 115-121. Para las relaciones entre Burmeister y Ameghino, véase Fernando Márquez Miranda, *op. cit.*, págs. 189-193.

31. Resulta harto difícil encontrar la clave del criptograma. Nos parece que Holmberg se ha divertido cruzando algunos nombres: Francisco P. apunta hacia Moreno, Pascasio Griffitz apunta al segundo nombre de Moreno y lo combina con un apellido al estilo Kannitz, y Juan Estaca quizás encubre a Ramorino o a un probable cirujano militar de apellido Madera. Recordemos que Moreno no era originalmente evolucionista, ya que profesaba el paradigma fijista de su mentor Burmeister.

32. La convergencia literaria de los dos científicos no deja de ser paradójica, ya que Owen, el mejor anatomista de la época, fue un enconado adversario de Darwin, a punto tal que T. H. Huxley lo incluyó entre quienes cultivaban "the mistaken zeal of the Biblioluters". Ver Ronald Millar, *The Piltdown Men*, cap. 4, Nueva York, Ballatine Books, 1974.

33. El episodio fictivo parece evocar a uno real narrado por Ismael Bucich Escobar (Martín Correa). A fines de agosto de 1870 actuaron en el Colón la cantante Carlota Patti; hermana de la famosa Adelina, acompañada por el pianista Teodoro Ritter y el violinista Pablo Sarasate. El público pidió insistentemente a la Patti que cantase *La Marsellesa* –la Guerra franco-prusiana acababa de estallar– pero ésta se negó y

entonó diplomáticamente el Himno Nacional. Ver *Visiones de la Gran Aldea*, 2ª serie (1870-1871), Buenos Aires, 1933, pág. 71.

34. Psicopatología, frenología y espiritismo están siempre presentes en la narrativa de Holmberg. Respecto del último siente un interés explicable, pues a partir de 1870 las prácticas espiritistas comienzan a difundirse en Buenos Aires. Los nombres de Wallace, el coformulador del evolucionismo, y de Crookes –ambos aficionados al espiritismo– aparecen entreverados con las actividades de la logia Constancia. Un testimonio interesante es la discusión sostenida entre el profesor de química de la Universidad de Buenos Aires, el catalán Miguel Puiggarí y don Cosme Mariño, publicada bajo el título de *El espiritismo ante la ciencia*, Buenos Aires, Imprenta del Porvenir, 1882, 124 páginas. Debo el conocimiento de este opúsculo a la generosidad del Sr. Roberto A. Ferrari. Resulta una sugestiva característica del "espíritu positivo" esta propensión compensadora al espiritismo, salvo que se la interprete a la manera de "un materialismo disfrazado", como lo hace Jacques Barzun, en *Darwin, Marx, Wagner (Critique of a Heritage)*, Nueva York, Doubleday, Anchor Books, 1958, pág. 105, n. 7.

35. Domingo Faustino Sarmiento, *Viajes por Europa, África y América. 1845-1847*, edición crítica coordinada por Javier Fernández, Madrid, ALLCA XX-F.C.E., 1996 (2ª ed.). Natalio R. Botana, *Domingo Faustino Sarmiento. Una aventura republicana*, Buenos Aires, F.C.E., 1996. La cita del epígrafe es de José Saramago, *Manual de Pintura y Caligrafía*, Barcelona, Seix Barral, 1989, pág. 22.

36. Citada por José C. Campobassi, *Sarmiento y su época*, Buenos Aires, Losada, tomo II, pág. 106.

37. Elliot Jacques, "Muerte y crisis en la mitad de la vida", en Didier Anzieu y otros, *Psicoanálisis del genio creador*, Buenos Aires, Vancú, 1978, págs. 277-301.

38. Werner Jaeger, *Paideia: los ideales de la cultura griega*, México, F.C.E., 1962 (2ª ed.), pág. 583. La referencia es a Platón, *Simp.*, 210 A.

39. Domingo Faustino Sarmiento, *Recuerdos de provincia*, Buenos Aires, Kapelusz, 1966 (7ª ed.), págs. 215-7 y 270. Para el lugar de la ciencia en el pensamiento político de Franklin, puede consultarse I. Bernard Cohen, *Science and the Founding Fathers*, Nueva York-Londres, W. W. Norton, 1997, cap. 3.

40. Albert Camus, *El primer hombre*, Barcelona, Tusquets, 1997 (2ª ed.), cap. 6 bis, pág. 126; Pierre Vilar, *Pensar históricamente (Reflexiones y recuerdos)*, Barcelona, Crítica, 1997, cap. 2.

41. Marcelo Montserrat, "La Argentina, ¿relato inenarrable?", en *Usos de la memoria. Razón, ideología e imaginación históricas*, Buenos Aires, Sudamericana-Universidad de San Andrés, 1996, págs. 224-237. Ver del mismo autor, "Sarmiento y los fundamentos de su política científica", en *Ciencia, sociedad e historia en la Argentina del siglo XIX*, Buenos Aires, CEAL, 1993, págs. 13-30.

42. Domingo Faustino Sarmiento, *Darwin en una conferencia*, Buenos Aires, Establecimiento Tipográfico de *El Nacional*, 1882, pág. 21.

43. Domingo Faustino Sarmiento, *Conflicto y armonías de las razas en América*, en *Obras*, Ed. A. Belín Sarmiento, Buenos Aires, 1900, vol. XXXVI, págs. 322-3.

TEXTO Y CONTEXTO EN EL DISCURSO DE LAS CIENCIAS FÁCTICAS DE PRINCIPIOS DE SIGLO EN LA ARGENTINA

PATRICIA VALLEJOS DE LLOBET

1. PRESENTACIÓN

1.1. Objetivos

El título de esta comunicación hace referencia a una de las líneas de estudio del discurso científico en la Argentina, que desarrollamos en el Departamento de Humanidades de la Universidad Nacional del Sur, en el marco del Proyecto *Prácticas discursivas para la construcción del conocimiento científico.* Este proyecto contempla la necesidad de estudiar dichas prácticas discursivas desde una perspectiva diacrónica para observar cómo han evolucionado y alcanzar así una más amplia comprensión de las características del discurso científico actual. En este sentido se orientan parte de las investigaciones que, en este marco, abordan el estudio del discurso científico del campo de las ciencias fácticas del primer tercio de siglo en la Argentina.

Dentro de esta orientación histórica particular, una de las perspectivas adoptadas atiende a la relación entre la formulación lingüística del conocimiento –el texto científico– y las distintas coordenadas del contexto discursivo que intervienen en la interpretación de sus significados. El trabajo que presentamos aborda la relación solidaria entre el contexto históricosocial e institucional y los textos científicos en el ámbito de las ciencias fácticas y, dentro de él, específicamente, en los campos de la sociología y la física. Campos lo suficientemente dispares como para destacar la prescindencia de esta solidaridad con respecto a la naturaleza de la comunidad de discurso implicada.

El objetivo del trabajo consiste, por un lado, en presentar distintas modalidades de la relación texto/contexto. Por otro, determinar si acaso esta interrelación interfiere de alguna manera en la finalidad específica del discurso científico: la comunicación de conocimientos.

1.2. Supuestos teóricos

Nuestro estudio parte de considerar el lenguaje científico como una tecnología fundamental de los hombres de ciencia para la construcción de su particular visión del mundo, ajena al "sentido común". Ponemos énfasis en las siguientes palabras del lingüista Michael Halliday:

> Ningún científico/a puede realizar su trabajo sin contar con el discurso técnico. Éste no sólo es compacto y, por lo tanto, eficiente, sino que además –y esto es lo más importante– codifica una perspectiva de la realidad alternativa a la del sentido común, una perspectiva acumulada a lo largo de siglos de investigación científica. Este discurso construye el mundo de manera diferente. La ciencia no sería ciencia sin el despliegue de un discurso técnico como herramienta fundamental [la traducción me pertenece].

Por otra parte, este reconocido lingüista ha desarrollado un modelo textual (Halliday, 1994) que contempla la necesaria complementación del análisis lingüístico con una explicación posterior del texto en términos de alguna estructura conceptual fuera del lenguaje. El modelo de Halliday proporciona en tal sentido las bases para relacionar el texto con el universo no lingüístico de su contexto de situación y de cultura. En particular, en relación con el tipo de discurso que nos ocupa, el discurso del conocimiento, este modelo propone dos perspectivas complementarias de acceso al texto científico:

1. la perspectiva del lenguaje, que atiende a la "ciencia como texto";
2. la perspectiva del contexto social que involucra a la ciencia como institución.

Esta complementación permite focalizar en las relaciones solidarias (en el sentido de mutuamente predictivas) entre los textos científicos y sus contextos sociales. Así lo explica Halliday: "Un texto dado, proporciona sólo una perspectiva muy parcial sobre la práctica social de la ciencia [...] es sólo cuando nos movemos entre el lenguaje y el contexto social (*i.e.* entre los planos de la ciencia como texto y la ciencia como institución) que podemos comenzar a concebir una interpretación significativa del discurso de la ciencia" [la traducción me pertenece].

1.3. Marco analítico

El modelo sistémico funcional desarrollado por Halliday se presenta específicamente preparado para el estudio de las manifestaciones de esta solidaridad en los recursos lingüísticos del texto. A los efectos de identificar estas manifestaciones en los textos científicos seleccionados para nuestro estudio, adoptamos de este modelo como marco analítico su visión multifuncional del texto, que implica una concepción del lenguaje en textos funcionando de manera simultánea tanto *ideacionalmente*, en la representación del mundo y de la experiencia, como *interpersonalmente*, en el establecimiento de la interacción social entre participantes en el discurso y, *textualmente*, en la organización de las partes del texto en un todo coherente.

Estos tres componentes semántico-funcionales del sistema lingüístico –el ideacional o experiencial, el interpersonal o relacional y el textual– reciben en el texto su formulación lingüística mediante el léxico y la estructura gramatical.

Así, atendiendo al nivel de su realización léxica, se puede distinguir en los textos un *vocabulario experiencial*, representativo del mundo natural y social y un *vocabulario interpersonal*, de tipo expresivo o evaluativo del fragmento de realidad a que refiere.

Por otra parte, concentrando la atención en el nivel de realización gramatical, se puede observar: 1) en lo que Halliday denomina *estructura de transitividad* de las cláusulas u oraciones, la representación ideacional de los procesos y fenómenos de la realidad con sus participantes y circunstancias; 2) en las distintas *modalidades* de los enunciados, la realización gramatical del componente interpersonal, en la medida en que expresan el tipo de compromiso del enunciador con respecto a su enunciado: un compromiso relativo ya bien a la verdad de las proposiciones expresadas (*modalidad epistémica o expresiva*), ya bien a la imposición de oblicagiones y deseos (*modalidad deóntica o relacional*).

CUADRO 1
Componentes experiencial e interpersonal vinculados a los niveles de realización y a las funciones comunicativas del texto

Nivel de realización	Componentes semántico-funcionales*	
	experiencial	interpersonal
LÉXICO	experiencial o descriptivo	expresivo o evaluativo
GRAMÁTICA	estructura de transitividad de la cláusula	modalidad deóntica (relacional) modalidad epistémica (expresiva)
Función comunicativa	heurístico-informativa	reguladora

*. En este estudio nos centraremos en los componentes experiencial e interpersonal, respectivamente relacionados con la presentación del mundo u ordenamiento de la experiencia y con la manifestación de las relaciones sociales y los valores, dejamos para otra oportunidad la consideración del componente textual.

En lo que sigue nos proponemos presentar dos modalidades diferentes de la relación texto/contexto para destacar, a la vez, la operatividad de este acceso lingüístico al estudio de la interrelación del discurso científico con las circunstancias históricas –políticas, sociales e institucionales– de su entorno.

2. DOS MODALIDADES EN LA RELACIÓN TEXTO/CONTEXTO

2.1. Discurso científico e ideología política: estrategias de control en un discurso sociológico de principios de siglo en la Argentina[1]

Con la intención de hacer explícitos los sistemas de ideas y valores codificados en los textos, adoptamos de la corriente conocida como lingüística crítica la interesante distinción de *texto* y *discurso* mencionada por Gunther Kress:

> El discurso es una categoría que pertenece a y deriva del dominio social, y el texto es una categoría que pertenece a y deriva del dominio lingüístico. La rela-

ción entre ambos es de realización: el discurso encuentra su expresión en el texto [la traducción me pertenece].

teniendo en cuenta también la salvedad de que: "No se trata en ningún caso de una relación directa, todo texto puede ser la expresión o realización de un número de discursos en ocasiones en competencia y contradictorios" [la traducción me pertenece].

Desde este marco, y con el objetivo de definir los distintos discursos expresados lingüísticamente mediante el texto, se estudió una conferencia titulada *Datos fundamentales de sociología actual* pronunciada en 1919, en el marco del Instituto Popular de Conferencias,[2] por el doctor Manuel Carlés. El conferenciante, profesor de la Facultad de Derecho y del Colegio Militar de Buenos Aires, es, además, presidente de la Liga Patriótica Argentina, con cuyos miembros comparte los postulados básicos de estimular el amor a la patria, actuar con decisión contra los agitadores sociales, y constituirse en guardián de la "argentinidad" (Godio, 1985 y Barbero-Devoto, 1983).

La conferencia de Carlés se presenta, en principio, como una descripción científicamente justificada de la condición biológico-social de la clase protagonista de las jornadas de reivindicación obrera conocidas en la historia como "Semana trágica de 1919". No obstante, al aplicar a su lectura nuestro modelo de análisis, esta primera lectura pasa a segundo plano y la disertación comienza a manifestarse como una intrincada red de configuraciones discursivas. Por lo tanto, para abordarla más comprensivamente se estudiaron los componentes semántico-funcionales experiencial e interpersonal, en los niveles de realización léxico y gramatical, y se identificaron las funciones comunicativas del texto en correlación con estos mismos componentes.

Considerando la noción de *registro* como una configuración de significados determinados por la naturaleza de la acción social en la que el lenguaje está funcionando (Halliday-Hassan, 1990), el *registro científico* es una configuración semántica típicamente asociada a la práctica del saber. Este registro, sus realizaciones en discursos, poseen rasgos característicos que se han desarrollado para realizar diversas formas de prácticas cognitivas y semióticas para las que el lenguaje "común" parece no ser totalmente apto. Una de estas características más salientes es su léxico particular. La conferencia de Carlés presenta, en este sentido, una serie de elementos léxicos constitutivos de los campos semánticos que por entonces participaban del registro sociológico (cf. Vallejos de Llobet, 1998).

En el nivel gramatical, es la modalidad epistémica, realización del componente interpersonal, la que caracteriza esencialmente al registro científico. El término "epistémico" se refiere al tipo de compromiso enunciativo vinculado a la verdad. "Cualquiera que afirme una determinada proposición se compromete con ella [...] en el sentido de que sus aseveraciones siguientes [...] han de estar conformes con la creencia de que es verdadera" (Lyons, 1981, pág. 191). La modalidad epistémica coloca a Carlés en la posición de autoridad intelectual frente a su audiencia, lo cual se ve reforzado por la función comunicativa de sus enunciados que en este registro es eminentemente heurístico-informativa.

No obstante, existen otros elementos en esta conferencia que la inscriben dentro de un registro divergente, una configuración semántica característica de la palabra "política". En términos de nuestros instrumentos analíticos, la condición fundamental del registro político es el predominio acordado al componente interpersonal. Dicho componente se realiza en el nivel del léxico mediante un vocabulario expresivo que incluye elementos afectivos y, principalmente, axiológicos.

Por otra parte, en relación con el nivel gramatical, el componente interpersonal de lo político se manifiesta en una modalidad predominantemente deóntica: la función del discurso político es, en este sentido, hacer saber, también como en el caso del discurso científico, pero no tanto "lo que es" sino, fundamentalmente, "lo que debe ser". "El término deóntico –señala Lyons– deriva de una palabra griega relacionada con la imposición de obligaciones." Una orden expresa, "no la creencia del hablante de que algo es así, sino su deseo de que algo sea así" (1981, pág. 192). Esta modalidad se relaciona, por lo tanto, con una función comunicativa eminentemente reguladora del comportamiento social.

Todos estos rasgos que definen el registro político están presentes en la conferencia de Carlés: los elementos léxicos axiológicos aparecen insistentemente intercalados no sólo con los afectivos, sino también con los experienciales propios del discurso científico, de esta manera, el conferenciante –fundador de la Liga Patriótica Argentina– evalúa desde su formación ideológica la realidad social. Por otra parte, los enunciados deóntico-reguladores dominan el discurso desde el comienzo mismo de la conferencia.

La combinación de los instrumentos analíticos del modelo adoptado permite descubrir la realización en el texto de Carlés de dos discursos en competencia: un discurso científico esencialmente sociológico, que sigue las pautas de la sociología positivista, y un discurso político al que éste quedará subordinado.

Por una parte, el análisis del léxico pone de manifiesto el empleo de dos registros léxicos diferentes: uno experiencial, propio del discurso científico, otro expresivo congruente con el discurso político. Manifestaciones del primero son los términos correspondientes a las orientaciones fisicalista, darwinista y organicista de la sociología de la época, como: *fuerzas, equilibrio, di-*

námico, adaptación al medio, raza, herencia, evolución, adecuación progresiva; y la serie derivativa del término "organismo", respectivamente.

Este vocabulario aparece complementado con términos generales de la teoría de la ciencia, como *datos, teorías, clasificación, biología, sociología,* que confirman el status científico de distintos fragmentos de la conferencia.

En un registro divergente, el léxico expresivo realiza desde los primeros enunciados de la disertación una función evaluativa en términos de la formación ideológica nacionalista del enunciador. *Patria, hogar, familia, tradición, pureza, jerarquía, autoridad, subordinación,* son algunas de las nociones clave de su escala axiológica que se repiten a lo largo de todo el texto y mediante las cuales Carlés evalúa la realidad social. Frente a estos valores, el discurso político socialista, con su vocabulario alternativo: *fraternidad humana universal, solidaridad, cuestión social, movimientos obreros y sociales,* aparece descalificado como *disonante, cizaña, utópico, pernicioso* y *exótico.*

Por otra parte, el estudio de la modalidad y de las funciones comunicativas del texto permite verificar que, por sobre la función primariamente heurístico-informativa relacionada con la pretendida índole científica presupuesta desde su título, se impone, en la modalidad predominantemente deóntica de sus enunciados, una práctica lingüística *directiva*. En efecto, de los dos tipos de procesos o prácticas lingüísticas –*directivas* y *constitutivas*– por medio de las cuales se ejerce en el discurso el control social, Carlés opera principalmente en su conferencia las *directivas*, las que, según Fowler, incluyen: "*explicitly manipulative speech acts...such as commands, requests, and proclamations*" (1985, pág. 64). Así, predomina en su discurso toda una línea deóntica, en términos eminentemente reguladores y evaluativos de la conducta social. Expresa, por ejemplo, en dos tramos de su conferencia:

> Cuidemos celosamente la nuestra [tradición], porque ella nos habla con insuperable elocuencia de la pureza cristalina de los hogares argentinos de antaño [...] por ser indeclinable aporte que debemos todos allegar a la obra de nuestra civilización, exenta de lacras y antagonismos de clases sociales que entre nosotros no existen [...] las voces de nuestro pasado así nos lo ordenan.

> Tiene [la República] que redoblar la guardia a fin de impedir la infiltración de ciertas prédicas y de ciertos especímenes de la fauna humana que Europa expulsa por saturación de su seno y que vienen a diseminar la cizaña de reivindicaciones inexistentes entre nosotros.

Estas prácticas directivas, realizadas en un registro léxico nacionalista y avaladas por la condición de autoridad intelectual que otorga la palabra científica a su enunciador, convierten el discurso en un instrumento político al servicio de la clase dominante, a la que su autor pertenece.

2.2. La comunidad científica en el discurso especializado: las **Investigaciones Atómicas** *de Ramón Loyarte*

Señala Bazerman, en su trabajo "Reporting the experiment: the changing account of scientific doings in the Philosophical Transactions of the Royal Society, 1665-1800": La historia del informe experimental no es la de un simple crecimiento, sino la de una respuesta cambiante a una situación de discurso que también evoluciona [la traducción me pertenece] (Swales, 1998, pág. 113).

En continuidad con el estudio de la evolución del discurso científico en la Argentina, el presente apartado pretende mostrar, desde el ámbito de las ciencias físicas, la manera en que uno de los rasgos de su evolución responde en buena medida a una situación de orden científico-institucional: la proyección en la segunda década de este siglo del Instituto o Escuela de Ciencias Físicas de la Universidad de La Plata al ámbito internacional.

En un estudio sobre los "Antecedentes de la conformación del complejo científico y tecnológico (1850-1958)", Jorge Myers genera un espacio de reflexión en torno a la pregunta de cómo se pasó de "una ciencia de "cátedra" entendida exclusivamente como divulgación de conocimientos ya elaborados, a la producción de conocimientos científicos originales durante la primera mitad de este siglo" (1992, pág. 87) y se centra a continuación en los factores que influyeron sobre esta transformación y en las formas institucionales características que recibió. En el caso de la disciplina que nos ocupa, el Instituto de Física de la Universidad de La Plata se convirtió, entre los años 1909 y 1925, los años que estuvo bajo la dirección de los físicos alemanes Emilio Bose (1909-1911) y Ricardo Ganz (1911-1925), en el principal centro argentino de estudios en esa disciplina, con proyección a nivel mundial. Myers destaca como factores implicados en el surgimiento de la investigación original en este contexto, no tanto la forma institucional adoptada sino fundamentalmente "las relaciones entre la Argentina y el espacio cultural alemán, y el factor humano, en este caso específico, jugado por el individuo protagonista de la creación científica" (1992, pág. 99).

Este factor humano no involucra simplemente al individuo aislado, sino que ya a principios de siglo y como uno de los signos de evolución en el campo de las ciencias, lo implica como parte de una comunidad científica, que puede ser concebida en términos de mayor o menor alcance: la comunidad nacional o la comunidad internacional, según la jerarquía del investigador.

El propósito de esta parte de nuestro trabajo es poner en evidencia algunas de las estrategias discursivas que permiten al científico constituirse a sí mismo como miembro de una u otra, o específicamente de la comunidad científica internacional y como tal construir para sí, a través del discurso, un rol relevante de autoridad intelectual dentro de su comunidad más inmediata.

Con tal fin hemos constituido el corpus del presente estudio con nueve artículos de investigación aparecidos en revistas nacionales y extranjeras, entre los años 1926 a 1929, cuyo autor, Ramón Loyarte, sucede en la dirección de la Escuela Superior de Ciencias Fisicas de la Universidad de La Plata a las dos figuras internacionales ya mencionadas –Bose y Ganz–. Según Myers ya a partir del año 1926, coincidente con la llegada de Loyarte a la dirección, la labor creativa del instituto había comenzado a decaer. Estos artículos que estudiamos pertenecen precisamente a esta etapa de su declinación.

El prólogo de Ramón Loyarte a las *Investigaciones Atómicas,* publicación que reúne estos nueve trabajos de investigación, constituye el contexto que –como en los relatos enmarcados– otorga coherencia y resignifica el conjunto de los informes presentados ¿Cuál es el sentido global de las *Investigaciones* según lo define su autor desde este marco?

Leemos en dicho prólogo:

> Las memorias que aparecen en este volumen dan testimonio de parte de la labor de investigación realizada por el subscrito en el Instituto de Física de la Universidad de La Plata, durante los años 1926, 1927, 1928 y 1929. No hay en ellas ningún contenido monográfico, sino una información concisa sobre los resultados de investigaciones originales, referentes a la excitación de átomos por choque con electrones y a la absorción de vapores metálicos (talio), los cuales nos han conducido al descubrimiento de un hecho importante: al descubrimiento de que los átomos son capaces de estar animados de un movimiento cuantificado de rotación. Este hallazgo tiene, como lo demuestran ya las memorias de este volumen, una gran significación para la espectroscopía y ha de influir, sin duda, sobre la concepción actual de la estructura del átomo.

Y agrega, por último:

> No está de más decir que todos los tubos de choque electrónico, como vulgarmente se les llama, que hemos utilizado en nuestras investigaciones han sido construidos totalmente, después de penosos ensayos, en el taller del Instituto de Física, sin que en ningún momento pensásemos recurrir a construcciones de los talleres europeos.

Las palabras de Loyarte ponen de manifiesto la intención epidíctica de la publicación de estos textos, los que resultan así, desde este prólogo, una celebración de la labor del propio Loyarte y del instituto que dirige. En lo que sigue, nos detendremos en signos menos evidentes de esta celebración. Estudiaremos una de las estrategias discursivas principales que, por sobre la objetividad de su estilo científico, aportan a la construcción de un discurso de autoelogio.

Los informes de Loyarte se ven ocupados por la presencia constante de otros investigadores de su campo, todos pertenecientes a la comunidad internacional: ingleses, franceses, alemanes, ninguno argentino, salvo en el caso de la autorreferencia a él mismo. Así, descartando las citas a pie de página o en las tablas de resultados que constituyen simples menciones sin agregado textual, ya que nos interesa la imagen que de sus colegas da Loyarte mediante su discurso, contamos en un total de 98 referencias de este tipo –incluidas las repeticiones– la alusión a 41 investigadores distintos. Estas referencias, por otra parte, aparecen distribuidas a lo largo de las distintas secciones[3] de los textos, no ya solamente en aquellas introductorias, destinadas a la revisión de las investigaciones previas sobre el tema.

Sus informes se presentan así, en distinta medida, como continuación o ampliación, y también invalidación o, fundamentalmente, superación de los hallazgos o resultados de otros investigadores. Cada uno es parte en un diálogo internacional con esa comunidad de pares.

Se destaca por lo tanto, en los textos de Loyarte, un cuidado permanente por incluir los asuntos que informa en el contexto de otras investigaciones y otros investigadores, como formando parte de un "programa de investigación" compartido con la comunidad científica internacional de su disciplina. De esta manera, las experiencias que lleva a cabo son presentadas como parte de este programa que excede a la comunidad argentina. La referencia o cita a otros científicos se convierte así, en estos textos, en un medio discursivo fundamental para jerarquizar sus trabajos y a su persona científica, presentándolos como parte de una investigación que trasciende las fronteras nacionales.

Este aspecto del discurso de Loyarte coincide con uno de los rasgos evolutivos del discurso de la física en la época destacados por Bazerman en su estudio "Modern evolution of the experimental report in physics: spectroscopic articles in Physical Review, 1893-1980" (1984). Entre estos rasgos, Bazerman destaca que, cumplida la primera década del siglo XX:

> El número de referencias ha ido en aumento [...] Así, todo nuevo trabajo aparece, cada vez más, embebido en la literatura espectroscópica. Una señal adicional de esto es que las referencias ya no se concentran en la Introducción sino que aparecen distribuidas a lo largo del artículo de investigación, de manera que cada estudio del documento se apoya en el trabajo de otros y se relaciona con ellos [la traducción me pertenece].

Señala entonces, entre otras tendencias –como la creciente abstracción, o el incremento en la puesta en primer plano de la investigación frente al investigador– una integración cada vez más sistemática de los trabajos individuales en el marco de la literatura relevante en la época (*idem*, pág. 116).

Por otra parte, Bazerman destaca también como otro de los aspectos de este desarrollo la disminución en el empleo de verbos introductores del discurso referido, y sugiere su correlación con el aumento de la posición central, en términos gramaticales, conferida a los hallazgos o teorías, mientras que los científicos aparecerán en un segundo plano (Swales, pág. 115).

Con el objetivo de comprobar este último rasgo en los escritos de Loyarte, nos concentramos en el análisis del componente ideacional de los enunciados que integran las referencias a otros investigadores en la materia. De tal manera, nos propusimos determinar el rol gramatical de estos en la estructura de transitividad de las cláusulas que comprenden dichos enunciados: se trata de observar si efectivamente, como sugiere Bazerman, se ha transferido la posición de agentes de los procesos desde los investigadores a sus hipótesis y teorías, o a los resultados de sus propias investigaciones.

El interrogante del que partimos es, pues ¿quién es el agente de los procesos que aluden en las referencias a la actividad científica?

Como señalamos, para responder a esta pregunta, centramos nuestro estudio en la estructura de transitividad de las cláusulas de los enunciados que incluyen las referencias a otros investigadores. Se hizo entonces un relevamiento de estas estructuras en las memorias de Loyarte y se encontraron 98 muestras. De estas, un 56% (55) incluyen a otros científicos como participantes de los procesos representados y el 44% restante (43 muestras) los incorpora en modificadores de distintos tipos.

En primer lugar, nos detuvimos en el análisis de aquellas estructuras que incluyen las referencias que funcionan como participantes en los procesos representados. De esta manera nos propusimos detectar, además, el "cuadro" que ofrece Loyarte, mediante su discurso, de la actividad o intervención de sus colegas en el desarrollo del programa de investigación en el que coinciden con el estudioso argentino.

De los nueve artículos que constituyen el corpus se pudieron aislar 55 enunciados con estructuras de estas características. El análisis arrojó los siguientes resultados:

1. Los investigadores mencionados aparecen:

1.1. Como agentes directos de procesos en voz activa.

K. R. Rao solo ha observado las líneas del nivel $^2P_1$ (IV, pág. 48).

Pavlov y Sueva dan cuenta de los resultados en las investigaciones (V, pág. 61).

1.2. Como agentes adjuntos de procesos en voz pasiva.
Estas bandas *han sido observadas* también, *por Wood y Guthrie y por Grotrian* (IV, pág. 55).

El problema *ha sido resuelto*, como es sabido, *por Fermi* (V, pág. 77).

Y en una modalidad más indirecta:

1.3. Como complementos especificadores en grupos nominales con función de sujeto o de agente adjunto.
De entre todas ellas se destaca *la [investigación] de Frank y Einsporn* (I, pág. 9).

Lo exige *la teoría de Bohr* (ibid.)

1.4. Como complemento adjunto de formas verbales no finitas, incluidas como modificadores en estos mismos grupos nominales.
A esa rotación cuantificada se deben los potenciales críticos del mercurio *observados por [...] Frank y Einsporn, Loyarte, Jarvis y Pavlov y Sueva* (VI, pág. 85).

Los resultados *obtenidos por Frank y Einsporn* ratificaron ese pensamiento (I, pág. 9).

Por lo tanto, en los casos 1.1 y 1.2 la intervención de los investigadores en los procesos referidos es directa, en cambio, en los casos 1.3 y 1.4, esta intervención es indirecta, ya que aparece mediada por sus resultados, mediciones, tablas o teorías.

Se dan, entonces, de un total de 55 referencias, 34 (62%) participaciones directas y 21 (38%) participaciones indirectas en los procesos presentados.

2. Por otra parte, la mención de los investigadores puede aparecer en la cláusula principal o también en cláusulas subordinadas a ella.

2.1. De las 29 estructuras en las que los investigadores aparecen como participantes agentes de procesos formulados en voz activa, 15 son cláusulas independientes, las 14 restantes son cláusulas subordinadas.
2.2. De las 5 estructuras con verbo en voz pasiva que presentan a los investigadores como agentes adjuntos de los procesos, 2 corresponden a cláusulas no dependientes.
2.3. Estos investigadores, como complementos especificadores de los grupos

nominales,. aparecen 8 veces en cláusulas independientes y 4 veces en cláusulas subordinadas.

2.4. Como agentes adjuntos de participios modificadores en grupos nominales, aparecen 6 veces en cláusulas principales y 3 en cláusulas dependientes de la principal.

Por consiguiente, de las 55 menciones, 31 (56%) aparecen en cláusulas principales y 24 (44%) en subordinadas. Si bien los resultados son bastante parejos, se puede observar no obstante, que los investigadores se mantienen todavía en una posición nuclear en la estructura de representación de los enunciados, colocados predominantemente en la cláusula principal.[4]

De manera que, focalizando en las posiciones agente/proceso, que constituye la parte de la estructura de transitividad que representa el rol del investigador en los procesos vinculados a su actividad en la disciplina, y en relación con la segunda de las características señaladas por Bazerman como rasgo evolutivo del discurso de la época: la tendencia a desplazar el papel de los investigadores de una posición central de agentes directos de los procesos a un segundo plano con respecto a sus observaciones experimentales o teóricas, no se observan en los textos de Loyarte indicios claros del desplazamiento señalado por Bazerman. De acuerdo con el análisis y los resultados expuestos en los ítems 1 y 2, los investigadores se mantienen todavía en una posición de primer plano en relación con la actividad informada.

Por último, para completar este cuadro, consideramos las muestras de enunciados en los que las referencias aparecen integradas en frases preposicionales que funcionan como modificadores o complemento circunstancial –locativo, de punto de partida, de origen, de modo– de los procesos representados. Se relevaron 32 menciones incluidas en frases preposicionales o equivalentes, con estos mismos valores. En estos casos, los investigadores aparecen como núcleo de estas frases:

> *En Kayser, Lyman y las Tables annuelles*, se encuentran las líneas 1973,1, 1970, 1 [...] y 1974 (III, pág. 39).

> *Según Grotrian* ella [la línea verde] es observada en el vapor del talio puro cuando la temperatura alcanza a 800 ^{0}C (IV, pág. 48).

o incluso como complementos, es decir, como modificadores dentro de modificadores, marginales con respecto a la estructura central del enunciado, y por lo tanto, opcionales, es decir, la alternativa podría haber sido un lugar vacío: cero referencia. Veamos, por caso, las siguientes muestras:

> La determinación de los potenciales de excitación y de ionización del átomo de mercurio [...] ha sido objeto de numerosas investigaciones, *a partir de los trabajos de Frank y Hertz* (I, pág. 9).

> damos a continuación algunos valores que enseñan esas diferencias, los cuales tomamos *de la obra de Paschen-Götze, Serien Gesetze [...]* (V, pág. 75).

> las dos primeras de dos de las series anormales del mercurio cuya existencia se ha inferido *de las observaciones eléctricas de Frank, Einsporn y Loyarte* (II, pág. 30).

Esto último tiene significación en sí mismo, ya que si Loyarte ha podido optar, y lo ha hecho, por la cita, queda comprobada una vez más su decidida intención de incluir a sus colegas.

En resumen, el relevamiento y análisis de las numerosas referencias en las memorias de Ramón Loyarte presenta interés, desde perspectivas diferentes.

Por un lado, desde la perspectiva que atiende a la "ciencia como texto", revela la presencia en los textos estudiados de uno de los rasgos salientes del desarrollo del discurso de la disciplina, destacando, en tal sentido, una importante coincidencia de estos textos con los trabajos de primer orden en este campo.

Por otra parte, atendiendo a la dimensión social del discurso científico que involucra al investigador en el contexto de la ciencia como institución, el estudio de las referencias permite comprobar la construcción en el discurso de Loyarte de un cuadro en el que el propio autor y la institución que dirige aparecen absolutamente integrados en un proyecto de investigación que comprende –es lo que Loyarte pretende mostrar, precisamente– la comunidad científica internacional, y los proyecta por lo tanto más allá del ámbito de la comunidad científica argentina. De esta manera, el autor de las *Investigaciones Atómicas* se constituye a sí mismo, con su discurso como instrumento, en una figura de autoridad intectual indubitable entre sus pares de la comunidad científica argentina.

3. CONCLUSIÓN

Los estudios aquí presentados revelaron dos modalidades de la relación texto/contexto en el ámbito de las ciencias fácticas. En ambos casos, permitieron comprobar como consecuencia de esta interrelación, un agregado, un "plus" de información que acompaña o se superpone a aquella que los identifica como discursos científicos: la información científica.

En el primero de los casos estudiados, el texto de Manuel Carlés, este agregado es de índole eminentemente ideológica y llega a desvirtuar por completo la finalidad de lo científico: no se trata de comunicar un saber en una disciplina determinada –la sociología– sino de orientar al auditorio en una dirección política determinada. La palabra científica es "usada" por Carlés como un instrumento para legitimar con una pretendida objetividad su discurso político.

No sucede lo mismo con las *Investigaciones Atómicas* de Loyarte. La finalidad específica de comunicar conocimientos se impone absolutamente en sus textos. En este caso, el estudio ha revelado un plus de información que acompaña la información científica y que surge de la continua referencia a investigadores extranjeros. Loyarte nos está informando, junto con la posibilidad de una rotación cuantificada de los átomos, que él y por lo tanto la institución que dirige, pertenecen a la gran comunidad científica: la que trasciende las fronteras de la nación.

NOTAS

1. Véase Vallejos de Llobet, Patricia (1997).
2. Esta conferencia apareció publicada posteriormente en los *Anales* de dicho Instituto (ver tomo V, 1925).
3. Si bien debemos destacar que no se observa que Loyarte siga un modelo estándar en cuanto a la organización del texto en secciones. Algo más fija parece esta organización en la presentación de los últimos artículos de la serie que estamos estudiando.
4. No se tuvo en cuenta en esta primera instancia del estudio la estructura informativa de estos enunciados en tema y rema.

FUENTES DOCUMENTALES

Carlés, Manuel: "Datos fundamentales de sociología actual", en *Anales del Instituto Popular de Conferencias*, V Ciclo, año 1919, T.V, 1925.

Loyarte, Ramón: *Investigaciones atómicas. Rotación cuantificada de los átomos*, Buenos Aires, Casa editora Coni, 1929.

REFERENCIAS BIBLIOGRÁFICAS

Barbero, M. y F. Devoto: *Los nacionalistas*, Buenos Aires, 1983, CEAL.

Fowler, Roger: "Power", en Van Dijk, Teun, *Handbook of discourse analysis*, vol. IV, Londres, Academic Press, 1985, págs. 61-82.

Godio, Julio: *La Semana Trágica*, Buenos Aires, Hyspamérica, 1985.

Halliday, M. A. K: *An Introduction to Functional Grammar,* Londres-Nueva York, Edward Arnold, 1990.

Halliday, M. A. K. y J. R. Martin:, *Writing Science; Literacy and Discourse Power*, Londres-Washington,The Falmer Press, 1993.

Halliday, M. A. K. y Ruqaya Hassan: *Language, context and text: aspects of language in a social-semiotic perspective*, Oxford, Oxford University Press, 1990.

Kress, Gunther: "Ideological structures in discourse", en Van Dijk, T. *Handbook of discourse analysis*, vol. IV, Londres, Academic Press, 1985, págs. 27-42.

Lyons, John: *Lenguaje, significado y contexto*, Buenos Aires, Paidós, 1981.

Myers, Jorge: "Antecedentes de la conformación del Complejo Científico y Tecnológico, 1850-1958", en Oteiza, Enrique *et al. La política de investigación científica y tecnológica argentina. Historia y perspectivas*, Buenos Aires, Centro Editor de América Latina, 1992, págs. 87-114.

Swales, John: *Genre Analysis*, Cambridge, Cambridge University Press, 1998.

Vallejos de Llobet, Patricia: "Transferencia conceptual y discurso científico: un caso en las ciencias sociales de principios de siglo", en *Saber y Tiempo*, Revista de Historia de la Ciencia, vol. 2, N° 5, Buenos Aires, 1998, págs. 69-79.

————: "Rol ideológico y estrategias de control en un discurso sociológico de principios de siglo en la Argentina", en *Discurso: Teoría y Análisis*, Instituto de Investigaciones Sociales, México, 1997, UNAM (en prensa).

LA CIENCIA EN SU DIFUSIÓN

Miguel de Asúa
Analía Busala-Diego Hurtado de Mendoza

ISIS Y LA HISTORIA DE LA CIENCIA EN LA ARGENTINA

MIGUEL DE ASÚA

La visión de algo se enriquece cuando complementamos la consideración directa de la cosa con la proveniente de otra mirada: la duplicación de los puntos de vista otorga a la imagen un relieve distintivo que nos remite, de rechazo, a la distancia entre los puntos de mira. En lo que sigue, vamos a relatar el desenvolvimiento de la principal corriente de historia de la ciencia en la Argentina, concentrándonos en las décadas del 30 y del 40 y prestando atención a cómo esta historia fue interpretativamente reflejada en la revista *Isis*.

EL TRASPLANTE DESDE EUROPA

En 1913, el historiador de la ciencia italiano Aldo Mieli saludaba, desde la *Rivista de Filosofia*, la aparición de *Isis*.[1] Durante ese año y el siguiente, Mieli contribuyó a la revista de Sarton con cinco artículos o notas y siete reseñas bibliográficas sobre libros de autores italianos.[2] Después de esta pequeña catarata de colaboraciones publicadas en los dos primeros volúmenes, Mieli permaneció ausente de la revista de Sarton durante quince años. En 1919 lanzó su propia publicación, el *Archivio di storia della scienza* –editado en Roma y que a partir de 1927 adoptó el helénico título de *Archeion*.

El *Archivio* tuvo una temprana relación con la Argentina: Umberto Paoli, ingeniero químico italiano radicado en el país y vinculado a la industria, fue uno de sus primeros colaboradores.[3] Ya en el tomo 1, de 1919-1920, Paoli había publicado una nota sobre una colección argentina de libros dedicados a la ciencia hispanoamericana editados por él;[4] había sido profesor de Mieli en la Universidad de Pisa[5] y colaboró frecuentemente en *Archivio* y luego en *Archeion* con artículos que tratan temas de metalurgia, botánica y farmacopea latinoamericanas durante el período colonial.[6] A partir del volumen correspondiente a 1928 aparece mencionado como "redactor en el exterior" de la revista.

Es bien sabido que en ese año, y dentro del marco del Congreso Internacional de Ciencias Históricas celebrado en Oslo, Mieli creó el Comité Internacional de Historia de la Ciencia, del cual se autodenominó "secretario perpetuo". Desde su sede en París, Mieli se dedicó a la organización de los congresos internacionales y de los "grupos nacionales de historia de la ciencia" asociados al Comité (que a partir de 1934-1935 se llamaría *Académie International d'Histoire des Sciences*).[7]

Isis se hizo eco de estas iniciativas aunque –a pesar de que Sarton y Thorndike habían formado parte del Comité original de Oslo– la respuesta de la *History of Science Society* (HSS) respecto del surgimento de una organización internacional alternativa de historia de la ciencia no parece haber sido demasiado entusiasta.[8] Mieli, que después del congreso de París de 1929 fortaleció su posición, parece haber creído que ahora estaba en condiciones de hablar con Sarton de igual a igual a través del Atlántico.[9] En efecto, al año siguiente publicó en *Isis* un anuncio ofreciendo la suscripción a *Archeion* a precio reducido para los Miembros de la HSS, como un modo de establecer una vinculación entre dicha asociación y el *Comité international*.[10] Recíprocamente, en 1930, Mieli aparece mencionado por primera vez entre los miembros elegidos de la *History of Science Society*, en su carácter de "secretario perpetuo" del Comité.[11] A partir de entonces, la presencia de Mieli en *Isis* va a estar en función de su rol como la figura central del Comité y sus sucesivos congresos, la invitación a los cuales era publicada con regularidad en la revista.[12] Asimismo, *Isis* sacó varias notas sobre las sucesivas elecciones de los miembros del Comité. La primera, de 1932, anunciaba sus autoridades: Sudhoff era el presidente, Diepgen, Julián Ribera y George Sarton los vice, Hélène Metzger la administradora-tesorera y Mieli el "secretario perpetuo".[13]

En la Argentina, los que convocaron la primera reunión del primer "grupo nacional" local asociado al Comité, en 1933, fueron Umberto Paoli y el matemático español Rey Pastor, llegado al país en 1917. Los miembros originales del "grupo argentino", excepción hecha de los convocantes, tuvieron en el mejor de los casos una relación ocasional con la historia de la ciencia: Amado Alonso, Nicolás Besio Moreno, Angel Cabrera, Enrique Herrero Ducloux y Emilio Ravignani.[14] Paoli y Rey Pastor fueron nombrados, respectivamente, secretario y presidente del grupo.[15] Posteriormente, el número de miembros activos del "grupo" parece haber mermado,[16] pero Rey Pastor y Paoli fueron elegidos miembros correspondientes de la *Académie* (1934 y 1935, respectivamente)[17] y en la lista de miembros agrupados por país publicada en *Isis* en 1936, ambos aparecen en carácter de tales para América del sur.[18]

En 1939 apareció en *Isis* el primer comentario bibliográfico sobre un libro de autor argentino. Se trata de la *Historia del Protomedicato de Buenos Aires* (Buenos Aires, 1937) por Juan Ramón Beltrán, profesor de Historia de la medicina en la Universidad de Buenos Aires (UBA).[19] El comentario, de Lesley Bird Sympson (University of California, Berkeley) es devastador y, después de afirmar que el problema del libro es el método de su autor, concluye diciendo que "el libro del Sr. Beltrán ofrece muy poco a aquellos interesados en la historia de la práctica médica".[20] Uno puede suponer que este libro fue comentado en *Isis*, debido a que en ese año comenzó un período de cálidas relaciones entre la *American Association of the History of Medicine* y la cátedra de Historia de la medicina de la UBA, siendo Sigerist y el *Institute of the History of Medicine* (Johns Hopkins) el centro de estos movimientos panamericanistas.[21]

Debido a causas todavía no aclaradas del todo, Mieli escribió a Rey Pastor en marzo de 1938, ofreciéndose como organizador de un Instituto de Historia de la Ciencia. El matemático, luego de un fallido intento en la UBA, gestionó su creación en la Universidad Nacional del Litoral (UNL), bastión del reformismo, y el proyecto se concretó a mediados de 1939, por la intermediación de Cortés Plá, decano de la Facultad de Ciencias Matemáticas y Consejero, con el apoyo del rector Josué Gollán y la firma de Babini, decano de la Facultad de Ingeniería Química[22] –en esa facultad ya se dictaba regularmente una cátedra de "Metodología e Historia de las Ciencias" a cargo del químico Horacio Damianovich (quien fue el organizador inicial de la Facultad).[23] Mieli partió de Europa con un optimismo que los hechos desmentirían. En carta a Sarton, de mayo de 1939, decía: "Se me hizo la oferta, que no esperaba, de ofrecerme la organización y dirección de un Instituto de Historia de la ciencia [...] mi nombramiento definitivo y burocráticamente perfecto ha tenido lugar los últimos días de marzo [...] Estoy feliz por tener un Instituto para mí y un ambiente que parece muy favorable".[24] Sarton publicó en *Isis* la noticia sobre el nuevo destino de "nuestro colega Aldo Mieli", en el volumen correspondiente a 1940 (publicado en 1947, por la guerra).[25]

Mieli se hizo cargo del nuevo Instituto durante los últimos meses de 1939. Comenzó entonces la edición de *Archeion* en Santa Fe, de la que se editaron una buena cantidad de números, agrupados en cuatro volúmenes entre 1940 y 1943, y Paoli y Babini, que estaban en el comité de redacción, fueron los colaboradores locales más frecuentes (tres artículos el primero y dos el segundo).[26] *Isis* informó de la publicación de *Archeion* en la Argentina en el volumen correspondiente a 1941 (publicado en 1947).[27]

EL FLORECIMIENTO DE LA DÉCADA DEL 40

Durante esta década se publicaron en la Argentina una serie de libros que dan testimonio de la constitución de una comunidad de historiadores de la ciencia con rasgos distintivos y producción sostenida. Para comenzar a analizar este fenómeno, deseo llamar la atención sobre un autor cuyos trabajos alcanzaron un nivel notable: se trata del ingeniero Cortés Plá quien, como vimos, fue un factor decisivo en la creación del Instituto.[28] Sin duda, aprovechando su carácter de funcionario de la UNL (fue decano de la Facultad de Ciencias Matemáticas desde 1934 hasta 1943 y vicerector y rector de la Universidad),[29] publicó una serie de conferencias y artículos con formato de libro sobre historia de la física: *Semblanza de Sir Joseph John Thomson* (Rosario, 1941),[30]*Trascendencia de la obra de Galileo y Newton* (Rosario, 1942),[31] *Las Leyes de Ohm. Ensayo de historia científica y humana* (Rosario, 1942).[32] Este último, una obra de difusión que había aparecido como artículo en la revista de Beppo Levi, *Mathematicae notae*, mereció una reseña bibliográfica en *Isis*.[33] El comentario, muy favorable, fue debido a H. J. J. Winter, un historiador de la ciencia inglés del University College of the South-West of England, Exeter, especialista en ciencia árabe y autor de un trabajo sobre la recepción de las teorías de Ohm.[34]

Plá también publicó dos libros de divulgación en la colección Austral de Espasa Calpe Argentina: *Galileo Galilei. Su vida y su obra* (Buenos Aires, Espasa Calpe, 1942), con prólogo de Rey Pastor, e *Isaac Newton* (Buenos Aires, Espasa Calpe, 1945), con prólogo de Mieli. Una obra de mucho mayor aliento y publicada algunos años depués de haber dejado el decanato en 1943, fue su *Velocidad de la luz y relatividad. Con un apéndice con las memorias originales de Arago, Fizeau y Foucault* (Buenos Aires, Espasa Calpe, 1947). En el prólogo a este libro, dedicado a Rey Pastor ("sabio, maestro, amigo"), Plá afirma que su vocación, formación, trabajo y orientación temática en historia de la ciencia, fueron debidas al matemático español.[35] El libro es un digno relato de la medición de la velocidad de la luz, enriquecido por la versión en castellano de las memorias mencionadas en el título.

Pero sin duda el libro más importante de Plá (y que debe contarse entre los mejores sobre historia de la ciencia publicados en nuestro país) es *El enigma de la luz* (Buenos Aires, Guillermo Kraft, 1949), con prólogo de Sarton. *El enigma*, está dividido en doce capítulos y traza, en 328 páginas, la historia de la cuestión de la naturaleza de la luz desde los griegos hasta la mecánica cuántica. Algo débil en cuanto a la literatura secundaria, demuestra sin embargo un sólido manejo de fuentes –sin duda posibilitado por la biblioteca de Mieli– y buen sentido de la narrativa histórica. Su parte más cuestionable es el último capítulo, en el que el autor intenta sintetizar "el desarrollo del espíritu científico", probablemente inspirado por Bachelard, a quien había leído.[36] *El enigma*, obra de un ingeniero al fin de cuentas, concluye asimismo con un apéndice que discute la "utilidad práctica" de las especulaciones teórico-científicas sobre la naturaleza de la luz. El libro, una clara exposición dela historia de un problema en términos de conceptos, teorías y experimentos, sugiere que la lectura de Bachelard no fue en vano. En mi opinión, *El enigma* está a la altura de cualquier buena producción de la época; hoy lo llamaríamos "internacionalmente competitivo".

El prólogo de Sarton –no podía ser de otra manera– aprueba la obra, sin ensalzarla demasiado y no ahorra sus reservas, afirmando que, "en mi calidad de medievalista, no puedo dejar de lamentar que no haya discutido más extensamente las vicisitudes de las especulaciones medievales", aunque reconoce que esto hubiera constituido por sí mismo otro libro, y que es mejor olvidar este reproche.[37] El libro fue reseñado en *Isis* por Winter quien, en su comentario, se alegra de que Plá, haya incluido la discusión de Alhazen, como físico experimental.[38] La crítica de Sarton es más que justificada, ya que el único medieval que trata Plá es Alhazen. No es de extrañar. En un artículo titulado "El clima de la ciencia", publicado en *Cuadernos americanos* en 1949 (año de publicación de *El enigma*), Plá, refiriéndose al período que Charles Singer denominó la "edad tenebrosa", afirma: "Decir que en esas centurias no se aporta ningún progreso científico trascendente no es emitir un juicio viciado por prevenciones ideológicas: es subrayar un hecho histórico".[39] De todas maneras, excepto por este escotoma con componentes ideológicos común a muchos autores del período, Plá, aunque no siempre lo evita, por lo menos tiene conciencia de la necesidad de no ser anacrónico. En el último capítulo de *El enigma de la luz* leemos:

> Deseábamos reflejar, en todo instante, el pensamiento de la época respectiva y cómo ese pensar era interpretado por los contemporáneos o continuadores inmediatos. Quisimos 'vivir' cada etapa, forzándonos por ubicarnos en su medio, en su clima, en sus inquietudes y en sus dudas, en su léxico y en su saber.[40]

Asimismo, en *Trascendencia de la obra de Galileo y Newton*, Plá afirmaba: "Se ha pretendido ver en la idea de De Broglie un retorno a la hipótesis newtoniana. No es así [...] Las palabras no tienen la misma significación en las edades del hombre y nos parece muy peligroso pretender deducir de ambiguas expresiones una correlación estrecha entre fenómenos o ideas que fueron desconocidos por los pensadores antiguos".[41] Cortés Plá fue contratado por la OEA en 1951 para organizar la sección Ciencia y Tecnología de la Unión Panamericana y abandonó la prometedora actividad de historiador de la ciencia que habia desarrollado durante la década del 40.[42]

Es bien conocida la intervención a la UNL en julio de 1943, resultado del gobierno militar que había tomado el poder dos meses antes. En agosto se disolvió el Instituto y la biblioteca de Mieli fue trasladada a la Facultad de Derecho.[43] No sería exagerado decir que esto asestó el primer golpe decisivo al curso institucional de la historia de la ciencia en nuestro país, de lo cual *Isis* informó a sus lectores en nota aparecida en el número 102, del volumen 35 de 1944, firmada por Sarton.[44] Tras recapitular la vida de Mieli y su traslado a Santa Fe, la nota relata que, como resultado de la declaración sobre la democracia publicada el 13 de octubre de 1943 por 150 universitarios y científicos (que fue reproducida en *Science*),[45] Houssay fue separado de su cargo y se le impidió el uso de la biblioteca. También se dice que, aunque Mieli no firmó la declaración, "toda su vida fue una silenciosa protesta contra los métodos adoptados por el gobierno argentino", siendo expulsado del Instituto y obligado a trasladar su biblioteca y archivos a un depósito en cuarenta y ocho horas.[46] Sarton expresa su profunda simpatía y admiración y afirma estar listo para unírsele en cualquier empresa que le permita continuar su trabajo confortablemente y con dignidad (aunque, como hemos señalado en otra oportunidad, sus esfuerzos en este sentido no fueron demasiado calurosos).[47] La nota aclara que la información fue obtenida de cartas enviadas por Sigerist y de un apéndice a una contribución de Mieli a los *Essays in the history of medicine*, en honor de Arturo Castiglioni.[48] En efecto, Cortés Plá había intentado asegurar la continuidad de *Archeion*, con lo cual Sigerist se apresuró a comunicar a Sarton que la revista seguiría saliendo; en carta a Babini del 15 de noviembre de 1944, Mieli reproduce las congratulaciones de Sigerist, quien llama a *Archeion* "the symbol of free and independent research".[49]

Una vez despojado de su Instituto y trasladado a Buenos Aires, Mieli comenzó a publicar libritos de divulgación, como *Lavoisier y la formación de la teoría química moderna* (Buenos Aires, Espasa Calpe, 1944), que fue reseñado en *Isis* por I. B. Cohen.[50] Este efectúa un comentario estimulante del libro y agrega que "se espera que los actuales gobernantes dictatoriales de Argentina, que han mostrado tal despectiva falta de consideración respecto de los científicos, puedan quizá reflexionar un instante sobre el destino de Lavoisier y las palabras expresadas por Lagrange a Delambre el día de su ejecución: 'No han necesitado más que un momento para hacer rodar esta cabeza, y quizás hagan falta cien años para reproducir una parecida' ".[51] Dado que ese volumen de *Isis* recién salió a la luz en 1947, las reflexiones de

Cohen suenan hoy más patéticas que nunca. Significativamente, la próxima aparición de Mieli en *Isis* sería su defunción: unas pocas líneas, más una lámina con su fotografía a plena página, que abre el número 123 de 1950.[52]

El desmantelamiento del Instituto no significó la interrupción del *output* en historia de la ciencia en la Argentina. Por el contrario, durante la década del 40 se verificó un verdadero estallido de publicaciones, que alcanzó un nivel –en cuanto a cantidad y, en ocasiones, también calidad– nunca logrado nuevamente. El fenómeno tuvo su condición de posibilidad material en el vigor de la industria editorial local en esos años. Por otro lado, debe de haber contribuido, sin duda, el hecho de que estos autores, de tradición política liberal y opuestos al gobierno, estaban excluidos de cargos en la universidad y encontraban de este modo un medio de contribuir a su subsistencia. Mieli casi no tenía medios de vida, Babini fue dejado cesante en la función universitaria en 1943 y de nuevo en 1946,[53] y el mismo destino sufrió Cortés Plá.

En 1942, la editorial Espasa Calpe inició, como parte de su colección Austral, la "serie marrón" de "Ciencia y Técnica. Clásicos de la ciencia", dirigida por Rey Pastor.[54] Allí se publicaron, además de las ya mencionadas obras de Cortés Plá, una *Selección* de Newton (a cargo del uruguayo García de Zuñiga); tres obras de Arago,[55] *La ciencia y la técnica en el descubrimiento de América*, de Rey Pastor –que originalmente fue una contribución a la *Historia de la Nación Argentina* dirigida por Levene[56] y tuvo dos ediciones en Austral (1942 y 1945)–; la *Breve Historia de la Astronomía* de Laplace (dos ediciones en 1947), y biografías de científicos.[57] En esta colección publicó Mieli, en 1944, su *Lavoisier y la formación de la química moderna* y su *Volta y el desarrollo de la electricidad.*

Espasa también sacó una colección de "Historia y filosofía de la ciencia", asimismo dirigida por Rey Pastor (nos ocuparemos sólo de la parte de historia de la colección). En la llamada "serie menor", se editaron en castellano algunas fuentes importantes, como el *Descubrimiento de la radioactividad* de H. Becquerel (1946), veinte memorias traducidas por Cortés Plá, con prólogo; *El método experimental y otras páginas filosóficas*, de *Claude Bernard (1947)*; el *Ensayo sobre las probabilidades,* de Laplace (1947); la *Geometría*, de Descartes (1947); *Teoría de la visión y Tratado sobre el conocimiento humano*, de Berkeley (1948); *Los ocho libros de Cuestiones Naturales,* de Séneca (prefacio y notas de Mieli, 1948), y *Océano, atmósfera y geomagnetismo* (capítulos del *Kosmos* de Humboldt, seleccionados por el geólogo Otto Schneider, 1949). También traducciones de obras importantes de historia general de la ciencia como *Ciencia y filosofía*, de Jules Tannery (1946); *Para la historia de la lógica*, de Enriques (1948), y *La vida de la ciencia*, de Sarton (traducción de Babini, 1952).[58] Había, además, libros de autores locales, como la *Contribución a la historia de la mecánica*, de Juan Valiati

(1947); el *Origen y naturaleza de la ciencia* (1947), la *Historia sucinta de la ciencia* (1951), y la *Historia sucinta de la matemática* (1953), de Babini; la *Teoría atómica química moderna* (1947), de Mieli; la *Historia de los principios fundamentales de la química*, de Papp y Prélat (1950), y, por supuesto, los tomos del *Panorama*, comenzado por Mieli en 1945 y concluido por Babini y Papp en 1961.

Sarton le comunicó a Mieli que la recensión en *Isis* de su *Panorama* estaba en manos de Cohen, pero *Isis* nunca publicó reseñas de los tomos escritos por Mieli.[59] Mientras tanto, las relaciones de éste con la editorial Espasa Calpe iban de mal en peor, debido a desacuerdos respecto de la edición del *Panorama*; en 1947 la situación llegó a un punto crítico y el italiano se refería por entonces a sus editores como "cretini"[60] y "gente che non capiscono nulla."[61] En una recensión sobre la colección de Espasa Calpe publicada en los *Archives*, Mieli es extremadamente crítico sobre la elección de los títulos que no son de su autoría.[62] El vínculo entre Mieli y Rey Pastor, que había comenzado a deteriorarse progresivamente desde el cierre del Instituto, era en ese momento francamente conflictivo.[63]

La "serie mayor" de la colección prácticamente no editó fuentes –una excepción es la versión del abate Marchena del *De rerum natura*, editada por Mieli,[64] e incluía libros de valor muy desigual. Entre los más interesantes hay varias traducciones de obras contemporáneas muy bien seleccionadas, como la de la *Historia de la Química* de Partington (original de 1933, edición castellana de 1945 con traducción de Prélat), *Historia de la Biología* de Singer (original de 1931, edición castellana de 1947, traducida por Valentinuzzi), *Desarrollo histórico-crítico de la Mecánica de Mach* (edición castellana de 1949, traducida por Babini) y *Evolución de las ideas biológicas* de Nordeskiöld (edición inglesa de 1928, castellana de 1949, traducida por Justo Garate). La edición de este último libro deja ver que las prevenciones de Mieli respecto de Espasa estaban más que justificadas: la versión en castellano emasculó todo el aparato crítico del original, por la razón –según se aclara en nota introductoria– "de que todas ellas [fuentes y bibliografía] sean de lenguas extranjeras y señalen trabajos difíciles de hallar en países hispanoparlantes, unido a la de que su fin es el comprobatorio de la veracidad indiscutible de los datos del autor de la obra".[65]

En dicha colección también apareció la *Historia de la matemática*, de Rey Pastor y Babini (1951) e *Historia de la física*, de Desiderio Papp (primera edición de 1945 y segunda de 1961). Papp era húngaro y tenía formación como filólogo clásico adquirida en Praga, había estudiado ciencias y había actuado en Viena y posteriormente en París como publicista de temas científicos. Llegó a, Argentina luego de varias peripecias. Papp fue un escritor muy prolífico de temas de historia y filosofía de la ciencia, y desarrolló su labor en distintos países de América latina, alcanzando gran popularidad.[66] En 1951 Papp intercambió correspondencia con Sarton, relatando sus antecedentes y solicitándole un prólogo para la segunda edición de su libro.[67] Sarton no se mostró muy entusiasmado en escribir el prólogo, y el libro, que apareció sin él, fue reseñado en *Isis* por Carl Boyer.[68] La crítica es equilibrada y coloca el libro a la luz de lo que es: una exposición convencional del tema para lectores no especialistas.

Rey Pastor, que unía a su prestigio de matemático su calidad de *arbiter elegantiorum* de las publicaciones científicas de una poderosa editorial, concretó su condición de centro del círculo de interesados en la historia y la filosofía de la ciencia volviendo a convocar, en abril de 1948, al por entonces disuelto "Grupo argentino de la *Académie international d'histoire des sciences*", que una vez reorganizado llamó a las Primeras Jornadas Argentinas de Epistemología e Historia de la Ciencia, que tuvieron lugar en julio de ese año.[69] Asimismo, este grupo desplegó una intensa actividad entre 1948-1949.[70] Pero debe destacarse que estas inicitativas parecen haber estado orientadas tanto (o más) hacia la filosofía de la ciencia que a su historia, en consonancia con los intereses de su animador. Esta, sin duda, era una concepción de la disciplina opuesta a la sostenida por Mieli.[71] Es evidente que, mientras la figura de éste se eclipsaba en el anonimato del conurbano bonaerense, la de su antiguo protector en la Argentina ascendía hacia su cenit e imprimía al movimiento su propio sello. No es de extrañar, entonces, que las relaciones de ambos estuvieran al punto de la ruptura.

Pero la de Espasa Calpe no fue la única colección de obras de historia de la ciencia en esos años. La Editorial Losada también publicó una "Biblioteca de Teoría e Historia de la Ciencia", que editó el *Diálogo*, de Galileo (1945, con notas de Teófilo Isnardi), Huygens-Fresnel, *La teoría ondulatoria de la luz* (1945, con notas, biografía e introducción de Cortés Plá) y *La divina proporción*, de Luca Paccioli (1945, con prólogo de Mieli). Finalmente, la Editorial Emecé tenía una colección denominada "Maestros de la ciencia", dirigida por Juan M. Muñoz, Luis F. Leloir y Eduardo Braun Menéndez, y que publicó *Estudios sobre la generación espontánea*, de Pasteur (1944); *Estudio anatómico del movimiento del corazón y de la sangre de los animales*, de Harvey (1944); *Experiencias para servir a la generación de animales y plantas*, de Spallanzani (1945); *Tres memorias sobre la vacunación antivariólica*, de Jenner (1946); *Cuatro estudios sobre genética*; de Mendel, de Vries, Correns y Tchermak (1946); *Optica*, de Newton (1947); *Memorias sobre el oxígeno, el calórico y la respiración*, de Lavoisier (1948), y una colección de artículos sobre *La relatividad*, de Einstein, traducidos por estudiantes de física de La Plata, y que incluía una larga "nota complementaria" de Guido Beck (1950).[72] Las traducciones de esta colección, salvo excepciones, no estuvieron a cargo de especialistas y las ediciones no son críticas, pero el conjunto constituye una soberbia selección de fuentes primarias de historia de la ciencia.

Otras editoriales también publicaron libros de historia de la ciencia, por ejemplo, Paul Schurmann, un belga emigrado a Uruguay, publicó su *Historia de la física* en dos volúmenen en Nova (Buenos Aires, 1946) y Editorial Lautaro publicó *Historia natural y Teoría general del cielo*, de Kant (con nota preliminar de Sadosky; Buenos Aires, 1946). A esto hay que agregar algunas traducciones de Babini para Argos, de Buenos Aires, como *La formación del espíritu científico*, de Bachelard (1947) y *Breve Historia de la Ciencia*, de Sedgwick, Tyler y Bigelow (1950), y su versión de la *Historia de la ciencia y nuevo humanismo*, de Sarton (Rosario, Editorial Rosario, 1948). Babini le enviaba a Sarton estas obras, que éste agradecía puntualmente en cartas en las que asimismo anunciaba, estereotipadamente, "I will speak of it in *Isis*", aunque probablemente no se estuviera refiriendo a recensiones –que nunca aparecieron– sino a la inclusión del título del libro en la bibliografía anual.[73] Pero sí apareció una reseña del volumen 9 de *Panorama*, escrita por Francisco Guerra (un historiador de la medicina mexicano en Yale). El comentario, en realidad, habla más de las preocupaciones personales del comentarista que del libro, ya que se dedica a criticar que los autores no incluyeron a éste o aquel autor español o hispanoamericano.[74]

¿Qué balance podemos ensayar de toda la literatura que acabamos de enumerar? En primer lugar que, en conjunto, constituyó un esfuerzo notable por proporcionar versiones en castellano de muchas de las obras fundamentales del pensamiento científico (algo que Babini retomaría en su colección "Los fundamentales" en Eudeba, durante la década del 60),[75] junto con tratados razonablemente actuales sobre historias de las distintas disciplinas científicas.[76] Los libros escritos originalmente en la Argentina constituyen un conjunto desparejo, y analizarlo en detalle está más allá de los límites de este trabajo, pero, considerados en conjunto, testimonian una concepción de la historia de la ciencia más bien sartoniana, orientada según los temas canónicos de la tradición científica occidental y concentrada en las ciencias exactas y las ciencia de la vida; algunos de sus autores se habían beneficiado de una formación como historiadores generales de la ciencia y reclamaban, justificadamente, una identidad profesional de tales (Mieli, Plá, Babini, Papp), pero muchos eran científicos en actividad con intereses colaterales en la historia y filosofía de su disciplina. El esfuerzo de los años 40 puede concebirse como un intento ecléctico de reproducir, a escala local, el tipo de trabajo que se publicaba en *Isis* o en los *Archives*, y es paralelo al afán universalista que se manifestaba en esa época en nuestro país en otros campos de la cultura, como la literatura.[77]

UN ÚLTIMO BROTE EN UNA DIRECCIÓN INESPERADA

En 1964, Babini publicó en *Isis* una nota de tres páginas, en castellano (algo muy inusual) sobre "Valentín Balbín y la primera revista matemática argentina",[78] que sería el único trabajo publicado en la revista por un autor argentino. Es significativo que esta vez sea un tema de historia de la ciencia en la Argentina lo que *Isis* recoge. Efectivamente, Babini fue el primero (y también el último) en escribir un libro que aspiraba a abarcar la totalidad de la historia de la ciencia en nuestro país. El libro tuvo varias versiones: la primera fue de 1949 y la última, póstuma, con prólogo de Montserrat, apareció en la colección de Gregorio Weinberg (1986).[79] No es nuestro propósito comenzar, siquiera, a discutir la ubicación historiogáfica de esta difundida obra.[80] Su origen, probablemente, reside en una propuesta que se le hizo a Babini en 1943 para que escribiera una contribución de no más de veinte páginas sobre la ciencia en la Argentina para un número de la *Revista do Brasil*, dedicado a la Argentina.[81] Babini consultó a Francisco Romero, quien otorgó el *nihil obstat*[82] y aquél comenzó a reunir material.[83] Babini, quien participaba con fervor de la convicción universalista de Sarton y Mieli, aparece así, curiosamente, como el creador de ese objeto historiográfico que es "la historia de la ciencia en la Argentina".[84] Esta paradoja, sin embargo, no era tal para el autor que, en un artículo de 1941, resolvía la polaridad en la siguiente síntesis: "A la época actual, fecunda y contradictoria, abigarrada y trágica, hacemos corresponder en el plano de la cultura aquellos procesos de simbiosis, según los cuales los elementos culturales americanos se muestran con rasgos propios, pero, al mismo tiempo, con los caracteres y la universalidad de la cultura occidental."[85] La historia de la ciencia en la Argentina no era, entonces, algo contrapuesto a la historia universal de la ciencia, sino una parte de ésta, con caracteres peculiares americanos.

CONCLUSIÓN

Las iniciales relaciones entre *Isis* y la actividad de historia de la ciencia en nuestro país transitaron, en lo fundamental, por el camino abierto a partir de la relación entre Sarton y Mieli. *Isis* reflejó los traumáticos sucesos del Instituto de Santa Fe a través de notas y, en alguna medida, también el pico expansivo de la producción bibliográfica local durante la década del 40. Creo que la publicación de la breve nota de Babini en el volumen de *Isis* de 1964, marca un punto de inflexión en el curso de nuestra historia de la ciencia, ya que es la primera vez que la revista recoge un artículo de autor argentino. Pero también fue la última.[86] El intento de crear un Instituto de Historia de la Ciencia en la FCEN (UBA) por parte de Babini, iniciado en 1962, fue yugulado por segunda vez por la intervención de la Universidad por parte del gobierno autoritario de 1966; por otro lado, Babini, por historia y talante, sentía más afinidad con el circuito de los *Archives* que con *Isis*. La HSS, por su parte, a partir de que Sarton se retiró de la revista (1949), acentuó cada vez más su carácter de asociación de historiadores de la ciencia estadounidenses. En 1964 había comenzado un largo y mutuo silencio.

Agradecimientos: a la Asociación Biblioteca José Babini por la utilización del epistolario; a Nicolás Babini por sugerencias respecto de las etapas iniciales de *La ciencia en la Argentina*; a Roberto Ferrari por enriquecedoras conversaciones y sugerencias recibidas durante el curso de este trabajo.

NOTAS

1. A. Mieli, "Alcune considerazioni sull'indole di questa rassegna e sulla nuova rivista 'Isis' ", *Rivista de Filosofia* 5, 1913, pág. 289 y sigs. y "*Isis*", *Rivista de Filosofia* 5, 1913, pág. 130 y sigs.

2. Los artículos y notas son: A. Mieli, "La teoria di Anaxagora e la chimica moderna (Lo sviluppo e l'utilizzazione di una antica teoria", *Isis* 1, 1913, pág. 370 y sigs.; "L'anno di nascita di Agricola", *Isis* 1, 1913, pág. 477 y sigs.; "VII Riunione della Società Italiana per il Progresso delle Scienze", *Isis* 1, 1913, pág. 479 y sigs., "Vannocio Biringuccio e il metodo sperimentale", *Isis* 2, 1914, pág. 90 y sigs.; "Per raggiungere l'uniformità di scrittura dei nomi propri e di persone", *Isis* 2, 1914, pág. 70 y sigs. Las reseñas son: A, Mieli, "Roberto Ardigò, *Pagine scelte*", *Isis* 1, 1913, pág. 514; "Federico Enriques, *Scienza e razionalismo*", *Isis* 1, 1913, pág. 541; "Giuseppe Ferrari, *La mente di G. B. Romagnosi*", *Isis* 2, 1914, pág. 276 y sigs.; "Gino Loria, *Le scienze esatte nell'antica Grecia*", *Isis* 2, 1914, pág. 714; "Giovanni Papini, *Sul Pragmatismo*", *Isis* 2, 1914, pág. 245; "Rinaldo Pittoni, *Storia della fisica*", *Isis* 2, 1914, pág. 742; "Bernardino Telesio, *De rerum natura*", *Isis* 2, 1914, pág. 206.

3. Para noticias biográficas y algunas obras de Paoli, ver José Babini, "Humberto Julio Paoli", *Archives internationales d'histoire des sciences* 6, 1953, págs. 298-299; Máximo Valentinuzzi, "Humberto Julio Paoli (1876-1953)", *Archives internationales d'histoire des sciences* 6, 1953, págs. 484-485 y "Curriculum vitae de Humberto Julio Paoli" (tipografiado, Bibilioteca José Babini=BJB), Roberto A. Ferrari, "Humberto Julio Paoli (1876-1953), químico e historiador de la ciencia en la Argentina" (inédito).

4. Los libros anunciados eran *El arte de los metales* de Alonso Barba, parte de la *Historia medicinal* de Monardes y *Los nueve libros de re metallica* de Perez de Vergas. *Archivio di Storia della scienza* 1 (1919-1920), págs. 440-442. El Sr. Roberto Ferrari, que posee la biblioteca de Paoli, no ha encontrado dichos libros en la misma,

por lo que no se sabe si estos han sido publicados. Sin embargo, Paoli sí publicó una edición del Arenario de Arquímedes: *"Spamnites", di Archimedes da Surakusai con appendici di Heath e Chasles*, Buenos Aires, Imprenta Coni, 1925, Bibliotheca Paoliana, 1.

5. Valentinuzzi, "Humberto Julio Paoli", pág. 485.

6. La bibliografía de Paoli puede consultarse en los volumenes de la *Isis Cumulative Bibliography, 1913-65*, Londres, Mansell, 1971-1976, y en Ferrari, "Humberto Julio Paoli".

7. Ver bibliografía sobre Mieli en Miguel de Asúa, "Morir en Buenos Aires. Los últimos años de Aldo Mieli", *Saber y Tiempo* 3, 1997, págs. 275-292. Desde la publicación de este artículo se ha publicado una contribución sobre la actividad de Mieli en París: Lucía Tosi, "La trayectoria de Aldo Mieli en el Centre International de Synthèse/CIS", *Saber y Tiempo* 4, 1997, págs. 449-462.

8. En el reporte de la 5° reunión anual de la *History of Science Society* (llevada a cabo en Nueva York los días 28 a 29 de diciembre de 1928), Thorndike presentó un informe sobre la organización de un comité internacional para la Historia de la ciencia, convocado por Mieli desde París. La nota de *Isis* aclara que no se decidió hacer nada, pero que Thorndike planeaba asistir a la conferencia organizada por Mieli para mayo de 1929. *Isis* 12, 1929, pág. 175.

9. En julio de 1929, dos meses depués de celebrado en París el Primer congreso internacional de historia de la ciencia, le escribe a Sarton disculpándolo por pagar tarde la subscripción a *Archeion*, "como pegno delle stratte relazioni fra le due nostre impresse". Carta de Mieli a Sarton del 18 de julio de 1929. *Papers of George Sarton* , conservados en la Houghton Library, Harvad University (PGS).

10. *Isis* 14, 1930, pág. 228.

11. *Isis* 14, 1930, págs. 280-283.

12. El segundo (Londres, 29 de junio-3 de julio de 1931) fue organizado por Singer entre el Comité internacional de ciencias históricas y la HSS. *Isis* 16, 1931, págs. 126-129. En *Isis* aprecieron también las invitaciones al 4° congreso, en Praga, 1937, y al 5° congreso en Lausanne, que no llegó a efectuarse. *Isis* 26, 1937, págs. 452-453 y 30, 1939, pág. 516.

13. Las comisiones permanentes del comité parecen una lista de los temas favoritos y las obsesiones de Mieli: había comisiones 1) para la rectificación de errores, 2) para la ciencia árabe, 3) de publicaciones, 4) de bibliografía, 5) para la transcripción de nombres propios de personas de lenguas que ya no usan el alfabeto latino, 6) de cuestiones a resolver, 7) organizadora del 3° congreso internacional, de la sección historia de la ciencia y de la medicina del Congreso internacional de ciencias históricas (21-28 de agosto de 1933). La lista se cerraba estableciendo que "Le sécretaire perpétuel fait partie de droit de toutes les commisions permanentes", *Isis* 17, 1932, págs. 423-425.

14. Amado Alonso era Director del Instituto de Filología de la UBA, Besio Moreno era Director General de Bellas Artes, Angel Cabrera era Director de la sección Paleontología del Museo de La Plata, Enrique Herrero Ducloux era Profesor de Química en La Plata y Buenos Aires, Emilio Ravignani era Director del Instituto de Investigaciones Históricas de la UBA.

15. *Archeion* 15, 1933, págs. 442-443.

16. *Archeion* menciona la reunión del grupo de junio de 1935, en la que del grupo original sólo quedaban Rey Pastor, Paoli y Alonso, y se agregaron Enrique Zappi (profesor de química en La Plata y Buenos Aires) y el Dr. Baidaff, del Seminario matemático de Buenos Aires. Ver *Archeion* 17, 1935, págs. 248-249.

17. *Archeion* 16, 1934, págs. 104-105 y *Archeion* 17, 1935, pág. 430. Rey Pastor fue nombrado miembro efectivo en 1938. Ver José Babini, "Julio Rey Pastor. 1888-1962", *Archives internationales d'histoire des sciences* 15, 1962, págs. 361-364.

18. *Isis* 24, 1936, pág. 435. La última lista, publicada en 1939, es llamativa por la cantidad de miembros latinoamericanos elegidos (sus nombres aparecen con muchas faltas ortográficas): de tres efectivos, uno fue brasileño (Fr. Jaguaribe de Mattos); de ocho correspondientes, hay un uruguayo (Eduardo García de Zuñiga), un mexicano (José Joaquín Izquierdo) y dos brasileños (Raul Leitão da Cunha y Luiz Alfonso de Faria). *Isis* 30, 1939, págs. 516-517. Cf. *Archeion* 21, 1938, pág. 403, donde aparece la misma lista.

19. Beltrán fue profesor de Historia de la Medicina en la Facultad de Medicina de la UBA entre 1937 y 1947. Argentino Landaburu, "Historia de la enseñanza médica en Buenos Aires", mimeografiado.

20. "Mr Beltrán's work, while it may have some value for those who are interested in the purely judicial aspect of the history of medicine, offers little that contributes to the history of medical practicc". *Isis* 30, 1939, págs. 560-61.

21. Asúa, "Sigerist and the History of medicine in Argentina", en preparación.

22. Cortés Plá, "El Instituto de Historia y Filosofía de la Ciencia de la Universidad Nacional del Litoral", Trabajo presentado al Segundo Congreso Argentino de Historia de la Ciencia, Buenos Aires, 1972. Una versión previa apareció como noticia necrológica a la muerte de Mieli: "Aldo Mieli en la Argentina", *Archives internationales d'histoire des sciences* 29, 1950, págs. 907-912. Cf. también Cortés Plá, "Julio Rey Pastor y la historia de la ciencia", *Boletín de la Academia Nacional de Ciencias de Córdoba* 48, 1970, págs. 123-167, esp. págs. 161-163.

23. Roberto A. Ferrari, "Un caso de difusión de nuestra ciencia. Presencia de científicos alemanes en el Instituto Nacional del Profesorado Secundario (1906-1915) y de sus discípulos en la Facultad de Química Industrial de Santa Fe (1920-1955)", *Saber y Tiempo* 4, 1997, págs. 423-448.

24. "C'est-à-dire on m'a fait l'offre, que je n'attendais pas, de m'offrir l'organisation et la direction d'un Institut d'histoire de la science...Ma nomination définitive et burocratiquement parfaite, a eu lieu les derniers jours de mars...Je suis hereux d'avoir un Institut à moi et un ambiance qui semble très favorable" Carta de Mieli a Sarton desde Leyden, 18 de mayo de 1939 (PGS). En realidad, la autorización para contratar a Mieli fue obtenida en reunión del Consejo Superior del 25 de febrero y el proyecto para la creación del Instituto fue aprobado recién el 26 de julio. Cortés Plá, "Aldo Mieli", págs. 908-909.

25. *Isis* 32 (1940, pub. 1947), pág. 133.

26. Roberto Ferrari, Carlos D. Galles, "La etapa santafesina del 'Archeion' de Mieli", *Segundas Jornadas de Historia del Pensamiento Científico Argentino*, Buenos Aires, FEPAI, 1982, págs. 191-199.

27. Se recordaba a los lectores que *Archeion*, continuación del *Archivio*, estaba siendo publicado en la Argentina y que al momento de la redacción de la nota ya habían aparecido cuatro números, *Isis* 33, 1941, págs. 339-340.

28. Plá también fue el creador del Instituto de Matemática, dirigido por Beppo Levi y que contaba entre sus miembros a Luis Santaló. Cortés Plá, "Origen y propósitos del Instituto de Matemáticas", *Mathematicae notae* vol. II, nº 5 (1940), págs. 79-87.

29. Cf. la breve semblanza biográfica en *Historia de la ingeniería en la Argentina*, Buenos Aires, Centro Argentino de Ingenieros, 1981, pág. 342.

30. Conferencia en la Facultad de Ciencias Matemáticas de la UNL, publicada como artículo en *Mathematicae notae*, vol. III, nº 1, 1941, págs. 5-48.

31. Conferencia pronunciada en la inauguración de cursos de la UNL y publicada como artículo en *Archeion* 24, 1942, págs. 289-402.

32. Publicado como artículo en la revista de Levi, *Mathematicae notae*, año 1º [sic], 1941, págs. 77-104. Asimismo, Plá habría impulsado la traducción al castellano de la obra de Federico Amadeo, *Origen y desarrollo de la geometría proyectiva*, Publicaciones del Instituto de Matemáticas, vol. I, nº 3, Rosario, 1939, trad. de Nicolás y José Babini. Comunicación personal de Nicolás Babini.

33. *Isis* 38, 1947, págs. 119-120.

34. H. J. J. Winter, "The reception of Ohm's electrical researches by his contemporaries", *Philosophical Magazine* 35, 1944, págs. 371-86.

35. "Fue él [Rey Pastor] quien nos alentó en el estudio de la historia de la ciencia, quien nos impulsó a escribir los libros publicados en la 'colección Austral' sobre Galileo y sobre Newton, quien siempre estuvo dispuesto a proporcionarnos bibliografía o ideas, quien, en fin, nos insinuó el estudio del problema".

36. Plá, *El enigma de la luz*, pág. 291.

37. Ibid., pág. 12.

38. *Isis* 42, 1951, pág. 164. También hubo una reseña del libro en *Archives internationales d'histoire des sciences* 3, 1950, págs. 706-708, por Jean Itard, que consiste en un resumen de cada capítulo, sin ningún tipo de valoración.

39. Cortés Plá, "El clima de la ciencia", *Cuadernos americanos* 44, 1949, págs. 85-105, esp. pág. 92.

40. Plá, *El enigma de la luz*, pág. 291.

41. Plá, *Trascendencia de la obra de Galileo y Newton*, pág. 123.

42. *Historia de la ingeniería*, pág. 342.

43. Plá, "El Instituto...", no paginado.

44. *Isis* 35, 1944, págs. 336-337.

45. *Science* 98, 1944, pág. 467. Cf. Barrios Medina, "Bernardo Houssay (1887-1971). Un esbozo biográfico" *Interciencia* 12, 1987, págs. 290-299.

46. "[...] but his whole life was a silent protest against the methods adopted by the Argentine goverment". *Isis* 35, 1944, pág. 336.

47. Asúa, "Morir en Buenos Aires", págs. 277-278.

48. A. Mieli, "La historia y la filosofía de la ciencia", en *Essays in the history of medicine, presented to Arturo Castiglioni, Supplement to the Bulletin of the History of Medicine*, 3, 1944, págs. 205-216.

49. Carta de Mieli a Babini del 15 de noviembre de 1944 (BJB). Cf. Asúa, "Morir en Buenos Aires", pág. 276 y notas.

50. *Isis* 37 (pub. 1947), págs. 86-87.

51. "And one hopes that the present dictatorial rulers of Argentina who have shown such contemptuous disregard for their men of science may perhaps ponder for a moment the fate of LAVOISIER and the words uttered by LAGRANGE to DELAMBRE the day following LAVOISIER'S execution "Il ne leur a fallu qu'un moment pour faire tomber cette tête, et cent années peut-être ne suffiront pas pour en reproduire une semblable". *Isis* 37 (pub. 1947), pág. 87.

52. *Isis* 41, 1950, pág. 57.

53. Nicolás Babini (comp.) *José Babini. Bio-bibliografía. 1897-1984*, Buenos Aires, Dunken, 1994, págs. 17-18.

54. Cortés Plá, "Las Publicaciones de historia de la ciencia en Argentina", *Ciencia y Tecnología* 2, 1956, págs. 80-81.

55. Grandes astrónomos anteriors a Newton (nº 426), *Grandes astrónomos (de Newton a Laplace)* (nº 543) e *Historia de mi juvenud* (nº 536).

56. Ricardo Levene, director, *Historia de la Nación Argentina. Desde los orígenes hasta la organización definitiva en 1862,* Buenos Aires, 1937, vol. 3, págs. 79-101.

57. Eva Curie, *La vida heroica de María Curie por Eva Curie* (nº 451); J. G. Crowther, *Humphry Davy, Michael Faraday (hombres de ciencia británicos del siglo XIX)* (nº 197), *J. Prescott Joule, W. Thomson, J. Clerk Maxwell* (hombres de ciencia británicos del siglo XIX) (nº 509), *T. Alva Edison, J. Henry* (hombres de ciencia norteamericanos del siglo XIX) (nº 518), *Benjamin Franklin, J. Willard Gibbs* (hombres de ciencia norteamericanos del siglo XIX) (nº 540).

58. La colección también incluía el *Tratado del encadenamiento de las ideas fundamentales en la ciencia y en la historia*, de Cournot (1946); la *Historia sucinta de la medicina mundial*, de Josef Löbel (1950), y *Vida y obra de Guillermo Harvey* de Laín Entralgo (1948).

59. Carta de Sarton a Mieli del 29 de abril de 1947 (PGS).

60. Carta de Mieli a Sarton del 22 de abril de 1947 (PGS).

61. Carta de Mieli a Babini, del 8 de abril de 1947 (BJB)

62. "Colección de Historia y Filosofía de la Ciencia", *Archives internationales d'histoire des sciences* 26, 1947, págs. 165-172. Cf. Asúa, "Morir en Buenos Aires", pág. 281 y notas.

63. Asúa, "Morir en Buenos Aires", págs. 280-282 y notas.

64. Tito Lucrecio Caro. *De la naturaleza de las cosas. Poema en seis cantos (traducido por José Marchena), con un apéndice con tres cantos de Epicuro* (1946).

65. Erik Nordenskiöld, Evolución..., Buenos Aires, Espasa-Calpe, 1949, "nota de la editorial". La colección también incluyó W. A. Heidel, La edad heroica de la ciencia, el concepto, los ideales y métodos de la ciencia entre los antiguos griegos, Buenos Aires, Espasa-Calpe, 1946, Gode-von Aesch, *El romanticismo alemán y las ciencias naturales,* Buenos Aires, Espasa-Calpe, 1947, y otros títulos de menor importancia.

66. Alfredo Kohn Loncarica, "Elogio. Desiderio Papp (1895-1993). Del Danubio

al Plata y los Andes. Nota necrológica, cronología y breve bibliografía", *Quipu* 10, 1993, págs. 199-221; Desiderio Papp, "Mi camino hacia la historia de la ciencia y de la medicina", *Quipu* 2, 1985, págs. 123-127.

67. Carta de Papp a Sarton del 5 de abril de 1951 y carta de Sarton a Papp del 18 de abril de 1951 (PGS).

68. *Isis* 54, 1963, págs. 292-293.

69. Cortés Plá, "Julio Rey Pastor y la historia de la ciencia", págs. 165-166. En este artículo se relata que Rey Pastor, en 1940, ya había intentado reorganizar el "grupo" primitivo, con el nombre de "Junta Argentina de Historia de la ciencia".

70. *Ibid.*, págs. 166-167.

71. Ver Mieli, "La historia y la filosofía de la ciencia", *passim*.

72. La nota está en págs. 75-114.

73. Hay cartas que anuncian la recepción de estos libros por parte de Sarton: de la "traduction excellente...de mon petit livre" (carta de Sarton a Babini, 15 de enero de 1949, *Epistolario José Babini* [=EJB], E4903) –probablemente se refiera a la traducción de *Historia de la ciencia y nuevo humanismo*–, de la *Historia de la ciencia en la Argentina*, México, F. C. E. [Tierra Firme], 1949 (carta de Sarton a Babini del 10 de junio de 1949, EJB: E4915), de la traducción de la *Breve Historia de la Ciencia* de Sedgwick, Tyler y Bigelow (carta de Sarton a Babini del 28 de marzo de 1951, EJB: E5105), de un libro no especificado (carta de Sarton a Babini del 8 de mayo de 1951, EJB: E5106), de la traducción de *Life of Science* (carta de Sarton a Babini del 1° de octubre de 1952, EJB: E5226), de dos libros –uno de ellos la *Historia de la Matemática*, en colaboración con Rey Pastor– (carta de Sarton a Babini del 22 de junio de 1952, EJB: E5217), de la traducción de *La vida de la ciencia* (carta de Sarton a Babini del 1 de octubre de 1952, EJB: E5226 (traducción que había sido anunciada por Babini, de lo cual Sarton tomó nota en carta a Babini del 25 de agosto de 1951, EJB: E5109), de uno de los volúmenes del *Panorama*, que Sarton afirma sería enviado para recensión al nuevo editor de *Isis* (carta de Sarton a Babini del 21 de diciembre de 1952, EJB: E5227), del volumen 7 del *Panorama*, que Sarton, de nuevo, afirma enviar al nuevo editor, I. B. Cohen (carta de Sarton a Babini del 14 de enero de 1955, EJB: E5501).

74. *Isis* 51, 1960, págs. 221-222. Una vez muerto Sarton, Babini mantuvo una breve correspondencia con la hija, durante 1962, en relación con los errores tipográficos y de contenido que halló en *Six Wings*, cuando lo traducía, ya que *Indiana University Press*, quien originariamente había publicado el libro, lo remitió a ella. Cartas de Babini a Indiana University Press del 20 de agosto de 1962 (EJB: E6212) y de Indiana University Press a Babini del 24 de septiembre de 1962 (EJB: E6218) y del 20 de octubre de 1962 (EJB: E6228). May Sarton derivó el problema a Cohen. Cartas de Babini a May Sarton sin fecha (EJB: E6226; E6230) y de May Sarton a Babini del 23 de octubre de 1962 (EJB: E6227) y del 18 de noviembre de 1962 (EJB: E6232).

75. Cf. Miguel de Asúa, *La ciencia en la Argentina. Perspectivas históricas*, Buenos Aires, CEAL, 1993, 12.

76. No hemos analizado los libros dedicados a la filosofía de la ciencia, pero digamos que la selección de estos era más débil que la correspondiente a historia.

77. Ver John King, *Sur. A study of the Argentine literary journal and its role in the development of a culture, 1931-1970*, Cambridge, Englaterra, Cambridge University Press, 1986. Respecto de esta concepción de la historia de la ciencia, cf. Lewis Pyenson, "What is the good of the history of science?", *History of Science* 27, 1989, págs. 353-389.

78. *Isis* 55, 1964, págs. 82-85.

79. Babini, *Historia de la ciencia argentina*, México, F.C.E. [Tierra Firme], 1949; *Las ciencias en la historia argentina*, Buenos Aires, Ed. Estrada, 1952; *La evolución del pensamiento científico en la Argentina*, Buenos Aires, La Fragua, 1954; *La ciencia en la Argentina*, Buenos Aires, Eudeba, 1963; *Historia de la ciencia en la Argentina*, Buenos Aires, Solar, 1986, con prólogo de Marcelo Montserrat.

80. Hay algunas reflexiones en Asúa, *La ciencia en la Argentina*, 12. No puedo dejar de mencionar que, también a fines de los años 40, salió a la luz una versión de la historia de la ciencia en nuestro país que, afín al revisionismo nacionalista, aspiraba a reivindicar la herencia cultural del pasado colonial. Guillermo Furlong Cardiff publicó, entre 1945 y 1948, tres libros que después fueron reunidos en el tomo 3 de su *Historia Social y Cultural del Río de la Plata, 1536-1810*, Buenos Aires, TEA, 1969; *Matemáticos argentinos durante la dominación hispánica*, Buenos Aires, 1945; *Médicos argentinos durante la dominación hispánica*, Buenos Aires, 1947; *Naturalistas argentinos durante la dominación hispánica*, Buenos Aires, 1948.

81. Carta de Norberto Frontini a Babini del 22 y 31 de mayo de 1943 (EJB: E4302 y E4303). Nicolás Babini llamó mi atención sobre esta correspondencia que aclara los orígenes del libro de Babini sobre la historia de la ciencia en la Argentina.

82. Carta de Francisco Romero a Babini del 8 de junio de 1943 (EJB: E4304)

83. Carta de Houssay a Babini del 14 de junio de 1943 (EJB: E4306) y de Gaviola a Babini del 23 de julio de 1943 (EJB: E4312). En esta última, Gaviola proporciona interesante información sobre las distintas líneas de investigación y actividades desarrolladas en el observatorio por esa fecha.

84. De todos modos, Babini poseía firmes convicciones respecto de la ciencia en la Argentina. Hay correspondencia entre Babini y Mieli en la cual aquel trata de convencer a éste de que Ameghino, a pesar de haber nacido en Italia, de todas maneras debe ser considerado un científico argentino (carta de Mieli a Babini del 4 de diciembre de 1947, BJB) a lo cual Mieli respondió que Babini es "la sola persona ragionavole che ho incontrato in Argentina (con eccezione de quando si occupa di Ameghino)" (Carta de Mieli a Babini del 13 de diciembre de 1947, BJB).

85. J. Babini, "Cultura autóctona y cultura univesal", *Universidad* [Santa Fe] 8, 1941, págs. 179-187, esp. pág. 184. Y concluye: "Lo que ha de ser la cultura americana: apegada al suelo de cuya savia se nutre, aprovechando todos los elementos que le pueda ofrecer la cultura autóctona, enriqueciendo el acervo cultural del medio y mostrando, por todo eso, un sello inconfundiblemente americano, debe, al mismo tiempo, contribuir y colaborar en la obra cultural universal", *ibid.*, pág. 187.

86. Recientemente, *Isis* publicó un artículo sobre fisiología en la Argentina del investigador peruano Marcos Cueto, "Laboratory Styles in Argentine Physiology", *Isis* 85, 1994, págs. 228-246.

LA REVISTA *MINERVA* (1944-1945), LA GUERRA OLVIDADA

ANALÍA BUSALA
DIEGO HURTADO DE MENDOZA

1. LA HIJA DE ZEUS

En mayo de 1944 aparece en Buenos Aires el primer número de la revista *Minerva*,[1] "Revista Continental de Filosofía", publicación bimestral fundada y dirigida por Mario Bunge, hijo del político socialista y médico higienista Augusto Bunge y sobrino de Carlos Octavio Bunge, protagonista destacado en el desarrollo del pensamiento positivista argentino.[2]

Por el año 1942, poco antes de que llegara al país Guido Beck, físico teórico austríaco que iba a dirigir la tesis doctoral de Mario Bunge, éste viajó a Santa Fe, invitado por José Babini, para visitar el Instituto de Historia de la Ciencia que funcionaba desde 1939 en la Universidad Nacional del Litoral (UNL). En esos momentos, las actividades del Instituto, dirigido por Aldo Mieli,[3] eran fichar la biblioteca y publicar *Archeion*, revista de la *Académie Internationale d'Histoire des Sciences*,[4] en la que Bunge colaboraría con reseñas bibliográficas.[5] El golpe del 4 de junio de 1943 derivó en la intervención de la UNL, dejando cesantes a alrededor de 3000 docentes. El contrato de Mieli fue dejado sin efecto y su instituto clausurado.[6]

Volviendo al año 1942, Mieli y Babini le sugirieron a Bunge en varias ocasiones la posibilidad de que se dedicase a la historia de la ciencia.[7] "Había que formar, pues, a un historiador de la ciencia –dice Bunge– capaz de impartir cursos. Al parecer, el único candidato a la vista era yo, lo que sólo prueba el atraso del medio."[8]

También a instancias de Babini, Bunge dió su primera conferencia, "Significado físico e histórico de la teoría de Maxwell",[9] frente a un público de estudiantes y profesores de la Facultad de Química Industrial y Agrícola de la UNL. Así, para la fecha de la fundación de *Minerva*, las actividades "extracientíficas" de Bunge eran numerosas.[10]

A pesar de la presencia fugaz de *Minerva* en el escenario filosófico (aparecieron solamente seis números, el último corresponde a enero-abril de 1945), esta publicación, por su actitud refundacional respecto de la filosofía latinoamericana[11] que, como se verá más adelante, será avalada por algunos organismos internacionales de filosofía, y por contar con la colaboración de algunas figuras destacadas,[12] muestra con cierta nitidez los puntos de discordia y de consenso del escenario filosófico local. También debe tenerse en cuenta que se trata de la única revista argentina exclusivamente dedicada a la filosofía en un período en que predominan las revistas culturales de contenido heterogéneo, con preeminencia de lo literario.[13]

Cumpliendo con su objetivo de constituirse en "libre tribuna continental de la investigación filosófica latinoamericana",[14] a la vez que heredera de la *Revista de Filosofía, Cultura, Ciencia y Educación*[15] de José Ingenieros, una buena parte de los artículos de *Minerva* extienden su temática a un amplio espectro de problemas filosóficos. Sin embargo, *Minerva* aparece cuando el escenario internacional está dominado por la Segunda Guerra Mundial, y el país asiste a la consolidación del gobierno surgido del golpe de 1943. En este contexto, ya desde su primer artículo en el número inaugural de *Minerva*, titulado "¿Qué es la epistemología?", Bunge se presenta con un pensamiento de perfiles irritantes para las "autoridades académicas". Del sincretismo que domina este artículo se destaca un intento de teorizar desde la perspectiva del materialismo dialéctico y el ataque frontal a una serie de valores tradicionalmente representativos de posturas nacionalistas.[16] De esta forma, la aparición de *Minerva* en condiciones poco favorables para el perfil que la revista propone, parece justificar el tono bélico sostenido en los editoriales, parece alentar la atmósfera de gran batalla entre el bien y el mal, de inexorable elección entre Einstein o Hitler. Este esquema teórico binario o maniqueo, desprendido de la atmósfera histórico-política que puede suponerse que lo justificó en su origen, persistirá en gran parte de los posteriores trabajos de Bunge en la forma de una retórica que llega hasta el presente.

Así, en la "presentación" de su número inaugural, "la dirección" de la revista anuncia que *Minerva* "nace, como la hija de Zeus, armada y combatiente. Armada de razón y combatiendo por la razón y contra el irracionalismo".

2. ¿QUÉ ES LA FILOSOFÍA?

Acorde a su aspiración de difundir la filosofía latinoamericana,[17] la diversidad de temas a lo largo de los seis números de *Minerva* hacen poco viable una clasificación exhaustiva de alguna utilidad de sus contenidos. En cuanto al aspecto formal, además de la sección "Artículos", la revista contó con una profusa y variada sección llamada "Notas" y con las secciones "Bibliocrítica" y "Varia". Digamos, de paso, que resulta asombrosa la cantidad de intervenciones del propio Bunge en temas de lo más disímiles. En el índice del volumen II (noviembre de 1944-abril de 1945) Bunge aportó a la revista un artículo ("Nietzsche y la ciencia") y siete notas que van desde "Cómo veía el mundo Florentino Ameghino" o la "Filosofía de los valores", hasta "Ludwig Boltzmann (1844-1906), defensor del materialismo" o "Jean Baptiste van Helmont (1577-1644), predecesor de la monadología de Liebniz". Sobre el total de los seis números publicados de *Minerva*, Bunge aportó tres artículos, trece notas y más de veinticinco reseñas bibliográficas.

A pesar de la heterogeneidad de temas y enfoques de los artículos y notas publicados en *Minerva*, creemos que es posible mostrar una nítida línea argumentativa, sostenida a través de una serie de artículos de diferentes autores, que hace pertinente hablar de un programa editorial claramente visible como consecuencia, tal vez, de la corta vida de la revista.[18]

Este hecho, particularmente evidente en el primer número de *Minerva*, permite suponer que sus artículos hayan sido seleccionados con la intención explícita de delimitar un ámbito "legítimo" para la filosofía y de delinear un espectro temático acorde con las expectativas del grupo más cercano a la revista: qué cosa es la filosofía, qué cosa no es, qué interrogantes son legítimos y, en este marco, cuáles perentorios.[19] De hecho, estos interrogantes pueden leerse en el primer número de forma reiterada en varios de sus artículos. Y las tentativas de respuesta aparecen esbozadas claramente bajo dos ejes temáticos complementarios: el ataque de "la llamada filosofía contemporánea" y la función rectora que se le asigna, en dicho ataque, a la epistemología. Nos referimos a tres artículos: "¿Qué es la Epistemología?", por Mario Bunge; "El irracionalismo en la Física contemporánea", por Simon M. Neuschlosz; "Meister Eckhart y Martin Heidegger", por Isidoro Flaumbaum.

Los artículos de Bunge, Neuschlosz y Flaumbaum, esbozan un mosaico coherente que traza límites claros. Mientras que el artículo de Bunge intenta caracterizar lo que debe entenderse por epistemología y Neuschlosz hace algo semejante dentro del ámbito más restringido de la física moderna, entendida como ciencia modelo, Flaumbaum apunta sobre Heidegger como el ícono representativo de lo peor de la filosofía de este siglo.

Esta temática, como veremos, se continuó en los números posteriores, si bien de forma algo más dispersa.

3. ¿QUÉ ES LA EPISTEMOLOGÍA?

A grandes rasgos, el artículo de Bunge, "¿Qué es la epistemología?",[20] consiste en una primera parte en donde se efectúa un repaso crítico exhaustivo del pasado "medio siglo de reflexión consciente acerca de la ciencia [...] plazo más que prudente para exigir se defina de una vez lo que debe entenderse por tal reflexión, es decir, por epistemología". Y una segunda parte en donde el autor intenta hacer sus aportes: básicamente, enunciar una definición de epistemología y presentar un formalismo de operadores para manipular en términos algebraicos las diversas disciplinas afines a la epistemología y la ciencia con el objeto de clarificar sus relaciones.

Comenzando por el "gigante Hegel" a quien se le critica haber aplicado "directamente el método dialéctico a objetos naturales o sociales, sin antes 'filtrarlos' por la ciencia", pasa, acto seguido, a comentar "los disparates de los *Naturphilosophen*",[21] la "atrevida incursión por los dominios filosóficos" de los hombres de ciencia y las "incursiones –predatorias– por los campos de la ciencia por parte de los filósofos", ambas calificadas de "expediciones de pillaje". Se dice que "epistemólogos, como Bertrand Russell, no son estrictamente tales";[22] se habla de los intentos de "subordinar ambas, ciencia y filosofía, a designios extraños al conocimiento científico, frecuentemente teológicos", citando en este caso a Eddington y Jeans,[23] y de la conveniencia de que los sabios dejen de "usar las alas de gallina del positivismo".[24]

Las excepciones, aquellos que se aproximan lo suficiente al *desideratum* de conocer profunda y parejamente tanto de ciencia como de filosofía, son Diderot, D'Alembert, Engels y Meyerson.[25] Este último "tal vez el más grande epistemólogo de este siglo".[26]

En cuanto al positivismo, se le critica a Mach, Pearson, Poincaré y al Círculo de Viena, que "hasta rechazan con indignación positivista el nombre de filósofos", no estudiar seriamente filosofía antes de filosofar.[27] La evolución del positivismo "ha desembocado en la escuela híbrida del empiriologicismo, o neopositivismo [...]". El fisicalismo, es decir, la creencia en que "no hay conocimiento seguro fuera de la física", es una característica de esta corriente.[28] Citando a Carnap, para quien "dedicarse a la filosofía significa pura y simplemente: aclarar y explicar los conceptos y las proposiciones de la ciencia mediante el análisis lógico", se dice en un pie de página que: "Esta, que es la última novedad del Círculo de Viena, tiene su origen, como se sabe, en Turgot, Condillac, Dumarsais, Beauzée, De Jaucourt [...], para quienes la ciencia era 'un lenguaje bien hecho' (Condillac), y la Lógica una gramática general, coincidente con el análisis del lenguaje".[29]

Finaliza la parte crítica del artículo diciendo: "Tal vez una definición de lo que debe entenderse por epistemología ayude a evitar esos 'abusos intelectuales'. Busquémosla, aunque recordando que toda definición es limitación".[30]

Dado que la epistemología "ha nacido como emanación filosófica de la ciencia, o mejor, como producto de la interacción ciencia y filosofía [...]", es nacesario "partir de las definiciones de ciencia y filosofía".[31]

A continuación se esboza lo que va a ser uno de los ejes de la revista: ya no la crítica sino la condena de la "llamada filosofía moderna", caracterizada como aquella que incluye "en las fuentes del conocimiento la 'intuición', la experiencia mística, etc.", y que no rehuye "a todo lo que la ciencia declara ilógico, irracional o absurdo". "La filosofía 'moderna' no busca 'saber conociendo' sino sabiduría oriental, leyenda y mito".[32] Los ejemplos a oponer son Bacon, Descartes, Leibniz, Kant, Hegel, Marx, los "grandes filósofos creadores", para quienes "la filosofía debía ser *científica*".

El autor sostiene que "la filosofía es *teoría del conocimiento científico*". Y más abajo: "La filosofía es así *autoconciencia* (*crítica*, como toda conciencia) *de la Ciencia*". Y finaliza el parágrafo titulado "filosofía = epistemología": "El filosófico es el *único* modo de razonamiento que puede *repensarse*, que puede tomar conciencia de sí mismo en un plano superior. Que puede *negarse a sí mismo* para hallarse con mayor profundidad en su opuesto".[33]

En el parágrafo siguiente, titulado "Formulación algebraica", se presenta en "lenguaje grato a los algebristas modernos", una formalización en la que Bunge intenta clarificar la relación entre las diversas ramas de la filosofía, la historia de la ciencia y la ciencia misma. Este formalismo daría origen a una polémica con Babini y con su director de tesis de la que se hablará más adelante.

Respecto del artículo "¿Qué es la epistemología?" nos interesa destacar tres puntos:

1) Como físico, y contemporáneamente a su actividad de filósofo, Bunge ha comenzado a incursionar en la física cuántica, terreno donde es agua corriente el álgebra de operadores. No parece casualidad que considere que el lenguaje apto para aclarar problemas concernientes a la filosofía sea justamente aquel que emplea todos los días en su rol de físico teórico. En este punto, se hace interesante recordar que, entre las críticas que Bunge hace al positivismo lógico, se encontraba la de fisicalismo. Y esto, no meramente para señalar o forzar una supuesta contradicción en el artículo de Bunge, sino como indicio de las expectativas puestas en un formalismo algebraico que, habiendo mostrado su eficacia en el ámbito de la física, el autor piensa que es posible adaptar al terreno filosófico. Es decir, lo interesante de este punto se muestra al suponer que no hay contradicción (que, por otra parte, sería demasiado manifiesta), sino que el empleo del formalismo algebraico

en el terreno filosófico se intenta como algo independiente de la crítica al fisicalismo.

2) A pesar de las críticas del autor al Círculo de Viena, un nítido perfil positivista termina de esbozarse cuando a la tendencia a la formalización señalada en el punto anterior se añade que se está intentando esclarecer un problema filosófico por el camino de la definición, y cuando alude a la metafísica como "intento de librarse del conocer científico construyendo una teoría *a priori* y apodíctica de los objetos que están al alcance de nuestros sentidos, y que por ello mismo caen dentro de la esfera científica".[34]

3) Por último, las incursiones del autor por el materialismo dialéctico, que no sólo se evidencian en las referencias a Marx y Engels,[35] sino también por categorías filosóficas o retóricas empleadas que subyacen al intento de esclarecimiento[36] y que no parecen ser formalizables en términos algebraicos.

Si se aceptan estos puntos, habría que pensar que la perspectiva teórica del artículo de Bunge puede entenderse como una yuxtaposición, básicamente, de dos líneas teóricas: el materialismo dialéctico y el positivismo lógico, por lo menos en cuanto al fisicalismo y la crítica de la noción de metafísica.[37]

El artículo del profesor de física biológica en la UNL,[38] Simon Neuschlosz, titulado "El irracionalismo en la física contemporánea",[39] comienza señalando que el irracionalismo ha invadido "también la ciencia racional por excelencia, la física". El autor, ante "la evidente satisfacción con que ciertos pensadores estaban dispuestos a deshacerse del principio de determinismo",[40] sostiene que se ha "empeñado en demostrar la falta de toda razón seria para abandonar –debido a los hechos descubiertos por la física– la tradicional actitud filosófica del determinismo".[41]

En consonancia con la crítica de Bunge a la "filosofía moderna", Neuschlosz critica el irracionalismo de los que "creen que pueden captar la verdad, sintiéndola intuitivamente bajo la impresión inmediata que les produce el conjunto no analizado de la realidad".[42] Obviamente, para Neuschlosz, la tarea de racionalización está en manos de la ciencia.[43]

Por último, afirma: "El progreso relativamente lento de las ciencias sociales –en comparación con las físico-naturales– se debe, entre otras causas, precisamente a que en este campo, el antagonismo inevitable existente entre las diferentes actitudes sentimentales y volitivas ha dificultado su racionalización en mucho mayor grado, que en aquellas ciencias, donde tales antagonismos no existen". Resulta claro que la física funciona, para Neuschlosz, como ciencia modelo, lo que haría comprensible que su artículo intente sacudir las raíces de irracionalismo que con vigor parecen invadir el campo de la propia física.[44]

La serie se completa con el artículo de Flaumbaum, titulado "Meister Eckhart y Martin Heidegger",[45] que critica "la mística y el irracionalismo" de autores alemanes que van desde el siglo XIV hasta la filosofía existencial. "Meister Eckhart (1260-1327) y Martin Heidegger señalan los puntos inicial y terminal respectivamente de esta corriente mística".[46] A continuación se intenta mostrar que cada concepto de Eckhart tiene su correspondiente en Heidegger, "claro que deformado".[47]

En números posteriores de *Minerva* se encara la demolición de Husserl[48] y de Scheler[49] a cargo de Alfred Stern, filósofo vienés radicado en México desde 1942; Bunge haría lo propio con la filosofía romántica[50] y con Nietzsche.[51] El artículo dedicado a este último resulta notable por la cantidad de improperios que Bunge dedica a la figura del filósofo alemán.

4. REPERCUSIONES DE *MINERVA*

Unos meses después de la salida de *Minerva* aparece, en diciembre de 1944, durante la intervención de la Universidad Nacional de Cuyo, la revista *Philosophia*. Esta publicación, dirigida por Diego Pró, representa el órgano oficial del Instituto de Filosofía y Disciplinas Auxiliares de la Facultad de Filosofía y Letras de la mencionada Universidad. Al igual que *Minerva*, uno de los objetivos de la creación del Instituto de Filosofía y, por lo tanto, de *Philosophia*, era "reflejar los cambio ocurridos en la cultura argentina en materia de ideas filosóficas desde la desaparción de la *Revista de Filosofía* de José Ingenieros".[52]

A cargo de Pró, los dos primeros números de *Minerva* son objeto de una breve crítica laudatoria (dieciocho líneas) aparecida en el primer número de *Philosophia*, en la sección "Reseñas bibliográficas".[53] En la misma sección de los números siguientes aparecen dos extensos comentarios dedicados a los números 3 y 4 de la revista *Minerva*, por Azucena Bassi y Mauricio A. Lopez, respectivamente,[54] los cuales son estrictamente descriptivos y no emiten juicios de valor sobre la publicación. A pesar de este seguimiento, la desaparición de *Minerva* pasaría desapercibida para *Philosophia*.

En cambio, Bunge dedicaría unas líneas a esta publicación y a su director: "Diego Pró, joven profesor de la joven universidad argentina de Cuyo, dirigió durante un número esta joven revista, desaparecida en su primera juventud (Año 1, volumen 1, número 1, diciembre de 1944), a pesar de la vetustez de su orientación. R.I.P".[55] Sin embargo, a pesar de este *requiem* prematuro, *Philosophia* iba a sobrevivir a *Minerva*.

Digamos de paso que, en el número inaugural de *Minerva*, Bunge dedicó, sorpresivamente, un extenso y elogioso comentario a un libro de un colaborador de *Philosophia*, por entonces profesor de filosofía en la Universidad de La Plata, Ocatvio Nicolás Derisi.[56] Refiriéndose al libro *Concepto de la filosofía cristiana* de Derisi, sostiene Bunge: "[..] lo juzgamos exposición acabada, coherente, clarísima y de neto sello personal del neo-tomismo, que tanta influencia está adquiriendo en el pensamiento filosófico mundial".[57]

Por su parte, en la revista católica *Criterio*,[58] Gabriel Feyles en su artículo "Los apuros del idealismo", inicia su defensa del realismo contra el subjetivismo con una mención elogiosa de *Minerva* y una cita extraída de la presentación de su primer número.

Por último, en las propias páginas de *Minerva*[59] es posible enterarse de que la revista *Ciencia y Fe* de la Facultad de Filosofía y Teología de San Miguel, saludó con cierta cautela la aparición de la revista de Bunge. Según reproduce la propia *Minerva*: "Esperamos que la nueva revista mantendrá una prudente y realista orientación. Juzgamos, de entrada, que no se puede rechazar el irracionalismo de plano [...] la filosofía llamada irracional o existencialista tiene cierta parte de razón al insistir en que es necesario un continuo esfuerzo por aprehender lo concreto en sí mismo, el existir individual de los seres".

Bunge califica la mención de *Minerva* en la revista jesuita de "cordial comentario", aunque, "sin ánimo de polemizar", aclara algunos puntos: "*Minerva* no es tanto *racionalista* como *anti-irracionalista*, la negación de la negación no es un simple retorno a la afirmación primera". Y también agrega: "No creemos que filosofía alguna, si legítima, pueda ocuparse de aprehender 'el existir individual de los seres': no hay sino filosofía de lo *general* [...]".

A modo de anécdota, digamos que en la revista *Sur* no se menciona la aparición de *Minerva* y que la única posible alusión a Mario Bunge por aquellos años se relaciona con una "Aclaración"[60] de dos breves columnas en donde su autor, Francisco Ayala, colaborador asiduo de *Sur*, se refiere a una crítica a su libro *Razón del mundo* aparecida en la revista *Latitud*. El autor de la crítica es un tal "M. B." de quien Ayala se queja por "el tono injurioso" y hace referencia a "todo ese amasijo de disparates: la grotesca imputación de nazismo hecha a la filosofía alemana y, de rechazo, a quines la difunden [...]".

Sin embargo, a pesar de estas menciones, tanto la revista *Humanidades*, editada por la Facultad de Humanidades y Ciencias de la Educación de la Universidad Nacional de La Plata, como la revista *Logos*, editada por la Facultad de Filosofía y Letras de la Universidad de Buenos Aires, no hacen referencia alguna a la aparición de *Minerva*. Sí se puede leer, en cambio, en *Logos* un comentario bastante auspicioso sobre la aparición de *Philosophia*.[61]

En cuanto al ámbito internacional no latinoamericano, en la revista *Philosophy and Phenomenological Research*, publicación de la *International Phenomenological Society* que contaba a Francisco Romero entre sus "Consulting Foreign Editors", en su sección "Notes and News",[62] se señala la ausencia de una publicación periódica dedicada exclusivamente a la filosofía en América latina y se saluda la aparición de *Minerva* como foro de discusión filosófica, incluso para los Estados Unidos y Canadá. En la misma nota se destacan y comentan los artículos de Mondolfo y de Bunge aparecidos en el primer número.[63]

También la revista norteamericana *Journal of Philosophy*, en su sección "Notes and News",[64] anuncia la aparición del "primer número de una nueva publicación periódica, la única en Latinoamerica que se dedica exclusivamente a la filosofía". También se dice que fue presentada a los lectores norteamericanos "a través de los buenos oficios de la División de Cooperación Intelectual de la Unión Panamericana".[65]

Digamos, por último, que el propio Bunge, refiriéndose a las repercusiones de *Minerva* en su propio país, dice que la revista "ha merecido comentarios elogiosos en casi todas las revistas de cultura importantes del continente, a excepción de la Argentina".[66]

5. ALGUNAS REPERCUSIONES PERSONALES

En cuanto a lo personal, de acuerdo con el intercambio epistolar que mantuvo con José Babini, por entonces secretario de redacción de la revista de la Unión Matemática Argentina, la aparición del artículo "¿Qué es la epistemología?", le traería a Bunge algunos problemas con su director de tesis. En una extensa y detallada carta,[67] severa pero cálida, Babini le escribe a Bunge:

- "[...] el formulismo algebraico me parece ineficaz pues no da cuenta completa de los hechos".
- "Su identificación de la epistemología con la filosofía, limitada ésta a la gnoseología y la lógica, con la consiguiente política homicida frente a la metafísica, ontología, etc., es una exclusión sin causa ni razón de esfuerzos humanos tan respetables como los de cualquier científico [...]".
- "Su calificación de la 'llamada filosofía moderna' como 'leyenda y mito', me recuerda las limitaciones del positivismo que usted mismo critica".
- "En una palabra, usted propugna una política de 'esto o aquello' mientras a mí me parece preferible la política de 'esto y aquello'".

Bunge responde a las críticas de Babini con una carta igualmente extensa, respetuosa y obstinada,[68] en la cual lamenta que no todas las reacciones a su artículo hayan sido como las de Babini, "serenas y meditadas". Y agrega que: "El doctor Beck, por ejemplo, se ha indignado por mi artículo y me ha despedido del boliche de la física teórica (es enemigo personal de la filosofía, y sobre todo de que un aspirante a físico se meta con ella". Enseguida pasa a defenderse de las críticas recibidas por Babini:

- "[...] no soy 'antimetafísico', no soy positivista [...] Nunca he perorado contra la Metafísica; solo quisiera que ella se ocupara de problemas legítimos y con métodos legítimos [...]".
- "Lo único que niego es la legitimidad de cualquier 'conocimiento directo' de la 'realidad de primer grado', que no sea el conocimiento científico".

Por último, en una carta posterior,[69] Bunge le escribe a Babini acerca de "un asunto delicado". Se trata de Guido Beck quien, como ya se dijo, expulsó a Bunge de su laboratorio. "El verdadero motivo del enojo –dice Bunge–, el motivo emocional principal, fue lo de 'las alas de gallina del positivismo' y las referencias irónicas a Wienerkreis. Pero el pretexto lógico fue el parágrafo 7 de mi artículo". Es decir, el del uso de operadores, del cual Beck parece haber afirmado que "dicho parágrafo es *matemáticamente* erróneo". Sin embargo, Bunge afirma haber consultado a Rey Pastor quien, según Bunge, dice "que las objeciones que hace el doctor Beck no son válidas".

Resumiendo, Bunge le pide a Babini que le marque los errores que presenta, a su juicio, el parágrafo de la discordia, aunque implícitamente creemos que lo que la carta pide a Babini es que interceda ante Beck, pues Bunge afirma tener "enormes deseos de volver a trabajar bajo la dirección de él". Y agrega que "es, actualmente, la única posibilidad de trabajar en física teórica en el país".

De hecho, Bunge regresó al laboratorio y se doctoró con Beck en el año 1952 con una tesis titulada "Interpretación del átomo de hidrógeno en la teoría de Dirac".[70]

6. EPÍLOGO

En abril de 1945, un mes después que el gobierno de Edelmiro Farrell declarara la guerra al Eje, *Minerva* dejó de aparecer alegando, en su última entrega, "insalvables dificultades económicas" y lamentando no "poder recoger los frutos" de la fugaz aunque enérgica "guerra ideológica".[71]

Si bien a lo largo de los seis números de *Minerva* no aparecen alusiones a la política nacional, en su última entrega se lee una referencia despectiva a dos personajes centrales de la política educativa posterior a 1943 y a uno de los referentes más notorios de la filosofía académica.[72] Así, como introducción a una lista de "los principales ideólogos nazis, pronazis o prenazis, más o menos ortodoxos", Bunge aclara que se excluye por "su carencia de originalidad" a los "gentas, astradas y baldriches del resto del mundo".[73]

Por último, "La dirección" se despide de los lectores alertando que, si bien la guerra ha terminado, hay un peligro latente que obliga a sostener la vigilia. La "guerra ideológica", dice, "no ha sido sólo una tarea de guerra", "es una impostergable, una sagrada tarea de posguerra". *Minerva* la bautiza como "la guerra olvidada" y apela a que "los filósofos, los historiadores, los estetas", que con toda inocencia han contribuido a la parafernalia de la guerra, se sometan urgente a una severa autocrítica. Sin embargo, la introspección más profunda queda a cargo de los filósofos, quienes "no han sabido ver la bestialidad inenarrable que se ocultaba detrás de la oscura y engañosa fraseología de los siniestros y eruditos profesores del Tercer Reich".[74]

NOTAS

1. Sobre *Minerva* pueden verse: la recopilación de bibliografía filosófica argentina de H. Biagini en *Revista Nacional de la Cultura*, año 1, 1979, pág. 139; C. Galles, "La *Minerva* de Mario Bunge", *Saber y Tiempo, II*, 2, 1996, págs. 165-170 y L. Farré, *Cincuenta años de filosofía en Argentina*, Buenos Aires, Peuser, 1958, pág. 98 y n.10 en pág. 98.

2. Un análisis de la familia Bunge puede encontrarse en E. Cárdenas y C. Payá, *La familia de Octavio Bunge*, Buenos Aires, Sudamericana, 1995; T. Donghi, *Boletín de Historia Argentina y Americana*, Nº 11, primer semestre de 1995, págs. 164-7. Para el papel de la colectividad germano-argentina en el seno de la aristocracia porteña, puede verse R. C. Newton. *1900-1933: Social Change and Cultural Crisis*, Austin, University of Texas Press, 1977. Por último, como testimonio autobiográfico de Mario Bunge puede consultarse R. Serroni-Copello, *Encuentros con Mario Bunge*, Buenos Aires, Dpto. de Publicaciones de la Asociación Argentina de Investigaciones Psicológicas, 1989.

3. La bibliografía sobre el papel de Mieli en relación con la historia de la ciencia en la Argentina es numerosa. Al respecto, puede verse A. Mieli, "Disgressions autobiographiques sous forme de préface à un panorama général d'Histoire de Sciences", *Archives Internationalles d'Histoire des Sciences (AIHS)*, *27*, 1948, págs. 494-505; P. Sergescu, "Aldo Mieli", *AIHS*, *29*, 1950, págs. 529-35; C. Plá , "Aldo Mieli en la Argentina", *AIHS*, *29*, 1950, págs. 907-912; J. Babini, "Aldo Mieli y la historia de la ciencia en Argentina", *Physis*, *4*, 1962, págs. 74-84 y J. Babini, "Para una biografía de Aldo Mieli", *Physis*, *4*, 1962, págs. 357-424.

4. Mieli continuó con la edición de *Archeion* y comenzó un catálogo bibliográfico y un repertorio temático, tareas a las que se vinculó José Babini, por entonces profesor del Departamento de Matemática de la Facultad de Química Industrial y Agrícola. La serie santafesina de *Archeion* es analizada en R. Ferrari y C. Galles, "La etapa santafesina del *Archeion* de Aldo Mieli", *Segundas Jornadas de Historia del Pensamiento Científico Argentino*, Buenos Aires, 5-7 de julio de 1984, FEPAI, pág. 198.

5. M. Bunge, "Recuerdos de José Babini", *Saber y Tiempo, I*, 3, 1997, págs. 256-9.

6. Sobre el singular destino de Mieli y de su biblioteca en los años que siguieron al golpe de 1943, puede verse M. de Asúa, "Morir en Buenos Aires. Los últimos años de Aldo Mieli", *Saber y Tiempo, I*, 3, 1997, págs. 275-92.

7. R. Serroni-Copello, *op. cit.*, pág. 66.

8. *Ibid.*, pág. 256.

9. Esta conferencia fue publicada en 1943 como folleto de dieciséis páginas por la Universidad Obrera Argentina y reseñada por Guido Beck en la revista inglesa *Nature*.

10. Además de su presencia en los orígenes de la historia de la ciencia local y en la fugaz serie argentina de *Archeion*, Bunge colaboró en *Argumentos. Revista de Estudios Sociales* dirigida y fundada por Rodolfo Puiggrós. *Argumentos* se presentó como un "programa de estudio de los problemas argentinos, teniendo como norte la libertad económica y en consecuencia su total independencia política y un mayor progreso social". También se comenta que entre sus objetivos se cuenta la difusión del materialismo histórico ("Nuestros propósitos", *Argumentos, I*, 1, 1938, págs. 1-2). Bunge y Julia Herrera inauguraron una sección especial para "hacer conocer los clásicos de la filosofía" (M. Bunge y J. Herrera, "Los grandes pensadores", *Argumentos, I*, 6, 1939, pág. 36). Como presidente de la Federación Argentina de Sociedades Populares de Educación, Bunge fundó en 1938 –el mismo año en que ingresó a la carrera de física en La Plata– la Universidad Obrera Argentina (UOA) sobre la base de un intercambio epistolar que mantuvo con el responsable de la Universidad Obrera Mexicana, Vicente Lombardo Toledano. El modelo era la *Worker School* de Nueva York. Cabe recordar que su padre, Augusto Bunge, fue un decidido promotor de las universidades populares en la Argentina, que los socialistas materializaron a través del Ateneo Popular y la Sociedad Luz. Al respecto pueden verse R. Serroni-Copello, *op. cit.*, pág. 27 y M. Bunge, *Temas de Educación Popular*, Buenos Aires, El Ateneo, 1943. Este último trabajo reúne experiencias del autor en la UOA, que cesó luego del golpe de 1943. La UOA, bajo la responabilidad de ingenieros y egresados del Instituto Otto Krause, intentó combinar la enseñanza técnica con la formación de dirigentes sindicales. Participaron en ella figuras como Arturo Frondizi y Rodolfo Puiggrós. A partir de 1942, comenzó a funcionar un instituto bajo su dependencia que dictaba seminarios de historia, derecho, economía y filosofía, que luego devino en Instituto de Filosofía. Este último pudo haber sido una de las causas impulsoras de la fundación de *Minerva*.

11. En la presentación, "la dirección" afirma: "Latinoamérica careció, desde la desaparición de la *Revista de Filosofía* de José Ingenieros, de una revista exclusivamente filosófica. *Minerva* intentará llenar este vacío".

12. Rodolfo Mondolfo, Risieri Frondizi, Francisco Romero, Hans Lindemann, Alfred Stern, Maximilian Beck y Louis Katsoff son algunos de los filósofos que publicaron artículos en *Minerva.*

13. Entre las publicaciones más difundidas contemporáneas de *Minerva*, pueden mencionarse *Sur*, *Cursos y Conferencias*, *Nosotros*, *Sustancia* y *Correo Literario*. Es interesante la distribución de especialistas para la edición del *Handbook of Latin American Studies*, anuario de información acerca de la producción cultural hispanoamericana confeccionado por el *Joint Committee on Latin American Studies* e impreso por Harvard University Press, Massachussetts, desde 1936. Integrado por cuarenta especialistas (seis latinoamericanos, el resto estadounidenses), mientras que nueve eran asignados a sociología y ramas afines, siete a historia y cinco a literatura, sólo uno tenía a su cargo filosofía.

14. *Minerva*, *I*, 1, Presentación.

15. José Ingenieros funda en el año 1915 la *Revista de Filosofía, Cultura, Ciencia y Educación*, publicación bimestral que él mismo dirigió hasta 1922 y junto con Aníbal Ponce codirigió hasta su muerte en 1925. A partir de entonces, Ponce se haría cargo de la revista hasta el segundo semestre de 1929, en que se publicaría el último número. Para un estudio de esta revista puede consultarse A. Rossi, "Los primeros años de la *Revista de Filosofía, Cultura, Ciencias y Educación*: la crisis del positivismo y la filosofía en la Argentina", *Entrepasados*, *VI*, 12, 1997, págs. 63-80.

16. En el editorial se advierte que "sólo caben dos actitudes: la defensa y el ataque de la civilización. La vindicación del 'suelo y de la sangre' como valores metafísicos y esenciales de la estirpe y de la persona. O la vindicación de la razón, de la experiencia científica, de la demostración lógica: en una palabra, de la inteligencia".

17. En el segundo número de *Minerva* apareció el artículo "Panorama de la filosofía latinoamericana contemporánea", por Risieri Frondizi. Numerosas notas, muchas de ellas del propio Bunge, se dedican al tema.

18. John King afirma: "Casi siempre las pequeñas revistas publicaron un manifiesto o programa que determina su selección, proclamando la fundación de movimientos nuevos y desarrollando explícitamente sus doctrinas, en tono polémico". J. King, *Sur. Estudio de la revista argentina y de su papel en el desarrollo de una cultura, 1931-1970*, México, Fonde de Cultura Económica, 1989, pág. 13. Como se verá más adelante, además del tono polémico, varios de estos puntos se cumplen en el caso de *Minerva.* Respecto de la presencia de un manifiesto, aparte de la Presentación en el primer número de la revista, en muchas de sus intervenciones, Bunge reserva espacio para una reiterativa retórica exhortadora. En conjunto, estas digresiones pueden componer un manifiesto disperso.

19. En el sumario del primer número encontramos los siguientes artículos: "La filosofía de Giordano Bruno", por Rodolfo Mondolfo; "¿Qué es la epistemología?", por Mario Bunge; "El irracionalismo en la física contemporánea", por Simon M. Neuschlosz; "Meister Eckhart y Martin Heidegger", por Isidoro Flaumbaum; por último, "Conflicto de vida y muerte de Antonio Machado", por Hernán Rodríguez. Luego vienen otras secciones: Notas, Problemas, Bibliocrítica, Fragmentos.

20. Bunge, Mario, "¿Qué es la epistemología?", *Minerva*, *I*, 1, 1944, pág. 27.

21. *Ibid.*, pág. 28.

22. *Ibid.*, pág. 30.
23. *Ibid.*, pág. 30.
24. *Ibid.*, pág. 31.
25. *Ibid.*, pág. 29.
26. *Ibid.*, pág. 34.
27. *Ibid.*, pág. 30.
28. *Ibid.*, pág. 32.
29. *Ibid.*, pág. 32.
30. *Ibid.*, pág. 35.
31. *Ibid.*, pág. 36.
32. *Ibid.*, pág. 37.
33. *Ibid.*, pág. 38.
34. *Ibid.*, pág. 40. Previa a la aparición de *Minerva*, una crítica de Bunge al positivismo puede verse en M. Bunge, "La epistemología positivista", *Nosotros*, 93, 1943, págs. 283-90. Allí afirma Bunge: "Al optimismo revolucionario del progreso indefinido se le intenta trabar con sistemas 'definitivos'. En suma, a la profundidad y a la originalidad, les sucedió la ramplonería y el lugar común: en definitiva, la muerte de la filosofía por obra del positivismo" (pág. 283).

35. Se citan *La ideología alemana*, de Marx (pág. 28), y *El anti-Düring* (pág. 29) y *Dialéctica de la naturaleza* de Engels (págs. 30, 41). De esta última obra, la Editorial Problemas de Buenos Aires publicaría en 1947 una traducción castellana por Augusto Bunge y Mario Bunge.

36. "Ciencia y filosofía constituyen una unidad interactuante de opuestos [...]" (pág. 42).

37. L. Farré, *op. cit.*, pág. 98, nota 10, al referisre a *Minerva* afirma: "La dirigió Mario Bunge, que, por tradición familiar y convicción, se inclinaba al positivismo y a un liberalismo antiespiritualista".

38. Este cargo lo desempeño entre 1924 y 1944. En 1945 pasó a desempeñar la cátedra de su especialidad en Santiago de Chile. Sobre Neuschlosz puede verse *Cursos y conferencias*, *XXXVIII*, 223-4-5, 1950, págs. 570-5.

39. S. Neuschlosz, "El irracionalismo en la física contemporánea", *Minerva*, *1*, 1, 1944, pág. 44.

40. *Ibid.*, págs. 45-6.
41. *Ibid.*, pág. 45.
42. *Ibid.*, pág. 47.
43. *Ibid.*, pág. 49.
44. Digamos de paso que en el número de *Sur* de junio de 1945, págs. 7-29, Neuschlosz publicó un artículo titulado "El concepto de la realidad en las ciencias físico-naturales", en el cual, frente al positivismo y el "llamado realismo crítico", "como única posibilidad entre las que hemos mencionado más arriba, nos queda la tercera, que se basa fundamentalmente en la gnoseología de Kant, refiriendo exclusivamente toda la realidad al mundo fenoménico y no al de las 'cosas en sí'" (pág. 29).

45. I. Flaumbaum, "Meister Eckhart y M. Heidegger", *Minerva*, *1*, 1, 1944, pág. 50.

46. *Ibid.*, pág. 51.
47. *Ibid.*, pág. 53.
48. Stern, Alfred, "Significado de la fenomenología", *Minerva, 1* ,3, 1944, pág. 197.
49. Stern, Alfred, "Max Scheler, filósofo de la guerra total y del Estado totalitario", *Minerva, 2*, 5-6, 1945, pág. 109.
50. Bunge, Mario, "Auge y fracaso de la filosofía de la naturaleza", *Minerva, 1*, 3, 1944, pág. 44.
51. Bunge, Mario, "Nietzsche y la Ciencia", *Minerva, 2*, 4, 1944, pág. 44.
52. *Philosophia, II*, 2-3, 1945, pág. 219.
53. *Philosophia, I* , 1, 1944, pág. 126. Pró finaliza su reseña con un comentario que podría tomarse como presagio: "Es de esperar que este esfuerzo inicial y que tan bien ha sido recibido dentro del país sea mantenido a lo largo del tiempo para que adquiera el valor de algo más que un nuevo frustrado intento de ocupar el lugar dejado por la *Revista de Filosofía*".
54. *Philosophia, II*, 2-3, 1945, págs. 210-2 y 212-5.
55. *Minerva, 2*, 5-6, 1945, pág. 218.
56. M. Bunge, "Octavio Nicolás Derisi. *Concepto de la filosofía cristiana*", *Minerva, 1*, 1, 1944, págs. 76-9.
57. *Ibid.*, págs. 26-9. Derisi publicó en el primer número de *Philosophia* un trabajo titulado "Kant, encarnación de la filosofía moderna" (págs. 9-32). La sección de este trabajo titulada "Antropocentrismo irracionalista", podría explicar la valoración positiva que hace Bunge del tomismo de Derisi
58. Feyles, Gabriel, "Los apuros del idealismo", *Criterio, XVII*, 878, 1944, págs. 633-5.
59. Bunge reseñó en el cuarto número de su revista (págs. 94-6) la segunda entrega de *Ciencia y Fe*. Bunge no deja pasar la ocasión para referirse a un artículo de esta publicación, "La filosofía de la religión de Scheler", para afirmar que "la fenomenología es incompatible con la filosofía cristiana aún tomando en cuenta como se ha hecho en esta oportunidad, el caso aislado del fugaz coqueteo del discípulo de Husserl con el catolicismo" (pág. 95).
60. F. Ayala, "Aclaración", *Sur*, N° 133, noviembre de 1945, pág. 87.
61. *Logos, 6*, 1944, pág. 391.
62. C. Kruse, *Philosophy and Phenomenological Research, 5*, 4, 1945, págs. 444-5.
63. Por su parte, Bunge alude en *Minerva, 1*, 1, 1944, pág. 159, a la *International Phenomenological Society*, diciendo que "prácticamente se reduce a un grupo de refugiados alemanes residentes en los Estados Unidos [...]".
64. *Journal of Philosophy, 46*, 18, 1944, págs. 503-4.
65. Al respecto, King, *op. cit.*, pág. 123 afirma: "Nelson Rockefeller organizó la Oficina de Coordinación de Asuntos Interamericanos en 1940 para 'orquestar' programas económicos y culturales en América latina [...]".
66. *Minerva, 2*, 5-6, 1945, pág. 218.
67. Carta de Babini a Bunge, *Epistolario de José Babini* (*EJB*).
68. Carta de Bunge a Babini, Buenos Aires, 10 de junio de 1944, *EJB*.

69. Carta de Bunge a Babini, Buenos Aires, 29 de septiembre de 1944, *EJB*.

70. Westerkamp, Federico, *Evolución de las ciencias en la República Argentina, 1923-1972, II*, Buenos Aires, Sociedad Científica Argentina, 1975, pág. 37.

71. *Minerva, 2*, 5-6, 1945, pág. 108. Digamos, de paso, que en esta última aparición se publicó el artículo "La Lógica, el Derecho y la Escuela de Viena", por José Juan Bruera, abogado, contador público y director de la Revista del Colegio de Abogados de Rosario. Bruera representaba el sector de los iusfilósofos locales que se oponían a las tendencias irracionalistas del derecho.

72. *Minerva, II*, 5-6, 1945, pág. 221.

73. *Minerva, II*, 5-6, 1945, pág. 219.

74. Bunge parece reconocer la creciente presencia de las tendencias filosóficas que *Minerva* combate y que se mostrarán unos años más tarde con claridad en el contenido de dos de los acontecimientos filosóficos salientes de la conflictiva década de 1940: la aparición del pensamiento de Heidegger en la primera públicación de la carrera de Filosofía de la UBA, los *Cuadernos de Filosofía* (1948), dirigida por el entonces director del Instituto de Filosofía, Carlos Astrada, y el Primer Congreso Nacional de Filosofía realizado en Mendoza en 1949, al cual Francisco Romero y Risieri Frondizi, referentes de *Minerva* y con participación en el campo filosófico internacional, no asistieron. Luis Farré es el único de los colaboradores de *Minerva* que participó del congreso. Su propia evaluación del evento puede leerse en L. Farré, *op. cit.*, págs. 303-15. Sobre el tema, también pueden verse: J. L. Bernetti y A. Puiggrós, "Sujeto educacional y filosofía en el Congreso de 1949", en *Peronismo: cultura política y educación (1945-1955)*, Buenos Aires, Galerna, 1993, págs. 147-55 y B. Perelstein, "El congreso de Mendoza y la filosofía del peronismo", *Nueva Era*, N° 2, año I, mayo de 1949.

LA CIENCIA EN SUS INSTITUCIONES

Maria Margaret Lopes
Cristina Mantegari
Irina Podgorny
Sandra Sauro
Luis Tognetti

NOBLES RIVALES: ESTUDIOS COMPARADOS ENTRE EL MUSEO NACIONAL DE RÍO DE JANEIRO Y EL MUSEO PÚBLICO DE BUENOS AIRES*

MARIA MARGARET LOPES**

"Buenos Aires y Río de Janeiro son, de las capitales sudamericanas, las que más llaman la atención por sus establecimientos consagrados a las colecciones y estudios científicos. Así, el Museo Público de Buenos Aires, el templo más famoso de los erigidos a la Paleontología, ciencia de este siglo, y el de Río de Janeiro comienzan a atraer las miradas del mundo científico, por sus tesoros de Historia Natural".[1]

Desde la carta del 22 de septiembre de 1856, en la que Alberdi –desde París– presenta y recomienda a Germán Konrad Burmeister (1807-1892) en su primer viaje al sur de América, a Urquiza, entonces presidente de la Confederación Argentina, está presente la retórica comparativa entre los países latinoamericanos, que acompañará las relaciones entre sus museos a lo largo del siglo XIX.[2] Apelar a la ilustración del gobierno de la Confederación era el argumento fudamental que volvía irrecusable el pedido de apoyo a Burmeister.

Paraná ya contaba, entre sus diversas instituciones, con su "Museo Nacional" organizado,[3] y –terminada la época de Rosas– la creación de la "Asociación de Amigos de la Historia Natural del Plata" en 1854, para refortalecer el "Museo Público de Buenos Aires",[4] puede ser entendida también como una entre las varias medidas que buscaban una contraposición con las iniciativas políticas y culturales de la Confederación Argentina.[5]

* Traducido por Adriana Amante.

** Este artículo fue elaborado en el marco del Proyecto *The Rockefeller Foundation Humanities Fellowship* program "Pro Scientia et Patria. Los museos argentinos y la construcción de un patrimonio nacional" (1998) del Museo Etnográfico "Juan B. Ambrosetti" de la Facultad de Filosofía y Letras de la Universidad de Buenos Aires. Quiero hacer constar aquí mis agradecimientos especiales al director del Museo Etnográfico, Prof. Dr. José A. Pérez Gollán, y al apoyo inestimable de la Dra. Irina Podgorny.

La *Memoria sobre el estado del Museo y demás relativo a la institución*, que Manuel Ricardo Trelles –secretario de la "Asociación de Amigos de la Historia Natural del Plata"– leyó en la sesión anual de 1855, informa que en el período que precedió a la llegada de Burmeister al Museo Público, sus colecciones se habían sencillamente duplicado en dos años. A los 720 (o 736) minerales clasificados según Haüy, adquiridos en tiempos de la fundación del museo y que permanecieron entre sus mejores objetos hasta la llegada de Burmeister, se sumaron –por donación de los socios– minerales de Brasil, Chile, Bolivia, Paraguay, del Estado Oriental y del Chaco. La colección numismática existente era considerada como una de las mejores de América del sur y los fósiles donados y clasificados por Augusto Bravard eran lo más preciado del Museo.[6]

Tanto en Paraná[7] como en Buenos Aires o Río de Janeiro, los intereses explícitos por la investigación de los recursos minerales –que no siempre se revelaron tan prometedores como se deseaba– conformaron, al lado de las colecciones botánicas, zoológicas, arqueológicas y antropológicas, las bases de esos primeros museos. De ahí el énfasis en las siempre presentes colecciones mineralógicas, recolectadas por las provincias en el caso de Paraná; o adquiridas para los estudios comparativos en París, en el caso de Buenos Aires,[8] o Freiberg, en el caso brasileño.

Este primer museo de Paraná tuvo corta vida. El museo de Buenos Aires –para esa fecha mucho menos organizado que el de Río de Janeiro–,[9] si no cuantitativa sí cualitativamente, ya disponía de colecciones de valor para los estudios paleontológicos, que el Museo Nacional brasileño jamás alcanzó. Y era la cualidad y la novedad "para la ciencia", más que la cantidad de colecciones lo que de hecho importaba en esos museos. Y en eso, desde que Burmeister llegó a Buenos Aires para dirigir el Museo Público éste ya no tuvo rivales en lo que atañía a las incluso modestas colecciones fosilíferas.

Burmeister se interesaría particularmente por las colecciones de "mamíferos antediluvianos" que encontró allí, algunas de las cuales habían pertenecido a destacados naturalistas como el médico Francisco Javier Muñiz,[10] que había donado –entre otras piezas– una cabeza completa del Toxodon, la única conocida hasta entonces. Pero en lo que Burmeister se interesaría realmente es en las colecciones de Augusto Bravard. El ingeniero de minas francés, inspector de minas de la Confederación Argentina, colaboró con el museo de Buenos Aires y fue invitado a dirigirlo; pero prefirió el cargo de director del museo de Paraná, que ejerció desde 1858 hasta 1861, cuando falleció.[11]

Fue especialmente a las colecciones de Bravard ya existentes en el museo y aquellas que serían compradas después de su muerte[12] –de las cuales Burmeister pasó a tener también a su disposición 500 láminas para estudios–

que le dedicó una parte considerable de sus primeros trabajos en los *Anales del Museo Público de Buenos Aires,*[13] que inició en 1864.

UN MUSEO EN TRES VOLÚMENES

> "Los Anales, que hoy principiamos, están destinados a introducir nuestro Museo en la sociedad de sus rivales".[14]

Entre la realización de los viajes de exploración, la clasificación de las colecciones y la publicación de los catálogos –que constituyeron la esencia de la práctica de la historia natural en los museos–, seguramente Burmeister privilegió la clasificación de las colecciones y la publicación de los catálogos. Lo que no quiere decir que no haya también viajado.

En realidad, Burmeister se ofreció para dirigir el Museo Público de Buenos Aires después de su viaje por el sur de América, en el que incluso conoció los museos de Río de Janeiro, Montevideo, Buenos Aires, Paraná y Lima. Sus consideraciones sobre esos museos[15] pueden leerse como lo que será su plan de acción cuando esté a cargo de su "dirección hábil", transformar el Museo Público en un "establecimiento de primer orden".

Burmeister implantó en Buenos Aires un museo de carácter científico, local, especializado en una zoología que –no disociada de la paleontología– tenía en esta última su "fundamento verdadero".[16] Ya pensó sus primeras publicaciones en los "*Anales* del Museo Público para dar a conocer los objetos de la historia natural nuevos o poco conocidos conservados en este establecimiento", conforme lo explicitado en el título mismo de los *Anales*. Puso su empeño especialmente en la organización del catálogo del Museo; en "traer para la ciencia", clasificando –como lo había hecho en el Museo de Lima– en nuevos géneros y especies las piezas de las colecciones que allí encontró. En particular, aquellas que marcaban la singularidad de lo que los museos ayudarían a definir como el territorio argentino: la paleontología de los grandes mamíferos extinguidos".

En el primer tomo de los *Anales*, que distribuido por "entregas" abarcó los años de 1864 a 1869, todos los artículos son de Burmeister y versan –además de ofrecer un balance y un relevamiento del estado del museo en el momento– particularmente sobre paleontología y zoología. El Tomo II que se inició en 1879 sólo quedó completo con su 12° entrega, en la que Burmeister concluía su monografía sobre los Gliptodontes, en 1874. Afirmando "sentir mucho" que la publicación como un todo hubiera demorado cuatro años, explicaba que no era culpa suya y sí de las "circunstancias insuperables y principalmente de la necesidad de mandar los dibujos para las láminas a Europa, para hacerlas ejecutar con exactitud y elegancia", ya que aunque hubiera buenas casas litográficas en Buenos Aires, no estaban acostumbradas a imprimir obras científicas.[17]

Burmeister suspendió los *Anales* en 1874, alegando su edad, el derecho a descansar sobre sus obras, harto de ser al mismo tiempo restaurador de objetos fósiles, dibujante, escritor, etc. Los *Anales* sólo volvieron a ser publicados en 1883, y durante ese intervalo el museo no contó con ninguna publicación oficial que mantuviera el intercambio con otros museos extranjeros.

Pero si el museo se quedó sin sus publicaciones oficiales, Burmeister –sin embargo– no cesó de publicar sus propias obras basadas en las colecciones del museo, a pesar de sus argumentos para suspender los *Anales*. Entre 1874 y 1883, más allá de sus artículos en el exterior, en el *Boletín de la Academia Nacional de Ciencias Exactas de la Universidad de Córdoba* y en otros periódicos de Buenos Aires, Burmeister publicó dos de sus más conocidas obras: la *Description Physique de la République Argentine d'apres des observations personnelles et étrangeres*,[18] con un *Atlas de Vues Pittoresques et des figures d'Histoire Naturelle* (1876-1879), que incluso ganó una medalla de oro en la Exposición Geográfica de Venecia en 1891; y *Los caballos fósiles de la Pampa Argentina* (1875-1889).[19]

Por esa situación se mostraba indignado Eduardo Holmberg[20] en 1878. Consideraba que Burmeister había "hecho del establecimiento el primer Museo de Sudamérica", pero que eso ya no bastaba. Reinaba un gran desorden en la disposición de las colecciones, el puesto de "Inspector" –que ocupaba Berg–[21] había sido suprimido; e irónico afirmaba que "el director tiene mucho que hacer: las publicaciones europeas consignan cada año sus observaciones numerosas [...], los «Anales de Museo» ya no se publican, y es necesario conocer las obras europeas para saber lo que hay en el Museo de Buenos Aires [...]".[22]

Los *Anales* fueron retomados en 1883, "cumpliendo con el deseo del Superior Gobierno de la Provincia de Buenos Aires", y el tomo III fue terminado en 1891. En este tomo se incluye un artículo de Carlos, hijo de Burmeister –naturalista-viajante del museo– sobre su viaje a la Patagonia austral; y nuevamente las colecciones de Bravard, ahora en un nuevo artículo, más abarcador. En realidad, este artículo era una revisión de los trabajos de Burmeister en los sucesivos exámenes críticos de los mamíferos fósiles terciarios, sobre lo cual –ya en los comienzos de la década de 1890– no puede ignorar el trabajo de Florentino Ameghino.

Estos exámenes críticos, que constituyeron su avasalladora crítica a la ya para entonces considerable obra de Ameghino, se dirigen a las proliferaciones de sus clasificaciones, a las que Burmeister consideraba excesivas e incorrectas, incluso según el "estudio científico por el darwinismo". Pero su crítica central se refiere a lo que considera el "atrevimiento" de Ameghino frente a la ciencia, sus embestidas contra el método y la práctica tradicionalmente establecidos. Su falta de respeto a los maestros, su amateurismo, su autodidactismo son inaceptables para la autoridad científica de Burmeister, ante la profesionalización creciente de la práctica científica, apoyada en la jerarquía de diplomas europeos y en los cánones de lo que juzgaba científico. Desde lo alto de su importancia científica consolidada en Buenos Aires, Burmeister condena a Ameghino. Le avisa al público que no contestará nuevas embestidas del joven "maestro de provincia", "tratándolo como individuo que no existe, dejando en olvido sus obras y su persona".[23]

Esos tres tomos de los *Anales* son –en forma íntegra– obra personal de Burmeister, a excepción del artículo de su hijo. En la octava entrega (la segunda del tomo dos de 1871), Burmeister publica también el *Boletín del Museo Público de Buenos Aires*, en sustitución de las "Actas de la Sociedad Paleontológica", para dar a conocer los progresos del Museo durante los años 1868, 1869, 1870, 1871. En este *Boletín* da la lista de las publicaciones recibidas y las instituciones científicas con las que mantiene intercambios en todos los continentes, a través de la distribución de los *Anales*; y destaca siempre –evaluando su calidad y no por el número de muestras– las nuevas colecciones de la mayor importancia científica obtenidas para el museo. Entre ésas, la principal obra realizada en 1869 habría sido el armado de un esqueleto con caparazón de *Panochthus tuberculatus* adquiridos en 1867, y descriptos en las entregas I y II del segundo tomo de los *Anales*, que no existe en ningún otro museo del mundo; en 1870 y 1871, las ballenas encontradas en el Río de la Plata, cuyos esqueletos Burmeister insistió personalmente en llevar al museo.[24] Y –como no podía ser de otro modo– las colecciones de Bravard que, compradas para el "nuevo Museo Nacional en Córdoba", fueron cuidadosamente analizadas por Burmeister, que con autorización del gobierno sacó "de esta colección los objetos que me parecieron útiles para mis estudios".[25]

Siguiendo con determinación su objetivo de llevar a la ciencia las nuevas piezas de dimensiones colosales cuyo número iba aumentando en el museo, Burmeister seleccionaba con criterio lo que deseaba para su museo y sus estudios y prescindía de lo que no le convenía.

La importancia de la relación entre las colecciones existentes en el museo y la publicación de los *Anales* –al principio financiados por la "Sociedad Paleontológica"–[26] es elocuentemente explicitada por Juan María Gutiérrez, presidente de la Sociedad y rector de la Universidad de Buenos Aires, a la que entonces estaba vinculada el Museo:

"Esas osamentas gigantescas que bajo cajas de cristal ostenta nuestro Museo Público, como verdaderas joyas, serían estériles para la ciencia y para los estudios de la Europa si los *Anales* que vuestra generosidad costea, no transportaran en sus páginas al otro lado del Océano, la imagen, la descripción y las observaciones necesarias para que las comprendan y estudien los zoólogos extranjeros y distantes".[27]

Los catálogos vienen siendo los objetos más importantes producidos a partir de las colecciones desde el siglo XVI.[28] Con ellos, las colecciones –a través de sus imágenes y descripciones– viajaban por territorios mucho más amplios que los apretados salones de los museos. Así impresas, las colecciones alcanzaban públicos bastante más vastos que aquellos que visitaban el museo, aumentaban la posibilidad de recolectar, organizar y comparar.

La publicación de dichos *Anales*, con sus planchas de dibujos, era esencial para los estudios de zoología, botánica o paleontología, que se basaban en métodos compartivos.[29] Cada osamenta, cada planta, cada insecto encontrados eran sistemáticamente comparados con los otros que ya existían en las colecciones.

"Pocas personas" –decía Flower– "se forman una idea de la multiplicidad de los ejemplares necesarios para resolver aun los más simples problemas de la historia de la vida de los animales o de las plantas. El naturalista debe con frecuencia registrar todos los museos, públicos y privados, de Europa y de América, para llegar a componer la monografía de un solo género común o aun de una especie [...]. Se ve obligado muchas veces a confesar que sus investigaciones han fracasado por falta de los materiales necesarios a su empresa".[30]

Y a la falta de materiales, de colecciones, tenían que hacerle frente los catálogos, los libros. Con el fin de evitar a cualquier precio el fracaso de sus estudios, Burmeister invirtió razonables cantidades de dinero público en la compra de libros,[31] además de su propia biblioteca particular –que vendió al museo cuando asumió la dirección– y de las obras que obtenía por el intercambio de los *Anales*. Se dedicó cuidadosamente a proveer al Museo Público de Buenos Aires de la que sería considerada una de las mejores bibliotecas de museos de América latina en su época.[32]

Desde su primera entrega, los *Anales* fueron enviados a las principales instituciones científicas internacionales y, en América latina, a la Biblioteca Imperial y Nacional Brasileña de Río de Janeiro y a la Universidad Nacional de Chile.

Publicar y mantenerse al corriente de lo que se publicaba era (y tal vez aún lo sea hoy) una de las mayores dificultades de los naturalistas, tanto en la Argentina como en Brasil. En ese sentido, la publicación de los *Anales* fue un instrumento de suma utilidad. Y fue justamente a través de esas publicaciones, así como del intercambio de colecciones y de sus otras publicaciones, que Burmeister consolidó una sólida red de intercambios científicos con museos, asociaciones científicas y naturalistas de todo el mundo y especialmente de Latinoamérica, donde ya no estaba de paso y donde continuaría su carrera científica.

Las relaciones entre las Universidades de Chile y de Buenos Aires eran muy anteriores a la llegada de Burmeister.[33] Fueron intensificadas por los intercambios entre el Museo Público y el Museo Nacional de Santiago[34] que –al contrario del de Buenos Aires– nunca se desvinculó de la Universidad.

A Burmeister también le llegaban regularmente las publicaciones y los pedidos de intercambio de la "Sociedad de Ciencias Físicas y Naturales de Caracas", Venezuela,[35] así como la revista *La Naturaleza*, los *Anales* y el *Boletín* del Museo Nacional de México. Burmeister había sido nombrado socio corresponsal de la Sociedad Mexicana ya en octubre de 1870. En su carta de agradecimiento, interesado en las publicaciones, pero no queriendo comprometerse mucho, explicaba que aceptaba el nombramiento aunque la distancia entre Buenos Aires y México le impidieran cumplir con el artículo 9 de los estatutos, que se refería a la participación en las reuniones de la Sociedad; así como con el artículo 4 –sobre envío de artículos– debido a que sus trabajos eran publicados regularmente en los *Anales del Museo Público de Buenos Aires*, pero que de todas formas él enviaría los *Anales* a la Sociedad.[36]

Nombrar socios honorarios y corresponsales fue un mecanismo bastante usual entre las asociaciones científicas, lo que, además de otorgarles mérito y reconocimiento a esos socios y a la sociedad que exhibía sus nombres en sus publicaciones, les garantizaba a las asociaciones –en la mayoría de los casos– el incremento de publicaciones por trueque, sin necesidad de comprar obras muchas veces de gran costo.

Hacia fin del siglo, la mayoría de los museos latinoamericanos en actividad publicó regularmente sus *Anales*, aun cuando –para disgusto de sus directores– éstos sufrieran atrasos debido a falta de partidas, a dificultades de impresión de dibujos y fotografías, cuando no cambios políticos en la institución o en el país. Entre esas publicaciones, llegaron a los museos argentinos y brasileños, y circularon regular y efectivamente en Latinoamérica desde fin de siglo, los *Anales* del Museo de México, de Costa Rica, del Salvador, de Guyana Británica, Jamaica, Cuba, Venezuela, Colombia, Bogotá; del Paraense (de Belém), del Nacional de Río de Janeiro, los del Museo Paulista, los del Nacional de Montevideo, los de Buenos Aires, los de La Plata, el de Santiago, los de Valparaíso.

LA ANTROPOLOGÍA Y LA PALEONTOLOGÍA CONDECORADAS: LA "ORDEN DE LA ROSA" PARA BURMEISTER Y NETTO

Las relaciones entre el Museo Público de Buenos Aires y el Museo Nacional de Río de Janeiro, datan –por lo menos– de 1869, cuando comenzaron a ser intercambiados productos zoológicos y botánicos para completar colecciones.[37]

El Museo Nacional de Río de Janeiro, que funcionaba desde 1818, había pasado –como el Museo de Buenos Aires– por un período de dinamización de sus actividades durante la década de 1850, contando también con el auxilio de una sociedad científica.[38] Reestructurado en 1876, viviría los días de mayor incremento de sus actividades científicas bajo la dirección de Ladislau Netto, que abandonaría sus estudios botánicos para dedicarse exclusivamente al Museo y particularmente a sus colecciones arqueológicas y etnográficas.

Contemporáneo de Burmeister, Ladislau Netto fue miembro corresponsal de la "Sociedad Científica Argentina" desde septiembre de 1876.[39] Compartía con Burmeister la creencia en la importancia esencial de las publicaciones científicas, que cada vez más –en función de las facilidades y de la mayor rapidez del transporte y de las comunicaciones– se habían vuelto el instrumento privilegiado del diálogo en el mundo científico.[40] Organizó los *Archivos do Museu Nacional* de Río de Janeiro, que constituyeron la primera revista brasileña regular y duradera dedicada exclusivamente a las ciencias naturales.[41]

A diferencia de Burmeister, Ladislau Netto no haría de los *Archivos do Museu Nacional do Rio de Janeiro* un medio para la publicación de sus trabajos científicos, los que nunca alcanzarían las dimensiones de la obra de Burmeister. Divulgaría, sí, los trabajos de sus colaboradores, entre los que se contaban diversos naturalistas extranjeros –en ese momento, directores de secciones del Museo Nacional– como una estrategia para ampliar la difusión de su museo en el exterior. Su obra y su perfil emprendedor se acercan mucho más a algunas características de Francisco Pascasio Moreno, el constructor del Museo de La Plata.[42]

Los progresos del museo brasileño, mencionados ya desde el tomo I de los *Anales de la Sociedad Científica Argentina* (de 1876),[43] fueron descriptos nuevamente por Estanislao Zeballos en 1877. Zeballos termina su artículo con lo que podría ser entendido como una crítica a la actuación aislada de Burmeister en el Museo Público de Buenos Aires, "felicitando a los jóvenes sabios brasileños por sus progresos, y al Dr. Netto por el éxito que recompensa sus desvelos; hacemos votos por que la escuela científica brasileira encuentre *nobles rivales* en la República Argentina".[44]

El uso retórico de la comparación entre los principales museos de América del sur, que se disputaban el primer lugar entre sus "nobles rivales", se mantenía y –en general– su sentido era el de la crítica o del estímulo a las instituciones locales, por oposición a la que se comparaba.

En 1882 Ladislau Netto vendría a Buenos Aires. El 12 de octubre se realizó una conferencia pública en su honor en la "Sociedad Científica Argentina", entonces presidida por Carlos Berg, que en ese momento dirigía también el pequeño museo de la "Sociedad". Ladislau Netto fue presentado como "un distinguido huésped y uno de sus miembros corresponsales que ha venido a visitar las playas del Plata"; como "el conocido naturalista brasileño, Director General del Museo Nacional de Río de Janeiro".[45]

En esa reunión, Ladislau Netto, que no había sido un darwinista de primer orden, hizo algunas *Observaciones sobre la teoría de la evolución.* Diciendo que había sido invitado imprevistamente y explicando que se dedicaba de manera más específica a investigaciones arqueológicas, "al examen minucioso de algunas antigüedades prehistóricas americanas, que tuve la felicidad de encontrar en esta ciudad", se disculpaba por presentar sólo "algunas ideas sueltas como homenaje de consideración a los colegas, y de cortesía con la asistencia" sobre "tan elevada materia": "el transformismo".[46]

En esta misma "fiesta de familia" –como Berg llamó a la reunión–, además de otros conferencistas, Francisco Moreno habló sobre "El origen del Hombre Sud-Americano", destacando que los estudios de la Antropología Americana tomaban "nuevo impulso *in situ*" y que eran refrendados por científicos internacionales. Paul Broca, en la *Revue d'Anthropologie* en 1874 y 1875, había dado a conocer en Europa la fundación del museo particular de Moreno y al año siguiente "anunciaba que [Moreno] había tenido imitadores en el Brasil. El Museo de Río de Janeiro abría una galería antropológica y desde entonces el Director del establecimiento, el Dr. Netto, el sabio infatigable que tenéis delante, ha continuado dedicándose a esa gran ciencia".[47]

A Netto no debe haberle agradado el honroso adjetivo de "imitador". En 1882, antes de venir a la Argentina, Netto había organizado e inaugurado –el 29 de julio– una gran "Exposición Antropológica Brasileña", que se presentaba como la primera en su género en América.[48]

Marco de una época de la historia de las ciencias naturales y de la Antropología en el Brasil, en esa exposición, más que colecciones arqueológicas, etnográficas y antropológicas, lo que se exhibió fue la singularidad nacional con la que Netto esperaba posicionar al Brasil en el mundo científico internacional. Lo que pretendía exponerse y lo que unía los contenidos de las diversas vitrinas era el papel original que le correspondía cumplir al Museo Nacional de Río de Janeiro en la construcción del imaginario del Imperio brasileño y en el panorama de las ciencias universales.

La "Exposición Antropológica Brasileña" destacaba las investigaciones de la particularidad local, todavía no del todo estudiada: los orígenes de la "raza" brasileña. Y esto era lo máximo que las ciencias podían hacer por el Imperio. Por este trabajo, el emperador honró a Netto con su más alta condecoración: la "Orden de la Rosa".

En su discurso de apertura de la Exposición, Netto sintetizó así dichos objetivos: "Éste es el certamen más nacional que las ciencias y las letras podrían congratularse de imaginar y realizar con el fin de llevar al Imperio del Brasil al nivel de la intelectualidad universal [...]. Y le cupo al Museo Nacional [y a Ladislau Netto] la inmensa gloria de haberlo emprendido y de realizarlo".

Entusiasmado con el éxito alcanzado, comenzó a planear una "Exposición Antropológica Continental Americana" para 1884, que sería una "inmensa, estupenda, grandiosa fiesta científica". Imaginaba la construcción de un edificio monumental para cobijarla, que después pudiera servir para cobijar al propio Museo Nacional, o a un nuevo Museo Arqueológico y Etnográfico, que era uno de sus sueños y objetivos desde que asumiera la dirección del Museo brasileño.

Ladislau Netto ya había ido a la Amazonia y a diversas provincias brasileñas a recolectar en el campo, en las aldeas, en los cementerios indígenas o en los museos locales, objetos para su exposición. Tal vez haya venido a Buenos Aires como parte de su estrategia para la organización de la "Exposición Antropológica Continental Americana", que serviría –según él– para posicionar al Brasil en el que juzgaba que era su merecido lugar en ese campo de estudios, al frente de los demás países de América del sur.

Tal vez lo que vio por aquí, en los museos de Burmeister, de Moreno, de la Sociedad Científica, en las colecciones de Ameghino que también conoció, y en manos de coleccionistas particulares y comerciantes de antigüedades, haya contribuido a disminuir sus expectativas. Si es cierto que su soñada exposición no se realizó, también es cierto que sus intercambios con la Argentina se intensificaron.

En agosto de 1883 le tocó a Ladislau Netto retribuir los honores que había recibido en Buenos Aires. Organizó una "Fiesta Literaria"[49] para Vicente Quesada, "Ministro Plenipotenciario y Enviado Extraordinario de la República Argentina en el Imperio del Brasil", y su hijo Ernesto, director de la *Nueva Revista de Buenos Aires*. Quesada, enviado al Brasil para negociar la siempre polémica cuestión de la región de las "Misiones", proponía un estilo diferente de diplomacia, que pasaba –entre otros aspectos– por la realización de reuniones sociales "con todo el esplendor que conviene aquí, donde debemos ser potencia influyente, y no en Europa, donde no podemos influir".[50]

En un período de cordiales relaciones diplomáticas entre los dos países, ahora quien recibiría la "Orden de la Rosa" sería Burmeister.

Por sugerencia de Ladislau Netto, y atendiendo sus pedidos de intercambio "por algún fósil de los más grandes del Río de la Plata", Burmeister fue autorizado por el gobierno argentino –el 19 de julio de 1886– a permutar un ejemplar fósil de *Scelidotherium* que había por triplicado en Buenos Aires, "por 10 cueros de mamíferos, 70 de pájaros y 80 especies de mariposas y otros insectos que faltaban en las colecciones del museo argentino".[51]

Y en un testimonio elocuente de las buenas relaciones que mantenían los dos museos, Burmeister fue personalmente a Río de Janeiro, a los setenta y nueve años de edad, a acompañar el montaje del esqueleto fósil que había donado. En un período en que todos los museos se afanaban por exhibir el mayor número posible de esqueletos montados y piezas reconstruidas, y en que el Museo de Buenos Aires –con sus esqueletos montados– era famoso y envidiado por todos los directores de museos latinoamericanos, éste fue un regalo valiosísimo que –dicho sea de paso– continúa expuesto hasta hoy.

El viaje de Burmeister fue coronado por el éxito. El esqueleto bien armado fue admirado repetidas veces por el emperador brasileño, Don Pedro II, que visitó el museo acompañado de toda la familia imperial, incluso de sus nietos. Burmeister, como Ladislau Netto, fue también distinguido con las insignias de Dignatario de la "Orden de la Rosa", como una muestra de veneración por parte del Emperador a las ciencias y a sus representantes.[52]

Ladislau Netto mantuvo una correspondencia cordial y amistosa con Burmeister.[53] En cartas, Netto le informaba que tenía en el museo y como naturalistas en las provincias del sur, a tres empleados que honraban al museo: dos alemanes, Fritz Müller e Hermann von Ihering, y el suizo Emilio Goeldi. Estos dos últimos –entonces jóvenes– serían los futuros directores del Museo Paulista, organizado en 1894, y del Museo Paranaense de Historia Natural y Etnografía, en Belém do Pará, que –a su vez– también mantendrían intercambios con los museos argentinos.

Burmeister le contaba de la muerte de la cuñada; que su hijo Carlos se había ido a la Patagonia a realizar recolecciones para el museo de Buenos Aires; que si bien recordaba "con mucho placer" su estada en Río y pensaba repetirlo, tal vez no lo hiciera, porque tendría que llevar a "su señora, y viajes con señoras no era un recreo, sino generalmente más una incomodidad que prefería evitar [...]". E insistía en que Netto le consiguiera con la Biblioteca Nacional brasileña, a cambio de los *Anales*, los volúmenes que faltaban en Buenos Aires de la *Flora Brasilienses*, publicación considerada carísima en la época.

Buenos Aires, en el imaginario de gran parte de los directores de museos latinoamericanos, ocupó el lugar del principal museo latinoamericano local, dedicado a la paleontología de los grandes mamíferos terciarios encontrados en el territorio argentino. En cambio, la marca que Ladislau Netto buscó consolidar en Río de Janeiro, siguiendo los propósitos de sus antecesores, fue la de un museo metropolitano, general, con colecciones de carácter universal que contemplaran particularmente colecciones arqueológicas, etnográficas y antropológicas.

Burmeister, que integraba aquella vieja generación de naturalistas que Darwin nunca esperó convencer, divulgó sus trabajos; y, de hecho, al mismo tiempo que le prestaba su prestigio a la institución y el de ésta al país, se servía de sus colecciones y del espacio profesional conquistado para desarrollar sus trabajos. Constituyó así un museo científico en las áreas de sus especialidades, que juzgaba como las más interesantes. Antidarwinista convencido, cuyas posiciones sólo se modificarían en 1889, a los ochenta y cuatro años, un poco antes de morir, fue un auténtico "seeker":[54] un naturalista independiente no financiado por su país de origen, que buscaba a través de los espacios institucionales que conseguía –medios propios para dialogar con sus pares europeos y norteamericanos– realizar sus investigaciones y publicarlas.[55]

Profundamente absorbido por sus trabajos, en el museo que había logrado organizar para desarrollarlos, tenía sin embargo clara conciencia de la imagen que los políticos y la elite de Buenos Aires se crearon sobre su gabinete de estudios. Y conforme a esa conciencia, actuaba en favor de sus intereses personales, científicos, profesionales, políticos. Éstos incluían también la misión de alimentar la importancia simbólica que esta elite, en la que estaba perfectamente integrado, atribuía a su museo y a sus publicaciones regularmente financiados.

Con relación a estos temas, sus argumentos de autoridad científica y política en pos de la no transferencia del Museo Público de Buenos Aires cuando la federalización de la ciudad, son por sí mismos elocuentes. Considerándose el principal interesado en el "pretendido transporte del museo a la nueva ciudad, La Plata", solicitó una entrevista al gobierno y explicó sus razones en contra de la transferencia de las colecciones.

Como consecuencia inevitable del transporte, "todos los fósiles preciosos que forman un verdadero tesoro científico serán rotos". Éstos, que se veían afectados por el simple movimiento de los vehículos de la calle, no resistirían al "movimiento rápido de los vagones del ferrocarrill". Y Burmeister continúa:

"Incluso los objetos no fósiles, para ser bien conservados, no deben ser llevados a un edificio nuevo a causa de la humedad de las paredes, que no se pierde antes de diez años de haberse secado lentamente. Las preciosas colecciones de insectos que he formado serán arruinadas en un solo año de conservación en un edificio nuevo". Recuerda, además, y tal vez éste sea un argumento decisivo, que "*la mayoría de los objetos del Museo del tiempo anterior a mi dirección son regalos, hechos por familias habitantes de la propia Buenos Aires [...] para darse a sí mismas una satisfacción patriótica, pero no para dejarlos figurar en otro lugar de la provincia*" (subrayado mío).

Otros argumentos decisivos, apuntados en sus borradores, son su pedido de "jubilación después de veintitrés años" de dedicación al Museo Público de Buenos Aires y al país, y su declaración de que no le puede prestar auxilio a la transferencia del Museo por no ser cómplice del "*destino de la corrupción de mi propia obra*"[56] (subrayado mío).

El 1° de octubre de 1884 el Museo Público de Buenos Aires fue nacionalizado, y a La Plata –la nueva capital de la provincia– sería transferido el Museo Antropológico y Arqueológico conformado por las colecciones que Francisco Moreno había donado a la provincia de Buenos Aires en 1877.

A esa altura, desde hace algunos años, Buenos Aires y Río de Janeiro ya no son los únicos museos dedicados a la Historia Natural en la Argentina o en el Brasil. Nuevas instancias de cooperación y disputas, en busca de perspectivas para los museos del próximo siglo comienzan a delinearse.

NOTAS

1. Zeballos, E., "El Museo Nacional de Río de Janeiro", *Anales de la Sociedad Científica Argentina*, tomo III, 1877, págs. 269-275, cf. pág. 269.

2. Carta de Alberdi a Urquiza: "Se atribuye a un Gobierno de S. América (Brasil) una medida de prohibición que privó a esos países de la felicidad de ser estudiados por el Barón de Humboldt a principios de este Siglo. Todos sabemos que el Dictador del Paraguay confiscó los manuscritos sabios del señor Bonpland y defraudó a la Ciencia y a la América... A V. Excia., mi querido Señor Presidente, es dado hoy día reparar esas afrentas de la América del Sud prodigando el apoyo y la consideración de nuestro ilustrado Gobierno a los sabios de la Europa que van, para darnos a conocer a nosotros mismos las riquezas de que somos por ahora poseedores inapercibidos". Notas que acompañan el artículo de Houssay, B. A., "La Personalidad de Germán Burmeister. Crónica", *Physis*, tomo XIX, 1942, pág. 283.

3. Sobre la creación de museos en la Confederación Argentina, ver Podgorny, I. "Alfred Marbais du Graty en la Confederación Argentina. El Museo Soy Yo", *Ciencia Hoy*, 17: 38, 1997, págs. 48-53. Bosch, B., *En la Confederación Argentina. 1854-1861*, Buenos Aires, Eudeba, 1998. Y la documentación relativa a la organización de "un museo o Exposición Provincial Permanente" en función de la participación en la Exposición Universal de París de 1855. Facultad de Farmacia, UBA. Archivos Bonpland, Caja 1, doc 298, 10/10/1854.

4. Sobre los orígenes del Museo Público de Buenos Aires, creado en 1812 y reorganizado en 1823, ver los documentos transcriptos en Lascano González, A. *El Museo de Ciencias Naturales de Buenos Aires. Su Historia.*, Buenos Aires, Ministerio de Cultura y Educación, Ediciones Culturales Argentinas, 1980. Y también: Mu-

ñoz B., "Artículo remitido", *Crónica política y literaria de Buenos Aires*, N° 29 de 1827, que se refiere a donaciones al Museo en 1814; y el Documento enviado por el "Sup. Gov. al Com. Militar de Patagones, del 27 de junio de 1812", que menciona explicítamente los objetivos de "dar principio al establecimiento en esta capital de un Museo de Historia Natural".

5. Sobre este tema, ver Lopes, M. M., "Sociedades científicas e museus na América Latina, no século XIX" ["Sociedades científicas y museos en América Latina en el siglo XIX"], *Saber y Tiempo*, vol. 2, nº 7, enero-junio de 1999, págs. 51-72.

6. Ver "Objetos existentes en el museo según inventario practicado el 28 de mayo de 1854" que comprenden: 1.470 objetos de Zoología, 982 de Mineralogía, 2.108 de Numismática, 12 de Antigüedades y 6 de Artes ("Anuario Estadístico", 1854, págs. 24). Trelles, R. M., *Memoria presentada a la Asociación de Amigos de la Historia Natural del Plata, sobre el estado del Museo y demás relativo a la institución por el Secretario de la misma*, Buenos Aires, Imprenta de "El Orden", 1856. Según ese informe, las colecciones zoológicas pasaron a sumar 2.052 piezas. Las adquisiciones del Museo en los años que preceden a la llegada de Burmeister continúan siendo publicadas en los "Anuarios Estadísticos", dando muestras de la actividad del Museo, donde Santiago Torres –el director– pasó a contar –a partir de 1857– con un taxidermista: Angel Roncagliolo.

7. Como en el caso del Museo Nacional de Río de Janeiro, en el Museo de Paraná también se realizaban los análisis de los productos mineralógicos encontrados en las diversas regiones de la Confederación, como minerales asociados a la plata de la mina "General Urquiza" de la Rioja; níquel de Catamarca; carbón de Mendoza. Ver Du Graty, A. M. (trad. de Trelles, M.R.), *Memoria sobre las Producciones Minerales de la Confederación Argentina*, París, mayo de 1855; Buenos Aires, abril de 1856. Archivo General de la Nación, Original 0066-74, Legado Biblioteca Nacional: 007017, inventario.

8. Nicolau, J. C., en "La Sociedad de Ciencias Físicas y Matemáticas de Buenos Aires (1822-1824)", *Saber y Tiempo* 2, v. 2, 1996, págs. 149-160, se refiere a documentos del Archivo General de la Nación (AGN X6-2-2A) en los que Manuel Moreno –en 1824–, dando cumplimiento al decreto de creación del Museo de 1823, "señala en su nota al Gobierno la necesidad de definir el alcance de las colecciones geológicas y establecer si debían extenderse a todo el territorio del país o sólo a la provincia de Buenos Aires. Estas reflexiones concluían aconsejando que la formación de un Museo de Historia Natural se realizara «con lo que haya»" (pág. 157).

9. El Museo Nacional de Río de Janeiro, fundado en 1818, había sido reformado administrativamente en 1842 y funcionaba en los años de 1850 dividido en cuatro secciones con sus respectivos directores y funcionarios. Cf. Lopes, M. M., *O Brasil descobre a pesquisa científica: os museus e as ciências naturais no século XIX* [El Brasil descubre la investigación científica: los museos y las ciencias naturales en el siglo XIX], São Paulo, Hucitec, 1997.

10. Entre las diversas obras sobre Muñiz, ver por ejemplo: Sarmiento, D. F., *Francisco J. Muñiz* (Con apéndices de Bartolomé Mitre y Florentino Ameghino), en *Obras Completas de Sarmiento*, Buenos Aires, Editorial Luz del Día, tomo XLIII, 1953, págs. 7-285.

11. Babini, J., *Historia de la Ciencia en la Argentina*, Buenos Aires, Ediciones Solar, 1986.

12. Por decreto del 22 de diciembre de 1868, el gobierno compró la colección de fósiles de Bravard, comprometiéndose a pagar 8.000 francos anuales, durante tres años, a su viuda, en París. Documento 309, del 22 de diciembre de 1870, carpeta 1870, Archivo de la Secretaría, años 1870 a 1880, Archivo Museo Argentino de Ciencias Naturales (MACN).

13. Según Burmeister, "La muerte prematura de Bravard en la lamentable catástrofe de Mendoza ha impedido la publicación de tan útil trabajo ["Fauna fósil del Plata", litografiando –al efecto– tres láminas de sus huesos]; pero como esas láminas tan bien ejecutadas existen depositadas en el Museo Público de Buenos Aires, en número de 500 ejemplares, he considerado como una preciosa herencia de este distinguido sabio que me proponga publicarlas con una descripción científica, dando así al público un franco testimonio de la veneración que profeso a su autor", en Burmeister, H., *Anales del Museo Público de Buenos Aires*, 1864-1869, págs. 31-32. Burmeister continuó sus estudios sobre los fósiles de Bravard, *Anales del Museo Público de Buenos Aires*,

14. Burmeister, G., "Proemio", *Anales del Museo Público de Buenos Aires*, tomo I, entrega I, 1864: III.

15. "Esa clase de colecciones podrían ser de mucha utilidad para el naturalista que viaja, si encontrara reunidos por lo menos los tipos del país, y de esa manera tuviera la oportunidad de proporcionarse una mirada de conjunto a la fauna local correspondiente a la colección que examine, ya sea ornitológica, entomológica o de otra división del reino animal. Pero esta consideración, la única que prestaría a las colecciones cierto valor e interés científico, no se tiene en cuenta; se reúne todo lo que se puede conseguir o que ya se ha obtenido y se instala para poder decir «tenemos un Museo», pero poco se preocupan de lo que allí se ha agrupado y de qué manera se le puede dar importancia científica. Así ocurría en Montevideo, lo mismo en Buenos Aires y en Paraná; las colecciones contenían, además de algunos objetos interesantes del país, también muchos extranjeros que no corresponden; pero precisamente lo que más se hubiera deseado ver allí, los ejemplares típicos nativos de la naturaleza, era lo que les faltaba. Al visitar el Museo de Lima, ya estaba preparado para encontrarme con este mismo estado de cosas, pero con gran sorpresa, al lado de las especies más comunes de la fauna peruana, encontré una sola preparación de verdadero valor científico, y ésta era un armadillo nuevo, hasta ahora desconocido, muy singular, que procedía de la región de Guayaquil. Este animal me absorbió mucho tiempo, lo he descrito y dibujado con exactitud y tengo la intención de ocuparme en su estudio más detallado en otro lugar; aquí mencionaré solamente que es una nueva especie del sub-género *Dasypus* a la que he dado el nombre de *Praopus*. [...] Como no he encontrado en el Museo Nacional [de Lima] ningún otro objeto de interés, puedo considerar agotada la descripción del establecimiento", en Burmeister, G. *Viaje por los Estados del Plata con referencia especial a la constitución física y al estado de cultura de la República Argentina realizado en los años 1857, 1858,1859 y 1860*. Buenos Aires, Unión Germánica en la Argentina, tomo II, 1944, págs. 94, 358-359. En 1850, Burmeister también estuvo en el Brasil, y consideró en ese mis-

mo sentido y de manera contradictoria que el Museo Nacional de Río de Janeiro era un "instituto científico de valor", pero sin "método científico" o "colecciones completas de obras indígenas o del país", en Burmeister, H. (1852), *Viagem ao Brasil através das Províncias do Rio de Janeiro e Minas Gerais, visando especialmente a História Natural dos distritos auri-diamantíferos* [Viaje al Brasil a través de las Provincias de Río de Janeiro y Minas Gerais, atendiendo especialmente la Historia Natural de los distritos auridiamantíferos], trad. de M. Salvaterra y H. Schoenfeld, EDUSP, 1980, págs. 83-84.

16. Sobre esta concepción de Burmeister, ver Burmeister, G., "La Paleontología Actual en sus tendencias y sus resultados". Traducción de una obra del Dr. Burmeister, publicada en 1849 [entonces actualizada], *Anales del Museo Público de Buenos Aires*, tomo I, entrega primera, 1864, págs. 12-51.

17. Burmeister, G., "Proemio", *Anales del Museo Público de Buenos Aires*, tomo II, 1870-1874: III.

18. Para un interesante análisis del financiamiento de este trabajo por parte de los gobiernos nacional y provincial, ver Asúa, M. de, "El apoyo oficial a la *Description Physique de la République Argentine* de H. Burmeister", Quipu, v. 6, nº 3, 1989, págs. 339-353.

19. Para tener una idea de la dimensión de su trabajo, aun considerando que algunas obras pueden haber sido anteriores a ese período y que otras son traducciones, nótese que en su biografía, entre los años 1874 y 1883, Berg enumera 39 obras publicadas de Burmeister. Cf. Berg, C., "Carlos Germán Conrado Burmeister. Reseña Biográfica", *Anales Museo Nacional de Buenos Aires*, tomo IV (serie II, tomo I), 1895, págs. 315-357.

20. Eduardo Holmberg (1852-1937), uno de los principales y más influyentes naturalistas de Buenos Aires de la época, fue el fundador y director del Jardín Zoológico a partir de 1888. Llamaba la atención sobre el estado en que se encontraba el Museo de Buenos Aires, dada la general indiferencia existente respecto de aquella institución indispensable para un país que pretendía elevarse en la escala del progreso. Según su descripción, un primer salón del museo estaba lleno de huesos de ballenas y de algunos objetos de importancia secundaria; el segundo era ocupado por todos los mamíferos que el museo poseía, además de armarios con la colección de numismática, parte de los insectos y de algunos grandes esqueletos fósiles. En otra sala contigua a ese salón estaba la mayor parte de los insectos. Y en otro salón estaban las aves, armarios con objetos de Arqueología, retratos históricos y –en el centro– los objetos fósiles de gran valor, como el Magaterio y un *Dinornis*, enviado desde Nueva Zelanda. También en ese salón se encontraban la colección de minerales, los moluscos, los zoófitos, además de numerosas cajas con insectos, en los anaqueles inferiores de las estanterías laterales. En otro salón estaban las aves y algunos esqueletos de Gliptodontes. Holmberg, E.L., "El Museo de Buenos Aires. Su pasado, su presente, su porvenir", *El Naturalista Argentino*, *Rev. de Hist. Nat.*, tomo I, entrega 2º, Buenos Aires, 1º de febrero de 1878, págs. 33-43.

21. Carlos Berg ocupó el puesto de Inspector del Museo Público de Buenos Aires desde enero de 1872 hasta abril de 1876. Fue obligado a renunciar por haber aceptado el cargo de profesor de Historia Natural en el Colegio Nacional de Buenos

Aires sin la autorización de Burmeister. Sobre el tema, ver los documentos 474, del 13/3/1876; 476, del 20/3/1876; 479 del 12/4/1876 y 481 del 19/4/1876 y especialmente el documento 478, del 4/4/1876, sobre la supresión del puesto de inspector: "Este empleo está actualmente ya medio abandonado [...] por haber aceptado el Dr. Carlos Berg el empleo de profesor de historia natural en el Colegio Nacional. Dicho caballero ha hecho esta aceptación, sin hablar conmigo antes, como su superior, y sin haber hecho caso de mi admonición posterior [...]. No puedo aceptar una conducta tan ofensiva de un empleado subordinado sin perder también el respeto de los otros empleados". Carpeta 1876. Caja 1870-1880. Notas de Germán Burmeister, Archivos MACN.

22. Cf. Holmberg, *op. cit.*, págs. 39.

23. Burmeister, G., "Suplementos y adiciones a las diferentes disertaciones anteriores", *Anales del Museo Público de Buenos Aires*, tomo III, 1883-1891, págs. 485-487. Ver la siguiente cita, en página 487: "Desde el principio hasta el fin dase su autor como maestro para renovar la ciencia, introduciendo en ella nuevas ideas con nuevos nombres, todos originales suyos, que no aluden a otros sabios; ni Linné, ni Buffon, ni Cuvier, ni Owen existen como sabios sistemáticos para el tribunal de Ameghino; él construye de nuevo el ramo de la ciencia que se relaciona con los Mamíferos bajo nuevos nombres, y propone una disposición completa personal con caracteres, que hasta este día no han sido aplicados de igual manera; todo según sus caprichos y sus fantasías. Igual atrevimiento no ha existido jamás en la ciencia; cada sucesor junior se ha fijado en sus antecesores como maestros, planteando su obra sobre los antiguos fundamentos científicos. No se conoce una igual conducta, y por esta razón condeno la obra de Ameghino como innovación censurable y recusable [...]".

24. Ver también documentos: 268 del 5/3/1870; 269 del 7/5/1870, Carpeta Año 1870; y 336, del 25/8/1871, Carpeta Año 1871, Caja 1870-1880, Archivo de la Secretaría, MACN.

25. Burmeister, G., *Boletín del Museo Público de Buenos Aires. Del Año 1871*: XV. Y documento 348 del 12/12/1871, Carpeta Año 1871, Caja 1870-1880, Archivo de la Secretaría, MACN, donde se describen los 62 cajones de la colección de Bravard y se enumeran las muestras retiradas por Burmeister.

26. Auza, N. T., "Germán Burmeister y la Sociedad Paleontológica. 1866-1868", *Academia Nacional de la Historia. Investigaciones y Ensayos*, 46, 1997, págs. 137-155. Cf. Lopes, M. M., *op. cit.* (*Saber y Tiempo*, vol. 2, nº 7, enero-junio de 1999, págs. 51-72).

27. Gutiérrez, J. M., *Actas de la Sociedad Paleontológica*. Sesión del 10 de julio de 1867, pág. XXVII.

28. Findlen, P., *Possessing Nature. Museums, Collecting, and Scientific Culture in Early Modern Italy*, University of California Press, 1994.

29. Sobre la importancia de las ilustraciones en los catálogos de los museos como instrumentos fundamentales para la consolidación de la Paleontología, ver Rudwick, M. J. S., *The Meaning of Fossils. Episodes in the History of Palaeontology*, Chicago, Londres, The University of Chicago Press, 1985.

30. Cf. Flower, W. H., "Los Museos de Historia Natural", *Revista del Museo de La Plata*, tomo I, 1890-1891, págs. 11-12.

31. Especialmente sobre este tema –la compra de libros por parte de Burmeister– ver la obra clásica de Sheets-Pyenson, S., *Cathedrals of Science. The Development of Colonial Natural History Museums during the Late Nineteenth Century*, Montreal, McGill-Queen's University Press, 1988.

32. Los directores del Museo Nacional de Montevideo, en intercambios sistemáticos con Carlos Berg, se servían frecuentemente de la biblioteca del país vecino "para formular un catálogo general de los animales y vegetales del Uruguay empezando por los mamíferos. [...] para realizar este trabajo fuimos comisionados a Buenos Aires, con el fin de consultar las obras especiales de la importante biblioteca que posee el Museo de esa ciudad". Figueira, J., "Enumeración de los mamíferos de la República Uruguaya", *Anales de Museo Nacional de Montevideo,* tomo I, 1897, pág. 187. Ver también en la correspondencia intercambiada entre Berg y Arechavaleta, director del Museo de Montevideo, el documento 2331, del 15/10/1894, Carpeta 1894, Caja 1892-1894, Documentación Antigua, Archivo MACN.

33. Camacho, H. H., *Las Ciencias Naturales en la Universidad de Buenos Aires. Estudio Histórico*, Buenos Aires, Eudeba, 1971.

34. Ver "oficio del señor Rector, en el cual dice que remite al Consejo la primera entrega de los *Anales del Museo Público de Buenos Aires*, que ha recibido del director de dicho establecimiento don Germán Burmeister, junto con un oficio en que propone un cambio de publicaciones de la misma especie con la Universidad de Chile. Se acordó aceptar el cambio que se propone, remitiendo al expresado director los *Anales de la Universidad*, y colocar en el Gabinete de lectura el ejemplar recibido", en Bello, A., Sesión del 29 de abril de 1865, "Cambio de publicaciones con el Museo Público de Buenos Aires", *Anales de la Universidad de Chile*, Tomo XXVI, correspondiente al primer semestre de 1865, Santiago de Chile, Imprenta Nacional, enero de 1865, págs. 551 y 575.

35. Adolf Ernst (1831-1899), presidente de la "Sociedad", que se carteaba con Burmeister, fue también el fundador del Museo Nacional de Ciencias Naturales de Venezuela, establecido en 1874, Doc. 284a, 18/6/1870, Carpeta año 1870, Caja años 1870 a 1880, Archivo de la Secretaría, MACN.

36. Ver documento s/n, del 20/4/1871, Carpeta año 1871, Caja años 1870 a 1880, Archivo de la Secretaría, MACN.

37. Ver documentos números 195 y 206, Carpeta 8, 1869, Archivos del Museo Nacional de Río de Janeiro. Incluida como punto obligatorio en los itinerarios de visitas no sólo científicas sino también diplomáticas, terminada la "guerra con el Paraguay", el Conde D'Eu –General en Jefe de los Ejércitos Aliados en el Paraguay y yerno del emperador brasileño– estuvo en Buenos Aires y se le avisó a Burmeister que haría una visita al museo. Ver documento 263, del 20/4/1870, Carpeta año 1870, Caja años 1870-1880, Archivo de la Secretaría, MACN.

38. Cf. Lopes, *op. cit.* (*Saber y Tiempo*).

39. Documento aprobado el 7 de septiembre de 1876: "Solicitamos también el mismo diploma socio corresponsal para el ciudadano brasileño D. Ladislau Netto, notable naturalista y Director del Museo de Historia Natural de Río de Janeiro". Candioti, M. R., *Revista del Archivo de la Sociedad Científica Argentina*, tomo 30, 1890, pág. 525.

40. Sobre el crecimiento exponencial y la importancia de las publicaciones científicas como indicadores válidos de los procesos de consolidación y especialización de las diferentes áreas disciplinarias a lo largo del siglo XIX, ver Price, D. S., *A Ciência desde a Babilônia* [La ciencia desde Babilonia], trad. de L. Hegenberg y O. S. da Mota, São Paulo, EDUSP, 1976.

41. Desde 1877, el primer tomo de los *Archivos do Museu Nacional* de Río de Janeiro sería permutado por las siguientes publicaciones argentinas, lo que da también una muestra de la vitalidad de las publicaciones locales: *Academia de Ciencias Exactas de la Universidad de Córdoba*, del *Museo Público de Buenos Aires*, de la *Biblioteca Pública de Buenos Aires*, de la *Facultad de Medicina*, de la *La Facultad de Farmacia*, de la *La Biblioteca Nacional*, de *La Sociedad Rural Argentina*, de *La Academia Argentina de Ciencias y Letras*, y los *Anales de Educación de la Provincia de Buenos Aires*. Cartas de Pedro Pico, Estanislao Zeballos y Ladislau Netto, del 31/10/1876; 3/1; 24/2 y 12/3/1877. Documentos, *Anales de la Sociedad Científica Argentina*, tomo III, 1877, págs. 179-181.

42. Moreno también reuniría a sus colaboradores en la *Revista del Museo de Plata*, que en 1890 pasó a ser publicada –como lo harían más tarde Carlos Berg y Ameghino– en las nuevas series de los *Anales* de Buenos Aires. Moreno, en el primer tomo de la *Revista*, solicitó "la colaboración asidua de nuestros estudiosos de buena voluntad, para hacer de estas publicaciones un centro de investigación digno de ser consultado por todos los hombres de ciencia del universo", Moreno, F. P., "Al lector", *Revista del Museo de La Plata*, tomo I, 1890-1891, págs. III-VI. Ameghino reuniría –en el museo y en su publicación– a lo que Ambrosetti llamó (en su biografía de Ameghino) su "estado mayor". Ambrosetti, J. B., "Doctor Florentino Ameghino (1854-1911)", *Anales del Museo Nacional de Buenos Aires*, tomo XXII (Serie III, tomo XV) 1912, págs. XI-LXXII.

43. Ver: "Museo Nacional de Río de Janeiro. Novedades Científicas. Historia Natural. Documentos", *Anales de la Sociedad Científica Argentina*, tomo I, 1876, pág. 167.

44. Ver epígrafe. Comentando los nuevos estatutos del Museo Nacional, reformado en 1876, Zeballos enumera a los dieciocho funcionarios del museo brasileño, agrupados según sus cuatro secciones: 1°) de Antropología, Zoología General y Aplicada, y Paleontología; 2°) de Botánica General y Aplicada, y Paleontología Vegetal; 3°) de Ciencias Físicas: Mineralogía, Geología y Paleontología General. Destaca los trabajos originales publicados, deteniéndose particularmente en los que tratan sobre temas etnográficos, arqueológicos y que se refieren a antropología de las razas indígenas del Brasil. Zeballos, *op. cit.*, cf. nota 1, pág. 275.

45. Berg, C., "Conferencia pública en honor del socio corresponsal doctor don Ladislau Netto, el 12 de octubre de 1882", *Anales de la Sociedad Científica Argentina*, tomo XIV, 1882, pág. 146.

46. Netto, L., "Observaciones sobre la teoría de la evolución", *Anales de la Sociedad Científica Argentina*, tomo XIV, 1882, págs. 147-158.

47. Moreno, F. P., "El origen del hombre sud-americano. Razas y civilizaciones de este continente", *Anales de la Sociedad Científica Argentina*, tomo XIV, 1882, págs. 182-223, cf. pág. 191.

48. Cf. Lopes, *op. cit.* (1997).

49. "El sabio Director del Museo Nacional, conocido ya ventajosamente entre nosotros, y cuyos *Archivos do Museu* son tan afamados, concurrió también a la fiesta con un notable fragmento descriptivo de sus viajes por el Amazonas, de donde últimamente recogió tan importantes restos de la cerámica indígena. El doctor Ladislau Netto prepara en estos momentos el catálogo de la parte de Arqueología y Cerámica americanas del Museo, y quien ha visto los objetos que van a describirse por vez primera, puede asegurar con toda confianza que la aparición de esa obra será una verdadera revelación para el mundo científico, pues ha de modificar profundamente las teorías corrientes acerca del auctoctonismo de la civilización indígena". Quesada, E., "Fiesta Literaria", celebrada en Río de Janeiro el 30 de agosto de 1883, *Nueva Revista de Buenos Aires*, año III, tomo VIII, Buenos Aires, 1883, pág. 481.

50. Rato Sambucetti, S., "La visión de los diplomáticos argentinos sobre monarquía y la república en Brasil", Seminario "Argentina-Brasil en la transición al siglo XX. De la consolidación de las nacionalidades a la construcción de proyectos civilizatorios", Buenos Aires, noviembre de 1998, pág. 2 (mimeo).

51. Cf. Documentos nº 881 a 883; 885, 889 y 893, Carpeta 1886, Caja 1886-1888, notas de Germán Burmeister, Archivo MACN.

52. Ver Documento 889, Buenos Aires, 14 de agosto de 1886: "[...] una condecoración personal que igualmente rehusé, el Imperador no quiso renunciar insistiendo en ella como un testimonio franco de su veneración por la ciencia y sus representantes". Y la constancia de recibimiento del diploma correspondiente a la condecoración: Documento 893, Buenos Aires, 28 de agosto de 1886, Carpeta 1886, Caja 1886-1888, notas de Germán Burmeister, Archivo MACN.

53. Las informaciones que se dan a continuación están en los documentos 866, 881, 882, 883, 885, 889, 893, de febrero a agosto de 1886, Carpeta año 1886, notas de Germán Burmeister, MACN.

54. Pyenson, L., "«Functionaries» and «Seekers» in Latin America: Missionary Diffusion of Exact Sciences, 1850-1930", *Quipu*, v. 2, nº 3, setiembre-diciembre de 1985, págs. 387-420.

55. Es interesante recordar la caracterización que Angel Cabrera, que también dirigió el Museo de Buenos Aires, hace de Burmeister como "la más acabada representación" de uno de los estadios de la evolución de la ciencia de un país, en una clasificación muy semejante que volverá famoso, veinte años después, a George Basalla en su trabajo clásico "The Spread of Western Science", en *Science*, 156, 5 de mayo de 1967, págs. 611-622. La llegada de Burmeister se ubica, para Cabrera, en la "etapa en la que el país comienza a preocuparse por su propio adelanto científico, y ya no sólo recibe al sabio de otro país, sino que procura atraerlo y conservarlo, y lo utiliza como colaborador en dicho adelanto, incitándolo a que deje por lo menos sus enseñanzas y los frutos materiales de sus investigaciones", Cabrera, A., "Burmeister (En el cincuentenario de su muerte)", *Anales de la Sociedad Científica Argentina*, tomo especial, 1943, págs. 67-78.

56. Ver documento 743, del 3/7/1884. Resumen de presupuesto desde 1884 hasta 1885, Carpeta año 1884, documentación antigua, Archivo MACN.

MUSEOS Y CIENCIAS: ALGUNAS CUESTIONES HISTORIOGRÁFICAS*

CRISTINA MANTEGARI

Permítasenos introducir la perspectiva de la historia institucional desde la que se aborda aquí el tema de los museos. Esta especialidad indaga las características e incidencias de los desarrollos institucionales en la ciencia moderna, y tiene una larga tradición en Europa y Estados Unidos, posiblemente alentada por el importante desarrollo de la historia de la ciencia en sí misma y por el interés en los patrones culturales colectivos.[1] Buena parte de las temáticas en historia de la ciencia no puede evadir la perspectiva institucional, ni en trabajos de género biográfico, en los que los perfiles individuales e institucionales llegan a confundirse, ni en estudios sobre comunidades y disciplinas, en los que las fuerzas que indican predominio de teorías y especialidades guardan relación con su base institucional. Por otra parte, las instituciones reflejan, a través de sus retóricas, distintas visiones de la actividad y los fines científicos, siendo particularmente valiosas para la historia intelectual y la historia social de la ciencia al permitir conexiones entre intelectualidad, sociedad y cultura. Las propuestas más ambiciosas aspiran a un estudio colectivo de instituciones que puedan revelar la extensión ideológica, teórica, disciplinar y las tramas sociales que sustentaron y fomentaron objetivos comunes de alcance regional, nacional o internacional. Este tipo de

* Este trabajo forma parte de la investigación sobre el análisis histórico-social de la ciencia en la Argentina en la segunda mitad del siglo XIX, dirigida por Marcelo Montserrat con el apoyo de la Agencia Nacional de Promoción Científica y Tecnológica.

trabajos son factibles en temas y períodos de fuerte institucionalización, y a medida que la complejización de las actividades científicas fue asociándose a un número mayor de instituciones como las organizaciones profesionales, educativas, editoriales y filantrópicas.[2]

Estas particularidades se advierten fuertemente en la segunda mitad del siglo XIX, etapa en la que los museos han cumplido un rol institucional central.[3]

Respecto de estos, se ha sostenido que son el producto del humanismo renacentista, del iluminismo del siglo XVIII y de las aspiraciones democráticas del XIX.[4] Estos tres grandes aportes serían fundamentales para la elaboración de una periodización general que diera cuenta de los principales cambios sufridos por estas instituciones. Asimismo, se han establecido prototipos institucionales que traducirían lo más significativo de cada época: el "studio", la "galleria", el gabinete de curiosidades y el museo, en su sentido más moderno, marcarían el proceso de los cambios producidos entre los siglos XVI a XIX. En referencia a los museos durante el siglo XIX, una de las ideas que parecen imponerse historiográficamente es la que sostiene que fueron las instituciones que más contribuyeron a la producción y difusión de los conocimientos.

Reseñamos algunos tratamientos historiográficos sobre los museos, en particular de los museos de ciencias en el siglo XIX, que creemos, ayudan a precisar el sentido en que pueden orientarse los estudios de casos, y favorecen la colaboración entre historiadores que trabajan con distintos tipos de instituciones científicas, contribuyendo, al mismo tiempo, al mejor conocimiento de los procesos de institucionalización de la ciencia. Haremos referencia, fundamentalmente, a las siguientes cuestiones: los museos como instituciones educativas y de investigación, los cambios producidos en su organización interna y la refuncionalización del espacio y la relación entre las funciones de educación e investigación que nos acerca a las vinculaciones interinstitucionales entre museos y universidades.

EL MUSEO COMO INSTITUCIÓN EDUCATIVA Y DE INVESTIGACIÓN

Los museos durante el siglo XIX se consolidaron como instituciones públicas por su creciente dependencia financiera del Estado, de las políticas gubernamentales y por el interés que demostraron en abrirse al gran público. En relación con lo último, los datos estadísticos sobre cantidad de visitantes, días y horarios de apertura, la flexibilidad en las condiciones para el ingreso a las exhibiciones, las discusiones producidas entre directores, creadores o constructores de museos para captar nuevos públicos y los cambios concretos producidos en la organización de estas instituciones comprobarían la importancia de la función educativa y de difusión cultural que asumieron.[5] Particularmente de la función educativa si se considera el empeño que demostraron por diferenciarse de otras instituciones que participaban de las prácticas de mostrar pero con fines y recursos distintos. Por ejemplo, las ferias y los parques siguieron apelando al sensacionalismo y al entretenimiento, y recurriendo a la exhibición de rarezas, mientras que los museos aspiraron a elevar el nivel cultural del público, manteniendo un perfil intelectual y su calidad de autoridad en el conocimiento.[6]

La función educativa se tradujo en nuevos criterios de exhibición basados en algunas premisas que afectaron particularmente a los museos de ciencias. Primero: lo importante no fue ya la acumulación de objetos sino la intencionalidad con la que fueran exhibidos. Los objetos debían ser seleccionados y ordenados a fin de permitir la captación de una visión científica del mundo. Las exhibiciones debían tener un carácter instructivo y no constituir simplemente un entretenimiento para los visitantes, y su relevancia estaba puesta en la tipificación y no en la singularidad de las piezas, y en su valor instructivo y no ornamental.[7] Segundo: la calidad de las exhibiciones estuvo unida no sólo a la selección de los objetos sino a la decisión de presentarlos unidos a referencias, descripciones o diagramas y a la publicación de guías y catálogos que hicieran posible incrementar el valor educativo de los materiales.[8]

Para algunos autores, esta nueva intencionalidad se basó en una concepción, particularmente extendida durante el período victoriano, de concebir los objetos como fuentes básicas de conocimiento. Los objetos no eran transparentes pero tampoco opacos. Podían ser ilustraciones de hechos y exponentes de ideas, y la forma de presentarlos favorecía la comprensión del observador sin entrenamiento. Al mismo tiempo, esto respondía a una epistemología que focalizaba en la percepción visual la posibilidad de entender el mundo y aspiraba a la divulgación del conocimiento poseído. Para otros autores, los museos tradujeron la posibilidad de que los sectores más poderosos divulgaran *una* concepción particular del mundo. La intención de seleccionar los objetos de exhibición, de pasar del caos al orden de la clasificación es asociada a la intención de transmitir una concepción de la ciencia que pasaba del error a la verdad y que mostraba una humanidad triunfante situada al final del proceso evolutivo.[9]

Al mismo tiempo, los museos de ciencias mantuvieron la función de investigación y de producción de conocimiento asociada fuertemente al estudio de las colecciones, aunque con prácticas claramente diferenciadas de las antiguas prácticas coleccionistas del siglo XVII, momento en que el coleccionismo se vinculó fuertemente a individualidades y las colecciones tuvieron el valor de traducir las visiones personales de sus creadores. Si bien desde fines del siglo XVIII, la investigación en los museos y el incremento de sus colecciones quedaron asociados a las necesidades de las identidades nacionales, a la noción de utilidad práctica de la ciencia y al financiamiento estatal, estas actividades se mantuvieron estrechamente vinculadas a los procesos intelectuales vigentes.[10] Los museos encerraban un mundo de objetos que merecían ser analizados, clasificados, ordenados e integrados a una explicación racional de la naturaleza. El interés creciente en acumular piezas y en constituir un gran archivo en el que todo pudiera estar representado fue una de las particularidades de los museos en el siglo XIX y la necesidad de incrementar las colecciones y de rever permanentemente los criterios de clasificación de los materiales se mantuvieron fuertemente vigentes y unidas a este interés. Los museos tenían los objetos, el espacio y la intencionalidad de investigar el mundo, por lo tanto eran vistos como los lugares *naturales* de producción de nuevos conocimientos.

LA REFUNCIONALIZACIÓN DEL ESPACIO Y LOS "MODELOS" DE MUSEOS

Las funciones que debieron asumir los museos durante el siglo XIX llevaron a nuevas concepciones funcionales de los espacios físicos y a la construcción de edificios que permitieran cumplirlas con efectividad. Por otra parte, el notable incremento de las colecciones determinaba la necesidad de contar con mayores espacios. Dentro de este proceso, el Natural History Museum de Londres constituyó uno de los modelos más acabados de su época. La propuesta de su organización espacial, concretada al trasladarse de Bloomsbury a South Kensington entre 1881 y 1883, concebía tres tipos de lugares: los destinados a las exhibiciones, los que contenían las reservas de colecciones, la biblioteca y sala de lectura, y los reservados a la investigación y administración. Tanto el gran público como las elites intelectuales tuvieron cabida en el nuevo diseño aunque en espacios físicos diferentes que implicaban, a su vez, distintos grados de acceso al conocimiento.

El nuevo museo fue el producto de discusiones previas entre directores y especialistas, y representó principalmente las posiciones de Richard Owen y William H. Flower. Aunque con algunas diferencias, sus ideas modelaron el diseño sobre la base de los nuevos criterios: selección de objetos nucleados según criterios específicos o sistemas conceptuales y reservas de colecciones para el estudio y la renovación de las exhibiciones. Junto a las salas de exhibición debían existir lugares destinados a profundizar las consultas y desarrollar la investigación.[11]

El modelo fue seguido tempranamente por los museos norteamericanos y por algunos museos europeos, como los de Praga y Viena, pero los viejos criterios parecen haber permanecido en la mayor parte de los museos continentales hasta comienzos del siglo.[12] Es posible, como sugieren algunos autores, que en algunas ciudades europeas las principales discusiones vinculadas a la creación de museos o a su reubicación quedara asociada no tanto a los aspectos funcionales sino al alto valor simbólico de los nuevos emplazamientos dentro del entramado urbano, en el marco de las discusiones políticas entre grupos liberales y conservadores.[13]

Hacia fines del siglo XIX y comienzos del XX, la refuncionalización del espacio también se vio condicionada a las necesidades específicas de los distintos campos disciplinarios y se acentuó la tendencia a los museos especializados. El Muséum National d'Histoire Naturelle sufrió, aunque tardíamente, el desprendimiento de sus colecciones de etnografía, antropología, prehistoria y arqueología, que pasaron al Musée de l'Homme. Parte de las colecciones del Naturhistoriches Museum de Viena pasaron al Museum fur Volkerkunde en 1876.[14] La existencia del nuevo National History Museum en South Kensington, al ser separado del British Museum de Bloomsbury, es parte del mismo proceso.

En este último caso, se revelan también algunas cuestiones sobre la importancia cultural y el prestigio de las mismas disciplinas científicas en la época. La construcción del nuevo edificio de National History Museum implicó la postergación de la edificación a la que también aspiraba el Science Museum de Londres. Este último buscó convertirse, desde su creación y luego del gran éxito de la Exhibición Internacional de 1851, en un establecimiento que pudiera aumentar los medios de la educación industrial y extender la influencia de las ciencias y las artes a las actividades productivas. Pese a contar con el fuerte apoyo de la realeza británica y vincularse estrechamente a los intereses nacionales, pasó varias décadas sin edificio propio.

> [...] en el fondo era el trasfondo cultural y no los argumentos científicos específicos (o de otra índole) los que dominaban [...] Mientras el Natural History Museum era ya un lugar de educación, interés e investigación, el Science Museum debía ganar todavía argumentos adicionales que políticamente hicieran viables sus aspiraciones.[15]

LAS RELACIONES ENTRE LAS FUNCIONES DE EDUCACIÓN E INVESTIGACIÓN EN LOS MUSEOS Y LAS CUESTIONES INTERINSTITUCIONALES

La búsqueda del equilibrio entre las funciones de educación e investigación fue un objetivo central y un tema debatido por los directores de museos de todo el mundo durante la segunda mitad del siglo XIX.[16] Los análisis historiográficos sobre los logros de esta búsqueda muestran perspectivas interesantes que llevan, en algunos casos, a la consideración de las relaciones interinstitucionales y de los discursos utilizados por distintas instituciones.

Para algunos autores, el nacimiento del museo moderno norteamericano, producido entre 1850 y 1870, implicó el triunfo de un modelo en el que coexistieron armónicamente las dos funciones y el cumplimiento de objetivos científicos y responsabilidades educacionales y democráticas.[17] Para otros, existió siempre una tensión entre sus funciones que no llegó a ser resuelta, y las reiteradas discusiones producidas entre funcionarios o directores de museos son prueba no sólo de su existencia sino de su permanencia. Los constructores de museos a fines del siglo XVIII y comienzos del XIX habían aspirado, al mismo tiempo, a ordenar los cuerpos de conocimientos y a reflejar los cambios producidos en estos. Los objetos que exhibían intentaban representar ideas vivientes pero, a su vez, esta exigencia dificultaba el ajuste de las exhibiciones a los cambios producidos en el conocimiento científico, cuestión que se tradujo en opiniones críticas sobre la conveniencia de mantener la investigación en estas instituciones y advertencias sobre los efectos negativos de esta situación en el avance del conocimiento.[18] En particular referencia a los museos de historia natural podría aceptarse cierta armonía entre sus funciones en las primeras décadas de la segunda mitad del siglo XIX. Sin embargo, en los siguientes veinticinco o treinta años, este aparente o relativo equilibrio habría sido afectado por nuevas realidades: el ascenso de las universidades y los cambios en las prácticas científicas.

Las universidades aspiraron por entonces a transformarse en instituciones de investigación y comenzaron a reorganizarse en función del principio de especialización disciplinaria. Los museos de historia natural, por ejemplo, parecen haber sido los que más se resistieron a esta fragmentación institucional e intelectual que atentaba, en principio, contra la concepción y representación del mundo como unidad. Al mismo tiempo, el paso de la historia natural a la consolidación de distintas disciplinas trajo otros cambios respecto de cómo debía consolidarse la investigación científica, a través de qué prácticas y bajo qué conducción institucional. Los nuevos biólogos, instalados en los laboratorios universitarios, reemplazaron el interés por la descripción y la forma con el énfasis en la experimentación y la función. La visión del mundo natural conectada al pasado y al presente se iba sustituyendo por otra que vinculaba el presente al futuro.[19]

Los museos representaban la antigua forma de estudiar el mundo pero contaban con una tradición científica prestigiosa. Las universidades intentaban abrir nuevas direcciones para la investigación científica pero debían abrirse paso en el panorama institucional vigente. A su vez, los museos destacaban su compromiso con los ideales democráticos ante el avance de las nuevas elites universitarias y las universidades respondían argumentando a favor de la promoción y a mayor accesibilidad a la educación superior.

ALGUNAS APRECIACIONES FINALES

La necesidad de contar con una periodización general para la historia de los museos que dé cuenta de los rasgos generales del proceso, determina, a la vez, los límites de estas generalizaciones. En este sentido, los trabajos más recientes que hemos podido consultar tienden a profundizar el conocimiento de estas instituciones en las especificidades de tiempo, lugar y sociedad que les corresponde. Aún así, resulta importante advertir los distintos intereses que guían las interpretaciones: si el interés por asociar más estrechamente la historia de los museos a las prácticas y concepciones científicas o por analizar las motivaciones y derivaciones sociales de estas prácticas. En el primer caso, el peso de la interpretación se pone en los esfuerzos de los investigadores y responsables de los museos por construir categorías y clasificaciones que den cuenta del derrotero intelectual que las produjo. En el segundo, se intenta puntualizar cómo esas categorías fueron representadas a fin de programar conductas sociales o limitar los horizontes cognitivos de los visitantes. Resulta, por lo menos, complejo armonizar o equilibrar perspectivas de análisis tan distintas.

En otros aspectos, parece necesario y factible acercar enfoques propios de la historia intelectual y social de la ciencia. Respecto de la reorganización de los museos durante la segunda mitad del siglo XIX, es claro que los cambios producidos fueron producto de cuestiones disciplinarias y del rol social que cumplieron. Por lo tanto, si quisiéramos evaluar esta cuestion en instituciones particulares, nos parece necesario atender tanto a la expansión de los llamados "modelos", en lo que respecta a cómo exhibir y qué exhibir, como a los criterios disciplinarios y político-sociales que influyeron en la reorganización de cada una. Es decir, considerar los modelos establecidos o difundidos y evaluar las posibilidades reales que tuvo cada institución de seguir o aspirar a un modelo determinado basado en sus conexiones interinstitucionales, en su inserción político-social y en sus fuentes de financiamiento.

Del mismo modo puede encararse el análisis del proceso que llevó la investigación científica al ámbito de las universidades. Un proceso en el que se pusieron de manifiesto alianzas, recelos, suspicacias y acercamientos entre estas instituciones y los museos y en el que se conjugaron argumentos de orden científico e ideológico-político. Resulta pues interesante indagar cuál fue el peso de los argumentos utilizados por ambas instituciones para legitimar sus actividades y qué estrategias particulares fueron elegidas para adaptarse a los nuevos tiempos.

NOTAS

1. Puede verse Sally Gregory Kohlstedt. "History of Scientific Institutions in the United States" en *El perfil de la ciencia en América*, México, Sociedad Latinoameicana de Historia de las Ciencias y la Técnica, 1986, Cuadernos de Quipu, 1, págs. 81-102. Versión condensada y modificada del artículo "Institutional History", *Osiris*, 1985, 1, págs. 17-36.

2. Como ejemplos tempranos de las nuevas propuestas sobre análisis colectivos en biografías, comunidades e instituciones pueden citarse: Thomas Hankins, "In Defence of Biography: the Use of Biography in the History of Science". *History of Science*, 1979, 17, págs. 1-16; N. Mullins, "Te Development of a Scientific Speciality: the Page Group and the Origins of Molecular Biology", *Minerva*, 1972, 10, 1, págs. 51-82; S. Shapin and A. Thackray, "Prosopography as a Research Tool in History of Science: the British Scientific Community, 1700-1900", *History of Science*, 1974, 12, págs. 1-28; D. Kevles, *The Physicists. The History of a Scientific Community in Modern America*, Cambridge-Massachusetts-Londres, Harvard University Press, 1995 (primera edición: 1971); R. Hahn, *The Anatomy of a Scientific Institution. The Paris Academy of Sciences, 1666-1803.* Berkeley-Los Angeles-Londres, University of California Press, 1986 (primera edición: 1971); Maurice Crosland, "The French Academy of Sciences in the Nineteenth-Century", *Minerva*, 1978, 1, págs. 73-102. Puede verse también Lewis Pyenson, "Who the Guys Were: Prosopography in the History of Science", *History of Science*, 1977, 15, págs. 155-188.

3. En trabajos previos hemos indicado nuestro interés particular por la investigación científica en el ámbito de las instituciones universitarias durante el siglo XX. La indagación historiográfica de este tema en procesos anteriores al siglo nos ha acercado al tema de los museos. Para un panorama general de estudios sobre la relación ciencia-universidad en distintos países y períodos históricos, pueden consultarse: Sheldon Rothblatt y Bjorn Wittorck (comp.), *La Universidad europea y americana desde 1800*; *Las tres transformaciones de la Universidad*, Barcelona, Ediciones Pomares-Corredor, 1996 (primera edición en inglés: Cambridge University Press, 1993); Roger Geiger, *To Advance Knowledge: the Growth of American Research Universities, 1900-1940*, Nueva York, 1986; Id. *Research and Relevant Knowledge, American Research Universities since World War II*, Nueva York, Oxford Univer-

sity Press,1993; Clark A. Elliott y Margaret Rositer (comps.) *Science at Harvard University: Historical Perspectives*, Bethlehem, Lehigh University Press and Associated Universities, 1992; J. B. Morrell, "The Patronage of Mid-Victorian Science in the University of Edinburg", *Science Studies*, 1973, 3, págs. 353-388; L. Weisz, *The Emergence of Modern Universities in France, 1863-1914*, Princeton, Princeton University Press, 1983. En la Argentina, los trabajos más significativos se vinculan al tema de la investigación científico-tecnológica en el marco de políticas globales en ciencia y tecnología y no especialmente a la ciencia académica. Por ejemplo Jorge Myers, "Antecedentes de la formación del complejo científico y tecnológico, 1850-1958" y Enrique Oteiza, "El complejo científico-tecnológico argentino en la segunda mitad del siglo XX: la transferencia de modelos institucionales", en Enrique Oteiza (comp.) *La política de investigación científico-tecnológica argentina. Historia y perspectivas*, Buenos Aires, CEAL, 1992, págs. 87-114 y 115-125. Según sostiene Hebe Vessuri, en América latina existen pocos estudios sobre historia de las ciencias y de las instituciones científicas que contribuyan a analizar el surgimiento y desarrollo de las comunidades científicas en la región. Véase, Hebe Vessuri y Elena Díaz, "Universidad y el desarrollo científico-tecnológico en América latina y el Caribe", Caracas, CRESALC-UNESCO, 1985; Hebe Vessuri. "La ciencia académica en América Latina en el siglo XX", *Redes*, 1994, 2, págs. 41-76. Susan Sheets-Pyenson ha observado la relativamente tardía atención puesta en los museos si se compara con la que tempranamente recibieron las universidades. Posiblemente esto se deba a la permanencia del debate sobre las funciones de investigación y educación en las instituciones universitarias en el presente siglo, mientras que, en el caso de los museos, los nuevos planteos se centran ya en otras cuestiones. Como ejemplo de la actualidad de los debates en el ámbito universitario, véanse las discusiones de Ernesto Mayz Vallenilla, Francisco de Venanzi y otros en "Cabildo Abierto", *Interciencia*, 1983, 2, 4 y 5, págs. 89-96, 236-242 y 303-307, respectivamente. Para los nuevos planteos sobre museos puede verse Sharon Macdonald y Gordon Fyfe (comps.) *Theorizing Museums. Representing Identity and Diversity in a Changing World*, Oxford/UK- Cambridge, Estados Unidos, Blackwell Publishers, 1996.

4. E. P. Alexander, *Museums in Motion, An Introduction to the History and Functions of Museums*. Nashville, American Association for State and Local History, 1989, pág. 8.

5. Con respecto al tema de los "públicos" de los museos debemos introducir algunas observaciones pues el incremento en el número de museos y de concurrentes se asocia a veces a la heterogeneidad de las audiencias. En primer lugar, los estudios sobre las audiencias son más bien recientes y escasos. En segundo lugar, no siempre se dispone de las fuentes necesarias para analizar la composición social de las audiencias con anterioridad a la década de 1920. Algunos museos llevaron registros que permiten este tipo de análisis y otros no. Los autores consultados no abordan específicamente esta temática pero señalan las dificultades que existen para su análisis. Los únicos trabajos referidos a las audiencias de museos que hemos podido ubicar son: David R. Brigham, *Public Culture in the Early Republic, Peale's Museum and Its Audience*, Hardcover, 1995 y Eilean Hooper-Greenhill (comp.) *Cultural Diversity, Developing Museums Audiences in Britain*, Hardcover, 1997, Tony Bennett cita

los siguientes estudios, Dixon, B.; Courtney, A. E. and Bailey, R.H., *The Museum and the Canadian Public*, Toronto, Arts and Cultures Branch, Department of the Secretary of State, 1974; N. Heinich. "The Pompidou Centre and Its Public: the Limits of a Utopian Site", en Robert Lumley (comp.) *The Museum Time-Machine, Putting Cultures on Display*, Londres, Routledge, 1988; P. Mann, *A Survey of Visitors to the British Museum*, British Museum, 1986, Occasional Paper nº 64. Véase Tony Bennett, *The Birth of the Museum. History, Theory, Politics*, Londres-Nueva York, Routledge, 1998.

6. Tony Bennett, *op. cit.*, págs. 5-7. Véase también Thomas Greenwood, *Museums and Art Galleries*, Londres, Routledge-Thoemmes Press, Reprinted 1998 (primera edición, Londres, Simpkin, Marshall and Co., 1888), cap. III: "The Place of Museums in Education", págs. 25-34; William Henry Flower, *Essays on Museums and Other Subjectec Connected with Natural History*, Londres, Routledge-Thoemmes Press, Reprinted 1998 (primera edición, Londres, MacMillan and Co., 1898), ensayos IV y V: "School Museums" y "Boys' Museums", págs. 58-69

7. Véase Thomas Greenwood, *op. cit.*, cap. XIX: "The Classification and Arrangement of Objects in Museums", págs. 294-300; William Henry Flower, *op. cit.*, ensayo I: "Museum Organisation", págs. 1-29; Steven Conn, *Museums and American Intellectual Life, 1876-1926*, Chicago-Londres, University of Chicago Press, 1998, págs. 3-113. También, Ivan Karp y Steven Lavine (comps.). *Exhibiting Cultures. The Poetics and Politics of Museum Display*, Washington, Smithsonian Institution Press, 1991. En el libro de T. Bennett, ya citado, se incluyen referencias sobre la tesis doctoral de Eilean Hooper-Greenhill "The Museum: the Social-Historical Articulations of Knowledge and Things", University of London, aparentemente aún sin editar. Referencias más generales sobre el tema están en Edward P. Alexander, *Museums in Motion...*

8. Téngase en cuenta la nota anterior. También Susan Sheets-Pyenson.,*Cathedrals of Science, The Development of Colonial Natural History Museums during the Late Nineteenth Century*, Kingston-Montreal, McGill-Queen's University press, 1988, pág. 6 y Edward P. Alexander, *The Museum in America. Innovators and Pioneers*, Walnut Creek-Londres-Nueva Delhi, Altamira Press and the American Association for State and Local History, 1997, págs. 13-31.

9. Estas posiciones se advierten claramente en los trabajos de Conn y Bennett ya citados. El trabajo de Conn incluye una crítica a las interpretaciones que sujetan la historia de los museos al análisis de la formación discursiva del poder sin considerar, en tal caso, el conocimiento que produce y es producido por el poder. Steven Conn, *op. cit.*, págs. 10-13. También Findlen, en referencia al eclipse del museo renacentista y cortesano y al nacimiento del museo público dieciochesco, rehuye abordar este proceso de cambio institucional asociándolo puramente a cambios en los mecanismos de control social o al cataclismo político, Paula Findlen, *Possesing Nature. Museums, Collecting and Scientific Culture in Early Modern Italy*, Berkeley-Los Angeles-Londres, University of California Press, 1994, particularmente págs. 393-407

10. Véase Paula Findlen, *op. cit.;* Susan M. Pearce. "Museums History in Context", introducción de Edward Edwards, *Lives of the Founders of the British Museum. With Notices of its Chief Augmentors and Other Benefactors, 1570-1870*,

Londres, Routledge-Thoemmes Press, Reprinted 1998, vol. I (primera edición, Londres, Trubner and Co, 1870).

11. Susan Sheets-Pyenson, *op. cit.*, págs. 5-8; Tony Bennett, *op. cit.;* David Murray, *Museums. Their History and Their Use. With a Bibliography and List of Museums in the United Kingdom*, Londres, Routledge-Thoemmes Press, Reprinted 1998, vol. I (primera edición: Glasgow, James Maclehose e hijos, 1904); William Henry Flower, *op. cit.*, ensayo II, "Modern Museums", págs. 30-53; Thomas Greenwood, *op. cit.*, cap. XIII, "The British Museum and its Place in the Nation. The National History Museum", págs. 216-238.

12. Susan Sheets-Pyenson, *op. cit.*, pág. 9; Edward P. Alexander, *Museums in Motion...*, págs. 44-50; Thomas Greenwood, *op. cit.*, cap. XXI, "Museums in America", págs. 309-318, cap. XXII, "The Museums of Germany", págs. 318-325, cap. XXIII, "The French Museums", págs. 325-334; cap. XXIV, "The Museums of Belgium, Holland and Denmark", págs. 335-342; cap. XXV, "The Italian Museums", págs. 343-356; William Henry Flower, *op. cit.*, ensayo II, "Modern Museums", especialmente págs. 42-48.

13. Carl E. Schorske. *Thinking with History. Explorations in the Passage to Modernism,* Princeton University Press, 1998, págs. 105-122. "Museum in Contested Space: the Sword, the Scepter and the Ring". También T. Bennett incluye observaciones en este sentido: "Los museos fueron ubicados generalmente en el centro de las ciudades en los que se erguían como la personificación, material y simbólica, del poder de "mostrar y decir" en la perspectiva de nuevos espacios abiertos y públicos, vistos retóricamente para incorporar a la gente en los procesos del estado" (pág. 87).

14. Edward P. Alexander, *Museums in Motion...*, págs. 44-47, considérese también la nota 13.

15. Mary Williams. "Science, Educacion and Museums in Britain, 1870-1914", en Brigitte Schroeder-Gudehus (comp.) *Industrial Society and its Museums, 1890-1990. Social Aspirations and Cultural Politics*, Harwood Academic Publishers, 1993, págs. 5-11 (primera edición, París, 1992). También véanse las observaciones del Informe Bather de 1893, encargado por la Asociación de Museos norteamericanos, referidas a que debía tolerarse que los museos coloniales de Historia Natural exhibieran objetos de interés para la ciencia aplicada y la tecnología. Era preferible reconocer la "utilidad" de la ciencia y asegurarles así el financiamiento que los libraba del peligro del cierre, Susan Sheets, *op. cit*, págs. 10-12 y 101.

16. Susan Sheets-Pyenson, *op. cit.*, pág. 8.

17. Por ejemplo Joel. L. Orosz, *Curators and Culture. The Museum Movement in America, 1740-1870*, Tuscaloosa-Londres, University of Alabama Press (History of American Science and Technology Series).

18. Steven Conn, *op. cit.*, pág. 21-22, cita, por ejemplo, observaciones sobre la "pesadez" o somnolencia de los museos norteamericanos y acusaciones de ser parte de las causas que demoraban el avance científico.

19. Steven Conn, *op. cit.*, págs. 33-73. Es particularmente interesante el análisis de Conn sobre el conflicto establecido entre Edward Cope, prestigioso paleontólogo radicado en Pennsylvania y W. Ruschenberger, presidente de la Academia Nacional de Ciencias entre 1869 y 1881. Estas personalidades representaban las nuevas y vie-

jas posiciones respecto del futuro de la investigación científica y, al mismo tiempo, distintas opiniones respecto de los vínculos que debían existir entre las universidades y los museos. El primero consideraba necesaria la asociación entre la Academia y la Universidad de Pennsylvania. El segundo, miraba con recelo y desconfianza a esta universidad y la consideraba más una competidora que una aliada. Ver también Susan Sheets-Pyenson, *op. cit.*, págs. 101-102.

LOS GLIPTODONTES EN PARÍS: LAS COLECCIONES DE MAMÍFEROS FÓSILES PAMPEANOS EN LOS MUSEOS EUROPEOS DEL SIGLO XIX

IRINA PODGORNY

INTRODUCCIÓN

El envío de los restos de un animal de dimensiones gigantescas al Gabinete de Historia Natural de Madrid en el año de 1789 ha sido señalado como el punto de inicio de los estudios paleontológicos en el Río de la Plata.[1] Este envío, que formaba parte de los realizados a fines del siglo XVIII a los gabinetes metropolitanos, se enmarca en las prácticas de la historia natural y en los viajes de exploración ligados a las políticas ilustradas del imperio ibérico. El montaje y las representaciones de dicho animal, realizadas por Bru y publicadas más tarde por Garriga, fueron estudiadas por Cuvier quien describió, a partir de ellas, un nuevo género de mamífero fósil: el *megatherium*. Esta evidencia más de una fauna diferente en los distintos continentes hacía pensar que la variedad de las producciones de la Naturaleza respondía más a un principio de particularidades geográficas que a la idea imperante sobre su uniformidad universal.

El megaterio, asimismo, generó una abundante literatura que ha analizado tanto el papel del gabinete de Madrid en la ciencia europea de fines del siglo XVIII[2] como su lugar en la obra inicial de Cuvier.[3] Sin embargo, en estos trabajos no se ha destacado que en la descripción de Garriga de 1796, no sólo aparecía como un acabado ejemplo de las maravillas generadas por la Madre Naturaleza[4] sino que además era despojado del nombre que se le había dado en Francia. En efecto, Garriga nombraba el "esqueleto" como tal y no con su apelación cuveriana, conocida, traducida y publicada como parte tercera de esta obra que difundía, asimismo, la descripción previa de Bru. La competencia científica con Francia aparecía como uno de los móviles de Garriga quien se proponía hacer "la debida justicia á Don Juan Bautista Bru, y á nuestra Nación, manifestando que los Naturalistas de España no se han descuidado tanto, que no hayan descrito con la mayor prolixidad este Esqueleto, que es el primero que se recibió de su especie de los tres que existen ya en este Reyno".[5] Remarquemos que la competencia entre los museos europeos por la posesión de nuevos ejemplares es un aspecto poco estudiado en la formación de las colecciones europeas de historia natural.[6] En este trabajo, tomando como marco principal el Muséum National d'Histoire Naturelle de París, intento presentar ciertos aspectos de la carrera por la adquisición de mamíferos fósiles sudamericanos.

DE LA CIRCULACIÓN DE LAS ILUSTRACIONES A LA FORMACIÓN DE COLECCIONES DE COMPARACIÓN Y EL INTERCAMBIO DE REPRODUCCIONES

En el siglo XVIII la historia natural –por entonces *fort à la mode*– incluía la disciplina de la orictología o el estudio de los "fósiles verdaderos y accidentales", es decir "los cuerpos sin órganos de vida ni principio de sentimiento".[7] La doble utilidad de instruir y agradar a través de los tres reinos de la naturaleza se presentaba en los gabinetes que proliferaban en las distintas cortes europeas bajo la protección de los monarcas amantes de las ciencias y de las artes. El orden a adoptar en la presentación del reino mineral –o de los fósiles– planteaba los mismos problemas que la clasificación de los reinos vegetal y animal y dio origen también a varios diccionarios, catálogos y atlas. De esta manera, los especímenes que albergaban los gabinetes circulaban más a través de su representación que de la observación del material en sí. En este marco, se inscriben las ilustraciones de Bru del esqueleto que Cuvier llamó megatherium y que, hasta la década de 1820, fueron las únicas conocidas en los círculos de los naturalistas.

Fue en el contexto de la Francia posrevolucionaria que emergió el principio de apoyo del Estado –en oposición al Monarca– a los establecimientos llamados museos. En este marco, el Muséum National d'Histoire Naturelle de París y sus profesores adquirieron un prestigio y un poder novedosos.[8] En esos años, Cuvier pronunciaría el elogio de Daubenton, su antecesor en la cátedra de Historia Natural en el Collège de France, donde definía la necesidad de contar con colecciones de fósiles formadas y costeadas por el erario público, oponiéndola al diletantismo de los ricos y poderosos. La formación de colecciones iba de la mano de la consolidación de la autoridad de Cuvier y de sus estudios de anatomía comparada, que –sin descartar la ilustración– se basaban cada vez más en la observación de los materiales y la presentación de los fósiles. Por otro lado, si los viajes de exploración se proponían formar los archivos sobre los territorios extraeuropeos, los museos de historia natural se constituían, a la vez, en un eslabón central de esta empresa: el inventario del mundo se completaba almacenando en ellos los datos y los objetos resultado de las expediciones.[9] Asimismo, en Francia y como resultado de una eficaz difusión de la ciencia como emblema de la Nación, el Muséum, la asamblea de los sabios y de los académicos consolidó su autoridad en la Europa entera.

La autoridad de Cuvier y del Muséum intentó la visita al gabinete de Madrid –como lo había hecho con Londres– sin obtener los permisos para hacerlo. El megaterio de Madrid fue re-estudiado *in situ* por primera vez por Ch. Pander y E. D'Alton quienes, en 1821, publicaron en Bonn nuevas imágenes del cuadrúpedo fósil, confirmando la existencia de este animal del que no se tenían más noticias y que permanecía "aislado" por idioma y por política en Madrid.[10] En esos mismos años, Damasio Larrañaga enviaba desde Montevideo a A. Saint Hilaire para que los presentara en París, una carta y fragmentos de un animal, afirmando que, aparentemente, pertenecían al tipo descripto por Cuvier y abriendo la posibilidad de nuevos hallazgos en estas costas.[11]

En la década de 1830, las ilustraciones de los fósiles, aunque siempre importantes, empezaron a compartir su lugar con las reproducciones tridimensionales que se intercambiaban como prueba de buena voluntad entre las distintas asociaciones y museos del continente. En 1837, la administración del Muséum de París inició –como antes lo había intentado el gobierno inglés– las gestiones diplomáticas para realizar una copia del esqueleto de Madrid, que era el único megaterio montado en los museos europeos. La imitación fiel del original seguiría "el método adoptado por la mayoría de los museos de Europa para multiplicar los preciosos restos fósiles" y que ya se había aplicado para los de los alrededores de París descriptos por Cuvier.[12] El costo de la copia (6.000 francos) sería asumido por la administración del Muséum que enviaría a Madrid al artista competente en estas artes garantizando no provocar daño alguno al precioso esqueleto. Al gabinete de Madrid se le ofrecía, en reciprocidad, una copia de los fósiles de los mamíferos parisinos, cuyas ilustraciones eran ampliamente conocidas en todo el continente.[13] Madrid, aduciendo el probable perjuicio que sufriría el esqueleto, rechazó la oferta.[14]

Sin embargo, serían los museos británicos los primeros en contar con una colección de mamíferos fósiles de América del sur. A mediados de la década de 1830, Charles Darwin, como naturalista del "Beagle", regresaba a

Londres con osamentas de las regiones del Plata, de Bahía Blanca y de Puerto San Julián. Depositada en el Museum of the College of Surgeons, esta colección fue descripta por Richard Owen entre 1838 y 1840,[15] quien haría un estado de la cuestión en los siguientes términos: "Los restos óseos de los mamíferos extinguidos pueden considerarse como uno de los resultados más interesantes de las investigaciones de Mr. Darwin en América del sur [...]. Los restos de mamíferos sudamericanos extinguidos hasta ahora descriptos se limitan, hasta donde llega mi conocimiento, a tres especies de Mastodon (descriptos por Cuvier, hallados por Humboldt) y al gigantesco Megatherium (descriptos e ilustrados por Bru, Cuvier y D'Alton): informes basados en un esqueleto de este cuadrúpedo prácticamente completo, existente en el Museo real de Madrid desde hace más de medio siglo. Las pocas deficiencias en su osteografía han sido complementadas por las descripciones y figuras presentadas por el Dr. Buckland y por Mr. Clift a partir de los restos del Megaterio traído por Sir Woodbine Parish desde Buenos Aires y que fue descubierto en el cauce del Río Salado. Las colecciones de Sir W. Parish de la misma localidad, incluye también restos de otras especies de Edentados extinguidos que todavía no han sido descriptos".[16] Owen se refería a las dudas que generaba el esqueleto de Madrid y sus ilustradores pero también dejaba constancia de la necesidad que ya se había instalado entre los orictólogos de basar los estudios anatómicos en la observación de los materiales de colección. Los especímenes que estaban llegando a Europa desde América del sur demostraban que la falta de éstos en las colecciones europeas no significaban escasez de restos sino de viajes al efecto. El ojo y los esfuerzos de Darwin confirmaban la variedad de la naturaleza americana extinta en tiempos relativamente recientes. Así, "la abundancia y la variedad en América del sur de restos óseos de mamíferos extinguidos quedan demostradas por los materiales de la descripción siguiente recogida por un solo individuo, cuya esfera de observación se limitó a una parte de América del sur relativamente pequeña. El futuro viajero puede esperar un éxito similar si pone en la búsqueda el mismo celo y tacto que distingue al caballero con el cual la ciencia orictológica ha quedado endeudada por semejantes novedosas y valiosas adquisiciones".[17]

A fines de la década de 1830, Mr. Woodbine Parish, encargado de los negocios británicos en el Plata y un informante de Darwin durante su estadía en estas regiones, regresaba a Europa con los "restos de extraordinarios monstruos fósiles" y con algunas respuestas sobre los enigmas geográficos y políticos generados por las pampas argentinas.[18] Asimismo, Peter W. Lund, un naturalista danés, enviaba a la Academia de Ciencias de Copenhague la descripción de la fauna fósil de las cavernas de Brasil, que Owen incorporaba a la definición de sus nuevos géneros y especies de mamíferos sudamericanos extinguidos.[19] Los fósiles que llevó Parish fueron presentados a la Geological Society y estudiados por Richard Owen, a instancias de quien se realizaron copias para obsequiar al Muséum de Paris[20] y al British Museum.[21]

El envío de muestras de los productos de los territorios sudamericanos no sólo fue una empresa encarada por las expediciones europeas sino también una práctica asumida por las nuevas entidades políticas. Así, por ejemplo, en la década de 1840 y a instancias de Pedro de Angelis, Juan Manuel de Rosas, gobernador de la provincia de Buenos Aires, presentaba tanto al Royal College of Surgeons Museum como al Muséum d'Histoire Naturelle sendas colecciones de mamíferos fósiles pampeanos.[22] Destaquemos que este gesto adquiría gran significado diplomático hacia los gobiernos de Gran Bretaña y de Francia dado que los "monstruosos" mamíferos sudamericanos ya habían pasado a constituir un objeto escaso y precioso en los museos de Londres y de París. Pero, asimismo, se inscribía en la conducta de muchos otros gobernantes que veían en el envío a las instituciones metropolitanas una manera de discutir, garantir y multiplicar el efecto de la exhibición de las peculiaridades locales. En el caso de los mamíferos fósiles de Buenos Aires, su tamaño y abundancia daban prueba de que las llanuras pampeanas eran una tierra capaz de sustentar gigantescos herbívoros y apta, en consecuencia, para los ganados y las mieses.[23]

LOS COLECCIONISTAS DE PROVINCIA Y LAS INSTRUCCIONES METROPOLITANAS

Los museos europeos participaban también en el proceso de creación de un nuevo público a través de la educación por la observación de la naturaleza, de acuerdo a una retórica –aparecida durante el Antiguo Régimen– acerca de la utilidad pública y moral de las ciencias naturales para preservar el orden civil.[24] La relación entre las sociedades científicas metropolitanas y de provincia, entre la ciencia popular e institucionalizada así como entre los "gentlemen" y el trabajo de campo, son aspectos que han comenzado a estudiarse en los últimos años.[25] En efecto, los museos en la primera mitad del siglo XIX se habían vuelto un lugar de referencia para el público que, como describía Owen en 1860, no dudaba en acudir al mismo gabinete del científico para satisfacer su curiosidad.[26] La relación con el extramuros del museo adoptaba, entre otras formas, la del intercambio de correspondencia, información y colecciones.[27] En este marco surgieron también las "instrucciones" de las sociedades científicas para los viajeros y naturalistas, y las relaciones de asesoramiento y protección hacia algunos de los corresponsales de provincia que actuaban como sus proveedores. En el Muséum de París, como en otras instituciones, la relación con el coleccionista de fósiles adoptó la forma de contrato permanente o esporádico bajo la figura de naturalista viajero o la de viajero independiente guiado por las instrucciones.[28] Destaquemos que estas últimas se utilizaron hasta iniciado el siglo XX y que especificaban la diferencia entre trabajar en "un país habitado y civilizado o un país desconocido o desierto".[29]

A mediados de la década de 1830, en las provincias civilizadas de la Auvergne, la fauna fósil era objeto de trabajos encarados por los naturalistas locales. Algunos de ellos como Lartet, Auguste Bravard y el abate Croizet competían –y colaboraban– entre ellos para el armado de colecciones, sus catálogos y su venta a los establecimientos públicos o a los coleccionistas privados con recursos suficientes para pagar su valor. Bravard había sido, en 1829, uno de los protegidos ocasionales de Cuvier y de Laurillard pero: "En esos años, privado de fortuna fui obligado a forjarme una posición en el mundo y a renunciar al estudio de las ciencias naturales para dedicarme a la arquitectura que ejerzo desde hace unos doce años. Y para no desviarme de mi propósito cedí mis colecciones paleontológicas al abate Croizet y al Sr. De Laizer. Habiéndome procurado mi trabajo y mi casamiento con la hija del escribano en jefe del tribunal de Issoire cierto bienestar, desde hace unos años he podido consagrar dinero y todos mis momentos de ocio a la formación de una colección nueva y he llegado a resultados que estaba lejos de prever ya que mi colección se compone, en restos óseos solamente, de 4 a 9.000 fragmentos pertenecientes a más de ciento cincuenta especies perdidas, rescatadas tanto en los terrenos terciarios de agua dulce, tanto en los aluviones volcánicos antiguos, como en las cavernas o en las grietas de las rocas".[30] Bravard representaba así uno de los muchos "amateurs" de las ciencias de provincia, que, con recursos familiares y/o procedentes de su ocupación principal, invertía parte de su tiempo y de su dinero en la formación de colecciones fósiles. Estos "amateurs",[31] formados a través de las instrucciones, los catálogos y las ocasionales visitas a los profesores y las instituciones metropolitanas, clasificaban –la mayoría de las veces ellos mismos– los ejemplares procedentes de sus excavaciones. En relación con el nombre dado a las nuevas especies, en los círculos de los "amateurs" se reproducían los conflictos de la ciencia institucionalizada: el plagio frente a pretendidas prioridades eran acusaciones que aparecían con frecuencia en la correspondencia y en los periódicos locales. Los profesores del Muséum –quienes por otro lado, utilizaban los nombres sin cuestionarlos, siempre que la idoneidad de los amateurs hubiera sido aceptada– intervenían como jueces a los que recurrían sus respectivos protegidos.[32]

Tratando de recuperar el apoyo de Laurillard para lograr la venta de su colección, Bravard daría detalles de su manera de trabajar y de los costos que insumían las investigaciones paleontológicas en la Auvergne.[33] Así, por un lado, surge la existencia de una red de proveedores "no instruidos" en la clasificación pero que identificaban los fósiles en las excavaciones de las canteras locales y que le vendían a Bravard sus hallazgos. Por otro, deja evidencia que las iniciativas de excavaciones sistemáticas en las zonas detectadas por los mineros, implicaba el tiempo del "amateur" como director de las mismas[34] y el costo adicional (salario y vino) de obreros especialmente contratados para ello. Parte del enriquecimiento de las colecciones del Muséum se basaba entonces en la empresa iniciada de manera privada: los profesores recorrían las provincias visitando estas excavaciones, relevando colecciones –ya formadas y clasificadas en un catálogo– de las que algunas se propondría la compra para el engrandecimiento de la ciencia y la patria francesas.

En 1847, después de largas negociaciones, el Estado adquirió para el Muséum las colecciones de fósiles de la Auvergne de Bravard y de Lartet, descartando –o mejor dicho comprando en parte– la del abate Croizet.[35] Destaquemos que Bravard no era un naturalista viajero del Muséum ya que, al igual que los otros, trabajaba con fondos propios y vendía sus colecciones al mejor postor sin un vínculo que lo ligara indefectiblemente a ningún particular, a ninguna institución ni a ningún país. Sin embargo, como parte de los argumentos para presionar sobre la urgencia de la compra, el tópico de evitar que las colecciones salieran de la patria era muy eficaz a la hora de gestionar los fondos del gobierno. La amenaza de verse obligados a vender a los museos ingleses y privar a Francia de sus riquezas fosilíferas, era justificada por el argumento de evitar el despojo de los herederos por un interés egoísta como la ciencia. La conciliación entre la felicidad privada y pública de los hijos de Francia pasaba por una recompensa monetaria que evitaría la disminución del patrimonio familiar y que, a la vez, conservaría el de los tiempos prehistóricos en los museos de la patria. El abate Croizet, por su parte, presionaría a los nobles interesados en los fósiles con la doble amenaza del Estado francés y los museos británicos. Ambos, Bravard y Croizet, venderían parte de sus colecciones al British Museum en 1852.[36]

La revolución de 1848 marcaría una ruptura en la relaciones entre Bravard y el Muséum. Croizet aprovecharía entonces para denunciar a su competidor como participante de la "política roja",[37] mientras que Bravard, frente a la desilusión sufrida, pretendía refugiarse en su mundo de fósiles: renunció "a toda especie de participación, a las ideas como a los actos políticos" a la vez que se sumergía "de manera absoluta en las investigaciones paleontológicas".[38] El mundo de la ciencia –que antes había aparecido como contrario al bienestar económico de la familia– volvía a aparecer como un mundo egoista, lejano a la idea de participación en el presente. Bravard decidiría entonces refugiarse en los fósiles de "país desconocido y desierto".

LOS FÓSILES DEL PLATA

Bravard llegó al Plata y fue admitido en los círculos científico y literario, y donde continuó su oficio de coleccionista para los museos de Londres y París. Bravard recorría las barrancas de ríos y arroyos,[39] trabajaba para el Museo Público de Buenos Aires en la clasificación de objetos fósiles y, como señala Burmeister, aumentó el número de especies de "mamíferos antidiluvianos extraídos del suelo de Buenos Aires" de ocho a cincuenta.[40] Bravard sin embargo, prefirió aceptar el cargo de Inspector de Minas de la Confederación y Director del Museo Nacional de Paraná,[41] a donde se trasladó en 1858. A raíz de su obra paleontológica, la editorial del periódico de Paraná subrayaba: "Quisiéramos ver al naturalista adquirido por el Gobierno cuanto antes recorriendo nuestro hermoso país, para que la Europa al fin conozca sus inmensas riquezas minerales, ese llamativo poderoso de grandes capitales y de una corriente no interrumpida de inmigración".[42] Esta reseña planteaba una novedad con respecto a las prácticas europeas: correspondía al director del museo realizar el trabajo de campo y de recolección de datos en el terreno. Por su entrenamiento como proveedor de las instituciones europeas, Bravard ya había sido formado en las "instrucciones" de éstas. Respetando esta división del trabajo, continuaba siendo un naturalista viajero ocasional para el Museo Británico y el Muséum, pero para la Confederación, su autoridad científica, es decir el director y único empleado del Museo Nacional, se volvía la encargada de realizar las observaciones *in situ*.

Bravard, por su parte, haría conocer el fecundo país a través de la venta de las colecciones de mamíferos fósiles de los terrenos pampeanos, todavía un bien muy preciado y altamente valorado.[43] En 1854, Bravard vendió al British Museum la colección de mamíferos fósiles sudamericanos reunida entre los años 1852 y 1854, y en 1856, empezó a ofrecer otra colección al Muséum.[44] La Asamblea de profesores, sin embargo, recibiría, recomendada por D'Orbigny, otra oferta de huesos fósiles de las Pampas: en la sesión del 9 de diciembre de 1856

> el Sr. Prof. de Paleontología brinda interesantes detalles sobre una colección importante de fósiles obtenidos en los pisos subapeninos[45] de las Pampas de Buenos Ayres por el Sr. Séguin. Solicita que las 42 cajas que contienen esta colección sean recibidas en el Muséum y desembaladas en el establecimiento para que la selección de estos objetos pueda ser realizada por los Profesores del Muséum.

> La Asamblea luego de haber escuchado el desarrollo de esta proposición y las observaciones del Sr. Prof. de Anatomía Comparada, decide que se le dará un local para exponer allí esas osamentas fósiles.

Mientras que François Séguin, "un confitero de Buenos Ayres" conocido de Bravard, ofrecía una colección ya depositada en París,[46] este último, continuando sus costumbres de coleccionista de provincias, había enviado sólo el catálogo.[47] En 1857, la Asamblea de profesores se decide por la colección Séguin e inicia los trámites ante el Ministro de Instrucción Pública para gestionar los 25.000 francos necesarios para su compra.[48] El precio de la colección Bravard era inferior (20.000 francos) y estaba compuesta por 68 tipos de vertebrados (56 mamíferos), la mayoría nuevos, clasificados y etiquetados por él mismo.[49] El argumento utilizado por la Asamblea fue la superioridad de la de Séguin sobre la base de que la colección poseía piezas con las que se podían armar esqueletos enteros.[50] Con ellos, los profesores del Muséum elegían la posibilidad de reconstruir individuos completos más que obtener un muestrario de fragmentos de fauna fósil tal como el que ofrecía Bravard. Así, "un soberbio esqueleto de Glyptodon, de un tamaño gigantesco y de una conservación que no deja prácticamente nada que desear" se volvía de una contundencia rotunda a la hora de convencer al Ministro de la importancia de la colección.

Otra diferencia entre la colección de Séguin y la de Bravard procedía de los saberes diferentes con los que se habían armado. Séguin procedía, como Bravard, de la Auvergne (su familia residía en Clermont Ferrand) pero la manera de presentar su catálogo indica que carecía del saber clasificatorio de este último. En efecto, Bravard era capaz de identificar los restos de fauna ya clasificada por otros pero también de crear, con cierta confianza, especies y géneros nuevos, lo que supone un conocimiento bastante completo del catálogo de fósiles conocidos. Séguin, por el contrario, se limitaba a identificar géneros y especies, sin nombrar nuevos grupos y entregando las colecciones en bruto para su clasificación por los profesores del Muséum o de la Facultad de Ciencias de París.[51] El saber de Bravard, ya previamente comprobado en el Muséum, no era del todo descartado. Muy por el contrario, sin pagarle la colección, los profesores se apropiaron de la clasificación de los fósiles desconocidos. Así, un esqueleto innominado por Séguin es presentado al Ministro con el nombre dado por Bravard: "Llamado provisoriamente Typotherium (en el catálogo de M. Bravard), este animal paradójico tiene muchas analogías con los roedores".[52] La colección Bravard quedó en la Argentina: Bravard murió en el terremoto de Mendoza de 1861 y su herencia fósil fue adquirida a la viuda por el Estado argentino en 1866.[53] Con la creación de la Academia y la Facultad de Ciencias Matemáticas y Físicas en Córdoba, esta colección debería haber pasado, bajo la responsabilidad del respectivo profesor de zoología y con el fin de dedicarla a la enseñanza, al Museo Nacional Argentino que debía fundarse asociado a ella.[54] La colección, sin embargo, quedó en Buenos Aires bajo los cuidados de Burmeister.

Séguin, por su parte, regresó al Plata para continuar su trabajo de proveedor del Muséum ya por encargo de la administración. Esta nueva colección sería presentada en la sección de la Confederación Argentina de la Exposición Universal de París de 1867, organizada por Martin de Moussy, quien por otro lado había sido contratado por la Confederación para realizar una descripción física de las riquezas locales.[55] La "segunda colección Séguin" fue clasificada por el profesor de zoología de la Facultad de Ciencias de París, Paul Gervais y, al finalizar la exposición, fue ofrecida para su venta al Muséum por 50.000 francos.[56] Los profesores del Muséum defendieron la compra con interés, solicitando al Ministro de Instrucción Pública una ley especial que autorizara el crédito por esta suma. Los trámites se iniciaron enseguida pero, como era costumbre, la decisión se demoraba. Hasta que fue adquirida en 1871, se enviaron sucesivos informes y reiteraciones del pedido, cada vez más enfáticas, sobre el valor científico y simbólico de los gliptodontes en las galerías del museo. Entre los argumentos volvía a aparecer la competencia entre los museos y la posibilidad de lograr, a través de esta adquisición, el primer lugar con relación a las colecciones sudamericanas existentes en Europa:

> Esta segunda colección, muy superior a la primera por el número y la belleza de los restos como por la variedad de las formas nuevas para la ciencia que revela, constituirá para el Muséum una adquisición preciosa que lo colocará bien por delante de las de otras naciones con relación a los animales extinguidos de la fauna americana; permitirá progresar a la anatomía comparada y proveerá a la Geología de indicaciones preciosas. La posibilidad de obtener un resultado tan ventajoso no debería descartarse [...] La adquisición de la colección Séguin permitirá agregar hechos importantes y numerosos. Esta colección supera de hecho todo lo que se ha reunido hasta ahora a este respecto; no duplica aquella adquirida precedentemente al mismo coleccionista y compite con ventaja con aquellas de Londres, de Copenhague, de Buenos Ayres, las más ricas que se poseen de este género.[57]

Por otro lado, en 1869, Burmeister había logrado un decreto por el cual se impedía la exportación de mamíferos fósiles que se reservaban para el Museo Público de Buenos Aires. Los profesores del Muséum señalaban, entonces, que ésta sería la última oportunidad de adquirir una colección semejante y que había que evitar su venta a los museos extranjeros. Con la aprobación del crédito y a través de la herencia que Serres dejó para el aumento de las colecciones fósiles, el laboratorio de Anatomía comparada adquirió –a pagar en diez años– la colección de François Séguin, definitivamente instalado en Clermont Ferrand, donde murió en 1878 y donde sus herederos recibirían el saldo restante.[58]

El montaje de la colección fue una de las obras que ocupó más tiempo y gran parte del presupuesto de los años 1872 a 1875 del laboratorio de Anatomía Comparada. La reconstrucción de la coraza del gliptodonte llevó varios kilos de cera amarilla y horas extras del artesano contratado especialmente para su ensamblado.[59] Francia tenía por fin su megaterio y varios gliptodontes entre sus colecciones de Anatomía Comparada.[60] Años más tarde, y mucho después de la visita de Ameghino, las colecciones de fósiles pasarían a las galerías de Paleontología y con ellas el orgullo por los mamíferos pampeanos. En 1885 Gaudry presentaba el espectáculo de los esqueletos armados con verdadera satisfacción: "El Primer esqueleto que se presenta entrando a la galería de Paleontología pertenece al Megatherium Cuvieri [...] A cada lado del Megatherium hemos ubicado los esqueletos de Glyptodon, que fueron, como éste, encontrados por Séguin en las pampas de la Confederación Argentina".[61]

Una de las cajas de la colección Séguin se perdió: aquella que contenía los restos (huesos y dientes) del hombre fósil[62] y que Florentino Ameghino buscaría con tanto afán. Recordemos que, en 1878, Ameghino partió hacia la Exposición Universal de París de ese año. Llevaba consigo el catálogo de las colecciones de antigüedades de Tucumán, su propia colección de mamíferos extinguidos, e iba comisionado por otros coleccionistas para la venta de huesos fósiles de la Argentina.[63] La venta de su colección y los fondos suministrados por algunos comerciantes de Mercedes le permitieron permanecer varios años en Europa donde, entre otras cosas, clasificó nuevos géneros y especies comparando sus piezas con las de la colección Séguin del Muséum.[64] Esta colección, volvamos a subrayar, resultó de dos caminos: por un lado, la demanda en los museos europeos de los mamíferos fósiles sudamericanos; por otro, de la práctica de recolección de materiales a través de una red de proveedores quienes, frente a los altos precios de los "titanes pampeanos", se trasladaron a América para su búsqueda y envío. La abundancia de fósiles en los alrededores de Luján y Mercedes –conocida en Europa desde el envío del megaterio– hizo que esta zona, donde Ameghino se había criado y donde ejercía su cargo docente, atrajera a los proveedores franceses. Queda por demostrar que, en los años de infancia de los hermanos Ameghino, la probabilidad de encontrar una osamenta fósil en las barrancas de los cursos de agua pampeanos debía ser tanta como la de encontrar un francés a su lado.

NOTAS

1. F. Ameghino, *Contribución al conocimiento de los mamíferos fósiles de la República Argentina*, (1890) en *OO.CC.*; 6, págs. 22-23, La Plata, Taller de impresiones oficiales, 1916; Julio Orione "El hallazgo del megaterio en el Virreinato del Río de la Plata", *Cuadernos Hispanoamericanos*, 489, págs. 80-89. Madrid, 1991; Manuel Trelles "El Padre Juan Manuel Torres", *Revista de la Biblioteca Pública de Buenos Aires*, 4, 1882, págs. 439-448.

2. José M. López Piñero, "Juan Bautista Bru (1740-1799) and the description of the Genus *Megatherium*", *Journal of the History of Biology*; 21, 1, 1988, págs. 147-163; "El Megaterio", *La aventura de la historia*, 1, 3, enero de 1999, Madrid, págs. 88-89; J. M. López Piñero y Thomas Glick *El megaterio de Bru y el presidente Jefferson: una relación insospechada en los albores de la paleontología*, Cuadernos Valencianos de Historia de la Medicina y de la Ciencia, 42. Universidad de Valencia/CSIC, 1993; Francisco Pelayo *Del Diluvio al megaterio*, Madrid, CSIC, 1993.

3. Martin J. S. Rudwick, "The Megatherium from South America" en *Georges Cuvier, fossil bones, and geological catastrophes. New translations and interpretations of the primary texts*, Chicago, Chicago University Press, 1997, págs. 25-32.

4. "Si se examina el ESQUELETO en general, y segun se presenta armado sobre un PEDESTAL GRANDIOSO en una SALA DE PETRIFICACIONES de este REAL GAVINETE, presenta sin duda á los ojos de un NATURALISTA uno de los espectaculos mas vistosos, alhagüeños, y agradables, que pueden caber en la imaginacion. La corpulencia y enorme volumen, que resulta de todo el conjunto de sus Huesos, es tan pasmoso y admirable, que será menester ser absolutamente de una naturaleza destituida de la posibilidad aun de sentir aquel, que no quede movido y sorprèndido á vista de tan vasta MOLE, y que no se reconozca interiormente estimulado de llegarse á èxaminar curioso un tan raro y singular PRODIGIO." *Descripcion del esqueleto de un quadrúpedo muy corpulento y raro, Que se conserva en el Real Gabinete de Historia Natural de Madrid.* La publica Don Joseph Garriga, Capitán de Ingenieros Cosmógrafos de Estado, Madrid, 1796 en la imprenta de la viuda de Don Joaquín Ibarra, págs. 1-2. Destaquemos que en el lenguaje de Garriga, la Madre Naturaleza aparece autónoma, no asociada a Dios ni como manifestación de un espíritu sabio. Para lo maravilloso en la descripción de la naturaleza cf. Lorraine Daston y Katharine Park *Wonders and the Order of Nature 1150-1750*, Zone Books, 1998 y Paula Findlen *Possessing Nature. Museums, collecting, and scientific culture in Early Modern Italy*, Berkeley, University of California Press, 1994, pág. 22.

5. Garriga *op. cit.*, pág. 1.

6. Para la competencia entre los museos franceses y británicos cf. Cornelius Steckner "Museen im Zeichnen der Französischen Revolution: von evolutionären zum revolutionären Museum", en Andreas Grote (ed.), *Macrocosmo in Microcosmo. Die Welt in der Stube. Zur Geschichte des Sammelns 1450-1800*, Opladen, Leske und Budrich, 1994, págs. 817-853.

7. E. Bertrand, *Dictionnaire universel des fossiles propres et des fossiles accidentels*, t. 1, La Haye: chez Pierre Gosse junior et Daniel Pinet, 1763. La separación del estudio de los fósiles accidentales –que conservarían el nombre de fósiles– de los

verdaderos (los minerales) dio origen a una nueva disciplina que, aunque también mantuvo el nombre de "orictología", empezó a ser llamada "paleontología" en el siglo XIX. Owen, por ejemplo, usó indistintamente ambas denominaciones hasta la década de 1840.

8. Nicole y Jean Dhombres, *Naissance d'un pouvoir: sciences et savants en France, 1793-1824*, París, Payot, 1989; Claude Blanckaert, Claudine Cohen, Pietro Corsi y J. L. Fischer (comp.) *Le Muséum au premier siècle de son histoire*, París, MNHN, 1997.

9. Sobre las expediciones francesas cf. Ives Laissus (comp.) *Les naturalistes français en Amérique du Sud. XVIe- XIXe siècles*, París, CTHS, 1995 y toda la bibliografía sobre Darwin y el viaje del Beagle. Sobre los museos y la situación en América, entre otros, M. Margaret Lopes, *O Brasil descobre a pesquisa científica. Os Museus e as ciências naturais no século XIX*, São Paulo, Hucitec, 1997; Silvia Figueirôa *As ciências geológicas no Brasil: uma história social e institucional, 1875-1934*, São Paulo, Hucitec, 1997; Susan Sheets Pyenson *Cathedrals of Science. The development of colonial Natural History Museums during the late Nineteenth Century*, Montreal, McGill-Queen's University Press, 1988.

10. *Das Riesen Faulthier Bradypus giganteus, abgebildet, beschreiben, und mit verwandten Geschlechten verglichen*, Bonn, 1821.

11. Larrañaga asociaba los restos de "su Dasypus" con el megatherium. "Note sur le Megatherium de Cuvier, l'Hydromis, et une varieté nouvelle de Maïs (extraído de una carta de D. Damasio –Larranhaga, de Montevideo, a M. Auguste de Saint-Hilaire)", *Bulletin des Sciences par la Societé Philomatique de París*, junio de 1823, París, pág. 83.

12. Leg, "Moulage du Megatherium du Cabinet de Madrid" (AJ/15/ 841 ANF).

13. M. J. S. Rudwick *Scenes from the deep time. Early pictorial representations of the prehistoric world*, Chicago, Chicago University Press, 1992.

14. Leg, "Moulage du Megatherium du Cabinet de Madrid" (AJ/15/ 841 ANF).

15. *The Zoology of the Voyage of H.M.S. Beagle, under the command of Captain Fitz Roy, R.N., during the years 1832 to 1836*. Published with the approval of the Lords Commissioners of Her Majesty's Treassury. Ed. and Superintended by Charles Darwin, Esq. M.A. F.R.S Sec G.S. Naturalist to the Expedition. Part 1. Fossil Mammalia by Richard Owen, Esq F.R.S.London: Smith, Elder and Co. 1840 (o 1838); Richard Owen "Description of a tooth and part of the skeleton of the *Glyptodon clavipes*, a large Quadruped of the Edentate Order, to which belongs the tesselated bony armour described and figured by Mr. Clift in the former Volume of the TGS, with a consideration of the question whether the Megatherium possessed an analogous Dermal Armour", *TGS*, 1839 (read March 23rd), Londres, págs. 81-106 and plates X, XI, XII y XIII.

16. Owen, *Voyage of the Beagle*, *op. cit.*

17. *Op. cit.*, págs. 14-15.

18. Woodbine Parish, *Buenos Ayres and the Provinces of the Rio de la Plata; Their present state, trade and debt; with some account from original documents of the progress of geographical discovery in those parts of South America during the last sixty years*, Londres, 1839.

19. Sin embargo, las colecciones de Lund pasaron a Europa al Museo de Copenhague recién a fines de la década de 1840. Lund publicó casi toda su obra en su lengua materna y Owen pudo leerla gracias a las traducciones provistas por el Reverendo Bilton. Existe una traducción al portugués de 1950, a cuya lectura refiero, cf. P. Lund *Memórias sôbre a Paleontologia Brasileira.* Revistas e comentadas por Carlos de Paula Couto (paleontólogo del Museu Nacional), Río de Janeiro, Instituto Nacional do Livro, 1950.

20. "Cartas de Richard Owen a Laurillard" (MS 638 MNHN) y "Catalogue des Ossements fossiles de Vertebrés placés dans les galeries de Géologie et Mineralogie", vol. 10, 1861 (Laboratoire de Paléontologie del MNHN).

21. R. Lydekker, *Catalogue of the fossil Mammalia in the British Museum, Natural History*, parte 1, Londres, 1885.

22. Estos fósiles habrían sido coleccionados en la zona de Luján por Francisco Javier Muñiz según las versiones de Burmeister, Sarmiento y Ameghino, y mencionadas también en José Babini, *Historia de la ciencia en la Argentina*, Buenos Aires, Solar, 1986 y Horacio Camacho *Las ciencias naturales en la Universidad de Buenos Aires. Estudio histórico*, Buenos Aires, Eudeba, 1971. La misma procedencia aparece en el "Catalogue des Ossements fossiles de Vertebrés placés dans les galeries de Géologie et Mineralogie", vol. 10, 1861 (Laboratoire de Paléontologie del MNHN). Por otro lado, los enviados a Londres fueron coleccionados por el mismo De Angelis en 1841. Richard Owen, *Description of the Skeleton of a Extinct Gigantic Sloth, Mylodon robustus, Owen, with observations on the osteology, natural affinities, and probable habits of the Megatherioid quadrupeds in general*, Londres, R. and J. E. Taylor, 1842.

23. Parish, en la reedición de su libro de 1852, destacaba el carácter herbívoro de estos "titanes". W. Parish, *Buenos Ayres and the Provinces of the Río de la Plata: from their discovery and conquest by the spaniards to the stablishment of their present state, trade, debt, etc: an appendix of historical and statistical documents and a description of the geology and fossil monsters of the Pampas*, 2ª ed., Londres, 1852 cuya traducción castellana (Justo Maeso) se hizo en Buenos Aires en 1852-1853 (dos volúmenes) con el título *Buenos Aires y las Provincias del Río de La Plata. Desde su descubrimiento y conquista por los españoles.*

24. P. Corsi, "Le Muséum et l'Europe", en Blanckaert *et al.*, *op. cit.*, págs. 636-637; Dorinda Outram, "The Language of Natural Power: The 'Éloges' of Georges Cuvier and the Public Language of Nineteenth Century Science", *History of Science* (1978), 16, págs. 153-178; Charles B. Paul *Science and Inmortality. The Éloges of the Paris Academy of Sciences (1699-1791)*, Berkeley, University of California Press, 1980.

25. Entre otros se pueden citar las obras de Ian Inkster y Jack Morrell (comps.) *Metropolis and Province. Science in British Culture 1780-1850*, Filadelfia, University of Pennsylvania Press, 1983; M. J. S. Rudwick, *The Great Devonian controversy: the shaping of scientific knowledge among gentlemanly specialists*, Chicago, University of Chicago Press; Henrika Kuklick y R. Kohler, "Science in the field", *Osiris*, 11, 1996.

26. Este público comprendía, "The local collector of birds, bird eggs, shells, in-

sects, fossils, &c. -the intelligent wageman, tradesman or professional man, whose tastes may lead him to devote his modicum of leisure to the pursuit of a particular branch of Natural History", Richard Owen, *On the extent and aims of a National Museum of Natural History. Including the substance of a discourse on that subject, delivered at the Royal Institution of Great Britain, on the evening of Friday, 26 de abril de 1861*, Londres, Saunders, Otley and Co., 1862, pág. 117.

27. Anne Secord, "Corresponding interests: artisans and gentlemen in nineteenth-century natural history", *The British Journal for the History of Science*, 27, págs. 383- 408, 1994.

28. Claudine Cohen, *L'homme des origines. Savoirs et fictions en Préhistoire*, París, Du Seuil, 1999, véase especialmente el capítulo "Bouvard et Pécuchet paléontologues", págs. 225-248.

29. Marcelin Boule "Enseignement des Sciences. Cours spéciaux des Voyageurs. Conférence de Paléontologie", *Revue Scientifique (Revue Rose)*, 24, 4 serie, t. 1, 16 de junio de 1894, págs. 737-746.

30. Carta de A. Bravard a Laurillard del 17 septiembre de 1845, Leg. Bravard MN 638 MNHN.

31. "Amateur" no tenía entonces un sentido despectivo.

32. En las cartas del Leg. Bravard *op. cit.*, Bravard se queja sucesivas veces de otros "amateurs" por robo de prioridades o por desconocer sus clasificaciones ("En 1830 publiqué una breve memoria con el título *Monographie du Cainotherium* un género nuevo de la familia de los paquidermos que MM de Laizer y Parieu han *luego* escrito con el nombre de *Oplotherium*"). En el Leg. Croizet (MN 638 MNHN) aparecen quejas del mismo tenor y Laurillard, protector de ambos, parece adoptar frente a ellas una actitud neutral.

33. "M. Gervais ha visto una de las excavaciones que hice la primavera pasada en el conglomerado de la montaña de Perrier. He aquí los detalles de los gastos de la misma:

Ancho del pozo	22m00]	
Largo	20m00]	3.080 metros
Profundidad	7m00]	
Explotación de 3080 metros cúbicos de piedra a 1 f, 00c		3.080f 00c
Escombrar a pala a 0 f, 25 c		770
66 jornadas para remover la arena de los huesos a 2fr 25 c incluyendo una botella de vino por día		148 50c
Indemnización pagada al propietario		100 00
Total		4.098f 50c

Y no cuento los gastos que hice para excavar debajo del conglomerado en la capa "osificada" de las galerías que le prolongan de 6 a 8 metros. Independientemente de la excavación detallada arriba, hice otras cuatro en verdad menos onerosas pero, en suma, los gastos que puedo recordar, hoy se elevan a 20.000 francos sin incluir una multitud de otros pequeños que no he anotado. Podría con gusto hacer el sacrificio de mis días y de mi ocio en interés de las ciencias naturales; pero hay algo de lo que no puedo disponer de la misma manera: la fortuna de mis hijos (Carta de B a L del 17 de septiembre de 1845). El resultado ha sido inmenso, algo que no hubiese obtenido si mi posición de arquitecto de la zona de Issoire no me hubiese creado las relaciones con todos los responsables de las canteras y los fabricantes de cal de nuestro país, a raíz de las cuales todo lo que se descubre se pone inmediatamente a mi disposición. Pero además de lo así obtenido, es bueno recordarle que, con gran costo y durante el espacio de tres años, hice hacer excavaciones inmensas en los aluviones de la montaña de Perrier y en otros depósitos diversos que descubrí después de que unted visitara estas regiones (carta sin fecha ca. 1842, Leg. MN 638 MNHN).

34. La esposa de Bravard, es decir la heredera que permitió su regreso a las ciencias, parece haber participado del gusto por los fósiles, tal como lo reflejan los halagos de Laurillard al saber paleontológico de Madame (cf. carta del 23 de diciembre de 1847, MN 638, MNHN).

35. Muséum d'Histoire Naturelle, *Inauguration des Nouvelles galeries de zoologie*, París, Imprimeries Reunies, 1889.

36. Lydekker, *op. cit.*

37. Carta de Croizet a Laurillard, 30 de octubre de 1850 (MS 638 MNHN).

38. Carta de Bravard a Laurillard, 27 de julio de 1849 (MS 638 MNHN).

39. Es probable que los proveedores franceses, entre los cuales se cuentan Bravard, Séguin Vilardebó y Bonnement, siguieran las indicaciones de la obra de d'Orbigny. En su viaje (1826-1833), d'Orbigny coleccionó sobre todo invertebrados fósiles pero marcó la ubicación de los mamíferos. Martin de Moussy (*vide infra*) es quien señala que todos se guiaban por los mapas de d'Orbigny.

40. Germán Burmeister, *AMPBA*, Entrega primera, Buenos Aires, Bernheim y Bonneo, 1864: "Sumario sobre la fundación y los progresos del Museo Público de Buenos Aires", págs. 3 y 7.

41. Sobre el Museo de Paraná con anterioridad a Bravard cf. I. Podgorny "Un belga en la corte de Paraná", en B. De Groof, P. Geli *et al.* (comp.), *En los deltas de la memoria. Bélgica y Argentina en los siglos XIX y XX*, Leuven University Press, 1998, págs. 55-61.

42. Sin firma, "Bibliografía: Monografía de los terrenos marinos del Paraná por Augusto Bravard", *El Nacional Argentino*, 3 de junio de 1858, nº 660, Paraná.

43. Leg. Bravard (AJ/15 543, ANF) y R. Lydekker, *Catalogue of the fossil Mammalia in the British Museum, Natural History*, parte I, Londres, 1885 y parte V, *Containing the group Tillodontia, the orders Sirenia, Cetacea, Edentata, Marsupialia, Monotremata and Supplement*, Londres, 1887.

44. Séance du 18 Novembre 1855. PVSP, Commencé en Novembre 1855 (AM 57 MNHN).

45. Categorías de d'Orbigny.

46. Las cajas contenían los siguientes restos procedentes de Luján: "1) 4 a 5 esqueletos casi enteros del mismo número que de caparazones de Glyptodon de dos o tres especies; 2) Esqueletos casi enteros de tatús grandes o de Glyptodon de tamaño pequeño; 3) Megatherium grande, dos esqueletos y cabezas; 4) Megatherium pequeño; 5) Mylodon, esqueletos completos y cabezas; 6) Restos de Megalonyx; 7) Carni-

ceros; 8) Roedores grandes (esqueletos casi completos); 9) Roedores pequeños; 10) Cabeza de caballo; 11) Varios esqueletos de animales desconocidos; 12) Un esqueleto de reptil; 13) Tortuga". Sesión del 9 de octubre de 1856, PVSP, *op. cit.*

47. "Résumé du catalogue des collections paléontologiques d'Auguste Bravard. Amérique du Sud 1852-1856" y "Catalogue des espèces d'animaux fossiles recueillies dans l'Amérique du Sud par Auguste Bravard de 1852 à 1860", Laboratoire de Paléontologie del MNHN.

48. Séguin pedía 30.000 francos (Carta de Séguin al profesor de Anatomía Comparada, profesor Serres, del 27 de febrero de 1857, Leg. Séguin. Collections d'ossements fossiles et squelettes recueilles dans la République Argentine. Cession au Museum AN AJ/15/552). En todos los legajos de compra de colecciones los profesores del Muséum bajan los precios solicitados originalmente por el coleccionista.

49. "Résumé du catalogue des collections paléontologiques d'Auguste Bravard. Amérique du Sud 1852-1856."

50. Informe enviado al ministro de Instrucción Pública el 8 de abril de 1857 (au nom d'une commision composée de MM le Prof. de Géologie, d'Anatomie Comparée, de Zoologie et de Paléontologie). Leg. Séguin, *op. cit.*

51. La segunda colección Séguin (vide infra) sería clasificada por Paul Gervais de la Fac. des Sciences de París.

52. Informe, *op. cit.*

53. G. Burmeister, "Examen crítico de los mamíferos y reptiles fósiles denominados por D. Augusto Bravard y mencionados en su obra precedente", *AMPBA*, entrega 2 del tomo II, 1885.

54. "Reglamento aceptado por el Exmo. Gobierno de la Nación, para regir en la Academia de Ciencias Exactas de enero de 1870", *BANC*, 1, 1874, págs. 16 y 24-25.

55. *La Confédération Argentine a l'Exposition Universelle de 1867 a Paris. Notice Statistique générale et catalogue*, París, Mme. Veuve Bouchard-Huzard, 1867 y Victor Martin de Moussy, *Description geographique et statistique de la Confédération Argentine,* 3 vols., París, Firmin Didot Frêres, 1860-64.

56. Es interesante destacar el precio comparativo (y menor) que en esos años tenían las colecciones de fósiles franceses –similares a la colección Bravard de la Auvergne– que el Muséum seguía adquiriendo:

1 Fósiles de Saint Gérand le Puy (Allier), 200 osamentas aproximadamente, Mamíferos (Cainotherium, Carniceros diversos)	150 fr
10.000 osamentas aproximadamente de aves diversas 250 fr. c aproximadamente 300 osamentas de Reptiles. 100 fr	500 fr
2 Fósiles de Curchy, cerca de St Gérard le Puy (Allier) Huesos y dientes de oso, hiena, Rinoceronte, buey, ciervo	40fr
3 Fósiles de Solutré, cerca de Macon. Molares y osamentas de renos. Silex tallados	50fr
4 Fósiles de las arenas marinas de Montpellier. Mastodonte (costilla y molar) Rhinoceros (parte del fémur, metacarpiano, Antílope (2 partes del fémur, cuerno)	60fr
5 Fósiles de la gruta Le Lantil, cerca de Saint Pons	

Dientes de Rhinoceros y de buey 50fr
6 Fósiles del Periogord
Osamentas de jabalí y de Reno, sílex tallados 50fr
7 Fósiles de la estación etrusca de Certosa, cerca de Bologne
Hueso de caballo, Buey, Cabra, Oveja, Cisne 25fr
Total 775fr
8 Fósiles de las Terramares de Mentale, cerca de Módena
Huesos de Jabalí, Caballo, Cabra y Ciervo 25fr
9 Fósiles de los depósitos litográfico de Baviera
68 improntas de esqueletos: 34 especies de los géneros Lepidotus, Pholidophorus, Plesiadus, Propterus, Caturus, Mesodon, Thrysops, Leptolepis, Aspidorhyncus,
Manosemius, Microdium y Gyrodus 304 fr
10 Fósiles de Buenos Aires
Huesos de Typotherium de diversos Edentados, de Caballo y de Rumiantes 20fr
total 1124fr

(Recibo de la casa E. Verreaux. Catálogo de la venta del 27 de diciembre de 1871, Leg. Séguin, *op. cit.*).

57. "Rapport sur la nouvelle collection d'ossements fossiles faite dans l'Amerique mèridional par M. Séguin del 25 de Mayo de 1870", Leg. Séguin, *op. cit.*).

58. Leg. Séguin, *op. cit.*

59. Leg. Séguin, *op. cit.*

60. En 1865, Serres ya había presentado el primer Gliptodonte armado; *Opinion National* del 26 de septiembre, 8/10 de octubre de 1865; *L'Epoque* del 16 de octubre de 1865.

61. "Nouvelle galerie de Paléontologie" por Albert Gaudry, París, Gauthier Villars, 1885, Nota leída en la Académie des Sciences, en la sesión del 9 de marzo de 1885, por Albert Gaudry, Miembro del Instituto, profesor de Paleontología en el Muséum d'Histoire Naturelle.

62. Entrada 376 del Catalogue genéral. Magasins d'Anatomie Comparée, 1868-1872.

63. I. Podgorny "De la santidad laica del científico: Florentino Ameghino y el espectáculo de la ciencia en la Argentina moderna", *Entrepasados, Revista de Historia*, 13, 1997, Buenos Aires, págs. 37-61.

64. Henri Gervais y Florentino Ameghino, *Les mammifères fossiles de l'Amerique du Sud*, París, Librairie F. Saug y Buenos Aires, Igon, 1880.

ABREVIATURAS

AMPBA: Anales del Museo Público de Buenos Aires para dar a conocer los objetos de la Historia Natural nuevos o poco conocidos en este establecimiento.
ANF: Archives Nationales (CARAN, France).
BANC: Boletín de la Academia Nacional de Ciencias de Córdoba.
MNHN: Muséum National d'Histoire Naturelle.

OCCC: Obras Completas y Correspondencia Científica de Florentino Ameghino.
PVSP: Registres des Procés Verbaux des les Séances de Professeurs-administrateurs du MNHN.
TGS: Transactions of the Royal Geological Society.

AGRADECIMIENTOS

Los materiales de la Biblioteca Central, los catálogos y manuscritos del MNHN y de los ANF se pudieron consultar en enero de 1999 en el marco del convenio ECOS-SECyT dirigido por J. Rabassa y Laura Miotti. Por otro lado, parte de la bibliografía aquí citada fue adquirida gracias a un subsidio de Inicio de Carrera de la Fundación Antorchas. Quiero agradecer a Claudine Cohen, M. Margaret Lopes, María I. Martínez Navarrete, Borja Sanchiz y Gil de Avalle, Léon Napias, Diego Hurtado de Mendoza, Beatriz Medina, Laura Miotti y a Fernando Ramírez Rozzi, por sus comentarios y sugerencias bibliográficas, y a Christian de Muizon, Daniel Goujet (Laboratoire de Paléontologie del MNHN), Monsieur Robineau y Francis Renoult (Laboratoire d'Anatomie Comparée del MNHN) por su inapreciable ayuda en la búsqueda de los catálogos de las colecciones. Asimismo, no quiero dejar de mencionar la colaboración de los bibliotecarios de las intituciones aquí citadas.

EL MUSEO BERNARDINO RIVADAVIA, INSTITUCIÓN FUNDANTE DE LAS CIENCIAS NATURALES EN LA ARGENTINA DEL SIGLO XIX*

SANDRA SAURO

RESUMEN

La pregunta por la ciencia en la Argentina en el siglo XIX, desde un sentido histórico, nos invita a recorrer un largo camino. El primer paso, según nuestro punto de vista, consiste en precisar el contexto histórico-político de fundación de instituciones científicas, en este caso, los museos. Poder definir la producción científica, la función, las redes, las colecciones, los intereses, las concepciones, nos va acercando a la respuesta. Porque preguntarse por la ciencia en la Argentina no debe omitir la pregunta por el estado de la ciencia en general. Al contrario. El proceso local será mejor entendido cuando pueda situárselo en el contexto universal. Cuando pueda confrontárselo y comparárselo con otros casos, otras instituciones, buscando las similitudes y las diferencias, las rupturas y las continuidades, las motivaciones genuinas y las influencias, las innovaciones y las herencias.

En el proceso de profesionalización y de institucionalización de las ciencias naturales en la Argentina, visto desde la historia del Museo Bernardino Rivadavia, pueden señalarse tres etapas. La creación o fundación en 1812,

* Este trabajo forma parte de la investigación *El análisis histórico-social de la ciencia en la Argentina en la segunda mitad del siglo XIX*, realizada en el Departamento de Humanidades de la Universidad de San Andrés, mediante el apoyo de la Agencia Nacional de Promoción Científica y Tecnológica.

marca el inicio. La etapa intermedia representa las dificultades en la organización y la exhibición como *gabinete de curiosidades*. El último momento es el de la catalogación y persigue un modelo y un modo de hacer científicos, aparecen las publicaciones y los intercambios con el exterior.

INTRODUCCIÓN

Intentaré mostrar aquí un estado de avance de investigación, resultante de un trabajo llevado a cabo en colaboración con la licenciada Mantegari, bajo la dirección del profesor Montserrat.

La idea más general de la que partimos consiste en abordar la historia social de la ciencia, desde sus líneas matrices en el período histórico de su constitución. Preguntarnos por la ciencia en la Argentina durante el siglo XIX es, como puede advertirse, abrirse hacia un horizonte bastante amplio y bastante desconocido. No sólo porque existen escasos trabajos sobre este tema, sino además, porque no existen trabajos actualizados.

La primera pregunta es de por sí muy abarcadora, y requirió de una mayor precisión. Decidimos centrarnos en la fundación de instituciones científicas y en la actuación de los propios científicos en ellas, recorte que nos permitiría recorrer el camino planteado.

Lo primero que atrajo nuestra atención fue que, tempranamente, desde el comienzo del proceso emancipatorio, se dictó una circular con vistas a la fundación de un museo, allá por 1812. Esta fue la primera institución que se fundó con el objetivo de desarrollar la ciencia.

Las nuevas condiciones político-institucionales surgidas en 1810 introdujeron cambios ideológico-filosóficos que permitieron el desarrollo científico local. Así lo expresa el prestigioso historiador y filósofo de la ciencia mexicano, Juan José Saldaña[1] refiriéndose a América latina:

> [...] los nuevos estados independientes, como parte de la reforma liberal que animaba a sus líderes, no dejaron de hacer explícito su interés por el desarrollo de la educación, la ciencia y la tecnología, así como su decisión de apoyarse en ellas para logar los fines sociales y políticos que se proponían. Con ello la ciencia y la técnica dejaban de ser un asunto básicamente privado como había sido el caso bajo el régimen colonial y pasaban a ser un asunto de interés público [...].

Al igual que en el resto de Latinoamérica, el Estado asume el fomento de la educación y la ciencia, así como la creación de instituciones para alcanzar el bien común. Durante la primera década del siglo XIX, la obra del Consulado y del Triunvirato apunta a este fin, que en la segunda, se continúa con la fundación de varias instituciones. Aquí nos interesa mencionar como ejemplos, la creación de la Universidad de Buenos Aires en 1821 y la del Museo Público de Buenos Aires en 1823. Bernardino Rivadavia, desde su participación en el Triunvirato había encaminado su acción a la creación de las instituciones adecuadas para la enseñanza de la historia natural y la formación de quienes estarían dedicados a la extracción y laboreo de las ansiadas riquezas que necesitaba el país. Pero estos primeros proyectos rivadavianos no tuvieron el éxito esperado, de manera que al crearse la Universidad en 1821, muy escasos eran los éxitos alcanzados en la enseñanza e investigación de las ciencias naturales argentinas. Por otra parte, la Universidad tampoco pudo hacer mucho durante sus primeros tiempos, y sólo a partir de 1865 la historia natural empezó a ser enseñada por profesores europeos.

Vessuri[2] sostiene que el Estado asumió funciones directivas en la organización de la actividad científica desde fines del siglo XIX. La incorporación de la ciencia moderna, dentro del marco del positivismo europeo, debe ser vista como parte de un proceso de modernización política y económica de las nuevas naciones. Así, la actividad científica fue organizada en varios contextos institucionales predominantes: la Universidad, el instituto de investigación, el museo de ciencias, el observatorio, la revista científica, etc.

En la Argentina de la Generación del 80, liberal y positivista, la idea de progreso se asocia a la de modernización. Las guerras civiles habían devastado materialmente a la sociedad y a la economía, desmanteladas habían quedado las instituciones científicas surgidas al calor de las ideas ilustradas emancipadoras: sólo la *filosofía del orden podía encaminar al país hacia el progreso.*[3] Los sectores liberales se impusieron sobre los conservadores y crearon las condiciones para el cambio hacia la modernización del Estado y de sus instituciones.

Del relevamiento bibliográfico se desprenden algunos puntos importantes conocidos sobre el tema, pero también se ponen en evidencia las cuestiones aun no resueltas por las investigaciones existentes. Las ideas pueden sintetizarse en:

a) Los museos constituyeron uno de los ámbitos institucionales creados para la investigación y enseñanza de la ciencia.
b) Se conoce la obra y la concepción científicas, por un lado, y por el otro muy levemente la actuación institucional de los directores de los museos. En este caso nos interesa tomar los dos primeros, Burmeister y Berg.
c) Se conoce que algunos de esos científicos tuvieron actuación, y aun coincidieron, con la posición filosófica del pensamiento argentino de la época, es decir, el positivismo, que tiene a su vez, una correlación con el modelo científico expresado por el naturalismo o el evolucionismo.
d) Estas corrientes filosófica y científica se enmarcan, al mismo tiempo,

dentro de la idea de progreso impulsada desde el proceso de formación del Estado argentino como uno de los motores de la modernización.

e) El movimiento positivista argentino tiene su correlato con el europeo, aunque de modo asincrónico

f) La modalidad de promoción científica típica del período que nos ocupa se dio sobre la base del financiamiento del Estado y a la contratación de científicos extranjeros que mantenían lazos con comunidades científicas de sus países de origen.

A partir de lo anterior, nuestra propuesta de trabajo se orienta a profundizar el estudio de la relación museos-ciencia-positivismo, desde la perspectiva del modelo ideológico-científico hegemónico de la ciencia europea y de su influencia en el desarrollo de la ciencia local, dentro del marco institucional del museo. En este sentido tomamos el *Museo Argentino de Ciencias Naturales Bernardino Rivadavia*,[4] que nos interesa por haber sido la institución que inicia en el país el desarrollo de la ciencia natural. Atendiendo especialmente a las fuentes documentales del archivo respectivo de esta institución, intentaremos precisar el modelo científico institucional, evaluar las diferencias entre las políticas llevadas a cabo por cada director (si es que las hubo), y confrontar con el modelo científico europeo predominante en el período.

Deseamos señalar aquí la importancia que tendrá en un futuro la realización de un estudio comparativo entre este museo y los que surgen posteriormente. Dado que se presenta en sus orígenes como un museo general, y que durante el siglo van apareciendo el Museo Histórico de la Capital Federal (1889), el Museo de Bellas Artes de Buenos Aires (1895) y el Museo Etnográfico (1905), parecería comprobable la hipótesis de que la fundación de cada museo se correlaciona con el período de apogeo del saber que representa. Vale también aquí un reconocimiento del estado de ese conocimiento, de su correlación con los modelos científicos imperantes y de su contextualización en el marco histórico- ideológico más general.

LAS FUENTES

Para la etapa anterior a 1864 hemos encontrado y utilizado, el Estatuto de la Asociación de Amigos de la Historia Natural del Plata, y la Memoria de esta asociación presentada por su secretario, Manuel Trelles, referida al año 1855. Este material nos permite conocer algunos datos sobre el origen y la fundación del Museo desde 1812.

Desde 1864 el Museo de Ciencias Naturales conserva, como parte de sus archivos institucionales, las *Memorias* y los *Anales*, que se constituyeron en sus publicaciones periódicas. En el primer caso, podemos rastrear datos interesantes sobre el desarrollo del museo, su crecimiento y su inserción en el mundo científico reconocido. Por ejemplo, se detalla el contenido de las colecciones científicas, las excursiones realizadas con fines científicos, el presupuesto con que se contaba para llevar a cabo estos emprendimientos. En cambio, los *Anales* constituyen la publicación científico-académica del museo. Aparecen allí los trabajos de los científicos abocados a la investigación. De este material hemos tomado el Proemio y el Sumario sobre la fundación, escritos por Burmeister al presentar la publicación. Esto nos servirá como punto de partida para ver los datos relativos al año 1864, pero además, nos permitirá compararlos con los de las Memorias de 1894 a 1898. Para el período anterior, la comparación entre la Memoria de 1855 de la Asociación con la selección de los *Anales* nos permitirá ver el cambio surgido bajo la dirección de Burmeister, que le imprime a la institución un sello científico diferente. Los *Memorias* de los años 1894 a 1898 muestran el crecimiento y el afianzamiento del Museo según las bases sentadas por su primer director, obra continuada por su sucesor, doctor Berg.

El período de estudio comprende centralmente, los años 1864 y 1898, que corresponden a los dos primeros directores del museo. En términos generales, ambos cumplen con la función de organizar y de afianzar un campo científico-profesional. En los dos casos, provienen de instituciones europeas donde realizaron su formación.

Por la etapa en la que se encuentra nuestra investigación, podemos atender sólo a algunas de las preguntas planteadas. Por lo pronto, dentro del interés sustancial de historiar la profesionalización y la institucionalización de las ciencias naturales, podemos orientar nuestra atención hacia los siguientes interrogantes: ¿qué es el museo, qué función cumple?; ¿qué colecciones presenta, qué secciones, cuánto crecieron ambas?; ¿qué reconocimiento tiene hacia el exterior, con quiénes intercambia?; ¿cómo se financia su funcionamiento?

El Estatuto de la Asociación de Amigos de la Historia Natural del Plata

Esta institución ha sido creada el 6 de mayo de 1854 con el objeto de conservar y fomentar el Museo de Buenos Aires. Entre sus objetivos aparece el de "aumentar sus existencias con producciones de los tres reinos, con preparaciones anatómicas y objetos arqueológicos, numismáticos, dignos de exhibirse, o que puedan servir para el estudio de las ciencias, las letras y las artes". Prevé la elaboración de una memoria anual escrita, que dé cuenta del estado del museo, de las donaciones, de los fondos presupuestarios, trabajos científicos, etc. La primera, y tal vez la única es la del año 1855, publicada un año más tarde.

Memoria de la Asociación, relativa al año 1855

Manuel Trelles, en calidad de secretario, es el encargado de presentar la Memoria. Manifiesta su deseo de elaborar la historia del museo, pero cae en la cuenta de que la institución no tiene archivo. Los pocos papeles que existen están lejos de llenar las condiciones necesarias para estudiar su historia. Detalla los pocos documentos existentes.[5]

Analizada la situación desde un punto de vista científico, supone Trelles que en algún tiempo ha tenido una sección zoológica, clasificada en su mayor parte, pero que se ha perdido casi por completo y no se ha hallado el catálogo. La clasificación de minerales sí tiene catálogo, pero no está traducido al español, como si no hubiese sido pensado para la instrucción del público. Tampoco se sabe la procedencia de esa colección. Muchos objetos existentes en el museo son de desconocida procedencia, por lo que resulta inútil su conservación.

Nace así, en 1854, "de hombres ilustrados" la idea de fomentar el museo a través de la esta institución. El Museo Público, a pesar de que su principal objeto es la Historia Natural, es un Museo General que reúne toda clase de objetos que pueden servir para el estudio de las ciencias, de las letras y de las artes. Contiene seis secciones: las tres primeras corresponden a los tres reinos de la naturaleza (zoología, biología y mineralogía), la cuarta a Numismática, la quinta a Bellas Artes y la última a varios ramos.

Anales del Museo Público de Buenos Aires

En el tomo primero, 1864-1869, bajo el título de "Proemio" el doctor Germán Burmeister anota:

> Los Anales están destinados a introducir nuestro Museo en la sociedad de sus rivales. Publicaremos en ellos [...] todos los objetos, que hasta hoy no son conocidos en el mundo científico y merecen serlo por su valor propio. Entramos también por medio de nuestros Anales, en relación con los establecimientos más o menos análogos de toda la tierra, para recibir en cambio las publicaciones de ellos y fundar de este modo un comercio continuo con los sabios, que se ocupan de las mismas ciencias, a que nosotros nos dedicamos.
>
> [...] El Museo Británico y la Sociedad de Zoología de Londres han principiado a comunicar al Director una serie de publicaciones periódicas durante los últimos diez años. Este ejemplo será seguido por otros que, gracias a la amistad personal con el Director, aceptarán el canje de objetos y producciones científicas.

Más adelante, en el apartado *Sumario sobre la fundación*, se refiere a la historia de los museos, y de éste en particular.

Los museos fueron en su origen depósitos de los restos del arte antiguo. Creados para conservar y reunir los objetos artísticos. Antes del siglo XIX significaba "domicilio de las Musas", lugar dedicado al estudio científico y a la exposición de las producciones del ingenio humano, con el fin de alentar la contemplación y la veneración de sus autores. Desde el siglo XIX, las colecciones de los objetos se clasifican distinguiéndose en museos artísticos, históricos, físicos, aplicados especialmente a la historia natural del país en que se encuentran.

Al referirse a su propia labor, Burmeister asienta:

> Desde que tomé posesión del cargo, he organizado casi de nuevo el establecimiento, removiendo de las salas muchos objetos tan insignificantes, que no debían figurar en ningún Museo público y científico, y colocando otros en un orden más natural y más en relación con sus cualidades específicas. Ya no se ven en el mismo estante, los minerales confundidos con las conchillas, los trofeos con los mamíferos, ni los pájaros en una verdadera confusión, arreglados al parecer, por el primer colocador, según por el orden de los tamaños y colores de los individuos. Hoy se hallan reunidos los objetos de cada ramo en el mismo estante, y los pájaros como los mamíferos clasificados científicamente.

El científico prusiano parece referirse aquí a la diferencia entre un *gabinete de curiosidades*, donde los objetos están exhibidos para la contemplación y por el gusto, de una exhibición preparada según un orden y una catalogación de los objetos. Y continúa:

> Los pedestales de los objetos se hallan renovados y con el nombre científico al pie. Estos pedestales se hallan construidos sobre los modelos que traje de la colección que tenía a mi cargo en la Universidad Real Prusiana de Halle. Dividí los objetos del establecimiento en tres secciones: artística, histórica y científica.

A continuación detalla cada una, reconociendo que la más importante es la científica, y especialmente la sección zoológica.

> Las colecciones de *Zoología* prevalecen en el Museo, especialmente la de los animales vertebrados. De la sección de animales hay cuatro clases: mamíferos, pájaros, anfibios y pescados.
>
> Mamíferos: divididos en actual y antidiluvianos. Es la sección más rica del Museo, siendo la provincia de Buenos Aires el terreno más abundante de estos objetos que hasta ahora se conozca sobre la tierra. Los esqueletos más curiosos y completos de animales antidiluvianos que se ostentan en los museos de Londres, París, Madrid, Turín, etc. han salido de la provincia de Buenos Aires. Pero hoy, gracias a la sabia medida tomada por el gobierno sobre la prohibición de la exportación de huesos fósiles, estos restos vendrán a acrecentar las existencias del Museo.

A esta sección pertenece el famoso Megatherium encontrado cerca de la Villa de Luján en 1789 y colocado en el Museo de Madrid.

Memoria del Museo Nacional, años 1894-1906

Los ítems que aparecen mencionados son: Edificio, Mobiliario e Instrumentos, Colecciones, Nómina de objetos donados y donantes, Nómina de objetos comprados, Trabajos científicos, publicaciones y consultas, Biblioteca, Canje, Personal, Visitas, Movimiento de Caja, Excursiones, Necesidades. Tomaremos sólo algunos: Colecciones, Canje, Visitas, Movimiento de Caja.

La Memoria del año 1894, sin mayores precisiones, comunica que todas las colecciones han sido aumentadas, que se ha instalado una colección biológica y se la ha puesto en exhibición, que se ha iniciado una formación de colección de nidos de aves e insectos.

La de 1895 menciona el aumento de las colecciones pero destaca ciertas dificultades que han impedido su exhibición, entre ellas, la falta de espacio físico y de recipientes adecuados. Respecto de la Colección mineralógica, aclara que ha sido reorganizada según los modernos sistemas mineralógicos, a cargo del Jefe de Sección doctor Juan Valentín. Los grupos resultantes fueron seis: minerales y rocas del país, minerales y rocas de los demás países sudamericanos, colecciones de minerales de todos los países , colección de minerales de importancia técnica, colección geológica general. La Colección botánica, ha sido reorganizada y se han incorporado nuevas plantas. La Sección Zoológica, aumentada especialmente en la colección de peces y la colección ornitológica que ha servido tanto para la exhibición como para el estudio. La Sección de Paleontología ha trabajado en el armado del Scelidotherium magnum, para el público y para el estudio.

También se menciona que ha continuado el canje con otros establecimientos.

Para el año 1896 se acentúa el problema de la exhibición por las razones ya conocidas.

Las colecciones ya en exhibición han sido mejoradas en visibilidad, estética y aprovechamiento para el público. En la Sección Zoológica es destacable la adquisición de dos ejemplares australianos, próximos a extinguirse. Han sido adquiridos en canje con el British Museum de Londres. El armado del esqueleto del Scelidotherium tarijense ha terminado y resulta un importante objeto de estudio paleontológico y un atractivo para el público en general. En la Sección botánica, ha sido concluido el herbario que alcanza 2.300 especies, y se ha confeccionado un catálogo con las familias y especies con los nombres científico y vulgar, la procedencia, el coleccionista, la época de la recolección. En la Sección de Mineralogía y Geología, a las seis secciones organizadas el año anterior se ha sumado una séptima que contiene en orden geológico los fósiles del país, y ha recibido el nombre de Colección geológica general.

Sobre un total de objetos ingresados, de 2.696, la mayoría proceden de donaciones (2.292) y sólo 221 se incorporaron por compra.[6]

El canje se ha mantenido con 573 instituciones y redacciones del país y del extranjero. Entre los países con los que se intercambiaba, aparecen mencionados: Alemania, Argelia, Argentina, Australia, Austria-Hungría, Antillas-Bahamas, Bélgica, Brasil, Bulgaria, Canadá, Chile, China, Colombia, Escocia, España, Estados Unidos, Francia, Holanda, Inglaterra, Italia, Portugal.

En el Movimiento de Caja como puede verse en el CUADRO 2, se destacan los rubros de Librería (& 5358,28), Trabajos de carpintería (& 4930) y el de Impresiones (& 3010) como gastos mayores.

Para el año 1897, siguió en aumento la sección zoológica por compra y por donaciones, pero ha sido más difícil ponerlos en exhibición por falta de espacio e instrumental adecuado. Se han adquirido animales marinos, hasta ahora no existentes en el museo. Se han arreglado mariposas procedentes de África, Asia y Oceanía para poner en exhibición. La Sección botánica continuó con la preparación del herbario y la elaboración del catálogo. Las secciones de Paleontología, Geología y Mineralogía se han enriquecido con 271 números, de los cuales 500 piezas provienen de las expediciones realizadas. La colección de numismática ha aumentado en 108 piezas, casi en su mayoría por donación. También ha aumentado la colección etnológica y arqueológica. Se estipula que sobre un total de 1.719 objetos ingresados, 1.467 corresponde a donaciones, 107 a compra y 145 a excursiones.[7]

El canje ha sido de 592 *Anales* del Museo por otras revistas con particulares e instituciones científicas, obteniéndose 597 publicaciones del país y del extranjero.

En el Movimiento de caja de este año puede verse aumentado sensiblemente el rubro Expediciones y excursiones (&2.952,41) respecto del año anterior (&213,25), y para el año 1898 se mantendrá en el mismo nivel (&2.944,93).

En este año de 1898 las colecciones de los invertebrados marinos adquiridos en Italia, según consta en la Memoria del año anterior, se han puesto en exhibición y comprenden 161 ejemplares en 98 especies. Han aumentado las colecciones de Artrópodos, Peces, Anfibios, y Reptiles, más que nada en especies nuevas o poco conocidas. Las aves han aumentado y la Sección Zoológica ha revisado y reclasificado las antiguas existencias, en total, 398 ejemplares. Entre los mamíferos se ha agregado una foca hallada cerca de San Isidro, y dos Monotremados adquiridos en canje con el British Museum de Londres. A la sección paleontológica se han agregado 560 piezas, en gran parte, procedentes de Santa Cruz de Patagonia. En la sección botánica ha habido algunos aumentos y se sigue en su arreglo.

Mineralogía y geología: aumentada en 200 piezas. Se ha producido un aumento considerable de la colección arqueológica con objetos de la época Calchaquí. La Colección numismática ha sido aumentada en 30 piezas. El total de objetos que aumentaron las existencias del Museo asciende a 6.295, que arroja un excedente de 2.742 sobre el año anterior. Sobre un total de 6.599, 1.874 fueron por donación, 1.202 por compra y 3.443 por excursión.[8]

El canje ascendió a 781 ejemplares de *Anales y Comunicaciones* con instituciones científicas, escuelas y particulares. A continuación se detallan las excursiones realizadas con destino a Tucumán, Salta y Córdoba, de la que se han obtenido materiales para estudios zoológicos; con destino a Buenos Aires, Santa Fe, Montevideo, también materiales para estudios zoológicos; con destino a la Región septentrional de la República del Uruguay, se ha obtenido material de valor bastante importante para el estudio de diferentes secciones zoológicas; con destino a la Patagonia austral, materiales de gran interés científico.

CONCLUSIONES

El Museo de Ciencias Naturales ha pasado por distintas etapas a lo largo de su historia. Ha surgido casi con el siglo, mentado en 1812, fundado en 1823, y organizado durante el resto del siglo XIX, ha sido la institución que inicia la ciencia natural, y una de las que la profesionaliza. El Museo nace como un lugar de conservación y exhibición, parecido al gabinete de curiosidades, típico entre los siglos XV y XVII en Europa. Con Burmeister toma características modernas, propias de un museo del siglo XIX, en el que el ordenamiento y la catalogación, con rigor científico y en función del estudio, así como la investigación cobran mayor importancia. Como prueba de esto puede tomarse la publicación de los *Anales* desde 1864, pensada para el intercambio con instituciones análogas y como modo de comunicar los temas de interés científico. Las colecciones originarias crecen y se especializan, pasándose de un "museo general" que alberga una sección de arte, otra histórica y otra científica, tal como lo reorganiza su primer director al asumir, a un museo de ciencias naturales, en el que pareció predominar la zoología, la mineralogía y geología por sobre la botánica. En los treinta y cuatro años estudiados, el canje de objetos y publicaciones con el exterior, así como la recepción de visitantes extranjeros ha crecido en número y en importancia. En el presupuesto se han destacado como erogaciones los rubros relativos a "Librería" (específicamente, suscripciones y compra de libros), impresión de anales, y desde 1897 "Expediciones y excursiones", que puede entenderse como un momento en el que se atiende a un mayor desarrollo de la investigación de campo. Allí se privilegian las recolecciones de materiales para la sección de zoología y en una ocasión, para la de arqueología. La incorporación de objetos ha sido predominantemente procedente de las donaciones hasta 1897, pero en 1898 ha habido un fuerte aumento de los objetos obtenidos por excursión. Groso modo, podemos decir que el modelo investigación científica es el europeo, importado por Burmeister, se impone rápidamente. Pero localmente, deja sus frutos, desde Berg en adelante los directores serán argentinos. Este es un dato que debe tenerse en cuenta respecto de la profesionalización, ya que, sumado otros, (como por ejemplo, la aparición de las ciencias naturales como carrera en la Universidad de Buenos Aires desde 1865, o de instituciones como la Sociedad Científica en 1872) permite suponer que se ha iniciado la formación de profesionales y científicos en el ámbito local. El intercambio de publicaciones y de objetos científicos con el exterior es otro dato que puede interpretarse en el mismo sentido.

APÉNDICE DOCUMENTAL

CUADRO 1

Año	Colecciones	Canje	Visitantes
1894	todas aumentadas	sin mención	11.588 *
1895	aumentadas: mineralógica / botánica / zoológica / paleontológica	sin especificar cant.	37.506
1896	aumentadas: zoológica / botánica / mineralógica / geológica	573 ejemplares	46.405 **
1897	aumentadas: zoológica / botánica/ geológica / mineralógica / numismática / etnológica / arqueológica	592 ejemplares	47.436 ***
1898	aumentadas: zoológica / botánica / mineralógica / geológica / arqueológica / numismática	781 ejemplares	44.334 ****

* No es un cómputo anual sino trimestral, del 30 de septiembre al 30 de diciembre.

** Se mencionan como visitantes especiales a los Directores de la Sección del British Museum de Londres, a un investigador del College of New Jersey de Princeton y otro de Uspala.

*** Este total corresponde a los 91 días de visitas establecidos por el museo, al que se suman 2.500 de escuelas públicas, particulares y transeúntes en otros días.

**** Este total corresponde a los 103 días de visitas establecidos por el museo, y aunque no especifica el número, aclara que hubo más visitantes en otros días de escuelas públicas, transeúntes y particulares.

CUADRO 2
Movimiento de Caja de los años 1896, 1897, 1898

AÑO 1896

ENTRADAS:

		Mensual	Al año
Asignación mensual de sueldos para el año de 1896	$	1.995,00	23.940,00
Id. para gastos (para aumentos de colecciones, publicaciones, excursiones y demás gastos)	"	1.600,00	19.200,00
Suma votada por una sola vez, para compra de muebles e instrumentos			10.000,00
			$ 53.140,00

SALIDAS:

Sueldos pagados durante el año 1896			$ 23.940,00
Gastos hechos en:			
Albañilería (Trabajos de)	$	1.492,44	
Alfombrado (Chuces, etc.)	"	387,39	
Aparatos eléctricos	"	126,80	
Botánica (Objetos de)	"	18,40	
Calefacción (Aparatos de)	"	50,00	
Carpintería (Trabajos de)	"	4.930,00	
Cartonería (Trabajos de)	"	859,45	
Combustible	"	181,60	
Droguería (Artículos de; incluso el alcohol)	"	592,18	
Encuadernaciones	"	1.562,05	
Envases de cristal	"	2.348,20	
Excursiones	"	213,25	
Ferretería (Artículos de)	"	253,30	
Geología mineralogía (Objetos de)	"	187,55	
Herrería (Trabajos de; incluso los armarios de hierro)	"	1.740,00	
Iluminación en días patrios	"	362,74	
Ilustraciones para los *Anales*	"	263,00	
Impresión de los *Anales* y separados	"	3.010,93	
Instrumentos (Microscopios, etc.)	"	2.592,30	
Laboratorio (ingredientes para el)	"	308,75	
Librería (Subscripciones y compras de libros, etc.)	"	5.358,28	
Numismática (Objetos de; comprados para la colección del Museo)	"	235,00	
Pinturería (Artículos de)	"	298,16	
Secretaría (Útiles de Biblioteca y)	"	293,35	
Trabajos extraordinarios	"	285,00	
Transportes, desembarcos, depósitos de aduana y corretaje	"	238,48	
Uniformes para guardianes, ordenanza y portero	"	437,00	
Vidriería	"	397,30	
Zoología (Objetos de; peces, reptiles, aves y mamíferos)	"	177,00	
			$ 29.200,00
			$ 53.140,00

AÑO 1897

ENTRADAS:

			Al año
Asignación mensual de sueldos para el año de 1897	$	2.245,00	26.940,00
Id. para gastos (para aumentos de colecciones, publicaciones y demás gastos)	"	1.600,00	19.200,00
			$ 46.140,00

SALIDAS:

Sueldos pagados durante el año 1897			$ 26.940,00
Gastos hechos en:			
Albañilería (Trabajos de)	$	679,92	
Alfombrado (Chuces, etc.)	"	147,65	
Carpintería (Trabajos de)	"	2.016,18	
Combustible	"	59,05	
Composturas de campanillas eléctr., cañerías, etc.	"	247,55	
Droguería (Artículos de; incluso el alcohol)	"	465,50	
Encuadernaciones	"	1.076,00	
Expediciones y excursiones	"	2.952,41	
Ferretería (Artículos de)	"	110,08	
Herrería (Trabajos de)	"	100,50	
Hojalatería (Trabajos de)	"	57,70	
Iluminación en días patrios	"	886,20	
Ilustraciones para los *Anales*	"	759,00	
Impresión de los *Anales* y separados	"	1.908,50	
Instrumentos (Microscopios, etc.)	"	1.856,50	
Laboratorio (Ingredientes y materiales para el)	"	864,21	
Librería (Subscripciones y compras de libros, etc.)	"	2.852,09	
Objetos de Historia Natural (Geología y Mineralogía, Botánica, Zoología	"	571,60	
Pinturería (Artículos de)	"	814,90	
Secretaría (Útiles de Biblioteca y)	"	852,88	
Trabajos extraordinarios	"	722,80	
Transportes, desembarcos, depósitos de aduana y corretaje	"	848,82	
Uniformes para personal de servicio	"	440,00	
Vidriería	"	961,51	$ 19.200,00
			$ 46.140,00

AÑO 1898

ENTRADAS:

			Al año
Asignación mensual de sueldos para el año de 1898 (de Enero a Diciembre inclusive)	$	1.995,00	23.940
Id. para gastos (para aumentos de colecciones, publicaciones y demás gastos)	"	1.600,00	17.800
			$ 41.540

SALIDAS:

Sueldos pagados durante el año 1898			$ 23.940
Gastos hechos en:			
Albañilería (Trabajos de)	$	190,00	
Alfombrado (Chuces, etc.)	"	182,00	
Arqueología, Etnología	"	105,00	
Carpintería	"	754,75	
Combustible, aparatos de calefacción	"	225,20	
Composturas de instrumentos, etc.	"	169,30	
Droguería (Artículos de; incluso el alcohol)	"	535,41	
Encuadernaciones y cartonería	"	974,20	
Envases de cristal	"	279,42	
Expediciones, excursiones y útiles de caza	"	2.944,93	
Ferretería (Artículos de)	"	50,35	
Herrería (Trabajos de)	"	199,38	
Hojalatería (Trabajos de)	"	18,65	
Iluminación en aniversarios patrios	"	347,30	
Ilustraciones para los "Anales"	"	152,00	
Impresión de los "Anales", "comunicaciones", etc.	"	2.807,00	
Instrumentos (Microscopios, etc.)	"	441,80	
Instalación de la luz eléctrica	"	548,52	
Laboratorio (Ingredientes y materiales para el)	"	379,92	
Librería (Subscripciones y compras de libros)	"	2.526,41	
Numismática	"	23,50	
Objetos de Historia Natural (Geología y Mineralogía, Botánica, Zoología	"	1.154,40	
Pinturería (Artículos de)	"	152,90	
Secretaría (Útiles de Biblioteca y)	"	428,97	
Trabajos extraordinarios	"	324,00	
Transportes, desembarcos, depósitos de aduana y corretaje	"	1.254,69	
Uniformes para personal de servicio	"	312,00	
Vidriería	"	118,00	17.600
			$ 41.540

NOTAS

1. Saldaña, J. J.: "Ciencia y libertad: la ciencia y la tecnología como política de los nuevos estados americanos, en Saldaña", J. J.: *Historia social de las ciencias en América latina*, México, Grupo Porrúa Editor, 1996.

2. Vessuri, H., "La ciencia académica en América latina en el siglo XX", en Saldaña, J. J. (comp.), *Historia social de las ciencias en América latina*, México, 1996.

3. Weinberg, G., "La ciencia y la idea de progreso en América latina", 1860-1930, en Saldaña, J. J., *op. cit.*, pág. 378.

4. Aunque ha recibido distintas denominaciones desde 1812 a la fecha, desde 1948 se lo conoce con este nombre.

5. 1823-1828: no hay documentos; 1828: aparece un cuaderno "Regalados" donde aparece una lista de 52 donantes y 214 objetos donados; 1833-1835: no hay documentos, salvo una nota que ordena se traslade a la Casa de Espósitos los útiles, las máquinas y todo lo perteneciente al aula de física; 1842: nota de remisión de trofeos de la guerra civil presentados a Rosas, y que él remitía al museo. Son 8 los donantes y 60 los objetos donados.

6. Memoria 1896, pág. 21. Ver Cuadro de objetos ingresados y su procedencia.

7. Memoria 1897, pág. 15. Ver Cuadro de ojetos ingresados y su procedencia.

8. Memoria 1898, pág. 16. Ver Cuadro de objetos ingresados y su procedencia.

FUENTES SELECCIONADAS

Anales del Museo Público de Buenos Aires, tomo primero, 1864-1869.

Memorias del Museo Nacional de Buenos Aires, años 1894-1898

Estatuto de la Asociación de Amigos del la Historia Natural del Plata, Buenos Aires, 1855

Memoria presentada a la Asociación Amigos de la Historia Natural del Plata, Buenos Aires, 1856

BIBLIOGRAFÍA GENERAL

Babini, J.: *La evolución del pensamiento científico en la Argentina*, Buenos Aires, La Fragua, 1954.

————: *Historia de la ciencia en la Argentina*, Buenos Aires, Ediciones Solar, 1986.

Biagini, H. (comp.): *El movimiento positivista argentino*, Buenos Aires, Editorial Belgrano, 1985.

Camacho, H.: *Las ciencias naturales en la Universidad de Buenos Aires. Estudio Historico*, Eudeba, Buenos Aires, 1971.

De Asúa, M.: *El apoyo oficial a la "Description Physique de la Republique Argentine", de H. Burmeister*, Quipu, vol. 6, N° 3, septiembre-diciembre de 1989, págs. 339-353.

Lascano González, A., *El Museo de Ciencias Naturales de Buenos Aires*, Buenos Aires, Ediciones culturales argentinas, 1980.

Montserrat, M., "La situación del narrar histórico de la ciencia en la Argentina" (*circa* 1985), 20 Jornada de Historiografía Argentina 1958-1988, Comité Argentino, Comité Internacional de Ciencias Históricas-Paraná, 1988.

———: *Ciencia, historia y sociedad en la Argentina del siglo XIX*, Buenos Aires, CEAL, 1993.

———: *Usos de la memoria. Razón, ideología e imaginación histórica*, Buenos Aires, Sudamericana, 1996.

———: "Sarmiento y los fundamentos de su política científica", en *Ciencia, historia y sociedad en la Argentina del siglo XIX*, Buenos Aires, CEAL, 1993, págs. 13-30. *La ciencia en la Argentina*, Perspectivas históricas, Buenos Aires, CEAL, 1993.

Pyenson, L.: *El fin de la Ilustración.: reflexiones próximas y lejanas sobre la Historia de la ciencia*, Arbor CXLII, 558-559-560 (junio-agosto 1992).

Saldaña, J. J. (comp.): "Teatro científico americano. Geografía y cultura en la historiografía latinoamericana de la ciencia", en *Historia social de las ciencias en América Latina*, Porrúa Grupo Editor, 1996.

Saldaña, J. J., "Fases principales en la evolución de la Historia de las Ciencias", en J. J. Saldaña (comp.), *Introducción a la teoría de las ciencias*, 20ª ed., México, UNAM, 1989.

———: "Ciencia y libertad: la ciencia y la tecnología como política de los nuevos estados americanos", en Saldaña, J. J., *Historia social de las ciencias en América latina*, México, Grupo Porrúa Editor, 1996.

Soler, R.: *El positivismo argentino*, Facultad de Filosofía y Letras, Seminarios, Seminario de Filosofía en México. Colegio de Filosofía, 10ª reimpresión, UNAM, 1979 (10ª edición, Panamá, 1959).

Vessuri, H.: "La ciencia académica en América latina en el siglo XX", en Saldaña, J. J. (comp.), *Historia social de las ciencias en América latina*, México, 1996.

Weinberg, G.: "La ciencia y la idea de progreso en América latina, 1860-1930", en Saldaña, J. J., *op. cit.*, pág. 378.

LA INTRODUCCIÓN DE LA INVESTIGACIÓN CIENTÍFICA EN CÓRDOBA A FINES DEL SIGLO XIX: LA ACADEMIA NACIONAL DE CIENCIAS Y LA FACULTAD DE CIENCIAS FÍSICO-MATEMÁTICAS (1868-1878)*

LUIS TOGNETTI

1. INTRODUCCIÓN

Durante la segunda mitad del siglo XIX tuvieron lugar las primeras manifestaciones de actividad científica en términos modernos dentro del territorio argentino. El trasplante de esa actividad al país se encontraba vinculado a la difusión de la ciencia desde Europa occidental hacia el resto del mundo, que comenzó con la búsqueda de nuevos conocimientos sobre el mundo natural y que, luego, continuó con el establecimiento, temporal o definitivo, de científicos de aquel continente en los territorios nuevos.[1]

Los estudios científicos, que hacia fines del siglo pasado circularon por el mundo y que habían sido elaborados en la Argentina, fueron realizados por un conjunto de científicos procedentes del hemisferio norte, congregados en unas pocas instituciones locales. La organización y el prestigio académicos de estos institutos se debieron al empeño que algunos de esos científicos extranjeros pusieron en promoverlos.[2]

La fundación de la Facultad de Ciencias Físico-Matemáticas (1876) y de la Academia Nacional de Ciencias (1878) en la ciudad de Córdoba, en términos generales, se encuadraban en lo que se definió más arriba como proceso de trasplante. Sin embargo, ambos casos tuvieron un rasgo distintivo respec-

* Este trabajo se elaboró en el marco del Proyecto "Historia de la Investigación Científica en Córdoba", bajo los auspicios de la Academia Nacional de Ciencias.

to de las demás instituciones del período. Quien actuó como promotor, Germán Burmeister, no contribuyó eficazmente al desenvolvimiento de las dos entidades. Esta circunstancia es relevante en la medida en que involucró a la persona que mayor dedicación puso en el afianzamiento de la ciencia moderna en el país.

El reconocimiento de esta situación, paradójica respecto al modelo de difusión de la ciencia en el siglo XIX, que descansaba sobre el esfuerzo del científico, apunta a introducir elementos de análisis que le dan mayor complejidad a ese modelo, más que a cuestionarlo. En tal sentido, el estudio se orientó hacia los problemas que demoraron la creación de ambas instituciones, pues desde el momento en que Burmeister elevó al presidente Sarmiento su proyecto para crear una Facultad de Ciencias Físico-Matemáticas y su sanción definitiva transcurrieron casi diez años. Período en el cual se barajaron propuestas diferentes. El repaso de esos años tuvo como finalidad analizar las propuestas, los objetivos buscados con esos ordenamientos, los medios empleados y los logros alcanzados. Asimismo, se consideraron los conflictos que se generaron entre los propios científicos, en torno a las organizaciones propuestas y cómo afectaron al desenvolvimiento de las entidades en cuestión.

2. LAS ETAPAS DEL PERÍODO ORGANIZATIVO

El período de organización institucional de la Facultad de Ciencias Físico-Matemáticas y la Academia Nacional de Ciencias se prolongó por un espacio de diez años, en el transcurso del cual intervinieron grupos diferentes de profesores y científicos, contratados por el Estado para trabajar o para colaborar en la puesta en funcionamiento de las entidades mencionadas. En ese espacio temporal se distinguieron cuatro etapas, en las cuales tuvieron una mayor o menor participación los grupos aludidos.

En un orden cronológico, el primer científico extranjero que participó en la creación de las entidades en estudio fue Germán Burmeister, naturalista de origen germano, que luego de dos viajes científicos previos a América del sur, se estableció en Buenos Aires en forma definitiva desde 1862. A partir de ese año asumió la dirección del Museo Público de dicha ciudad, más tarde Museo de Historia Natural Bernardino Rivadavia.[3] Como luego se verá, la actuación de Burmeister respecto de las entidades científicas cordobesas, se desplegó a lo largo de dos etapas no consecutivas. La primera entre fines de 1868 y fines de 1871, se desempeñó como Comisario Inspector, figura que correspondía con su carácter de promotor de las nuevas instituciones. En la segunda, desde fines de 1873 hasta mediados de 1875, actuó bajo el título de Director Científico, respondiendo a un perfil de interventor de las entidades que aún no alcanzaban una organización definitiva.

Durante los años intermedios a las gestiones de Burmeister, de fines de 1871 a fines de 1873, tuvieron una participación notable los catedráticos contratados en Europa[4] por aquel, quienes propusieron por vez primera la creación de dos entidades distintas, una orientada al trabajo científico-docente y la otra al debate científico, exclusivamente, además de conformar los museos y laboratorios vinculados a las especialidades respectivas.

Por último, de 1875 a 1879, un conjunto renovado de docentes, algunos de ellos contratados recientemente,[5] con la coordinación del Rector de la Universidad de Córdoba, doctor Manuel Lucero, terminaron con un proceso que se había extendido por un tiempo prolongado. La organización resultante recuperó las ideas propuestas por sus colegas en una etapa previa y que contemplaban la existencia de dos entidades distintas, a la vez, elaboraron los planes de estudios de las carreras creadas por la facultad y establecieron las dependencias respectivas de los demás institutos: laboratorios, gabinetes y museos.

3. PRIMERA GESTIÓN DE BURMEISTER: 1868-1871

Germán Burmeister (1807-1892) médico naturalista oriundo de Stralsund Prusia, tuvo sus primeros contactos con América del sur, a raíz de sus viajes científicos iniciados a mediados del siglo XIX, por sugerencia de su amigo A. de Humboldt.[6] En 1862, y luego de dos viajes previos, se estableció en forma definitiva en el país al ser designado Director del Museo Público de Buenos Aires. La organización y el engrandecimiento de esta última institución y la producción de una obra escrita considerable[7] –de la cual se destacaron *Historia de la Creación* (1843), *Viajes por los Estados del Plata* (1861) y *Descripción Física de la República Argentina* (1876-1886)–[8] fueron los resultados más palpables de su trayectoria científica.

Sin embargo, la preocupación de Burmeister por implantar la ciencia moderna y sus instituciones en el país de residencia fue más allá de la labor desarrollada en el museo referido. En efecto, en 1868 elevó al presidente electo Domingo Sarmiento una propuesta para crear en la Universidad de Córdoba, para esa época la única bajo jurisdicción federal, una facultad dedicada al cultivo de las ciencias exactas. Esta creación apuntaba a tres objetivos básicos. En primer lugar, se pretendía introducir en la Universidad Mayor de San Carlos un conjunto de disciplinas que en Europa ocupaban el centro del debate científico[9] y de las que, si bien, en la casa de altos estudios cordobesa se impartían algunos rudimentos, no existían profesores con formación específica en ramos como física, matemáticas, botánica, zoología, mineralogía y química, y menos aún con entrenamiento en las técnicas de investigación propias de cada una de ellas.[10] El proceder de Burmeister, recurrir a los hombres de Estado para llevar a cabo una reforma académica de la universidad, evocaba el proceso de transformación de las instituciones de educación superior prusianas, ocurrido en la primera mitad del siglo XIX, y que trajo como consecuencias no sólo el impulso de los estudios en las ciencias exactas y naturales, sino también la transformación de las tareas del docente universitario.[11]

En segundo lugar, el plan ideado por Burmeister proponía formar docentes para la enseñanza de aquellas disciplinas en los niveles inferiores del sistema educativo. En este sentido se oponía a la política de contratar profesores extranjeros para que ejercieran en los colegios nacionales, con el argumento de que la falta de dominio del español, por parte de aquellos, generaría resistencias en el proceso de aprendizaje.[12] Sin embargo, la postura de Burmeister apuntaba a promover entre los nativos o hijos del país, el cultivo del conocimiento científico, como forma de lograr una mejor implantación de dicha actividad. Su posición al respecto será ratificada, más tarde cuando demande de los catedráticos contratados por él la promoción de discípulos locales como ayudantes de aula.[13]

Por último, un tercer objetivo consistía en reunir un núcleo de científicos capaces de llevar adelante el estudio de la naturaleza en el territorio nacional. Para lo cual se requería conformar un cuerpo de especialistas en las principales ramas de las ciencias físicas y naturales y que, al mismo tiempo, contaran con antecedentes en el trabajo de investigación.

El gobierno aceptó aquel plan y para llevarlo a cabo gestionó ante el Congreso Nacional la autorización para contratar profesores en el extranjero.[14] Luego, encomendó a Burmeister la selección del personal que debería provenir de su país natal y constituiría la base de una futura Facultad de Ciencias Físcio-Matemáticas.[15] Los hombres de Estado al encargarle esa tarea reconocían que él contaba con prestigio dentro de la comunidad científica internacional, con los contactos necesarios en su país de origen y con los conocimientos específicos para evaluar los atributos de los candidatos.

En forma paralela, el propio ministro de Instrucción Pública, Nicolás Avellaneda, se contactó con los miembros del claustro universitario cordobés, a quienes transmitió el interés del gobierno por llevar adelante la reforma del establecimiento de educación superior en forma directa.[16] Por lo cual, Burmeister, a través del cargo de Comisario Inspector, se encargaría de dirigir e inspeccionar el establecimiento de la facultad antes mencionada, como representante del Poder Ejecutivo.[17] De esta manera, se pretendió preservar el sentido original de la propuesta. Sin embargo esta resolución trajo algunas consecuencias negativas. La corporación universitaria se desinteresó por la suerte de la unidad académica nueva, a la que no consideraba como parte integrante. Asimismo, se mostró refractaria hacia los catedráticos que fueron incorporados al claustro bajo procedimientos y en condiciones de trabajo distintas a las que regían en el resto de la corporación.[18] Por otra parte, la facultad aún carecía de entidad jurídica, pues sólo figuraba en la documentación oficial, pero ningún instrumento legal o reglamento le confería una existencia real.

Las concreciones efectivas del plan original de Burmeister correspondieron con las designaciones de cuatro profesores.[19] Aunque en este aspecto tampoco se alcanzaron las metas fijadas en un principio. Al parecer la tarea de reclutar catedráticos en su patria no resultó sencilla. Si bien recurrió a sus antiguos colegas de la Universidad de Halle, para que le recomendaran candidatos con las aptitudes deseadas, quienes cumplían con las condiciones requeridas desconfiaban de la seguridad de los ofrecimientos recibidos.[20] Luego de tres años de gestiones Burmeister no logró reunir el conjunto de catedráticos que dictarían las materias básicas de la facultad por crearse. Con relación a los docentes contratados, contaban con los antecedentes académicos para alcanzar los objetivos perseguidos con el proyecto original. Los cuatro habían concluido sus estudios de doctorado en universidades alemanas y, por lo tanto, realizaron entrenamiento en investigación dentro de sus respectivas disciplinas. La posibilidad de sobrellevar el trabajo científico estaba avalado, además, por artículos presentados a distintas publicaciones periódicas europeas. Por otra parte, se trataba de hombres jóvenes, cuyas edades oscilaban entre los 27 y los 35 años, lo cual sugería que se hallaban en condiciones físicas para llevar a cabo la exploración científica del país.

Los datos expuestos indicarían que, durante los años de la primera gestión de Burmeister, se cumplieron muy parcialmente los objetivos que él mismo propuso en su programa original. Al momento de abandonar su cargo de Comisario Inspector, a fines de 1871, casi no se había avanzado sobre la propuesta de creación de la Facultad de Ciencias Físico-Matemáticas, los profesores contratados en Europa se encontraban al margen de la comunidad universitaria y, por ende, el intento de reformar la casa de altos estudios no prosperó. En cuanto a la formación de maestros para los colegios nacionales, los resultados fueron mínimos. Sólo se logró el dictado regular de una cátedra desde el año 1871.[21] Pero lo más significativo sobre la falta de iniciativas en este nivel corresponde a la ausencia del plan de estudios, que tuviera por objeto aquel fin.

Finalmente, insatisfecho con los resultados obtenidos, Burmeister decidió dejar el cargo de Comisario. Se mostraba disconforme con el desinterés puesto de manifiesto por los catedráticos respecto al dictado de clases, comportamiento que a su juicio se debió a las dificultades en el manejo del idioma español y a la predilección por la investigación científica. Además, reconocía que hasta ese momento no pudo conseguir candidatos para los cargos aún vacantes.[22] Si las razones expuestas por el sabio alemán para abandonar su iniciativa parecen corresponderse con los datos recogidos, las causas de esos resultados obedecerían a fenómenos menos evidentes, sobre los cuales se tratará en otra parte de este artículo. La imposibilidad de poner en marcha su proyecto ponía al descubierto la complejidad de la tarea asumida. Sin embargo, no puede dejar de señalarse la ambigüedad del mismo Burmeister, si, por un lado, se mostraba preocupado por la falta de avances en los aspectos docentes de su plan, por el otro, sus iniciativas, en ese sentido, fueron mínimas.

4. LA ORGANIZACIÓN DE LOS DOCENTES. SEGUNDA ETAPA: 1871-1873

Al dejar Burmeister su cargo de Comisario, los catedráticos designados continuaron la tarea[23] iniciada por aquel. Las actividades de los profesores Siewert, de química, Stelzner, de mineralogía, y Lorentz, de botánica, apuntaron a objetivos similares, aunque no idénticos a los perseguidos con el plan original. En primer lugar, mantuvieron la idea de formar docentes para los demás niveles del sistema educativo y de discípulos locales en las especialidades desarrolladas por cada profesor. Segundo, proponían llevar a cabo la exploración científica en el territorio nacional. Y tercero, buscaban consolidar el núcleo de investigadores que en el país se abocaban al estudio de la historia natural. Pero abandonaron la pretensión de reformar la Universidad de Córdoba. El rechazo por parte de los claustrales universitarios a reconocerles el carácter de pares a los docentes extranjeros, convenció a estos últimos de la inviabilidad de aquel objetivo.[24] Como consecuencia, cambiaron la idea de formar una Facultad, por la de una Academia de Ciencias Físicas y Matemáticas, que se desenvolvería al margen de la antigua casa de altos estudios.

La nueva institución dependería orgánicamente del Ministerio de Justicia Culto e Instrucción Pública en forma directa, y la dirección interna quedaría a cargo de un presidente y un vicepresidente.[25] A la Academia de Ciencias Físicas y Matemáticas le correspondería la formación de recursos humanos y la realización de exploraciones científicas. Para lo cual contaría con el mismo cuerpo de docentes que se había propuesto para la Facultad de Ciencias Físico-Matemáticas, con sus respectivos ayudantes.[26] A su vez, la estructura de departamentos prevista para la organización interna de la institución favorecería el estudio científico de la naturaleza. Los museos de mineralogía y de zoología, el herbario y jardín botánico y el laboratorio químico facilitarían la clasificación de las colecciones obtenidas en las expediciones, a la vez que, servían para acompañar el proceso formativo de los alumnos, mediante la ejercitación práctica.

Paralelamente, se creaba una segunda entidad, la Academia Nacional de Ciencias, cuya finalidad se correspondía con el tercer objetivo planteado más arriba, el cultivo y la difusión de la historia natural del país. Al igual, que la anterior, esta institución dependería directamente del Poder Ejecutivo Nacional y sus miembros pertenecerían a las reparticiones nacionales que por sus fines se encontraban vinculadas a los propósitos perseguidos con esta creación: los docentes de la Academia de Ciencias, los miembros del Observatorio Nacional y de los Departamentos de Agronomía y Minería.[27]

Para el grupo de profesores extranjeros que permaneció en Córdoba, la tarea prioritaria era conseguir candidatos para cubrir las cátedras de matemáticas teórica y aplicada, de física y de astronomía. Como antes, la búsqueda se orientó hacia docentes universitarios alemanes, pero a la vez, se siguió una vía que hasta ese momento no se había intentado. La cooperación con el cuerpo de profesionales vinculados al Observatorio Nacional –instalado en Córdoba a comienzos de la década de 1870 por el doctor Gould y sus colaboradores– se insinuó desde el momento de aprobación del plan original de Burmeister,[28] a través del dictado de la cátedra de astronomía. Paradójicamente, no se proveyó a esa cátedra con un miembro del Observatorio, sino la de física y, además, este hecho no significó el comienzo de una labor conjunta, al contrario, fue el primero de una serie de incidentes que contribuyó a distanciar a los integrantes de una y otra entidad.[29] El conflicto que se suscitó en torno a la designación de Schulz Sellack al frente de la cátedra de física de la Academia, reconocía varias causas, la que aquí interesa destacar corresponde a la preocupación de quienes tenían que conseguir el personal calificado para desarrollar las tareas docentes o científicas. El director del Observatorio Astronómico, meses después de la desvinculación de Sellack y ante la partida del resto de sus colaboradores, que habían llegado con él desde Estados Unidos, hacía dos reflexiones importantes frente al problema de la escasez de recursos humanos en el medio local. Por un lado, destacaba que a la falta de personal idóneo se sumaba una cuestión más preocupante aún y era la de cómo retener a esas personas en sus puestos. Dado que en su totalidad la incipiente comunidad científica establecida en Córdoba se componía de extranjeros, la mayoría llegaba con la idea de regresar a su país de origen, luego de un período más o menos prolongado, pero además con la creación de otra institución con fines científicos en el mismo medio, el riesgo de perder un colaborador se acrecentaba por la posibilidad de que alguno de ellos recibiera otra oferta.[30] Por otro lado, y como un paliativo a la restricción de personal competente, Gould consideraba a Alemania como el país en condiciones de brindar los ayudantes requeridos para la labor científica, con lo cual ponía de manifiesto que ese tipo de recurso tampoco abundaba en otros sitios.[31]

Como se adelantó, entre las prioridades del grupo de docentes que reemplazó a Burmeister en la tarea de organizar las instituciones científicas locales, figuraba la de aumentar el dictado de las materias básicas de la Academia. Había que acompañar el cursado de la cátedra de química, que desde 1871 se dictaba en forma regular.[32] Con la designación del doctor Sellack al frente del Departamento de Física, se impartió un curso de física experimental. En el año 1873, el profesor Stelzner dictó la cátedra de mineralogía y hacia fines del ciclo lectivo el doctor Weyenbergh inauguró su clase de zoología.[33] En tanto el profesor Vogler, nombrado catedrático de matemáticas desde abril de 1873, comenzó a dictar su asignatura recién en 1874.[34] La novedad de ese conjunto de disciplinas atrajo a un número reducido de alumnos, que en total no superaba las nueve personas.[35]

El desarrollo de las clases prácticas correspondientes a los cursos teóricos constituyó una de las razones para la formación de los laboratorios, museos y gabinetes respectivos. También, en este aspecto el catedrático de química fue el precursor. El mismo Siewert se encargó de confeccionar los planos para adecuar las construcciones existentes a las exigencias de un laboratorio químico y de la enseñanza práctica.[36] Por su parte, el titular de mineralogía, a poco de arribar instaló el museo respectivo, sobre la base de las colecciones que adquirió en Europa, y a las que se sumarían las obtenidas en las expediciones científicas por el país.[37] En tanto los catedráticos de física y matemática elevaron sus pedidos de instrumentos, a fin de dotar sus propios gabinetes.

La organización de los museos y laboratorios respondió a las necesidades de instrucción de los estudiantes pertenecientes a los cursos regulares pero, sobre todo, a las inquietudes científicas de los titulares de las distintas asignaturas. Estas inquietudes sumadas a los deseos del gobierno por ampliar la exploración del territorio nacional, motivaron la realización de tres expediciones científicas. A la vez, este tipo de actividad cubría otra necesidad: dotar a los museos en formación. Las especies recogidas con sus respectivos duplicados, proveían recursos para el armado de las colecciones locales y, a través del intercambio con otras instituciones, para la adquisición de colecciones foráneas.

El norte y oeste del país fueron recorridos en distintas oportunidades por los científicos de la Academia. Los profesores de botánica y mineralogía, desarrollaron el primer viaje entre noviembre de 1871 y mayo de 1872,[38] con el fin de reconocer el espacio. Aun así, el material recogido permitió realizar los primeros estudios científicos sobre esa parte del territorio, previa consulta con especialistas europeos.[39] En noviembre de 1872 partieron dos nuevas expediciones. Stelzner , titular de Mineralogía acompañado por Saile Echegaray en calidad de ayudante,[40] se dirigió a Mendoza y San Juan. Los reconocimientos practicados en ambas provincias se prolongaron hasta abril de 1873 y los resultados obtenidos dieron lugar a varias publicaciones.[41] La segunda expedición estuvo a cargo del profesor Lorentz, que en esta oportunidad contó con la asistencia de Jorge Hieronymus,[42] juntos recorrieron las provincias argentinas de Catamarca, Tucumán, Salta y Jujuy, y las bolivianas de Tarija y Orán. Los estudios practicados sobre las colecciones recogidas aparecieron en diversos trabajos.[43]

A lo largo de los dos años durante los cuales los docentes provenientes de Europa tomaron a su cargo la propuesta original de Burmeister, sólo se alcanzaron algunos de los objetivos descriptos al comienzo del apartado y de manera parcial. En cuanto a la formación de recursos humanos locales, se logró aumentar el número de cátedras y se incorporó en calidad de ayudante a alguno de los pocos alumnos regulares. Sin embargo, aun se carecía de planes de estudios específicos y de continuidad en el dictado de las materias.[44] Los mayores avances se registraron en la tarea de exploración científica del territorio, pero también en este frente los resultados eran escasos. La magnitud del trabajo a realizar contrastaba con la dotación de recursos existentes y si, en buena medida, las limitaciones materiales que ofrecía el medio, fueron parcialmente salvadas por la ayuda de sus colegas alemanes, esta colaboración duró poco, como luego se verá. En relación con el tercer objetivo, consolidar el núcleo de investigadores dedicados al estudio de la historia natural, las acciones que apuntaban a esa finalidad o resultaron contraproducentes, como ocurrió con el Observatorio Astronómico, o no tuvieron efecto alguno, como sucedió con la propuesta de crear una academia nacional de ciencias, que los agrupara. Por último, el proyecto presentado al Congreso, en el cual se proponía la creación de dicha academia y la de ciencias físicas y matemáticas, nunca recibió la aprobación de las Cámaras, con lo cual las actividades de los profesores contratados se encontraban al margen de cualquier estructura orgánica.

Con todas las deficiencias señaladas en el párrafo anterior, la experiencia de los dos últimos años parecía encaminada a consolidarse. Pero una circunstancia ajena al grupo de científicos que actuaba en Córdoba modificó la situación. Hacia fines de 1873, Avellaneda abandonaba su cargo de ministro para dedicarse a la campaña presidencial y, su reemplazante Albarracín, repuso a Burmeister al frente de la iniciativa, con facultades que le otorgaban mayor injerencia sobra las actividades de los docentes de la Academia.[45] De este modo, se produjo una modificación en los lineamientos generales de las instituciones científicas en proceso de conformación y, a la vez, se sucedieron diversos conflictos entre Burmeister y los demás catedráticos.

5. BURMEISTER DIRECTOR CIENTÍFICO: 1873- 1875

El análisis del período breve en el cual Burmeister retomó el control sobre la organización de la Academia, ahora con el cargo de Director Científico, se llevó a cabo teniendo presente los objetivos que él se proponía alcanzar y el conflicto que mantuvo con el resto del personal científico y que se originó en las atribuciones que le confería aquel cargo.[46]

Los fines perseguidos por Burmeister con su renovada propuesta eran similares a los expuestos en su plan original: 1) formar recursos humanos locales para los distintos niveles del sistema educativo; 2) explorar el territorio nacional, y 3) reformar la Universidad de Córdoba. Sin embargo, en esta ocasión su accionar giró en torno de los resultados de las expediciones científicas. La pretensión de reformar la casa de estudios superiores fue mínima, ya no se proponía la creación de una facultad y el vínculo entre los miembros de la Academia y la Universidad se restringió al control por parte del Rector de ésta, sobre las horas de clases dictadas por aquellos.[47] A su vez, las características que Burmeister le confirió a su novel Academia de Ciencias Exactas[48], le quitó entidad a la propuesta de crear, paralelamente, una academia nacional de ciencias, tal como se la definió en el apartado anterior.[49]

En esta etapa Burmeister concentró sus esfuerzos en controlar los resultados de la exploración del territorio. Para tener injerencia directa sobre las colecciones de botánica, mineralogía y zoología, propuso la creación de un Museo Nacional Argentino, que estaría a su cargo.[50] En tanto, para acceder a los resultados de los estudios practicados sobre las mismas colecciones, impuso la obligación de dar a conocer los informes respectivos a través de dos publicaciones propias, el Boletín y las Actas. Asimismo, se reservó para sí la redacción general de ambas, atribución que le permitía modificar aquello que no fuera de su agrado.[51]

Las discrepancias respecto de las atribuciones en cuestión, desencadenaron el conflicto entre Burmeister y los demás profesores, aunque todo indicaría que los problemas se arrastraban desde tiempo atrás y que la sanción del reglamento los potenció. Sin entrar en detalles, sólo se quiere destacar que hacia el interior de la comunidad científica el debate se desarrolló en torno a quién decidía y a quién pertenecían los resultados del trabajo de investigación.[52] También estaba en discusión cómo se debía aprovechar el patrimonio científico autóctono y el modo en que se formarían los recursos humanos locales.[53] El desenlace trajo aparejada una serie de consecuencias negativas. La más perjudicial se derivó de la pérdida del personal docente. Esta circunstancia demostraba la intransigencia de los involucrados. Frente a la constante insubordinación de sus supuestos dirigidos, Burmeister recurrió a la cesantía como instrumento aleccionador.[54] De esa manera se llegó a la paralización casi completa de las actividades del instituto; sólo continuaron los cursos de Botánica y Química a cargo de sus respectivos ayudantes.[55] También se perdió el apoyo de los catedráticos de las universidades alemanas. Cuando Burmeister intentó valerse de sus antiguos colegas para conseguir candidatos para los puestos vacantes recibió escasa o nula respuesta a sus pedidos.[56] Como se dijo en otra parte de este escrito, conseguir el tipo de personal calificado requerido había sido una tarea difícil; luego de los últimos acontecimientos, lo fue aún más. Asimismo, se afectó la producción científica en cierne, al diluirse el trabajo mancomunado con los científicos del viejo continente, en las tareas de clasificación y estudio de las nuevas especies, que hasta ese momento había resultado de utilidad.

El intento de Burmeister por establecer un mayor control sobre los resultados que arrojaba la labor científica de los miembros de la Academia (exploraciones, clasificación y análisis de materiales e informes) se lo relacionó a diversos factores. La información recogida permitiría suponer que Burmeister habría cambiado sus planes originales y, que en su segunda gestión, se inclinó por una institución con objetivos propios de un museo.[57] Tal suposición estaría avalada por el mismo reglamento aprobado por el Ministerio, que preveía la organización de una entidad de ese tipo.[58] En otro sentido, el comportamiento de Burmeister demostraba un celo profundo por salvaguardar el patrimonio científico, constituido por las colecciones recogidas en el territorio nacional y que para él se veía amenazado por el envío de muestras al exterior, para su clasificación o para canjear por otras especies. Este sentimiento estuvo presente en otros directores de museos de historia natural de la periferia a fines del siglo XIX.[59]

Los resultados más destacados de este período correspondieron a la publicación de los primeros tomos de dos series que continuarían después de la gestión de Burmeister.[60] No definió una línea editorial específica, pero se puede sostener que el objetivo perseguido con ambas apuntaba a poner al alcance del público ilustrado local un conjunto de información científica sobre la riqueza natural del país. A través de sus observaciones respecto de las características de los escritos y de la exigencia de que se redactaran en español, Burmeister definía los criterios que debían regir las ediciones de una institución nacional.[61] Sin embargo, en esto volvió a mostrarse ambiguo, ya que sus propias contribuciones se imprimieron en francés, al igual que en el resto de su obra escrita, en la que empleó ese idioma o el alemán.

En mayo de 1875, Burmeister renunció al cargo de Director Científico, para dedicarse al Museo Público de Buenos Aires y a la redacción de sus trabajos científicos. En tanto, la Academia quedaba al borde de su disolución.

6. LA ORGANIZACIÓN DE LA ACADEMIA NACIONAL DE CIENCIAS Y LA FACULTAD DE CIENCIAS FÍSICO-MATEMÁTICAS: 1875-1879

En 1875, el futuro de la Academia Nacional de Ciencias Exactas y el de su personal era incierto. El año lectivo precedente se había perdido. Los catedráticos recién contratados, apenas asumieron sus cargos se enteraron de que el director había renunciado. A su vez, en el Congreso Nacional se fortalecía la idea de que era inviable insistir con establecer un instituto del tipo, idea que se robustecía por la necesidad de reducir partidas del presupuesto nacional, como consecuencia del impacto que la crisis de 1873 acarreaba sobre los ingresos públicos.

Sin embargo, la posibilidad de dar un nuevo impulso a la institución surgió de las coincidencias alcanzadas entre sus docentes y el Rector de la Universidad de Córdoba, doctor Lucero. Los contactos se iniciaron con una serie de informes que los profesores de química, Adolfo Doering, y botánica, Jorge Hieronymus, en especial este último, elevaron al doctor Lucero sobre la situación de sus respectivas cátedras y del Instituto en general.[62] Los puntos principales del acuerdo establecían que la Academia se incorporaba como Facultad de Ciencias Físico-Matemáticas a la Universidad y que los docentes se integraban en igualdad de derechos que los demás miembros del claustro. Por su parte, el Rector ponía al servicio de tales objetivos su influencia ante el Ministerio y el Consejo Superior de la Universidad, y los docentes se comprometían a elaborar los reglamentos y planes de estudios respectivos.[63]

Alcanzados los objetivos básicos,[64] se acordó un conjunto de medidas a corto y mediano plazo. Las más inmediatas apuntaban a enviar al medio signos de vida. Para lo cual se propuso la realización de un ciclo de conferencias populares a cargo de los profesores, la elaboración de un plan de estudios provisorio que se enviaría a los colegios nacionales, con el fin de atraer al estudiantado, y la publicación del segundo tomo del Boletín.[65] Igualmente prioritario resultaba completar el cuerpo de profesores. En un primer momento, Hieronymus propuso al Rector recuperar los docentes que Burmeister había despedido y que aún permanecían en el país, como eran los casos de Lorentz, Siewert y Weyenbergh.[66] Posteriormente, se repuso sólo a Weyenbergh al frente del aula de zoología y se nombró a Francisco Latzina a cargo de matemática aplicada.[67] Por último Oscar Doering, que en principio se haría cargo de matemática teórica, asumió el dictado de física.[68] Si bien con esas designaciones se garantizaba el dictado de las materias principales, el plantel reunido era escaso para cumplir con las exigencias de un instituto de enseñanza superior.

A mediano plazo, el accionar del Rector y de los docentes, se encaminó a dar la organización definitiva de la Facultad, por medio de un reglamento y un plan de estudios, que definieran fines y objetivos. En forma paralela, se avanzaba en la creación de una segunda institución que desarrollaría las tareas ajenas a la Facultad. La Academia Nacional de Ciencias obraría como un consejo consultivo del gobierno, en los temas referidos a las ciencias naturales, y tendría a su cargo la exploración del territorio, la difusión de los resultados de esos estudios y el intercambio de información con otras entidades científicas.[69] La Facultad se dedicaría a la formación de recursos humanos, para los distintos niveles del sistema educativo y en otras áreas críticas.[70] Asimismo, los titulares de las cátedras retenían la dirección de los museos, laboratorios y gabinetes respectivos, afectados a la realización de ejercitación práctica de los alumnos.[71]

Así se avanzó hacia la constitución de dos instituciones diferentes en sus objetivos y finalidades, y en su dependencia orgánica: la Facultad lo era de la Universidad de Córdoba y la Academia Nacional de Ciencias del Ministerio de Justicia, Culto e Instrucción Pública. Pero aún se mantenían unidas en varios planos. Los miembros de la Comisión Directiva de la Academia tenían que ser catedráticos de la Facultad.[72] Tampoco se establecieron presupuestos independientes, aunque cada una tuvo fondos propios.[73] Pero además, existía complementariedad en las tareas, los materiales recogidos en las exploraciones se estudiaban en los laboratorios y museos y éstos se nutrían de esas colecciones.

Finalmente, las propuestas elaboradas por los docentes bajo la coordinación del rector Lucero fueron aprobadas por el Poder Ejecutivo, entre 1876 y 1878, con lo cual se sancionó la organización de las dos instituciones que a lo largo de diez años fueron definidas en varias oportunidades.

Al margen de la tarea organizativa, los resultados alcanzados en el período fueron escasos. La sanción de un plan de estudios era un avance importante, más aún si se tiene en cuenta que contemplaba la formación de doctores en ciencias naturales y que entre los requisitos exigidos para optar al grado máximo figuraba la elaboración de un escrito original (tesis). Esto suponía entrenamiento en investigación de los discípulos locales. Sin embargo, las posibilidades futuras se encontraban limitadas por el número y la composición del cuerpo docente. Además de ser pocos, los profesores reunidos no contaban con los mismos antecedentes que los que arribaron en primera instancia. En su mayoría, se trataba de ayudantes que pasaron a desempeñarse como docentes, circunstancia que alertaba sobre la posibilidad de llevar a

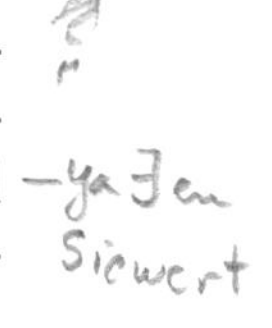

cabo el trabajo de investigación. También resultó afectada la exploración del territorio. Durante el período se realizaron sólo dos expediciones a cargo de los profesores de zoología y de mineralogía, que resultaron de menor envergadura que las realizadas en etapas anteriores.[74]

7. CONCLUSIONES

En el marco del modelo de difusión de la ciencia, en el cual el científico trasplantado fue el componente principal, el papel ambiguo que cumplió Burmeister en la constitución de la Facultad de Ciencias Físico-Matemáticas y la Academia Nacional de Ciencias, permitió avanzar sobre algunos aspectos poco tratados del proceso de trasplante.

De acuerdo con el grado de avance alcanzado sobre las diferentes propuestas revisadas en los apartados precedentes, éstas contemplaban un problema central en la transferencia de la práctica científica hacia los nuevos espacios. No sólo contemplaban la realización de estudios en campos específicos del saber sino, también, la formación de recursos humanos locales en las disciplinas respectivas. La tendencia a escoger un ayudante de cátedra o un colaborador para una expedición científica entre los alumnos, fue el fenómeno relevado que más se aproximó a aquel objetivo.

Sin embargo, la constatación de tal restricción, se interpretó como el resultado de cierta desproporción entre fines perseguidos y medios disponibles. Para el período estudiado, el recurso más escaso fue el humano. En primer lugar, las dotaciones de profesores propuestas eran las indispensables y, en cierta medida, no alcanzaban para cubrir las exigencias de la docencia y la investigación. En segundo lugar, aun cuando el número de personal era pequeño resultaba difícil reunirlo. Si bien no se dispuso de datos que lo corroboraran, al parecer a fines del siglo XIX no había exceso de científicos y, de éstos, eran muy pocos los dispuestos a emprender la aventura de trasladarse a un país carente de instituciones que los albergaran. Y en tercer lugar, esta situación empeoró como consecuencia de los conflictos, que se suscitaron en plena organización de aquellas.[75]

Otro fenómeno asociado pero de distinto origen, repercutió sobre el problema de la escasez de recursos humanos, la deserción de alguno de los pocos individuos que aceptaron el desafío de emigrar. Las probabilidades de que eso ocurriera, dependieron de dos situaciones bien diferentes. Una fue el resultado del aumento de institutos que en el país se dedicaban a la producción o difusión del conocimiento.[76] La otra era propia de la etapa en la cual esas instituciones carecían de prestigio académico. Para los catedráticos mantener el contacto y el reconocimiento de sus pares europeos era crucial, por ello debían trabajar sobre los problemas y campos de estudio, definidos por los científicos de aquel continente.[77] En este sentido, Burmeister intuyó con claridad el motivo de quienes querían mantener un contacto estrecho con los docentes de las universidades europeas, mantenerse en la carrera. Si la investigación en el territorio argentino producía una contribución importante en la disciplina, crecían las chances de conseguir un puesto en Europa.[78] Paradójicamente, en la medida en que eso ocurriera, más difícil se haría retener el escaso personal científico existente.

La temprana aparición de publicaciones propias constituyó una de las aportaciones más auspiciosas del período analizado. La difusión de los resultados obtenidos por los miembros de los institutos locales, en el idioma del país, contribuiría, significativamente, a implantar la ciencia moderna y a consolidar una tradición científica en el país.

NOTAS

1. Las ideas principales respecto a la difusión y expansión de la ciencia se tomaron de George Basalla. George Basalla "The spread of western science", en *Science,* 156, 1967, págs. 611-621.

2. Los casos paradigmáticos fueron los de Gould, respecto al Observatorio Astronómico y la Oficina Meteorológica, y de Burmeister, respecto al Museo Público de Buenos Aires.

3. Miguel de Asúa "El apoyo oficial a la 'Description Phisique de la Republique Argentine' de H. Burmeister", en Separata de la Revista *Quipu,* V. 6 N° 3, 1989, pág. 340.

4. Para esa fecha se habían contratado los siguientes profesores: Siewert a cargo de química, Lorentz de botánica, Stelzner de mineralogía y Weyenbergh de zoología, los tres primeros provenientes de Alemania como Burmeister y el cuarto de Holanda.

5. Docentes como Oscar Doering, Ludovico Brakebusch y Francisco Latzina fueron contratados para cubrir los cargos que quedaron vacantes, luego de que Burmeister solicitara el despido del primer conjunto de catedráticos.

6. Max Birabén, *Germán Burmeister. Su vida. Su obra*. Buenos Aires, Ediciones Culturales Argentinas, 1961, pág. 11.

7. Acerca de la producción escrita de Burmeister confrontar con Max Birabén, *op. cit.*, págs. 73-95.

8. En cuanto a la obra *La descripción Física de la República Argentina*, ver Miguel de Asúa, *op. cit.*, págs. 339-353.

9. En su escrito Burmeister señalaba la necesidad de reformar el establecimiento universitario para colocarlo sobre bases que estén más en relación con las necesidades modernas y a la altura de su título de Universidad, en *Boletín,* Academia Nacional de Ciencias, t. 1, 1874, pág. 11.

10. Telasco Garcia Castellanos "Evolución de la enseñanza de las ciencias Exactas y Naturales en la Universidad de Córdoba desde su fundación hasta Sarmiento", en *Miscelánea*, Academia Nacional de Ciencias Nº 42, 1963, págs. 18-19.

11. Según Turner el conjunto de reformas ocurridas en las universidades prusianas en la primera mitad del siglo XIX modificó el sistema de valores que regía la carrera del docente, dando preferencia a la producción científica original. Steven Turner "The growth of Proffesorial Research in Prussia, 1818 to 1848, causes and context", en *Historical studies in the physical science,* v. 3, 1971, págs. 137-181.

12. Confrontar *Boletín.* Academia Nacional de Ciencias, t. 1 (1874) págs. 8-9.

13. Confrontar A.C.H.F.C.E.F.N. Serie Madre F° 5vto. y 15 y *Boletín*, Academia Nacional de Ciencias, t. 1, 1874, pág. 504.

14. Se trata de la ley 322 del 11 de setiembre de 1869.

15. En total se propuso la contratación de siete profesores alemanes que se harían cargo de dos cátedras de matemáticas y una de las siguientes: química, física, botánica, zoología y mineralogía. La octava de astronomía sería ocupada por alguno de los miembros del Observatorio Nacional, *Boletín,* Academia Nacional de Ciencias, t. 1, 1874, págs. 11 y 12.

16. A.G.U.N.C. Actas de Sesiones del Consejo Superior 1858-1870. Acta N° 14.

17. Decreto del 16 de marzo de 1870.

18. Las primeras quejas se debieron a las diferencias salariales existentes entre los miembros de la Facultad de Derecho y los pertenecientes a la de Ciencias Físico-Matemáticas. Confrontar A.G.U.N.C. Actas de Sesiones del Consejo Superior, 1871-1876, Actas N° 10 y 14 de 1872.

19. A los mencionados en la nota 21 se sumaron Stelzner para mineralogía y Weyenbergh para zoología. Este último era holandés pero sus estudios de doctorado los realizó en Göttigen, donde tuvo noticias del ofrecimiento de Burmeister. La bibliografía siguiente ofrece mayores datos sobre los profesores. Telasco García Castellanos "Alfredo Guillermo Stelzner (1845-1895)", en *Boletín*, Academia Nacional de Ciencias, t. 50, 1973, pág. 5; Alberto Marsal "La química en Córdoba en el Siglo XIX, A) Químicos de la Academia Nacional de Ciencias: 1) Max Hermann Siewert", en *Boletín*, Academia Nacional de Ciencias, t. 48, 1970, pág. 371, Abraham Willink, "Vida y obra de Hendrick Weyenbergh", en *Boletín*, Academia Nacional de Ciencias, t. 49, 1972, págs. 51-62 , Federico Vervoost "Lorentz y Hieronymus primeros botánicos científicos de la Academia Nacional de Ciencias", en *Boletín*, Academia Nacional de Ciencias, t. 49, 1972, págs. 63-70, Cristobal Hicken *Evolución de las ciencias en la República Argentina. VII. Los Estudios Botánicos*, Buenos Aires, Sociedad Científica Argentina, 1923, págs. 112-113.

20. Germán Burmeister "Reseña histórica sobre la fundación y progresos de la Academia de Ciencias Exactas en Córdoba", en *Boletín*, Academia Nacional de Ciencias, t. 1, 1874, págs. 2- 3.

21. Se trataba de la Cátedra de Química a cargo del Dr. Siewert, quien desde marzo de 1871 dictaba regularmente esa asignatura. Cfr A.C.H.F.C.E.F.N. Serie Copiadores. Nota N° 40 f° 14vto, t. 1, 1874-1878.

22. Germán Burmeister, *op. cit.*, pág. 5.

23. A fines de 1871 los profesores Siewert, Stelzner y Lorentz elevaron una nota

al ministro de Justicia, Culto e Instrucción Pública, en la cual se manifestaban dispuestos a continuar las gestiones en Alemania para contratar los docentes para las cátedras vacantes. Cfr. *Memoria del Ministerio de Justicia, Culto e Instrucción Pública, 1871*, Buenos Aires, la Tribuna, 1871, págs. 383-390.

24. Cfr. *Memoria del Ministro de Justicia, Culto e Instrucción Pública 1882*, Buenos Aires, s/e. y s/f., pág. 340.

25. El cargo de vicepresidente correspondería al más antiguo de los catedráticos. Cfr. *Memoria del Ministerio de Justicia, Culto e Instrucción Pública, 1872*, Buenos Aires, La Tribuna, 1873, pág. 117.

26. Cf. *Idem* ant. pág. 118.

27. Cf. *Idem* ant. págs. 118-119.

28. En la nota por la cual el ministro Avellaneda transmitía a Burmeister su designación como promotor de la Facultad de Ciencias Físico-Matemáticas, se indicaba que la cátedra de astronomía estaría a cargo de una de las personas que dirigiría el Observatorio Astronómico, *Boletín*, Academia Nacional de Ciencias, t. 1, 1874, pág. 12.

29. En cuanto a los antecedentes de Schulz Sellack, estudió en la Universidad de Berlín donde alcanzó el grado de Doctor en Física y a la que luego se incorporó como Privatdozent. Cfr. con A.H.S. Correspondencia de Gould con Sarmiento, Carpeta 11, nº 1519 y 1520, *Boletín*, Academia Nacional de Ciencias, t. 3, 1879, págs. 264-265. Benjamín Gould *Córdoba Photographs*, Massachusetts, Nichols Press, 1897, págs. 3-5.

30. Cfr. A.M.H.S. Correspondencia de Gould con Sarmiento, Carpeta 11, Nº 1520.

31. Cfr. A.M.H.S. Correspondencia de Gould con Sarmiento, Carpeta 11, Nº 1520.

32. Cfr. A.C.H.F.C.E.F. y N. Serie Copiadores nota Nº 40, fº 14 vto. , t. 1 1874-78.

33. Cf. con *Anales Científicos Argentinos*, año I Nº 3, 1874, A.G.U.N.C., Libro Nº 17, Documento 173 y 175 y A.C.H.F.C.E.F. y N. Serie Copiadores, Nota Nº 40, fº 14 vto. , t. 1, 1874-78.

34. El doctor Cristiano Vogler fue designado a solicitud de los profesores Siewert, Stelzner y Lorentz, antes de su nombramiento se había desempeñado en la Academia Politécnica de Munich, a cargo de Geodesia e Hidrotecnia, *Boletín* Academia Nacional de Ciencias, t. 1, 1874, pág. 18.

35. Cfr. A.G.U.N.C., Libro 17, Documentos 173 y 175.

36. Desde 1872 se dictaron en forma paralela a las clases teóricas las prácticas en el laboratorio. Cfr. A.C.H.F.C.E.F. y N. Serie Copiadores Nota 40 , fº 14 vto. Tº 1, 1874-78 y A.G.U.N.C., Libro 16, Documento 145.

37. Cf. con, Luis Brackebusch "Informe sobre el Museo Mineralógico de la Universidad Nacional , 1875-1878", en *Boletín,* Academia Nacional de Ciencias, t. 3, 1879, págs. 135-138 y Gay, Hebe "Museo de Mineralogía y Geología doctor Alfredo Stelzner. Datos Históricos", en *Comunicaciones* Nueva Serie, Nº 1 (1996).

38. Informes presentados al Ministro de Justicia, Culto e Instrucción Pública, doctor Nicolás Avellaneda, en *Memorias del Ministro de Justicia, Culto e Instrucción Pública, 1872*, Buenos Aires, La Tribuna, 1873, págs. 571-591.

39. Tanto Lorentz como Stelzner consideraban indispensable consultar a los profesores de aquel continente para llevar acabo la clasificación del material. Los duplicados de dichas colecciones se remitieron a Alemania. *Idem* ant. págs. 576 y 588.

40. Saile Echegaray fue uno de los primeros alumnos inscriptos en las materias de la Academia. En 1878, alcanzó el grado de doctor en Ciencias Naturales con una tesis sobre química.

41. Alfredo Stelzner "Contribuciones a la Geología de la República Argentina", en *Actas de la Academia Nacional de Ciencias*, t. 8, (1923), págs. 1-227; "Comunicaciones sobre geología y mineralogía de la República Argentina", en *Actas de la Academia Nacional de Ciencias Exactas*, t. 1, 1875, págs. 1-12, "Comunicaciones al profesor H. B. Geiniitz", en *Boletín*, Academia Nacional de Ciencias, t. 45, 1966, págs.115-121. Para quienes estén interesados en obtener mayor información sobre la obra y labor de Stelzner en Argentina ver Telasco Garcia Castellanos, "Alfredo Guillermo Stelzner, 1840-1895", en *Boletín*, Academia Nacional de Ciencias, t. 50, 1973, págs. 5-26.

42. Hieronymus arribó al país a fines de 1872 procedente de Alemania, con veintiséis años de edad. Al aceptar el cargo de Ayudante de la cátedra de botánica en Córdoba abandonó sus estudios de doctorado en la Universidad de Halle, Federico Vervoorst, *op. cit.*, págs. 63-70.

43. El material remitido al Profesor Grisebach de la Universidad de Gottingen fue descripto en "Symbolae ad floram argentinae". Jorge Hieronymus "Observaciones sobre la vegetación de la Provincia de Tucumán", en *Boletín*, Academia Nacional de Ciencias, t. 1, 1874, págs.183-232 y Pablo Lorentz "Informe científico sobre el resultado de los viajes y excursiones botánicos", en *Boletín*, Academia Nacional de Ciencias, t. 2, 1878, págs. 92-166.

44. Esta falencia era evidente en el caso de la cátedra de botánica, cuyo titular Lorentz dictó su primera lección en 1874, después de más de tres años de haber arribado a Córdoba. Cf. Pablo Lorentz "Informe presentado al Ministro de Justicia, Culto e Instrucción Pública, Dr. Nicolás Avellaneda", en *Memoria del Ministro 1872*, Buenos Aires, *La Tribuna*, 1873, págs. 579-581.

45. Por decreto del 15 de noviembre de 1873 se designaba a Burmeister, pero esta vez en carácter de Director Científico, con lo cual se le confirió autoridad completa sobre el resto del personal docente. Entre sus atribuciones figuraban: confeccionar los reglamentos y programas de estudios; controlar las publicaciones de informes, memorias y otros trabajos científicos; coordinar las expediciones científicas y manejar el presupuesto de gastos, *Boletín*, Academia Nacional de Ciencias, t. 1, 1874, págs. 19 y 20.

46. De las atribuciones mencionadas en la nota anterior, la que trajo como consecuencia el conflicto con los demás docentes fue la referida a la confección de los reglamentos. Se puede decir que Burmeister no dejó pasar el tiempo para ejercer esa facultad. A sólo veinticinco días de su nombramiento hizo aprobar el reglamento respectivo. Es importante destacar que en esa fecha los docentes se encontraban de vacaciones o en expediciones científicas y que el Congreso Nacional –que debía legislar sobre la institución– se encontraba en receso.

47. "Reglamento para la dirección científica y el personal docente de la Acade-

mia Nacional de Ciencias Exactas existente en la Universidad de Córdoba", artículo 6°, en *Boletín*, Academia Nacional de Ciencias, t. 1, 1874, pág.23.

48. Con la designación de Burmeister se impuso una denominación nueva que, posteriormente, contribuyó a incrementar la confusión respecto de las instituciones del período.

49. La misma Academia Nacional de Ciencias Exactas reuniría a los investigadores del país en calidad de miembros corresponsales, a propuesta del Director. Cf. *Boletín*, Academia Nacional de Ciencias, t. 1, 1874, págs. 78 y 79.

50. "Reglamento...." artículos 21 y 22, *idem* ant.

51. Cf. *Acta de la Academia Nacional de Ciencias Exactas*, t. 1, 1875, págs. 1-12.

52. La postura de los docentes enfrentados a Burmeister fue expuesta por el doctor Wappaus, profesor de la Universidad de Gottingen, en una carta a Sarmiento, con la cual pretendió interceder a favor de aquellos. El asunto en cuestión no era trivial, para la época y sobre todo en Alemania, la carrera académica dependía cada vez más de los aportes de investigaciones originales. Al lector interesado en la situación del docente universitario en Prusia durante el siglo XIX se remite a Steven Turner, *op. cit.*, y A.M.H.S. Carpeta 41, N° 4.632.

53. Cfr. A.G.U.N.C., Libro 18, documento 3.

54. Entre febrero y junio de 1874 solicitó el despido de Sellack (catedrático de física), Lorentz (de botánica), Siewert (de química), Weyenbergh (de zoología) y Vogler (de matemática), en tanto Stelzner de Mineralogía renunció, *Boletín*, Academia Nacional de Ciencias, t. 1, 1874, págs. 28, 35, 503-505.

55. Burmeister promovió al ayudante del doctor Lorentz, Jorge Hieronymus al cargo de titular y a Adolfo Doering le encargó el dictado provisorio de la cátedra de Química. Doering había arribado a Córdoba como ayudante del laboratorio de Química pero diferencias con el titular lo alejaron del puesto, cf. A.C.H.F.C.E.F. y N., t. 1, f° 11 y 22, 1874-1877.

56. Cf. A.C.H.F.C.E.F.y N. t. 1, f° 23, 1874- 1877.

57. En una nota remitida por Hieronymus al Rector de la Universidad de Córdoba, en la cual intentaba responder al interrogante sobre quienes eran los responsables de la falta de alumnos en el Instituto, señalaba como el principal a Burmeister, quien no había redactado los planes de estudios respectivos, ni los reglamentos de exámenes y que, además, despidió al personal docente, en pleno año lectivo. Para el autor del escrito, Burmeister actuó de ese modo cumpliendo con lo que le había manifestado que le gustaría trasformar la Academia en un museo, cf. A.G.UN.C. Serie Documentos Libro 18, Documento 70.

58. "Reglamento...." art. 22. *Boletín*, Academia Nacional de Ciencias, t. 1, 1874, pág. 25.

59. Susan Sheets-Pyenson "Cathedrals of science. The development of colonial natural history museums during the late nineteenth century", en *History of Science*, XXV, 1986, págs. 290-291.

60. Hasta su alejamiento publicó el Boletín, t. 1 de 1874, en cuatro entregas, y el primer tomo de Actas de la Academia Nacional de Ciencias Exactas de 1875.

61. Cfr. A.C.H.F.C.E.F. y N. Serie Madre, t. 1, f° 11 y 22, 1874-1877.

62. Los informes en cuestión se realizaron antes de la renuncia de Burmeister. Cf. A.G.U.N.C. Serie Documentos, Libro 18, documentos 138 y 139.

63. Cf. A.G.U.N.C. Actas de Sesiones del Consejo Superior nº 14, 15, 16, 17 y 18 de 1875 y *Boletín*, Academia Nacional de Ciencias, t. 3, 1879, págs. 29-33.

64. A.G.U.N.C. Astas de Sesiones del Consejo Superior Nº 21 de 1875.

65. A.C.H.F.C.E.F. y N. Serie Madre, t. 1, fº 89, 1874-1877.

66. A.G.U.N.C. Serie Documentos, Libro 18, documento 139.

67. Francisco Latzina habría ejercido como profesor en el Colegio Nacional de Catamarca y, luego, colaboró en el Observatorio Astronómico, antes de asumir su cargo en la Facultad. No se puede saber cuáles fueron sus estudios previos. Cf. A.C.H.F.C.E.F. y Serie Madre, t. 1, fº 97, 1874- 1877.

68. El mismo Doering se propuso para ocupar ese puesto y para demostrar su idoneidad mencionó que durante tres años recibió lecciones y participó de los trabajos científicos en el seminario del doctor Weber, destacado físico y fisiólogo de fines del siglo XIX. Cf. A.C.H.F.C.E.F. y N. Serie madre, t. fº 42 y 109, 1874- 1877.

69. Ver "Reglamento de la Academia Nacional de Ciencias", art. 1º, *Boletín*, Academia Nacional de Ciencias, t. 3, 1879.

70. Las carreras que sancionaba el plan de estudios eran las siguientes: profesores para los Colegios Nacionales y Escuelas Normales y profesores para la Enseñanza Superior; Estudios preparatorios para la carrera de medicina, farmacia, agrimensura e ingeniería. Ver "Plan de Estudios para la Facultad de Ciencias Físico-matemáticas", art. 1º, ver Nicolás Besio Moreno, *op. cit.*, pág. 157.

71. "Reglamento de la Facultad....", artículo 1º, *idem* ant.

72. Además, se establecía que parte de la remuneración de los profesores era una compensación por sus tareas en la Academia, con lo cual se intentaba salvar las críticas de quienes consideraban demasiado elevados los salarios de aquellos. Cf. "Reglamento Academia Nacional de Ciencias", *Boletín, t.* 3, (1879) pág. 5 y A.C.H.F. C.E.F y N., Serie Madre, t. 1, fº 324, 1874-1877.

73. Los recursos de la Academia ingresaban en el presupuesto de la Universidad. "Reglamento Academia...", artículo 29, *Boletín*, t. 3, 1879.

74. El cuerpo de profesores contaba con seis miembros de los cuales sólo dos, Weyenbergh y Brackebusch, habían alcanzado el grado de doctor.

75. Esas consecuencias negativas fueron advertidas en la carta que el doctor Wappaus remitió a Sarmiento para pedirle su mediación en el conflicto. Cf. A.M.H.S. Carpeta 41, Nº 4.632.

76. Además del caso de Sellack en el Observatorio, relatado en un apartado anterior, la trayectoria de Latzina sirve para ilustrar el problema. En 1873, se incorporó al Colegio Nacional de Catamarca, como profesor de matemáticas, al año, pasó a desempeñarse como astrónomo asistente en el Observatorio de Córdoba, luego, se hizo cargo de matemática aplicada en la Facultad de Ciencias Físico-Matemáticas y , en 1880, se trasladó a Buenos Aires para asumir en la Dirección General de Estadística. Cf. *Boletín*, t. 26, 1921, págs. V-VIII.

77. Basalla identifica este comportamiento como propio de los "científicos coloniales", George Basalla, *op. cit.*, pág. 614.

78. Pyenson identificó un comportamiento similar en los profesores alemanes de

ciencias exactas que trabajaron en la periferia a comienzos del siglo XX. Lewis Pyenson, "Cultural Imperialism and Exact Sciences: German Expansion Overseas 1900-1930", en *History of Science*, XX, 1982, pág. 31.

ABREVIATURAS EMPLEADAS

A.G.U.N.C Archivo General de la Universidad Nacional de Córdoba.
A.A.N.C. Archivo de la Academia Nacional de Ciencias.
A.C.H.F.C.E.F y N. Archivo Central e Histórico de la Facultad de Ciencias Exactas Físicas y Naturales.
A.M.H.S. Archivo Museo Histórico Sarmiento.

Impreso en junio de 2000 en Talleres Gráficos Leograf, SRL
Rucci 408, Valentín Alsina, Argentina